Der Himme

Das Buch

Erik Winter ist gerade aus dem Vaterschaftsurlaub an seinen Schreibtisch bei der Göteborger Kriminalpolizei zurückgekehrt, da wird ihm ein seltsamer Fall übertragen: Mehrere junge Männer wurden nachts überfallen und mit einem schweren Gegenstand niedergeschlagen. Keiner hat den Angreifer gesehen, kein Opfer kennt das andere.
Und dann beginnt auch noch ein unheimlicher »Onkel«, kleine Kinder vorübergehend aus dem Kindergarten zu entführen und ihnen ihr Spielzeug wegzunehmen. Je weiter sich Erik Winter in den Fall vertieft, umso mehr Indizien findet er dafür, dass diese beiden Fälle miteinander in Verbindung stehen. Als zuletzt auch noch seine kleine Tochter in höchste Gefahr gerät, hilft dem Kommissar nur noch sein psychologischer Spürsinn weiter – und der führt ihn in die schwärzesten Abgründe der Menschenseele ...

Der Autor

Åke Edwardson, geboren 1953, lebt mit seiner Frau und zwei Töchtern in Göteborg. Bevor er sich dem Schreiben von Romanen widmete, arbeitete er als erfolgreicher Journalist, u.a. im Nahen Osten, schrieb Sachbücher und unterrichtete an der Universität in Göteborg Creative Writing. Seine Kriminalromane mit Eric Winter in der Hauptrolle wurden mit zahlreichen Preisen ausgezeichnet.

In unserem Hause sind von Åke Edwardson bereits erschienen:

Tanz mit dem Engel
Die Schattenfrau
Das vertauschte Gesicht
In alle Ewigkeit
Allem, was gestorben war
Der letzte Abend der Saison

Åke Edwardson

Der Himmel auf Erden

Roman

Aus dem Schwedischen
von Angelika Kutsch

List Taschenbuch

Besuchen Sie uns im Internet:
www.list-taschenbuch.de

Umwelthinweis:
Dieses Buch wurde auf chlor- und säurefreiem Papier gedruckt.

List Verlag
List ist ein Verlag der Ullstein Buchverlage GmbH.
1. Auflage April 2004

Titel der schwedischen Originalausgabe: *Himlen är en plats på jorden*
(Norstedts Förlag, Stockholm)
Übersetzung: Angelika Kutsch
Umschlagkonzept: HildenDesign, München – Stefan Hilden
Umschlaggestaltung: Hauptmann und Kampa Werbeagentur, München – Zürich, unter Verwendung einer Vorlage von Büro Jorge Schmidt, München
Titelabbildung: Gemäldeausschnitt eines Kinderbildnisses (1846/47) von Andreas Müller, © AKG Berlin
Druck und Bindearbeiten: Ebner & Spiegel, Ulm
Printed in Germany
ISBN 3-548-60413-7

Für Anita und Kaj Hörberg

1

Eins der Kinder sprang vom Klettergerüst in die Sandkiste, und er lachte auf, plötzlich und kurz. Es sah so lustig aus. Er hätte auch so springen mögen, doch dann hätte er aus dem Auto steigen, um den Zaun herum durch die Pforte zum Klettergerüst gehen müssen, das rot und gelb war.

Sein Autoradio lief, aber er hörte nicht hin. Ein Regentropfen fiel auf die Scheibe und noch einer. Er schaute auf, der Himmel war jetzt dunkler als vorher. Er blickte wieder zum Spielplatz und den Bäumen dahinter. Die Äste hatten kein Laub mehr, die Bäume waren nackt. Was man im Sommer nicht sehen konnte, war jetzt sichtbar. Die Stadt war nackt. Das hatte er gedacht, als er über nasse Straßen hierher gefahren war. Diese Stadt war wieder nackt. Das gefiel ihm nicht. Es wurde fast noch schlimmer als vorher.

Jetzt sprang wieder ein Kind. Das Kind lachte, als es im Sand landete, er konnte es hören, obwohl sein Radio lief. Er hörte nicht hin. Er lauschte dem Lachen des Kindes. Jetzt lachte er selber. Er war nicht froh, aber er lachte, weil das Lachen des Kindes schön klang und weil es schön war, ein Kind zu sein und zu springen und wieder aufzustehen und wieder zu springen.

Es hörte auf zu regnen, bevor es richtig angefangen hatte. Er drehte die Autoscheibe ein wenig herunter. Draußen roch es nach Spätherbst. Nichts anderes roch so. Auf der Erde lag schwarz gewordenes Laub. Leute gingen im Park spazieren.

Manche schoben Kinderwagen vor sich her. Einige standen auf dem Spielplatz, auch ein paar Erwachsene, viele Kinder liefen dort herum, sie lachten.

Er hatte auch gelacht, damals, als er noch ein Kind gewesen war. Er konnte sich erinnern, wie er einmal gelacht hatte, als seine Mama ihn aufgehoben und so hoch gehalten hatte, dass sein Kopf die Deckenlampe berührte. Da oben war ein Licht gewesen, das war verschwunden, als sie ihn wieder absetzte.

Im Radio sagte jemand etwas. Er hörte nicht hin, er befand sich in einem Land, in dem er klein gewesen und wieder von der Decke heruntergekommen war, und seine Mama hatte etwas gesagt, an das er sich nicht mehr erinnern konnte, an nichts erinnerte er sich mehr, und später hatte er oft darüber nachgegrübelt, was sie gesagt hatte. Es wäre wichtig für ihn gewesen, das Letzte, was sie zu ihm gesagt hatte, ehe sie zur Tür hinausging und nie wiederkam.

Nie, nie ist sie zurückgekommen.

Er spürte, dass seine Wangen nass waren, so nass wie die Autoscheiben hätten sein können, wenn es weiter geregnet hätte. Er hörte, dass er etwas sagte, wusste aber nicht, was.

Er sah wieder zu den Kindern.

Und er sah wieder das Zimmer, später, aber er war immer noch klein, er schaute aus dem Fenster, die Scheiben waren nass von Regen, und er hatte etwas mit dem Finger aufs beschlagene Glas gemalt, die Bäume da draußen, die ohne Laub waren. Seine Mama stand neben diesen Bäumen. Wenn er ein Auto gemalt hätte, hätte sie im Auto gesessen. Ein Pferd, und sie wäre darauf geritten. Ein Kind, und sie würde das Kind an der Hand halten. Sie gingen über eine Wiese, auf der rote und gelbe Blumen blühten.

Er malte das Feld. Er malte ein Meer auf der anderen Seite des Feldes.

Abends machte er das Bett für seine Mama. In seinem Zimmer stand ein kleines Sofa, und dort baute er ihr ein Bett mit einer Decke und einem Kissen. Falls sie kommen sollte, könnte sie dort schlafen, könnte sich sofort hinlegen, alles würde bereit sein.

Jetzt drehte er die Scheibe ganz herunter und atmete schwer.

Dann drehte er sie wieder hoch, startete das Auto, fuhr um den Spielplatz herum und parkte direkt vorm Eingang. Er öffnete die Autotür. Rundherum waren noch andere Autos geparkt. Er konnte die Stimmen der Kinder jetzt hören, als ob sie bei ihm säßen. Zu seinem Auto gekommen, zu ihm gekommen wären.

Aus dem Autoradio klang Musik, und diese Stimme, die er kannte, kehrte wieder und sagte etwas. Es war eine Stimme, die er schon mehrmals gehört hatte. Sie redete, wenn er abends nach der Arbeit im Auto unterwegs war. Manchmal fuhr er auch nachts herum.

Er spürte, wie nass die Erde unter seinen Füßen war. Er stand neben dem Auto, aber er konnte sich nicht daran erinnern, wie er dahin gekommen war. Merkwürdig, er hatte an die Stimme im Radio gedacht und plötzlich stand er neben dem Auto.

Wieder das Lachen der Kinder.

Er stand neben dem Spielplatz, sah die kahlen Bäume dahinter.

Die Videokamera in seiner Hand war kaum größer als eine Zigarettenschachtel. Vielleicht ein bisschen größer. Das schwache Surren war kaum zu hören, als er auf den Knopf drückte und das filmte, was er sah.

Er ging näher. Überall waren Kinder, aber im Augenblick sah er keine Erwachsenen. Wo waren die denn alle geblieben? Man musste doch auf die Kinder aufpassen, sie könnten sich verletzen, wenn sie von dem rotgelben Klettergerüst oder von den Schaukeln sprangen.

Dort stand das Klettergerüst, gleich neben dem Eingang. Und dort stand jetzt auch er.

Ein Sprung.

Heeej! Heeej hopp!

Ein Lachen. Er lachte auch wieder, sprang, nein, hätte aber springen können. Jetzt half er einem Kind, es war ein Junge. Wieder hinauf, hinauf! Hinauf in den Himmel!

Er holte es aus der Tasche und zeigte es ihm. Guck mal, was ich hier habe.

Zum Eingang waren es drei Schritte, dann noch vier zum Auto. Die Schritte des Jungen waren kurz, sechs zum Eingang, acht zum Auto.

Kinder, überall Kinder, er dachte, er sei jetzt der Einzige, der den Jungen sah, auf ihn aufpasste. Die Großen standen dahinten mit Kaffeetassen, die in der kalten Luft dampften.

Mehrere Autos. Der Junge war jetzt überhaupt nicht mehr zu sehen, aus keiner Richtung. Nur *er* sah ihn, hielt ihn an der Hand.

Da ist es. Ja, ich hab eine ganze Tüte voll davon, stell dir vor. Jetzt öffnen wir die Tür. Kannst du ganz allein einsteigen? Wie groß du schon bist.

Die Wunde am Hinterkopf des Studenten sah aus wie ein Kreuz oder so was Ähnliches. Das Haar war abrasiert, die Wunde deutlicher zu sehen, es war grausig, aber er lebte noch. Gerade so eben, doch er hatte eine Chance.

Bertil Ringmars Gesicht schimmerte bläulich in der Beleuchtung des Entrees, als er das Krankenhaus verließ.

»Ich fand, das müsstest du sehen«, sagte Ringmar.

Winter nickte.

»Was war das für eine Waffe?«, fuhr Ringmar fort.

»Irgendeine Hacke. Ein ... vielleicht ein Küchengegenstand oder Gartengerät. Oder ein landwirtschaftliches Werkzeug ... Ich weiß es nicht, Bertil.«

»Da ist so was ... ich weiß nicht. An irgendwas erinnert es.«

Winter zappte die Tür zu seinem Mercedes auf. Das Parkdeck war verlassen. Die Blinkleuchten flackerten wie warnend auf.

»Da müssen wir wohl einen Dorfältesten auf dem platten Land befragen«, sagte Winter, als er den Hügel hinunterfuhr.

»Jetzt mach dich nicht drüber lustig.«

»Lustig? Worüber soll ich mich denn lustig machen?«

Ringmar antwortete nicht. Der Linnéplatsen lag genauso verlassen da wie eben das Parkdeck.

»Das ist der Dritte«, sagte Ringmar.

Winter nickte, löste seinen Schlips und öffnete die beiden obersten Hemdknöpfe.

»Drei junge Männer niedergeschlagen mit einem Gerät, das wir nicht kennen«, sagte Ringmar. »Drei Studenten.« Er wandte sich zu Winter um. »Ist das schon ein gemeinsames Muster?«

»Weil es alles Studenten sind? Oder weil wir glauben, in den Wunden ein Kreuz zu sehen?«

»Weil es Studenten sind«, erwiderte Ringmar.

»Es gibt viele Studenten.« Winter fuhr westwärts. »An die fünfunddreißigtausend in dieser Stadt.«

»Mhm.«

»Ein beachtlicher Bekanntenkreis, selbst wenn sie nur untereinander verkehren«, sagte Winter.

Ringmar trommelte auf die Armlehne. Winter bog von der Autostraße ab und fuhr weiter nach Norden. Die Straßen wurden schmaler und die Villen größer.

»Eine Hacke«, sagte Ringmar. »Wer schleppt an einem Samstagabend eine Hacke mit sich rum?«

»Ich wage nicht einmal daran zu denken«, sagte Winter.

»Hast du hier in Göteborg studiert?«

»Nur ganz kurz.«

»Was hast du studiert?«

»Jura, reingeschnuppert. Ist nichts draus geworden.«

»Ich bin *student of life* gewesen«, sagte Ringmar.

»Wo? Und wann legt man darin sein Examen ab?«

Ringmar schnaubte.

»Du hast Recht, Erik. Man steckt ununterbrochen im Examen.«

»Von wem wird man belohnt?«

Winter wurde langsamer.

»Bieg nach rechts ab, dann umgehst du die Anschlussstelle«, sagte Ringmar.

Winter bog nach rechts ab, schlängelte sich an zwei parkenden Autos vorbei und hielt vor einer Villa aus Holz. Von drinnen fiel schwaches Licht auf den Rasen und durch die Ahornbäume, die wie Gliedmaßen aussahen, die sich in den Himmel reckten.

»Kommst du mit rein auf ein Butterbrot?«, fragte Ringmar.

Winter sah auf die Uhr.

»Oder wartet Angela mit Austern und Wein?«, frotzelte Ringmar.

»Dafür ist noch nicht die richtige Saison«, antwortete Winter.

»Du willst vermutlich Elsa gute Nacht sagen?«

»Sie schläft um diese Zeit schon«, sagte Winter. »Okay, auf ein Butterbrot. Hast du slowenisches Bier?«

Ringmar holte etwas zu essen aus dem Kühlschrank. Winter kam mit drei Flaschen aus dem Keller.

»Wahrscheinlich war da nur noch tschechisches«, sagte Ringmar über die Schulter.

»Ich verzeih dir«, sagte Winter und reckte sich nach dem Bieröffner.

»Geräucherte Maräne mit Rührei?«, fragte Ringmar vom Kühlschrank.

»Wenn wir Zeit haben«, sagte Winter. »Ein gutes Rührei braucht lange. Hast du denn Schnittlauch im Haus?«

Ringmar lächelte, nickte, trug die Zutaten zur Anrichte und fing an. Winter probierte das Bier. Es schmeckte gut, war kühl, nicht zu kalt. Er nahm seinen Schlips ab und hängte das Sakko über die Stuhllehne. Seine Nackenmuskeln spannten sich nach einem langen Tag. *Student of life.* Ein ewiges Examen. Er sah das Gesicht des Studenten vor sich und dann den Hinterkopf. Jurastudent, wie er selbst einmal. Wenn ich durchgehalten hätte, könnte ich jetzt Polizeipräsident sein, dachte er und nahm noch einen Schluck. Vielleicht wäre das besser gewesen. Weg von der Straße. Sich nicht über zerschlagene Körper beugen müssen, keine Löcher, kein Blut, keine Wunden, die die Form eines Kreuzes hatten.

»Die anderen beiden haben keinerlei Feinde«, sagte Ringmar vom Herd, wo er vorsichtig mit einer Holzgabel im Rührei rührte.

»Wie bitte?«

»Die anderen beiden Opfer, die mit dem Zeichen im Schädel überlebt haben. Keine Feinde, sagen sie.«

»So ist das in der Jugend«, sagte Winter. »Keine richtigen Feinde.«

»Du bist auch jung«, sagte Ringmar und hob die gusseiserne Pfanne hoch. »Hast du Feinde?«

»Keinen einzigen«, sagte Winter. »Die legt man sich erst später im Leben zu.«

Ringmar bereitete die Butterbrote vor.
»Eigentlich gehört Branntwein dazu«, sagte er.
»Ich kann ein Taxi nach Hause nehmen.«
»Dann ist das also entschieden.« Ringmar holte den Schnaps.

»Es ist derselbe Täter«, sagte Ringmar. »Worauf will er hinaus?«

»Die Befriedigung, Schaden anzurichten«, sagte Winter und trank den letzten Schluck von seinem zweiten Schnaps und schüttelte den Kopf, als Ringmar fragend die Flasche hochhielt.

»Aber nicht irgendwie«, sagte Ringmar.

»Und nicht an irgendwem.«

»Doch. Vielleicht.«

»Wir müssen morgen versuchen, den Jungen zu verhören«, sagte Winter.

»Schlag von hinten auf einer dunklen Straße. Er hat nichts gesehen, nichts gehört, er weiß nichts.«

»Wir werden ja sehen.«

»Pia Fröberg muss uns mit der Waffe helfen«, sagte Ringmar.

Winter sah das angespannte, blasse Gesicht der Gerichtsmedizinerin vor sich. Einmal, zu Beginn aller Zeiten waren sie ein Paar gewesen. Jetzt war alles vergeben und vergessen. Keine Feinde.

»Falls es was bringt«, fuhr Ringmar fort und sah in sein leeres Bierglas.

Die Haustür wurde geöffnet und geschlossen, und aus dem Flur klang eine Frauenstimme.

»Wir sind hier«, rief Ringmar.

Seine Tochter kam herein, noch im Anorak. Dunkel wie ihr Vater, fast genauso groß, die gleiche Nase, die gleichen Augen.

»Erik brauchte Gesellschaft«, sagte Ringmar.

»Das glaub ich nicht«, sagte sie und hielt ihm die Hand hin. Winter nahm sie.

»Du erkennst doch Moa?«, sagte Ringmar.

»Wir haben uns lange nicht gesehen«, sagte Winter. »Du musst jetzt ...«

»Fünfundzwanzig«, sagte Moa Ringmar, »auf dem Weg in die Rente und immer noch zu Hause. Ha, ha!«

»Moa lebt im Augenblick zwischen zwei Wohnungen, wenn man so will«, sagte Ringmar. »Das hier ist nur eine Zwischenstation.«

»So sind die Zeiten«, sagte Moa, »die Kinder kehren immer ins Nest zurück.«

»Ist doch nett«, sagte Winter.

»*Bullshit*«, erwiderte Moa Ringmar.

»Okay«, sagte Winter.

Sie setzte sich.

»Krieg ich ein bisschen Bier?«

Ringmar holte ein Glas und goss ihr den Rest aus der dritten Flasche ein.

»Ich hab von dem neuen Überfall gehört«, sagte sie.

»Wo hast du es gehört?«, fragte Ringmar.

»Im Institut. Der Junge hat doch dort gearbeitet. Er heißt Jakob, oder?«

»Kennst du ihn?«

»Nein. Nicht persönlich.«

»Kennst du jemanden, der ihn kennt?«, fragte Winter.

»Das wird ja langsam unangenehm«, antwortete sie. »Ihr seid offensichtlich immer noch im Dienst.« Sie sah Winter und dann ihren Vater an und fügte dann hinzu: »Entschuldigung, ich weiß, es *ist* ernst. Ich wollte mich nicht drüber lustig machen.«

»Also ...«, sagte Winter.

»Vielleicht kenne ich jemanden, der jemanden kennt, der ihn kennt. Ich weiß nicht.«

Der Vasaplatsen war leer und still, als er aus dem Taxi stieg. Die Lichtreflexe der Straßenbeleuchtung spielten auf dem Zeitungskiosk am Rand des Universitätsplatzes. *Student of life*, dachte er wieder, als er den Türcode eintippte.

Im Fahrstuhl roch es schwach nach Tabak, ein alter Geruch, der noch darin hing, vielleicht sein eigener.

»Du riechst nach Schnaps«, sagte Angela, als er sich im Bett über sie beugte. Sie drehte sich auf die andere Seite und sagte gegen die Wand: »Morgen bist du dran, Elsa wegzubringen. Ich muss um halb sechs aufstehen.«

»Ich war eben bei ihr. Sie schläft tief und süß.«

Angela murmelte etwas.

»Wie bitte?«

»Wart's nur ab«, sagte sie. »Morgen Früh.«

Er wusste, was sie meinte. Wie sollte er es vergessen haben? Nach einem halben Jahr Erziehungsurlaub? Er wusste alles über Elsa, und sie wusste alles über ihn.

Es waren gute Tage gewesen, vielleicht seine besten. Da draußen gab es eine Stadt, die hatte er seit Jahren nicht mehr gesehen. Es waren dieselben Straßen, aber er hatte sich in diesem halben Jahr wie ein ganz normaler Mensch bewegt, langsam, ohne Späherblick, nach nichts anderem mehr Ausschau haltend als nach einem Café, in dem sie eine Weile einkehren und er seine Füße in diesem anderen Leben auf den Boden setzen konnte.

Als er nach dem Erziehungsurlaub in den Dienst zurückgekehrt war, verspürte er einen ... Hunger, ein besonderes Gefühl, dessen er sich fast schämte. Als ob er wieder zum Kampf bereit wäre, wirklich bereit für den Krieg, der zwar nie zu gewinnen war, aber ausgefochten werden musste. Tja. So war es wohl. Wenn man dem Biest einen Arm abhackte, wuchs ihm ein neuer, und man musste erneut zuschlagen.

In der Minute, bevor er einschlief, dachte er wieder an die seltsame Wunde am Hinterkopf des Studenten.

2

Der Abend war ruhig gewesen auf der Wache, ein Gefühl wie vor dem großen Sturm. Aber heute Abend gibt es wohl kein Unwetter, dachte der Dienst habende Polizist Bengt Josefsson und sah hinaus zu den Bäumen, die ruhig in der Abendluft standen. Keine Herbststürme mehr, dachte er. Jetzt freuen wir uns auf Weihnachten. Und danach gibt es unser Revier vielleicht nicht mehr. Dann wird es geschlossen, und der Redbergsplatsen fällt an den Feind zurück.

Das Telefon auf dem Schreibtisch klingelte.

»Polizeirevier Örgryt-Härlanda, Josefsson.«

»Jaa ... gu... guten Abend. Ist da die Polizei?«, sagte eine Frauenstimme.

»Ja.«

»Ich hab bei der Zentrale angerufen, und die wollten mich mit einem Revier verbinden, das in der Nähe von Olskroken liegt. Wir ... wohnen da.«

»Dann sind Sie hier richtig«, sagte Josefsson. »Wie kann ich Ihnen helfen?«

»Ja ... ich weiß nicht, was ich sagen soll ...«

Josefsson wartete mit Stift und Block. Am Ende des Korridors ließ ein Kollege im Umkleideraum etwas laut zu Boden fallen.

»Erzählen Sie, worum es geht«, sagte er. »Mit wem spreche ich?«

Sie nannte ihren Namen und er schrieb ihn auf. Berit Skarin.

»Es geht um meinen kleinen Sohn«, sagte sie. »Er ... ich weiß nicht ... er hat heute Abend zu uns gesagt ... wenn ich das richtig verstanden habe ... dass er mit einem ›Onkel‹, wie er sagt, im Auto gesessen hat.«

Kalle Skarin war vier Jahre alt. Als er vom Kindergarten nach Hause gekommen war, hatte er ein Butterbrot mit Käse gegessen und eine Tasse Kakao getrunken, den er selbst aus Kakaopulver, Zucker und ein wenig Sahne gemischt hatte, bevor seine Mama warme Milch aufgegossen hatte.

Ein wenig später hatte er gesagt, dass er in einem Auto gesessen habe.

Einem Auto?

Einem Auto. Großes Auto und Radio. Radio hat geredet und Musik gemacht.

Habt ihr heute einen Ausflug mit dem Kindergarten gemacht?

Kein Ausflug. Spielplatz.

Gibt's da Autos?

Der Junge hatte genickt.

Spielzeugautos?

GROSSES Auto, hatte er gesagt, richtiges Auto. Richtig, und er hatte eine Bewegung mit den Händen gemacht, als würde er das Lenkrad drehen. Brrrm, brrrmm.

Wo?

Spielplatz.

Kalle. Bist du mit einem Auto auf dem Spielplatz gefahren?

Er hatte genickt.

Mit wem bist du gefahren?

Ongel.

Ongel?

Ongel. Ongel. Hatte Bonbons!

Kalle hatte eine neue Bewegung gemacht, die vielleicht jemanden darstellen sollte, der eine Tüte Bonbons anbot, vielleicht auch nicht.

Berit Skarin überlief ein kalter Schauder, eine Kälte, die ihr über den Scheitel strich. Ein fremder Onkel, der ihrem kleinen Sohn eine Tüte mit Bonbons hinhält.

Kalle saß dort vor ihr. Sie hatte ihn festgehalten, als er rausgehen und das Kinderprogramm im Fernsehen anschauen wollte.

Ist das Auto weggefahren?

Fahren, fahren. Brrrrmm.

Seid ihr weit gefahren?

Das war eine Frage, die er nicht verstand.

War jemand vom Kindergarten dabei?

Keine Tante. Ongel.

Er war zum Fernseher gestürmt. Sie hatte ihm nachgesehen und überlegt. Dann war sie zu ihrer Handtasche gegangen, die auf dem Küchenstuhl lag, und hatte die Telefonnummer von einer Angestellten des Kindergartens herausgesucht, hatte noch einen Moment gezögert, dann aber doch angerufen.

Bengt Josefsson hörte zu. Sie erzählte von dem Gespräch mit einer der Erzieherinnen.

»Da hat niemand etwas bemerkt«, sagte Berit Skarin.

»Aha.«

»So was darf doch nicht passieren? Da kommt einer mit einem Auto an und fährt mit einem Kind weg, ohne dass jemand etwas merkt.Und dann bringt er das Kind zurück.«

Es passieren schlimmere Sachen als das, dachte Josefsson.

»Und das Personal hat nichts bemerkt?«, fragte er.

»Nein. Das müssten die doch?«

»Man sollte es meinen«, sagte Josefsson, aber er dachte etwas anderes. Wer hat schon ständig die totale Kontrolle?

»Wie lange, sagt der Junge, ist er weg gewesen?«

»Er weiß es nicht. Er ist ja noch klein. Er kann fünf Minuten nicht von fünfzig Minuten unterscheiden.«

Bengt Josefsson dachte nach.

»Glauben Sie ihm?«, fragte er.

Am anderen Ende war es still.

»Frau Skarin?«

»Ich weiß nicht«, sagte sie, »ich weiß es tatsächlich nicht.«

»Hat er ... eine lebhafte Phantasie?«

»Er ist ein Kind. Kinder haben meistens eine lebhafte Phantasie.«

»Ja.«

»Was soll ich also machen?«

Bengt Josefsson schaute auf seinen Block, auf dem er einige Stichpunkte notiert hatte.

Zwei seiner Kollegen kamen am Tresen vorbeigelaufen.

»Überfall am Kiosk!«, rief einer von ihnen.

Er hörte schon die Sirene eines der Wagen draußen.

»Hallo?«, sagte Berit Skarin.

»Ja, hallo. Ja ... ich habe mitgeschrieben, was Sie erzählt haben ... Es handelt sich also nicht um das Verschwinden eines Kindes ... und ... wenn Sie also Anzeige erstatten wollen, dann ...«

»Was soll ich denn anzeigen?«, fragte sie.

Das ist eben die Frage, dachte Josefsson. Ungesetzliche Freiheitsberaubung? Nein. Versuch oder Vorbereitung eines Sexualverbrechens? Jaa ... vielleicht. Oder die Phantasie eines Kindes. Offenbar hat er keinen Schaden genommen bei ...

»Ich geh jetzt mit ihm zum Arzt«, unterbrach sie seine Gedanken. »Ich nehme das sehr ernst.«

»Ja«, sagte Josefsson.

»Soll ich ihn zu einem Arzt bringen?«

»Haben Sie ... ihn selbst untersucht?«

»Nein. Ich hab sofort angerufen, nachdem er mir das erzählt hat.«

»Verstehe.«

»Aber ich werde es jetzt tun. Dann sehe ich weiter, wie ich mich entscheide.« Er hörte sie nach dem Jungen rufen und von weit entfernt eine Antwort. »Er sieht das Kinderprogramm«, sagte sie. »Jetzt lacht er.«

»Geben Sie mir bitte Ihre Adresse und Telefonnummer«, sagte Josefsson.

Wieder hörte er die Sirene. Es klang, als wären sie auf dem Weg nach Osten. Räuberjagd. Ein paar Halbstarke aus den Gettos im Norden, voll gepumpt mit irgendwelchen Drogen. Verdammt gefährlich.

»Dann erst mal vielen Dank«, sagte er abwesend und legte auf. Er verbesserte seine Schrift an einigen Stellen und legte das Blatt zur Seite, damit es am PC abgeschrieben werden konnte.

Heute Abend würde er seine Notizen in einem der Ordner ablegen, wenn er dazu kam. Abgelegen unter ... was? Es war ja nichts passiert. Ein Verbrechen, das auf seine Ausführung lauerte?

Es gab Eindeutigeres, was schon passiert war, genau in diesem Augenblick.

Das Telefon vor ihm klingelte wieder, es klingelte überall im Revier. Sirenen draußen von Süden. Er sah die blitzenden Lichter über der Straße, wild rotierend, als ob das Überfallkommando gleich abheben und dorthin schweben würde, wo all die Action stattfand.

Jakob Stillman war wach, aber mitgenommen, noch nicht ganz zurechnungsfähig. Ringmar saß neben dem Studenten und überlegte, was passiert sein mochte und wie. Auf dem Nachttisch standen Blumen. Jakob war nicht allein auf der Welt.

Hinter Ringmar kam jemand herein. Vielleicht blitzte etwas wie ein Wiedererkennen in Jakobs Augen auf. Ringmar drehte sich um.

»Sie haben gesagt, ich darf zu ihm«, sagte das Mädchen, das mit einem Blumenstrauß in der Tür stand. Sie schien im gleichen Alter wie seine Tochter zu sein. Vielleicht kennen sie einander, dachte er und erhob sich, als sie zum Bett ging und Jakob vorsichtig umarmte. Dann legte sie die Blumen auf den Nachttisch. Jakobs Augen waren jetzt geschlossen, vermutlich war er wieder bewusstlos geworden.

»Noch mehr Blumen«, sagte sie und Ringmar sah, dass sie gern die Karte in den anderen Blumen gelesen hätte, sich aber nicht traute. Sie drehte sich zu ihm um.

»Sie sind also Moas Vater?«

Gut. Moa hatte mit ihr gesprochen.

»Ja«, antwortete er. »Vielleicht könnten wir uns draußen im Wartezimmer ein wenig unterhalten?«

»Er hatte vermutlich nur Pech«, sagte sie. »Oder wie man das nun nennen soll. Falscher Mann am falschen Ort, oder wie das heißt.«

Sie saßen allein am Fenster. Draußen war ein grauer Tag.

Der Raum war von einer Sonne, die es nicht gab, in einen eigentümlichen Schatten getaucht. Eine Frau hustete leise auf dem Sofa, der Korbtisch daneben war mit Zeitungen bedeckt, die voller Bilder von lächelnden Prominenten waren. Für wen prominent?, hatte Ringmar mehr als einmal gedacht. Krankenhausbesuche gehörten zu seinem Job, und häufig hatte er sich gefragt, warum ausgerechnet in den düsteren Wartezimmern der Krankenhäuser haufenweise diese Illustrierten herumlagen. Vielleicht schenkten sie Trost, wie die kleinen Lichter, die auf den Tischen in den Krankenzimmern brannten. Ihr da drinnen in den Illustrierten, fotografiert auf allen Partys und Premieren, seid vielleicht wie wir gewesen, und wir können vielleicht wie ihr werden, wenn wir gesund und bei der großen Talentjagd entdeckt werden. Die war ständig in Gang, ununterbrochen. Die Fotos dieser Leute waren ein Beweis dafür. Da gab es keinen Platz für verblasste Polaroids von zerschmetterten Hinterköpfen.

»Das war kein Pech«, sagte Ringmar jetzt und sah das Mädchen an.

»Sie wirken jünger als ich dachte«, sagte sie.

»Oder als Moa mich beschrieben hat«, sagte er.

Sie lächelte, wurde aber gleich wieder ernst.

»Kennen Sie jemanden, der Jakob absolut nicht mag?«, fragte Ringmar.

»Alle mögen ihn«, sagte sie.

»Mag er irgendjemanden nicht?«

»Nein.«

»Wirklich niemanden?«

»Nein.«

Das ist wahrscheinlich eine Zeiterscheinung, dachte Ringmar, und dann ist es gut so. Als ich jung war, war man immer auf irgendjemanden oder etwas sauer. Ständig sauer.

»Wie gut kennen Sie ihn?«, fragte er.

»Tja … er ist mein Freund.«

»Haben Sie mehr gemeinsame Freunde?«

»Klar.«

Ringmar sah aus dem Fenster. Zwei Jugendliche standen im Regen an der fünfzig Meter entfernten Bushaltestelle und hoben die Hände in den Himmel wie aus Dankbarkeit. Keinerlei Feinde. Dieser verdammte Regen war ein lieber Freund.

»Keine gewalttätigen Typen im Freundeskreis?«, fragte Ringmar.

»Absolut keine.«

»Was haben Sie zu dem Zeitpunkt gemacht, als Jakob überfallen wurde?«

»Wann war das genau?«, fragte sie.

»Das darf ich Ihnen eigentlich nicht sagen«, antwortete er, und dann sagte er es ihr doch.

»Da habe ich gerade zwei Stunden oder so geschlafen.«

Aber Jakob hat nicht geschlafen. Ringmar sah ihn vor sich, leicht betrunken über den Doktor Fries Torg schwankend. Auf dem Weg zum Wartehäuschen der Straßenbahn? So spät fuhr keine Straßenbahn mehr. Und dann von irgendwoher ein Teufelsschlag gegen den Hinterkopf. Keine Hilfe von Doktor Fries. Dem Verbluten überlassen, wenn nicht ein junger Mann, der vorbeigekommen war und den Körper gesehen hatte, eine Minute, nachdem es passiert war, die Zentrale alarmiert hätte.

Jakob, das dritte Opfer. Überfälle an drei verschiedenen Stellen in der Stadt. Die gleiche Art Wunde. Eigentlich tödlich. Vielleicht. Aber so weit war es nicht gekommen. Noch nicht, dachte er. Die beiden anderen Opfer hatten nichts gesehen. Nur einen Schlag von hinten gespürt.

»Leben Sie zusammen?«, fragte er.

»Nein.«

Ringmar schwieg einen Augenblick. Die Jugendlichen da draußen waren mit dem Bus weggefahren. Vielleicht wurde es im Westen heller, ein hellblauer Schimmer. Das Wartezimmer war hoch oben im Krankenhaus, das selber auf dem Berg lag. Vielleicht sah er das Meer, ein stilles Feld unter dem Blau.

»Haben Sie sich seinetwegen Sorgen gemacht?«

»Wie Sorgen?«

»Wo er in der Nacht gewesen sein könnte? Was er getan hat?«

»Wir sind ja schließlich nicht verheiratet. Wir sind ... Freunde.«

»Sie wissen also nicht, wo Jakob an dem Abend oder in der Nacht war?«

»Nein.«

»Wen kennt er dort?«

»Wo?«

»In Guldheden. Um den Doktor Fries Torg herum, Guldhedsschule, die Gegend.«

»Ich hab wirklich keine Ahnung.«

»Kennen Sie dort jemanden?«

»Der da wohnt? Neiiin, ich glaub nicht. Nein.«

»Aber er war dort, und dort wurde er niedergeschlagen«, sagte Ringmar.

»Da müssen Sie ihn schon selber fragen«, sagte sie.

»Das werde ich tun, sobald es geht.«

Winter hatte Elsa im Kindergarten abgeliefert. Er hatte eine Weile bei einer Tasse Kaffee gesessen und zugeschaut, wie sie geschäftig ihre Bastelutensilien auf dem kleinen Schreibtisch arrangierte: ein rotes Telefon, Papier, Stifte, Malkreiden, Zeitungen, Tesafilm, Schnüre ... Es gab viel zu tun, das Resultat würde er am Nachmittag sehen. Es würde ohne Zweifel etwas Einzigartiges sein.

Sie merkte kaum, als er sie umarmte und ging. Draußen auf dem Hof zündete er sich einen Corps an. Nach so vielen Jahren konnte er nichts anderes rauchen. Er hatte es versucht, aber es ging nicht. Corps wurde in Schweden nicht mehr verkauft, aber ein Kollege, der häufig Reisen nach Brüssel unternahm, sorgte für den Direktimport.

Es war ein milder Morgen. Die Luft roch nach Winter, fühlte sich aber wie früher Herbst an. Er rauchte und knöpfte seinen Mantel auf. Überall sah er schwer beschäftigte Kinder: alle Arten von Sport und Spiel. Gymnastik mit Spiel und Sport, hatte es geheißen, als er klein gewesen war. Spiel. Das Spielen verschwindet aus dem Sport, dachte er und sah ein Kerlchen auf dem Weg den Hügel hinunter zu einer Lücke im Gebüsch. Er drehte den Kopf und sah zwei der Erzieherinnen, belagert von Kindern, die alle etwas wollten oder weinten oder lachten. Und er ging rasch den Hügel hinunter und in die Büsche hinein, wo der Junge stand und mit seinem Plastikspaten gegen den Zaun schlug. Er drehte sich um, als Winter kam, und lächelte, wie ein Gefangener, der dabei war, aus dem Knast zu fliehen.

Winter brachte den Kleinen zurück, der ihm etwas erzählte, das er aber nicht verstand. Trotzdem nickte er beifällig. Auf dem halben Weg am Hügel stand eine der Erzieherinnen.

»Ich wusste gar nicht, dass da unten ein Zaun ist«, sagte Winter.

»Ein Glück, dass der da ist«, sagte sie. »Sonst könnten wir die Kinder gar nicht hier auf dem Grundstück halten.«

Jetzt sah er, dass Elsa aus dem Haus kam, sie hatte beschlossen, eine Pause beim Basteln einzulegen.

»Es ist schwer, sie alle gleichzeitig im Auge zu behalten, oder?«, fragte er.

»Ja, es ist schwerer geworden.« Er hörte die Andeutung eines Seufzers. »Aber ich will nicht jammern, wenn Sie mich so fragen. Es stimmt, es sind mehr Kinder und weniger Personal.« Sie machte eine Handbewegung. »Hier sind wir jedenfalls eingezäunt.«

Winter schaute zu Elsa auf der Schaukel. Sie rief laut, als sie ihn sah, und er winkte.

»Wie handhaben Sie das denn, wenn Sie einen Ausflug unternehmen? Oder die Bande zu einem Park oder größeren Spielplatz bringen?«

»Am liebsten machen wir gar keine Ausflüge«, sagte sie.

Ringmar saß bei dem Studenten, Jakob Stillman. Er hatte seinem Namen Ehre gemacht, aber jetzt drehte er langsam und unter Schwierigkeiten den Kopf und fixierte Ringmar vor seinem Krankenbett. Ringmar hatte sich ihm vorgestellt.

»Ich möchte nur ein paar Fragen stellen«, sagte er. »Und ich schlage vor, Sie blinzeln einmal, wenn Sie ja antworten und zweimal hintereinander, wenn Sie nein antworten. Okay?«

Stillman blinzelte einmal.

»Gut.« Ringmar rückte näher heran mit dem Stuhl. »Haben Sie jemanden hinter sich gesehen, kurz bevor Sie der Schlag traf?«

Ein Blinzeln.

»Sie haben also etwas bemerkt?«, fragte Ringmar.

Noch ein Blinzeln. Ja.
»War es weit entfernt?«
Zweimal blinzeln. Nein.
»Waren Sie allein, als Sie den Platz überquerten?«
Ja.
»Aber Sie konnten jemanden auf sich zukommen sehen?«
Nein.
»Es war jemand hinter Ihnen?«
Ja.
»Konnten Sie etwas sehen?«
Ja.
»Das Gesicht?«
Nein.
»Den Körper?«
Ja.
»Groß?«
Kein Blinzeln. Der Junge ist klüger als ich, dachte Ringmar.
»Mittelgroß?«
Ja.
»Ein Mann?«
Ja.
»Würden Sie ihn wiedererkennen?«
Nein.
»War er sehr nah, als Sie ihn sahen?«
Ja.
»Haben Sie ein Geräusch gehört?«
Ja.
»Haben Sie das Geräusch gehört, bevor Sie ihn sahen?«
Ja.
»Haben Sie sich deswegen umgedreht?«
Ja.
»War es das Geräusch seiner Schritte?«
Nein.
»War es das Geräusch von einem Gegenstand, womit er auf den Boden schlug?«
Nein.
»War es ein Geräusch, das nichts mit ihm zu tun hatte?«
Nein.

»Hat er etwas gesagt?«
Ja.
»Haben Sie verstanden, was er gesagt hat?«
Nein.
»Klang es schwedisch?«
Nein.
»War es mehr wie ein Schrei?«
Nein.
»Mehr wie ein Laut?«
Ja.
»Ein leiseres Geräusch?«
Ja.
»Ein menschlicher Laut?«
Nein.
»Aber er kam von ihm?«
Ja.

3

Er fuhr durch die Tunnel, die dunkler waren als der Abend draußen. Die nackten Lampen an den Wänden machten die Dunkelheit deutlicher. Autos, denen er begegnete, waren lautlos.

Er fuhr mit einem geöffneten Fenster, das Luft und einen kalten Schein hereinließ. Am Ende des Tunnels war kein Licht, nur Dunkelheit.

Es war, als führe er in die Hölle, Tunnel um Tunnel. Er kannte sie alle, er umkreiste die Stadt in den Tunneln. Gibt es einen Namen dafür?, dachte er. Einen Terminus?

Die Musik im Radio. Oder hatte er eine CD eingelegt? Daran konnte er sich nicht erinnern. Eine hübsche Stimme, der er gern zuhörte, wenn er unter der Erde fuhr. Bald würde die ganze Stadt begraben sein. Die ganze Autostraße entlang des Wassers würde in der Hölle untertauchen.

Er saß vorm Fernseher und sah seinen Film. Der Spielplatz, das Klettergerüst, die Rutschbahn, von der die Kinder hinunterrutschten, eins der Kinder lachte, und er lachte auch, weil es so lustig aussah. Er ließ den Film sofort zurücklaufen und sah sich die lustige Stelle noch einmal an, machte sich eine Notiz auf dem Blatt Papier, das neben ihm auf dem Tisch lag. Dort stand außerdem eine Vase mit sechs Tulpen, die er am selben Nachmittag gekauft hatte. Die Vase und die Blumen.

Jetzt war der Junge da. Sein Gesicht, dann das Autofenster dahinter, das Radio, der Rücksitz. Der Junge sagte, was er filmen sollte, und er filmte. Warum sollte er das nicht tun?

Der Papagei, der von dem Rückspiegel baumelte. Er hatte einen gelb-roten ausgesucht, genau wie das Klettergerüst auf dem Spielplatz, das gestrichen werden müsste, aber sein Papagei brauchte keine Farbe.

Der Junge, der Kalle hieß, wie er sagte, mochte den Papagei. Das war im Film zu erkennen. Der Junge zeigte auf den Papagei, und er filmte ihn, obwohl er am Steuer saß. Das erforderte Geschicklichkeit, er konnte das, fahren und gleichzeitig an etwas anderes denken, etwas anderes tun. Das konnte er schon lange gut.

Jetzt hörte er die Stimmen, als ob er plötzlich die Lautstärke hochgedreht hätte.

»Pagei«, sagte er.

»Pagei«, antwortete der Junge und zeigte wieder darauf, und der Papagei sah fast so aus, als wollte er davonfliegen.

Pagei. Das war ein Trick. Wenn jemand anders diesen Film sah, was niemals geschehen würde, aber wenn, nur mal angenommen, wenn, dann würde es so wirken, als ob er versuchte, Kindersprache zu sprechen, aber so war es nicht. Das war einer seiner Tricks, wie so viele andere Tricks, die man brauchte, wenn man klein war und die Stimme plötzlich mi-mi-mi-mi-tten in ei-ei-ei-nem Sa-sa-satz ge-ge-ge-stoppt wurde und man anfing zu sto-sto-sto-ttern.

Es hatte angefangen, als seine Mama weggefahren war. Er konnte sich nicht erinnern, ob es vorher auch so gewesen war. Aber hinterher. Er musste Sachen erfinden, die ihm halfen, wenn er etwas sagen wollte. Das geschah nicht oft, aber manchmal.

Der erste Trick, an den er sich erinnerte, war der Papagei. Papagei konnte er nicht sagen, Pa-pa-pa-pa-pa... das kriegte er heraus, aber er konnte das Wort nicht zu Ende bringen. Pagei hingegen ging wie geschmiert.

Er hörte einen Laut, und er erkannte ihn. Er kam von ihm selber. Er weinte wieder, weinte, weil er an den Papagei dachte. Als er klein gewesen war und auch schon etwas größer, hatte er einen grün-roten Papagei gehabt, einen lebendigen, und der konnte seinen Namen sagen und noch drei andere witzige Sachen. Der Papagei hatte Bill geheißen.

Der Film war zu Ende. Er sah ihn sich noch einmal von vorn an. Bill war in mehreren Szenen dabei. Bill war bei ihm geblieben, weil er als kleiner Papagei am Rückspiegel in seinem Auto hing. Es konnten verschiedene sein mit verschiedenen Farben, das war egal, aber immer waren sie sein Bill. Manchmal dachte er an sie als Billy Boy. Der Junge lachte jetzt wieder, kurz bevor es schwarz wurde. Kalle Boy, dachte er, und dann war der Film zu Ende, er stand auf und holte alles, was er fürs Kopieren brauchte oder wie man das nennen sollte. Das Schneiden. Die Arbeit machte ihm Spaß.

»Klingt nach dem Hulk«, sagte Fredrik Halders.

»Es ist das erste Opfer, das etwas gesehen hat«, sagte Ringmar. »Stillman ist der Erste.«

»Tja ... es ist ja nicht sicher, ob es derselbe Hulk ist, der die anderen Taten begangen hat«, sagte Halders.

Ringmar schüttelte den Kopf.

»Die Verletzungen sind identisch.«

Halders massierte seinen Nacken. Es war noch gar nicht lange her, da hatte er selbst einen kräftigen Schlag bekommen, der einen Wirbel verletzt und ihn gelähmt hatte, aber er hatte sein Bewegungsvermögen wiedererlangt. Schwerfällig war er immer schon gewesen. Es hatte seine Zeit gedauert, in die alte Schwerfälligkeit zurückzufinden.

Er massierte seinen Nacken.

»Um was für eine Hacke handelt es sich denn?«, fragte er.

Ringmar fuhr mit den Händen durch die Luft.

»Eine Eishacke vielleicht?«, fragte Halders.

»Nein«, sagte Ringmar. »Das wäre heutzutage wohl ein bisschen unmodern.«

»Hätten wir in den dreißiger Jahren in Chicago gearbeitet, dann wäre es ein ganz übliches Werkzeug gewesen«, sagte Halders.

»Heute gibt es nicht mehr so viele Eisblöcke«, sagte Ringmar.

»Dafür umso mehr Eiszangen«, sagte Halders. »Für das Eis im Drink.«

»Es war auch keine Eiszange«, sagte Ringmar.

Halders studierte die Fotos auf Ringmars Schreibtisch. Klare Farben, rasierte Schädel, Wunden. Kein seltener Anblick für sie, aber der Unterschied war, dass die Opfer lebten. Üblicher im Archiv war ein toter Kopf. Nicht diese hier, dachte er. Dies sind *talking heads*.

»Scheiß aber auch«, sagte er und sah auf. »Es kommt doch nur darauf an, den Verrückten zu schnappen, egal, was für eine Waffe er benutzt.«

»Das bedeutet etwas«, sagte Ringmar. »Da ist etwas ... mit diesen Verletzungen.«

»Ja, ja, aber unabhängig davon muss der Scheiß gestoppt werden.«

Ringmar nickte und fuhr fort, die Fotos zu studieren.

»Glaubst du, es war jemand, den er kannte?«, fragte Halders.

»Daran hab ich auch schon gedacht«, sagte Ringmar.

»Was ist mit den anderen beiden Jungs? Den anderen beiden Opfern?«

»Tja ... nichts gesehen und nichts gehört. Ein relativ offener Platz. Spät. Keine Zeugen. Du weißt ja, ein bisschen angeschickert, aber nicht sternhagelvoll.«

»Und dann peng.«

»Und derselbe Täter. Glaubst du das auch?«, fragte Ringmar.

»Ja.«

»Mhm.«

»Wir müssen uns stärker auf den Bekanntenkreis der Opfer konzentrieren«, sagte Halders.

»Das sind verschiedene Kreise«, sagte Ringmar. »Sie kennen einander nicht und haben nicht die gleichen Freunde, soweit wir das bisher herausbekommen haben.«

»Sie bewegen sich also nicht in denselben Kreisen«, sagte Halders, »aber gleichzeitig studieren alle drei Studenten in dieser Stadt und sind sich vielleicht irgendwo begegnet, ohne es zu wissen. Ein Club, eine Organisation, eine politische Partei, Handballverein, Vogelbeobachtung, was auch immer. Herrenclub mit Stripperinnen, die aus Torten klettern und dann zu Diensten sind beim Absaugen von Spargelköpfen. Vielleicht ist es so, und die Jungs meinen, sie hätten einen Grund zum Lügen. Oder eine Disco. Und Studentenverbindungen gibt es ja noch. Es ist nicht unwahrscheinlich, dass sie sich irgendwo begegnet sind.«

»Okay«, sagte Ringmar. »Und dann? Ist der Täter auch dort zu suchen?«

»Das weiß ich nicht, aber möglich ist es.«

»Dann sollte er also bewusst hinter diesen dreien her gewesen sein?«

»Es ist eine Hypothese«, sagte Halders.

»Die entgegengesetzte Hypothese besteht darin, dass der Täter hinter niemandem her war, dass sie ihm nur zufällig in den Weg gekommen sind«, sagte Ringmar. »Spät, allein, Alkohol im Körper, der die natürliche Vorsicht aufhebt.«

Halders erhob sich und ging zum Stadtplan an der Wand. Er machte mit den Armen eine dehnende Bewegung über den Schultern, und Ringmar hörte die Gelenke des Kollegen knacken. Halders spähte nach hinten, und vielleicht lächelte er. Dann schaute er wieder auf den Plan und tippte mit dem Finger darauf.

»Beim ersten Mal war's auf dem Linnéplatsen.« Er fuhr mit dem Finger nach rechts. »Dann auf dem Kapellplatsen.« Er fuhr mit dem Finger nach unten. »Und jetzt der Doktor Fries Torg.« Er drehte sich um und sah Ringmar an. »Liegt alles in überschaubarem Gebiet.« Er sah wieder auf den Plan. »Wie ein Dreieck.«

»Aber zu weit für einen Fußgänger«, sagte Ringmar.

»Es gibt öffentliche Verkehrsmittel.«

»Nachts nicht so viele. Keine Straßenbahnen, zum Beispiel.«

»Nachtbusse«, sagte Halders. »Aber vielleicht hat der Hulk auch ein Auto. Oder er geht doch zu Fuß. Die Überfälle haben sich ja nicht in derselben Nacht ereignet.«

»Warum wechselt er den Ort?«, sagte Ringmar.

»Wahrscheinlich denkt er, wir haben genügend Mittel, den vorherigen Ort zu beobachten«, sagte Halders. »Dahin kehrt er nicht zurück.«

»Mhm.«

»Das tun wir aber gar nicht.«

»Irgendwas ist mit diesen Plätzen«, sagte Ringmar. »Das ist kein Zufall.« Er fuhr wie zu sich selber fort: »Aber das ist es ja selten.«

Halders gab keine Antwort, er wusste, was Ringmar meinte. Der Ort eines Gewaltverbrechens hatte häufig etwas zu bedeuten. Der Täter oder das Opfer hatten oft irgendeine Verbindung zu genau diesem Platz, auch wenn es anfangs nicht so aussah. Der Ort ist ein zentrales Element. Geh immer vom Tatort aus. Erweitere die Suche von diesem Punkt aus.

»Ich hab mit Birgersson gesprochen«, sagte Ringmar. »Wir nehmen uns Guldheden vor. Wir kriegen wahrscheinlich ein paar mehr Leute, um die Häuser abzuklappern.«

Halders sah den Fahndungschef vor sich. Knorrig wie die Vegetation in seiner Heimat oben in Norrland, Kettenraucher nach einem missglückten Versuch, mit dem Rauchen aufzuhören.

»Hast du ihm von unserer Dreieck-Theorie erzählt?« Er bewegte den Finger über den Plan, vom Doktor Fries Torg zum Linnéplatsen.

»Nein. Du bist der Erste, der diesen faszinierenden geometrischen Zusammenhang gesehen hat.«

»Sei nicht ironisch, Bertil, das passt nicht zu dir.« Halders lächelte. »Aber Birgersson hat eine Schwäche für Geometrie, das weiß ich.«

Wieder lächelte Halders. Vielleicht hatte Sture Birgersson die Überfälle verübt. Niemand kannte ihn wirklich. Einmal im Jahr verschwand er, und niemand wusste, wohin. Vielleicht wusste Winter etwas darüber, vielleicht auch nicht. Vielleicht zog Sture in schwarzem Cape und mit einem norrländischen mechanischen Multebeerenpflücker in der Hand durch die Straßen und zeichnete Kreuze auf die Köpfe der Studenten. Halders sah die Silhouette unter der Straßenlaterne: Doktor Sture. Hinterher: Mister Birgersson. Die Frage war, wer von beiden schlimmer war.

»Du meinst, wir würden also mehr Leute bewilligt bekommen, damit wir hier eine geometrische Figur sähen?«, fragte Ringmar.

»Natürlich.«

»Und je mehr die sich verändert, umso mehr Einsatzmittel?«

»Selbstverständlich. Wird das Dreieck zu einem Quadrat, bedeutet es, dass der Hulk wieder zugeschlagen hat.«

»Mir genügt das Dreieck«, sagte Ringmar.

Halders ging zurück zum Schreibtisch.

»Wenn wir ein paar Fahnder dazukriegen, können wir die Busfahrer, die in jenen Nächten Dienst hatten, überprüfen«, sagte er. »Es können ja nicht viele sein.«

»Taxis«, sagte Ringmar.

»Hast du sie nicht mehr alle? Unsere dunkelhäutigen Freunde hinterm Steuer fahren buchstäblich schwarz. Wann haben wir zuletzt einen vernünftigen Tipp von einem Taxifahrer bekommen?«

»Daran kann ich mich nicht erinnern«, sagte Ringmar.

Die Sonne ließ alles noch nackter erscheinen. Ja, so war es. Jetzt sah man, wie es war. Es gab nichts mehr, nur Baumstämme und Äste und Erde.

Die Sonne ist hier sinnlos, dachte er. Sie gehört jetzt woandershin. Geh weg.

Die Kinder waren am Linnéplatsen aus der Straßenbahn gepurzelt. So war es immer, Tag für Tag. Immer gingen sie in einer langen Reihe über das tote Gras des Fußballplatzes.

Manchmal folgte er ihnen.

Das Auto hatte er auf der anderen Seite geparkt, wohin die Kinder jetzt unterwegs waren.

Es war das erste Mal, dass er gerade hierher gekommen war. Er hatte mit dem Jungen im Auto geredet. Es war einmal passiert.

Er wollte es wieder tun. Nein. Nein. Nein! In der Nacht hatte er geschrien. Nein!

Ja. Er war unterwegs. Er wollte ja nur ... sehen, näher kommen. Nichts weiter.

Die lange Reihe da vorn löste sich auf, und überall waren Kinder. Ein kleines Mädchen ging in die Büsche und kam auf der anderen Seite wieder heraus, kehrte zurück, jetzt von außen herum, und dann sah er zu den beiden Erzieherinnen, er wusste, dass sie es nicht gesehen hatten.

Was, wenn nun ein Fremder hinter dem Gebüsch gestanden hätte, als das kleine Mädchen auf der anderen Seite herauskam?

Jetzt sah er sie wieder, noch eine Runde um den Busch und dann zurück zu den anderen Kindern.

Er trug sie, sie war leicht wie eine Feder. Niemand sah ihn, die Bäume hatten kein Laub mehr, aber sie standen dicht. Das Erstaunen, als er sie hochhob und wegging. Bin ich das, der das tut? Die Hand so leicht auf ihrem Mund. Es geht so schnell. Da ist das Auto.

Ich hab hier nur was drübergelegt. Jetzt heben wir es an und gehen in das Zelt. Ja, es ist ein Zelt! Wir tun so, als ob! Wir haben ein Radio. Da hat ein Onkel was gesagt, hast du gehört? Jetzt kommt Musik.

Hier, guck mal. Du darfst dir nehmen, was du willst. Schau mal, wie viel es davon gibt.

Was für schöne Haare du hast. Wie heißt du? Weißt du das nicht? Dooooch, du weißt es.

Das ist Bill. So heißt er. Bill. Billy Boy. Er kann fliegen. Siehst du? Fliegen, fliegen, fliegen.

Ellen. Heißt du Ellen? Das ist aber ein hübscher Name. Das ist ein feiner Name. Weißt du, wie meine Mama hieß? Nein, das kannst du nicht wissen.

Was meinst du? Hatte meine Mama nicht einen schönen Namen?

Möchtest du noch mehr haben? Du kannst die ganze Tüte nehmen.

Hi... hi... hier ko-ko-ko-kommt sie.

Er berührte den Kopf des Mädchens mit der Hand. Die Haare waren wie die Daunen eines kleinen Vogels, eines Vogels, der lebendig war, und dessen Herz man dort drinnen spüren könnte. Er hatte das einmal bei einem kleinen Vogel gefühlt, der viel kleiner war als Bill. Damals, als er selbst noch so klein wie ein Vogel gewesen war.

Er berührte sie wieder. Der Mann im Radio sagte etwas. Er konnte fast nicht atmen, drehte vorsichtig das Fenster herunter, und da war Luft zum Atmen. Er berührte das Mädchen, die Daunen, sie war so klein. Das Mädchen sagte etwas.

Der Abend senkte sich. Die Sonne hing zwischen den Häusern wie eine Erinnerung, die Winter einatmete. Zwischen den Zügen aus seinem Corps auf dem Balkon konnte er den späten Herbst in der Luft spüren. Der Vasaplatsen unter ihm leerte sich langsam. Alle brachen auf nach Hause und ließen ihn und seine Familie dort zurück, wo sie zu Hause war.

Angela hatte schon länger nicht mehr von einem Haus gesprochen, und er wusste, dass sie seiner Meinung war, immer seiner Meinung gewesen war. Die Stadt war für sie gemacht und sie für die Stadt. Die steinerne Stadt, das Herz. Herz aus Stein, dachte er und nahm wieder einen Zug. Ein hübsches Herz aus Stein. Hier war es leichter zu leben. In den Villenvierteln zum Meer hinunter wurde man schneller ein müder Mensch. Man alterte schneller. Himmel, er war selbst schon ziemlich alt. Zweiundvierzig. Oder dreiundvierzig. Im Augenblick wusste er es nicht mehr genau, und das machte auch nichts.

Er fröstelte in seinem Hemd, wartete jedoch, während der Zigarillo in seiner Hand erlosch, wie der Abend da draußen. Unten glitten ein paar Jugendliche vorbei auf Inlineskates, selbstverständliche Bewegungen. Er hörte ihr Lachen bis hier herauf. Sie waren auf dem Weg.

Er ging hinein. Elsa sah ihn an, kam zu ihm und brachte ihm eine Zeichnung. Ein Vogel, der vor einem blauen Himmel flog. In den letzten Wochen waren ihre Zeichnungen voll von Blau und Gelb gewesen, das sollte Sand und Himmel und Erde vorstellen, grün, das waren die Sommerweiden, wo Blumen in all den Farben blühten, die es im Kreidekasten gab. Immer Sommer. Der Herbst hatte Elsa noch nicht erreicht. Er hatte Blätter mit ihr unten im Park gesammelt und mit nach oben genommen, um sie zu trocknen. Aber sie wartete noch damit, den Herbst in Bilder umzusetzen. Auch das war gut so.

»Ein Vogel«, sagte sie.

»Was ist das für ein Vogel?«, fragte er.

Sie schien nachzudenken.

»Möwe«, sagte sie dann.

»Lachmöwe«, sagte er.

»Lachmöwe«, wiederholte sie und setzte sich vor ein leeres Blatt Papier.

»Lachmöwe«, sagte er zu Angela, die aus Elsas Zimmer kam. »Eigentlich sollte man sie eher Scheißmöwen nennen.«

»Scheiß«, sagte Elsa.

»Da hast du es«, sagte Angela.

»Das Wort kann sie schon lange«, sagte Winter.

»Lass die Möwe ein wenig lachen«, sagte er zu Elsa und lachte selber, ha-ha-ha-HA-HA. Erst sah sie ängstlich aus, aber dann lachte sie auf.

Winter nahm ein Stück Malkreide und ein Blatt Papier und zeichnete etwas, das eine lachende Möwe darstellen sollte. Für diese Möwenart gab es sogar einen Namen, und den schrieb er oben drüber, Ludwig Lachmöwe, wie eine Erinnerung für die Nachwelt. Das war seine erste Zeichnung seit dreißig Jahren.

»Es sieht aus wie ein fliegendes Ferkel«, sagte Angela.

»Ja, ist das nicht phantastisch? Ein lachendes Schwein, das fliegen kann.«

»Schweine *können* fliegen«, sagte Elsa.

Sie saßen bei einem Glas Rotwein am Küchentisch. Elsa schlief. Winter hatte ein paar Brote mit Sardellen belegt, die hatten sie aufgegessen.

»Davon kriegt man Durst«, sagte er, stand auf und holte mehr Wasser.

»Ich hab Bertil bei uns auf der Station getroffen«, sagte Angela.

»Ja, er war dort.«

Sie strich sich über die Nasenwurzel. Er sah einen schwachen Schatten unter ihrem einen Auge, nur dem einen. Sie war müde, er nicht. Nicht sehr jedenfalls, nur so müde, wie man eben nach einem Tag Arbeit war. Sie konnte ihre Arbeit als Ärztin zu Hause nicht immer ganz loslassen, aber sie konnte es besser als er. Trotzdem war er besser darin geworden, nicht gut, aber besser. Früher konnte er über seinem Powerbook mit seinen Fällen sitzen, bis er auf dem Stuhl einschlief. Das passierte jetzt nicht mehr.

»Der Junge hat einen harten Schlag bekommen«, sagte sie. »Er hätte tot sein können.«

»Wie die anderen.«

Sie nickte. Er sah, wie sich der Schatten in ihrem Gesicht verdunkelte, als sie sich vorbeugte. Doch als sie den Kopf hob, war er wieder fast verschwunden.

Ihr ... Alltag floss ineinander. Oder wie man es nennen sollte. Ihre Berufe. War es vorausbestimmt gewesen, dass es so werden würde? So hatte er es sich einmal vorgestellt. Als sie sich kennen lernten, hatte Angela beschlossen, Medizin zu studieren. Er selbst hatte gerade bei der Fahndung angefangen, ein Grünschnabel von Assistent.

Heute sah sie geradewegs in seine Welt und er in ihre. Die Verletzten und Sterbenden und manchmal Toten wechselten von seiner Welt in ihre, und er folgte ihnen, alle bewegten sich vor und zurück zwischen diesen Welten, wie Bertil heute, der Angela getroffen hatte, als er versuchte, Worte aus dem zerschlagenen Kopf hervorzuholen, den Angela gleichzeitig zu heilen versuchte. Ja, zum Teufel. Er trank den letzten Schluck Wein. Sie schenkte sich Wasser ein. Auf der Spüle murmelte das Radio vor sich hin. Es war fast Nacht.

»Im Kindergarten scheint ein ziemliches Durcheinander zu herrschen«, sagte er.

»Wie meinst du das?«

»Tja ... zu viele Kinder und zu wenig Personal.«

»Wie kommst du da jetzt drauf?«

»Ich weiß nicht ... ich habe an heute Morgen gedacht, als ich Elsa hingebracht habe. Sie schienen die Kinder nicht ganz unter Kontrolle zu haben.«

»Spricht jetzt nicht der Polizist in dir?«

»Wenn es so ist, wäre es ja wohl noch wichtiger? Oder ernster? Der Polizist in mir sieht Mängel in der Sicherheit.«

»Mängel in der Sicherheit? Das klingt ja, als ob du verantwortlich wärst für die Sicherheit von Bush oder so.«

»Bush? Der kommt ganz gut allein zurecht. Es ist seine Umgebung, die Schutz braucht.«

»Du weißt schon, was ich meine.«

»Und ich meine, man kann es nicht riskieren, dass ein Kind verschwindet. Da war ein Junge, der ist durch eine Hecke durchgeschlüpft. Er ist nur von einem Zaun aufgehalten worden.«

»Dazu ist ein Zaun doch da, Erik. Damit die Kinder nicht hinauskönnen. Oder verschwinden.«

»Aber niemand hat gesehen, wie er dahinein gekrabbelt ist.«

»So was müssen sie ja nicht im Blick haben. Das Personal weiß doch, dass auf der anderen Seite ein Zaun ist.«

»Dann ist also alles in Ordnung?«

»Das hab ich nicht gesagt. Du hast schon Recht mit dem, was du eben gesagt hast, dass es immer mehr Kinder und immer weniger Personal gibt. Das ist wahrhaftig ein Problem.« Sie trank von dem Wasser »Ein großes Problem. In vielerlei Hinsicht.«

»Und damit sind wir wieder ... bei der Sicherheit«, sagte er. »Was für eine Verantwortung trägt dies Häuflein Personal. All diese Kinder unter Kontrolle zu halten, die in alle Richtungen flitzen.«

»Mhm.«

»Wenn sie zum Beispiel einen Ausflug machen. Falls sie sich überhaupt trauen. Sie scheinen sich übrigens nicht mehr zu trauen.« Er strich sich übers Kinn, es kratzte leise. »Und ihre Angst ist berechtigt.«

Er fingerte an der Weinflasche, schenkte sich aber nicht noch ein Glas ein. Sie sah ihn an.

»Du weißt zu viel über alle Gefahren, die drohen«, sagte sie.

»Genau wie du, Angela. Du weißt doch auch alles, wovon man krank werden kann.«

»Willst du eigentlich auf was Spezielles hinaus bei dem Kindergarten und der Sicherheit?«, fragte sie.

»Ich rede von Kindern und ihrer Sicherheit im Allgemeinen«, sagte er. »Und ja, vielleicht weiß ich zu viel über die Gefahren. Das würdest du auch wissen, wenn du dich zum Beispiel auf einen Spielplatz stellst und die Umgebung einmal genau studierst. Vielleicht entdeckst du einen, der sich in der Nähe aufhält und die Kinder beobachtet. Solche Typen können auch vor einem Kindergarten stehen. Oder vor Schulen, wenn es nach der letzten Stunde klingelt. Oder sie sitzen in ihren Autos und gucken zu, wenn die Mädchen Handball spielen oder Volleyball. Einige von denen haben wir natürlich unter Kontrolle. Herren, die nach der letzten Vorstandssitzung des Unternehmens den feinen Dienstwagen nehmen und vor der Schule parken mit einer Zeitung im Schoß und einer Hand am Schwanz, während die Mädchen auf dem Sportfeld hüpfen.«

»Das klingt zynisch, Erik.«

»Zynisch? Nur, weil ich sage, was Sache ist?«

»Was unternehmt ihr dagegen? Was unternehmt ihr gegen die feinen Herren in ihren feinen Autos? Und die anderen, die da herumschleichen?«

»Wir versuchen sie in erster Linie unter Kontrolle zu behalten. Man kann ja keinen festnehmen, der in seinem Auto sitzt und die Zeitung liest, oder? In unserer Demokratie ist das kein Verbrechen.«

»Himmel.«

»Aber begreifst du das nicht? Wir müssen warten, bis ein Verbrechen begangen wird. Das ist doch das Teuflische daran. Wir wissen es, aber wir können nichts machen.«

»Könnt ihr die nicht ... warnen?«

»Wie denn?«

»Erik, das ist kei...«

»Nein, ich weiß. Ich würde sie ja gerne warnen, wenn ich dann nur weiterarbeiten könnte. Aber du kannst nicht einfach eine Autotür aufreißen. Oder jemanden festnehmen, der irgendwie verdächtig aussieht und unter einem Baum neben dem Spielplatz steht.«

»Trotzdem denkst du darüber nach.«

»Mir ist heute Morgen im Kindergarten klar geworden, wie ausgeliefert Kinder tatsächlich sind, und Jugendliche. Teils den Blicken und ... und der möglichen Gefahr. Wie gern würde ich diese Kerle wieder und wieder warnen, aber das geht nicht. Und es erfordert viel Personal.« Jetzt schenkte er sich doch noch ein Glas Wein ein. »In dieser Beziehung sind wir in derselben Situation wie die Erzieherinnen«, sagte er und lächelte.

Sie schauderte, als ob das Fenster zum Innenhof weit offen

stünde und nicht nur einen Spalt, durch den ein leichter Nachtduft hereindrang.

»Ach, Erik, das treibt mir kalte Schauer über den Rücken.«

Er antwortete nicht.

»Elsa geht in den Kindergarten«, fuhr sie fort, »und ihre Gruppe hat zu wenig Erzieherinnen. Jetzt kann ich an gar nichts anderes mehr denken.«

»Entschuldige.«

»Nein, nein. Dir geht es ja genauso.« Sie lachte plötzlich auf, kurz und laut. »Himmel, das sind doch keine Probleme, über die man sich Sorgen machen sollte, wenn man ein Kind bekommen hat.« Sie sah ihn an. »Was sollen wir tun? Den Kindergarten wechseln? Ein Kindermädchen anstellen? Einen persönlichen Bodyguard für Elsa?«

Er lächelte wieder.

»Da ist ja wirklich ein Zaun, wie du schon gesagt hast. Elsa liebt ihren Kindergarten.«

»Dann hast du also nur eine ... Suggestion in Gang gesetzt?« Sie trank das Wasser in ihrem Glas aus. »Darauf bin ich aber voll abgefahren.«

»Ich hätte den ganzen Quatsch nicht sagen sollen.«

»Jedenfalls nicht über die kranken Kerle vor den Schulen«, sagte Angela. »Was passiert, wenn sie in die Schule kommt?« Sie erhob sich schnell. »Nein, für heute Abend reicht es. Ich geh jetzt unter die Dusche.«

4

Polizeiinspektor Janne Alinder hob zum ersten Mal an diesem Abend den Hörer ab, er war gerade drei Sekunden im Dienst und hatte sich noch nicht mal gesetzt. »Polizeirevier Majorna-Linnéstaden, Alinder«, sagte er und ließ sich auf den Drehstuhl sinken, der unter seinem Gewicht quietschte.

»Hallo, ist da die Polizei für Linnéstaden?«

Das hab ich doch gesagt, dachte er. Es war immer dasselbe. Niemand hörte zu. Lag das am Anrufer? Was wollten sie bestätigt haben? Es wäre besser, sich einfach mit »hallo« zu melden, die Frage würde ja doch kommen.

»Hier ist das Polizeirevier in der Tredje Långgatan«, sagte er überdeutlich.

»Es geht um meine Tochter«, sagte die Stimme einer Frau, die jung oder mittelalt sein konnte. Er verstand sich nicht besonders gut auf Stimmen.

»Mit wem spreche ich?«, fragte er und hielt den Stift bereit. Sie stellte sich vor. Lena Sköld.

»Da war etwas Merkwürdiges«, sagte Lena Sköld.

»Erzählen Sie von Anfang an«, sagte Alinder, die Stimme erfüllt von Zuhörerroutine.

»Es geht um meine kleine Tochter ... Ellen ... Sie hat mir erzählt, dass sie heute Nachmittag jemanden getroffen hat.«

»Aha?«

»Als sie mit dem Kindergarten im Schlosspark war. Auf dem Spielplatz bei Plikta. Der liegt genau an der Kreuz...«

»Ich weiß, wo das ist«, sagte Alinder.

Nur zu gut, dachte er. Dort hatte er Jahre verbracht, als seine Kinder noch klein gewesen waren. Dort hatte er gestanden, oft durchgefroren, manchmal mit einem Kater, aber er war mit den Kindern hingegangen, weil Plikta seiner Wohnung in der Olivedalsgatan am nächsten lag und er keinen Grund fand, sich zu drücken. Er war froh, dass er es nicht getan hatte. Dafür bekommt man hinterher seine Quittung. Wer sich drückt, wird von den Kindern bestraft, wenn sie das Zuhause verlassen und sich nie mehr umschauen, *bye, bye. She's leaving home, bye, bye.*

»Sie hat dort offenbar einen Mann getroffen. Einen Onkel, wie sie sagt. Sie hat in seinem Auto gesessen.«

»Was sagt das Personal?«

»Die Erzieherinnen? Ja ... ich hab eine angerufen, die dabei war, aber sie hat nichts gemerkt.«

Alinder wartete.

»Normalerweise hätten die doch was merken müssen?«, sagte Lena Sköld.

»Wo ist Ihre Tochter jetzt?«, fragte Alinder.

»Sie sitzt hier am Tisch vor mir und zeichnet«, sagte die Frau.

»Und sie hat gesagt, sie hat mit einem Mann in einem Auto gesessen? Hab ich das richtig verstanden?«

»So habe ich es jedenfalls verstanden«, sagte Lena Sköld.

»Sie ist also mit jemandem mitgegangen? Ohne dass das Personal es bemerkt hat?«

»Ja.«

»Ist sie verletzt?«

Geradewegs aufs Ziel los. Lieber direkt fragen.

»Ni... nicht soweit ich sehen kann. Ich hab tatsächlich nachgesehen ... eben. Es ist erst eine Stunde oder so her, seit sie es mir erzählt hat.«

»Eine Stunde?«

»Oder vielleicht zwei.«

»Wie wirkt sie?«

»Tja ... fröhlich. Wie immer.«

»Aha«, sagte Alinder.

»Ich hab niemanden, den ich fragen kann, was ich tun soll«, sagte Lena Sköld. »Ich bin allein mit Ellen. Mein Mann ...

mein Ex-Mann, also mit dem will ich überhaupt nichts mehr zu tun haben.«

Wenn du's sagst, dann glaub ich's dir, dachte Alinder. Die Stadt war voller Schweine, und ihre ehemaligen Frauen taten ihr Bestes, um sich meilenweit von ihnen entfernt zu halten. Und die Kinder.

»Glauben Sie, was Ellen sagt?«, fragte er.

»Äh ... ja ... ich weiß nicht. Sie hat eine lebhafte Phantasie.«

»Das haben Kinder nun mal. Manche Erwachsene auch.«

»Meinen Sie mich?«

»Nein, nein, das ist mir ... nur so rausgerutscht.«

»Aha.«

»Was haben Sie von Ellens Phantasie gesagt?«

Jetzt hörte er das Mädchen. Sie musste direkt neben der Mutter am Tisch sitzen. Er hörte das Wort »Phantasie« und wie Lena Sköld es erklärte und wie das Mädchen eine Frage stellte, die er nicht verstand. Dann kam wieder die Stimme der Mutter: »Entschuldigung, aber Ellen hat ja alles gehört, was ich gesagt habe. Jetzt ist sie in ihr Zimmer gegangen, um sich noch ein Blatt Papier zu holen.«

»Ihre Phantasie«, wiederholte Alinder.

»Sie denkt sich schon ziemlich viel aus, wenn ich ehrlich sein soll. Phantasie ... Sachen oder Phantasiemenschen ... mit denen sie redet. Sogar hier zu Hause. In ihrem Zimmer. Das ist bestimmt nicht ungewöhnlich bei Kindern.«

»Aber Sie haben trotzdem beschlossen, hier anzurufen, bei der Polizei.«

»Ja, es mag komisch klingen, aber diesmal war es irgendwie anders ... Ich weiß ja nicht, wie ich das erklären soll ... aber ich glaube ihr einfach. Das Wenige, was sie erzählt hat, muss ich wohl sagen.«

»Und das ist also, dass sie bei einem fremden Onkel im Auto gesessen hat?«

»Im Prinzip ja.«

»Und sonst?«

»Süßigkeiten, glaube ich. Ich glaube, sie hat Süßigkeiten bekommen.«

»Wie alt ist Ellen?«

»Fast dreieinhalb.«

»Spricht sie schon gut?«

»Ziemlich gut.«

»Hat sie noch etwas von dem Auto erzählt? Oder von diesem Mann?«

»Nein. Aber wir haben auch nicht den ganzen Abend davon geredet. Sie hat davon erzählt, als sie nach Hause kam, also, als ich sie abgeholt habe, und dann hab ich ein bisschen nachgefragt, später hab ich dann angefangen nachzudenken, dann hab ich diese Erzieherin angerufen und dann Sie und ... ja ...«

Alinder sah auf das Papier vor sich. Er hatte ihren Namen, Adresse und Telefonnummer notiert, darunter Datum und Uhrzeit und zusammengefasst, was sie gesagt hatte. Im Augenblick konnte man nicht mehr tun. Aber er nahm es ernst, auf seine Weise. Das Mädchen könnte bei jemandem gesessen haben, in einem Auto. Das war möglich. Oder sie hatte in einem großen Holzauto gesessen. Solche gab es in Plikta. Vielleicht hatte sie ein Kind aus dem Kindergarten drei Mal vergrößert. Vielleicht hatte sie von Süßigkeiten geträumt, Millionen Tüten mit Süßigkeiten, so, wie er manchmal von überwältigenden Gerichten träumen konnte, seitdem ihm das Essen mehr bedeutete als Sex.

»Wenn sie noch etwas von dieser Begegnung erzählt, dann schreiben Sie es auf und lassen wieder von sich hören«, sagte er.

»Was passiert denn jetzt?«

»Ich habe alles notiert, was Sie gesagt haben, und schreibe ein Protokoll über dieses Gespräch, das kommt ins Archiv.«

»Das ist alles?«

»Was meinen Sie denn, was wir tun sollten, Frau Sköld?«

»Ich weiß es nicht. Ich werde noch mal mit dem Personal im Kindergarten reden, und dann rufe ich Sie vielleicht wieder an.«

»Gut.«

»Aber ... es kann natürlich auch sein, dass sie sich das ausgedacht hat. Sie ist ja nicht nervös oder sonstwie anders als sonst. Scheint auch keine Angst zu haben oder verstört zu sein.«

Alinder antwortete nicht. Er sah auf die Uhr. Es war ein langes Gespräch gewesen. Er machte eine weitere Notiz.

Bevor er auflegte, fiel ihm noch etwas ein. Warum die Sache nicht ordentlich machen, wenn er schon mal dabei war?

»Prüfen Sie doch mal nach, ob etwas fehlt. Ob Ellen kürzlich etwas verloren hat.«

Die Stadt zog an den breiten Fenstern vorbei, heute Abend genauso nackt wie heute Morgen und wie gestern und morgen. Er saß da fast wie in einem Traum, aber er erledigte seine Arbeit tadellos. An seiner Arbeit gab es nichts auszusetzen.

Guten Tag, guten Tag.

Natürlich öffne ich die mittlere Tür noch einmal.

Natürlich kann ich noch eine halbe Minute warten, während du von dahinten angerannt kommst, um die Straßenbahn zu erwischen, die jetzt abfahren müsste, wenn er den Zeitplan einhalten wollte, aber ich bin ja kein Monster, das den Leuten direkt vor der Nase wegfährt.

Solche Fahrer gab es, aber er war nicht so, er nicht.

Solche Leute sollten einen anderen Job wählen. Die sollten auf keinen Fall andere hierhin fahren und dahin fahren, dachte er und beschleunigte den Scheibenwischer, weil der Regen stärker geworden war.

Er mochte diese Strecke. Die fuhr er schon so lange, dass er jede Biegung und jeden Buckel kannte. Bus konnte er auch fahren. Auch da hatte er seine Lieblingslinien, aber das würde er niemandem erzählen. Nicht, dass jemand fragte, aber er würde es nicht erzählen.

Dem Mädchen hatte er vielleicht ein wenig erzählt. Merkwürdig, aber er konnte sich nicht erinnern. Doch, jetzt fiel es ihm wieder ein. Er hatte es berührt, und es hatte sich angefühlt wie der Flaum eines kleinen Vogels. Und die kleinen Beine. Er hatte seine Hand liegen lassen, er hatte seine Hand angesehen, und sie hatte gezittert, und er wusste, in dem Augenblick wusste er es, als könnte er in die Zukunft sehen, was er mit dem Mä-mä-mä-määäädchen machen würde, wenn er die Hand liegen ließ. Da hatte er sie versteckt, die Hand, in der Jacke, im Pullover und im Hemd versteckt, sie vor sich selbst und vor ihr versteckt. Dann hatte er sein Gesicht versteckt, damit sie ihn nicht sah. Er hatte die Tür geöffnet und ihr aus dem Auto geholfen, und dann war er weggefahren. Als er nach Hause kam, hatte er ...

»Fahren wir irgendwann mal ab?«

Er zuckte zusammen und sah den Mann im Rückspiegel, der sich fast in die Fahrerkabine der Straßenbahn beugte. Das war nicht erlaubt. Der Fahrer muss ...

»Es war schon zehn Mal rot und grün, jetzt fahr endlich los, Alter«, sagte der Mann, und er nahm den Gestank von Schnaps direkt durch die Scheibe wahr, die ihn gegen den schrecklichen Kerl auf der anderen Seite schützte.

»FAHR!«, brüllte der Schreckliche jetzt.

Hinter ihm wurde gehupt.

Es hupte von allen Seiten. Er starrte geradeaus und die Ampel sprang um und er ...

»FAHR ZU, VERDAMMT NOCH MAL!«, brüllte der Schreckliche und rüttelte an der Fahrertür. Er fuhr ein bisschen schneller an, als er wollte, und er folgte der Bahn vorwärts, das war nicht mehr er, der sie steuerte, es war, als säße der andere hinter den Hebeln, der bis hier herein nach Schnaps stank. Plötzlich bekam er Angst, die Polizei könnte kommen und sie gerade hier anhalten. Sie würden den Schnapsgeruch wahrnehmen und glauben, dass *er*, aber er trank nie etwas, und wenn sie glauben würden, er führe betrunken, dann würde er nie mehr fahren dürfen. Das wäre entsetzlich.

Er beschleunigte die Fahrt über die Kreuzung, als wollte er der Drohung entkommen, die hinter seiner Glastür hing, aber es war zu spät, die Ampel war ja schon längst umgesprungen, und er krachte direkt in den Kofferraum von einem Volvo V 70, der gerade von der Schnellstraßenabfahrt einbog, und der Volvo rammte einen Audi, der bei Rot gehalten hatte. Ein anderer Volvo fuhr in die rechte Seite der Straßenbahn. Ein BMW fuhr in den Volvo. Er ließ die Straßenbahn ausrollen, bis sie von allein hielt, konnte die Hebel nicht mehr bedienen, sich selbst nicht rühren. Von weither hörte er die Sirenen, die sich näherten.

»FAHR!«, schrie der Schreckliche.

5

Janne Alinder saß nur in Ausnahmefällen in einem Streifenwagen, und jetzt war so eine Ausnahme, und typisch, in diesem Moment brach die Hölle los. Die Straßenbahn da vorn lief Amok und preschte bei Rot über die Kreuzung. Sie war wie ein hartes Aufprallkissen für die Personenwagen, die aus allen Himmelsrichtungen in die Bahn krachten.

»Saatans perkellä«, sagte sein Kollege Johan Minnonen, der neben ihm saß, ein gebürtiger Finne. Er sagte selten etwas auf Finnisch.

Alinder rief sofort nach Verstärkung. Es sah böse aus. Die Autos hatten sich an den Wänden der Straßenbahn hochgeschoben und waren wieder heruntergerutscht. Dafür brauchte man gar nicht besonders schnell zu fahren. Er hörte jemanden schreien. Er hörte einen Motor, der nicht Ruhe geben wollte, obwohl er in Todeszuckungen zitterte. Er hörte die Sirenen. Er sah die Lichter. Wieder schrie jemand, eine Frau. Da kam ein Krankenwagen. Der musste ganz in der Nähe gewesen sein, als er anrief. Da kam das Unfallkommando. Da kam noch eins und ein Streifenwagen, dessen Licht blinkend auf dem Dach kreiselte und ganz Västra Götaland erhellte.

Niemand war umgekommen. Es gab einen gebrochenen Arm und Verstauchungen, Brandwunden von Airbags, die sich entfaltet hatten. Ein Besoffener, der neben der Fahrerkabine gestanden hatte, war mit dem Kopf gegen die Windschutzscheibe geflogen, ohne dass sie kaputtgegangen war. Nur die Stirn des Besoffenen war übel zugerichtet, aber es hätte schlimmer für ihn ausgehen können.

Der kann sein Leben bald wieder genießen, hatte Alinder gedacht, als der Betrunkene zum Krankenwagen getragen wurde.

Alinder war als Erster im Wagen gewesen, nachdem er den Fahrer wieder so weit zu sich gebracht hatte, dass er die Türen öffnen konnte. Alinder hatte sich umgesehen: der blutende Mann ganz vorn, eine Frau, laut schluchzend, einige Kinder, die sich auf einem Sitz neben einem Mann zusammendrängten, der immer noch die Arme wie zum Schutz gegen den Aufprall um sie geschlungen hatte, der schon vorbei war. Zwei junge Männer auf den Sitzen dahinter. Einer war schwarz, der andere war weiß und blass in den verschiedenen Lichtern, die hier im Wagen aufeinander prallten. Der Schwarze könnte auch blass sein.

Der Fahrer hatte still dagesessen und geradeaus gestarrt in die Richtung, in die er hätte weiterfahren sollen, wenn er seinen Job ordentlich gemacht und die Signale befolgt hätte. Es stank nach Schnaps, aber das mochte von dem Mann kommen, der auf dem Boden gelegen und die Tür zur Fahrerkabine versperrt hatte. Klar war er das, der hatte wie ein richtiger Säufer ausgesehen. Aber auch der Fahrer könnte gebechert haben. So was kam vor.

Langsam hatte der Fahrer ihm das Gesicht zugewandt. Er hatte ruhig und unverletzt gewirkt und seine Aktentasche auf seinen Schoß gehoben. Etwas Besonderes war Alinder nicht aufgefallen in der Fahrerkabine. Wie sah es dort normalerweise aus? Er hatte keine Ahnung.

An einem Haken hinter dem Fahrer hatte etwas an einer Schnur gehangen. Alinder hatte ein Spielzeugtier erkannt, einen kleinen grünen Vogel, der sich nicht sehr gegen die Wand dort drinnen abhob. Hatte wie ein Maskottchen ausgesehen.

Der Fahrer hatte sich ein wenig auf dem Stuhl gedreht, die linke Hand gehoben und das Ding vom Haken genommen und in die Aktentasche gesteckt. Aha. Maskottchen. Wir brauchen alle ein wenig Gesellschaft, dachte Alinder, vielleicht auch Schutz. Ein Talisman für Abergläubische. Aber diesem Mann hatte das Federvieh nicht geholfen.

Die Straßenbahn war halb voll gewesen. Als er sich umdrehte, fingen die Leute an auszusteigen. Die Kollegen, die sie aufhalten sollten, waren noch nicht angekommen.

»Ich möchte Sie bitten, hier in der Bahn zu warten, bis wir die Situation geklärt haben«, hatte er zu den Fahrgästen gesagt.

Zwei junge Männer, das Gesicht voller Piercing, hatten sich umgedreht und waren dann aber trotzdem weiter zur Tür gegangen. Ich kann sie nicht zurückhalten, hatte Alinder gedacht, kann sie nicht aufhalten, keine Zeit. Den Schwarzen und den weißen Jungen sah er nicht mehr.

Der Fahrer saß vor ihm. Er befand sich in einer Art Schockzustand, der aber nicht so schwer war, dass er nichts hätte sagen können, jetzt, da die Befragung begonnen hatte.

Jedenfalls war er nüchtern.

Er war blond und um die vierzig, seine Augen hatten eine durchsichtige Schärfe von der Art, dass Alinder fast Lust hatte, sich umzudrehen und nachzusehen, worauf der Mann geradewegs durch seinen Kopf schaute.

Seine Uniform war schlecht geschnitten und saß nicht richtig, ungefähr wie die, die Alinder selber trug. Er hielt die Mütze in der Hand, drehte sie, rundherum, rundherum. Es zuckte in seinem linken Auge. Er hatte kaum etwas gesagt, nur gemurmelt und genickt, nachdem sie sich schließlich aus dem Haufen Neugieriger am Unfallplatz geschlängelt hatten.

Alinder hatte Namen und Adresse notiert.

»Wir fangen noch mal von vorn an«, sagte Alinder, schaltete das Tonbandgerät ein und probierte den Stift wieder auf dem Papier aus, indem er eine kleine Schirmmütze zeichnete. »Sie haben vermutlich die Signale der Ampel durcheinander gebracht?«

Der Fahrer nickte kaum merklich.

»Und warum?«

Der Fahrer zuckte mit den Schultern, ließ seine Mütze kreiseln, rundherum, rundherum.

»Kommen Sie schon«, sagte Alinder. »Hat der Betrunkene Sie gestört?« Das sind Suggestivfragen, dachte er, aber was soll's.

Der Fahrer sah ihn mit diesem besonderen Blick an.

Ist er stumm?, dachte Alinder. Nein, bei der Göteborger Straßenbahn stellten sie keine stummen Fahrer ein. Ein Fahrer musste sich verständlich machen können. Ist das noch der Schock? Kann der Leute verstummen lassen? Tja. Was weiß schon ein ahnungsloser Teufel wie ich.

»Jetzt müssen Sie mir aber antworten«, sagte er.

Der Mann ließ seine Mütze kreiseln.

»Können Sie nicht sprechen?«

Die Mütze, rundherum, rundherum.

Okay, dachte Alinder. Dann machen wir eben so weiter. Er schob das Wasserglas ein Stück vor, aber der Fahrer trank nicht.

Seine Aktentasche stand neben dem Stuhl, so eine, wie sie sie immer hatten. Alinder hatte sich schon oft gefragt, was sie darin hatten, wenn er einen Straßenbahnfahrer auf seinen Wagen zugehen sah, wie ein Pilot auf dem Weg zum Flugzeug. Alternative Reiserouten? Wohl kaum.

Ein Ding kannte er, was in dieser Aktentasche war, aber das hatte mit dem hier nichts zu tun.

»Stimmte irgendwas nicht mit der Ampelschaltung?«, fragte er jetzt.

Der Fahrer antwortete nicht.

»Sie sind bei Rot gefahren«, sagte Alinder.

Der Fahrer nickte.

»Das ist eine stark befahrene Kreuzung«, sagte Alinder.

Der Fahrer nickte wieder, etwas zögernd.

»Es hätte bedeutend schlimmer ausgehen können«, fügte Alinder hinzu.

Die Augen des Fahrers waren jetzt irgendwo anders. Exfahrer, dachte Alinder. Der darf nicht mehr fahren, bevor diese Angelegenheit nicht auch von den Leuten der Verkehrsbetriebe ordentlich ermittelt ist.

»Wir können Ihnen helfen«, sagte Alinder.

»W-w-w-w«, sagte der Mann.

»Wie bitte?«

»W-w-w-wie?«

Der Arme stottert, dachte Alinder. Deshalb also. Oder war es doch noch der Schock?

»Wir können Ihnen helfen, indem wir genau durchsprechen, was passiert ist«, sagte er.

»De-de-de-de...«

»Ja?«

»De-de-de-der an-an-an-andere«, sagte der Fahrer.

»Der andere? Sie sagen der andere?«

Der Fahrer nickte.

»Der andere. Welcher andere?«

Der Fahrer machte eine Bewegung mit dem Kopf zum Boden hin, als ob dort jemand läge.

»Der auf dem Boden gelegen hat? Meinen Sie den?«

Der Fahrer nickte. Alinder schaute zum Tonbandgerät, in dem das Band surrte. Alles Nicken und Kopfschütteln ist ordentlich aufgenommen, dachte er. Alles Sto-sto-sto-stottern.

»Soll ich das so verstehen, dass der Mann Sie beim Fahren gestört hat?«

Er konnte sich nicht erinnern, wann jemals so viele Leute in der Wohnung gewesen waren. Männer und Frauen und Kinder. Die Elterngruppe, zusammengeschweißt durch die Entspannungsübungen vor der Entbindung. Angela hatte den Kontakt zu mehreren Frauen aufrecht erhalten, und Winter hatte zu seiner eigenen Verwunderung festgestellt, dass er gern mit einigen der Männer zusammen war. Trotz eines gewissen Altersunterschiedes.

»Das kommt daher, weil du noch so unreif bist«, hatte Angela gesagt, als sie das Fest vorbereiteten.

»Dabei bin ich doch immer der Jüngste gewesen«, hatte er gesagt und noch eine Weinflasche geöffnet.

»Ist das so erstrebenswert?«

»Nein. Aber es ist immer so gewesen.«

»Jetzt nicht mehr«, hatte sie gesagt.

»Aber trotzdem.«

»Ruf deine Mutter an«, hatte sie gesagt. »Bei ihr bist und bleibst du immer der Jüngste.«

»Der jüngste Kriminalkommissar im ganzen Land.«

»Ist das immer noch so?«

»Frag meine Mutter!«, hatte er gesagt. In dem Augenblick

hatte das Telefon geklingelt, beide vermuteten, dass es seine Mutter direkt aus Nueva Andalucía war, es war die Zeit, in der sie üblicherweise anrief, und er hob den Hörer ab. Aber sie war es nicht.

Trotzdem erkannte er die Stimme.

»*Long time no see, Erik.*«

»*Likewise, Steve.*«

Kriminalkommissar Steve Macdonald war vor einigen Jahren bei einem quälenden Fall sein Partner gewesen. Winter hatte sich in England aufgehalten, im Südosten Londons, wo Macdonalds Mordfahndergruppe tätig war, und die beiden waren Freunde geworden. Entfernte Freunde, aber trotzdem.

Macdonald war während der dramatischen Lösung des Falles in Göteborg gewesen.

Sie waren gleich alt, und Steve hatte Zwillinge, die jetzt in der Pubertät waren.

»*We're coming over*«, hatte Steve Macdonald an diesem frühen Abend vor dem Fest am Telefon gesagt. »*The kids want to see the land of the midnight sun.*«

»*More likely the land of the midday moon this time of the year*«, hatte Winter geantwortet.

»*Anyway.*«

»Wann kommt ihr?«, fuhr Winter auf Englisch fort.

»Was haben wir denn jetzt ... November. Anfang Dezember haben die Kinder ein paar Tage Ferien, da dachten wir, warum nicht. Sonst wird nie was draus.«

»Klar. Das ist ja schon bald.«

»Könntest du mir ein gutes Hotel in der Stadt besorgen, zentral gelegen? Und mit ›gut‹ meine ich, dass du von meinen einfachen Bedürfnissen ausgehen sollst, nicht von deinen.«

»Ihr wohnt selbstverständlich bei uns«, hatte Winter gesagt.

»Nein, nein. Beth kommt auch mit, wir sind vier Leute.«

»Du bist doch hier gewesen«, hatte Winter gesagt und Steve auf seinem Balkon an einem warmen Abend im Mai mit einem Glas in der Hand vor sich gesehen, gefährlich schwankend, zwanzig Meter über der Erde. Sie hatten versucht, von allem abzuschalten, was in den letzten Wochen passiert war. »Du weißt, dass wir Platz haben.«

»Ich hab fast nur die Küche und den Balkon gesehen. Um ehrlich zu sein, ich erinnere mich nicht an viel.«

»Die Wohnung ist so groß, dass meine Bescheidenheit mir verbietet zu sagen, wie groß. Und ihr wollt ja wohl nicht ein halbes Jahr bleiben.«

»Doch.«

»Auch okay.«

»Drei Tage.«

»Wie ihr wollt.«

»Ja …«

»Ruf ein paar Tage, bevor ihr kommt, noch mal an«, hatte Winter gesagt. »Dann können wir über den Rest reden.«

»Ich hab definitiv frei«, hatte Macdonald gesagt, »da gibt's keinen Rest, über den wir reden müssten.«

»Ich dachte an Bier und Whisky.«

»Bring ich mit. Einen drei Jahre alten Dallas Dhu plus einen Springbank, der reinste Traum, ich versprech's dir. Außerdem älter als wir.«

Macdonald war Schotte und stammte von einem alten Hof bei Inverness, nicht weit entfernt vom Dorf Dallas in Speyside.

»Ich glaub, ich kann mir dann auch ein paar Tage freinehmen«, hatte Winter gesagt.

»Sieh mal einer an. Die Arbeitswut des Kommissars ist kleiner geworden.«

»Oder die Faulheit größer.«

»Wenn das so ist, störe ich gern. Wie geht es Angela und Elsa?«

»Sehr gut.«

»Dann …«

»See you later, alligator«, hatte Winter gesagt. Er hatte keine Ahnung, warum er diese alberne Phrase benutzt hatte. Vielleicht hatte er sich einfach über Steves Anruf gefreut.

Aber es würde kein Wiedersehen geben, keinen Dallas Dhu oder Springbank, diesmal nicht. Kurz vor Ende November würde Steve Macdonald anrufen und berichten, dass eine seiner Zwillinge eine Bronchitis hatte, die in eine Lungenentzündung umzuschlagen drohte, und die Reise wurde abgesagt.

Es war ein fröhliches Fest. Niemand redete von der Arbeit, und das war für Winter das erste Kriterium für eine geglückte Party. Er hatte zwei Lammrücken zubereitet und aufgeschnitten, sodass sich jeder selber bedienen konnte. Niemand beklagte sich über den Geschmack des Lamms oder der im Backofen gegarten Kräuterkartoffeln oder über die Salsa mit geröstetem Chili.

Oder über die Kirschtartes hinterher. Den Espresso. Den Calvados und Grappa oder den Marc, von dem mehr trinken wollten, als er geglaubt hatte, als er die Flasche hinstellte.

Erst beim dritten Mal gelang es ihm, die Klappe der Aktentasche zu öffnen. Bill lag ganz zuoberst, er hatte keinen Schaden genommen. Jetzt hing er an seinem Stöckchen, und jetzt konnte er seine witzigen Stimmenimitationen fast hören. Er hörte sie! Das war so schön!

Der Polizist hatte lange geredet, und er hatte nach einer Weile auch angefangen zu reden, nachdem sich das Band um seine Kehle gelockert hatte, was es ja immer tat, wenn es ein wenig ruhiger wurde.

Das Mädchen lachte ihn an, und er sah, wie sie mit den Armen fuchtelte, und wie Bill hin und her schwang. Der Film war zu Ende, und er spulte ihn zurück, betrachtete ihn noch einmal. Wie viel Spaß sie gehabt hatten. Er sah, wie sie sich einen Bonbon in den Mund steckte. Er sah seine eigene rechte Hand, die sie berührte und sich rasch zurückzog, rasch, rasch. Wie wenn man Flaum berührt.

Wie weich du bist, hatte der Onkel gesagt, du fühlst dich so weich an.

Er hatte im Zug gesessen. Eine Tante im Zug hatte ihn gefragt, wohin er unterwegs sei. Er hatte gelacht.

Mama!

Mama!

Sie hatte ihn auf dem Bahnhof erwartet, und die Stadt war groß gewesen. Wo er mit Papa wohnte, das war keine Stadt, aber diese war groß. Riesig.

Mama!

Mein Junge, hatte Mama gesagt. Das hier ist der Onkel, hatte sie gesagt.

Der Onkel hatte ihm die Hand gegeben und eine Hand auf seinen Kopf gelegt.

Mein Junge, hatte der Onkel gesagt.

Der Onkel wohnt bei mir, hatte Mama gesagt.

Oder du bei mir, hatte der Onkel gesagt, und sie hatten gelacht. Er hatte auch gelacht.

Es hatte ein sehr gutes Mittagessen gegeben.

Hier wirst du schlafen, hatte Mama gesagt.

Am Morgen war sie zu ihrer Arbeit gegangen, die war weit entfernt, sehr weit.

Wollen wir einen Spaziergang machen?, hatte der Onkel gefragt.

Sie waren weit, weit in die eine Richtung gegangen und genauso weit zurück in die andere Richtung.

Du frierst ja, hatte der Onkel gesagt, als sie wieder zu Hause ankamen.

Komm, ich wärme dich, mein Junge. Wie weich du bist. Du fühlst dich so weich an.

6

In einem fast aufgeräumten Ton erzählte er, was in jener Nacht vorgefallen war:

Er konnte sich nicht erinnern, warum er beschlossen hatte, quer über den Fußballplatz zu laufen, obwohl so der Weg nach Hause ins Studentenheim länger wurde. Vielleicht hatte ein vergessener Fußball dagelegen und im Licht von der Straße geglänzt, und möglicherweise hatte er eine große Sehnsucht verspürt, dies verdammte Leder in das Tor zu setzen, das zwanzig Meter entfernt nur darauf wartete, ihn dort zu platzieren, nur um den Holzbeinen aus der Landesmannschaft zu zeigen, was eine Harke ist, und der ganzen Welt zu zeigen, dass er zu früh aufgegeben hatte, einfach aufgegeben, ehe seine Karriere richtig begonnen hatte.

Vielleicht war es so. Aber vielleicht war es auch so gekommen, weil er auf einer Fete gewesen war. Jedenfalls war er quer über Mossens Sportplatz nach Hause gegangen, die Nacht war schon weit vorgerückt. Halb fünf. Er hatte einen armen Zeitungsboten mit krummem Rücken zwischen den Gebäuden hin- und herflitzen sehen, die hinter ihm aufragten. Zeitungen zum vierzigsten Stock raufschleppen. Morgen für Morgen, *no thank you very much*. Gutes Training zwar, aber das sollte zu einer christlichen Zeit stattfinden. Ein Zeitungsbote *is the nigger of the world*, hatte er gedacht und gegrinst und seine Laufrichtung korrigiert, die einen Linksdrall kriegte, wenn er nicht aufschaute oder vielleicht nach vorn zum Studentenheim, das düster und dunkel dalag in Erwartung des Morgengrauens, ein neuer Tag, der mehr Pauken und mehr Verrücktheiten versprach. Aber nicht für ihn, *no thank you very much*. Nur schlaaaafen, den ganzen Tag schlafen. Kein Urnen, keine Verrücktheiten, kein Regen im Nacken, kein ekliges Essen, keine zähen Vorlesungen, keine dreckigen Korridore, keine hochnäsigen Weiber.

Genau das hatte er in dem Moment gedacht, als er erneut schwankte und nur dieses Sviiiisch hörte. Etwas zischte an seinem Kopf vorbei, der eine Viertelsekunde vorher noch in einer anderen Position gewesen war, etwas schlug vor ihm in der Erde ein und schien dort stecken zu bleiben, und er drehte den Kopf und sah die dunkle Gestalt, die an etwas in der Erde riss, das einen langen Gri...

»Was zum Teu...«, hatte er mit zitternder Stimme hervorgebracht, und der andere hatte wieder an dem Griff gerissen oder was es nun war, und er selbst hatte es jetzt kapiert, gedauert hatte es, aber jetzt hatte er es kapiert: Das da war kein Erntehelfer, der plötzlich mit zwei Monaten Verspätung nach Kartoffeln grub, am absolut falschen Ort außerdem, denn jetzt zog der Kartoffelmann das Ding aus der Erde, und er hatte ihn vermutlich angesehen, aber davon hat er nicht viel mitgekriegt, da er in dem Augenblick schon über den Platz gesprintet war in einer Zeit, die Maurice Greene und Ato Boldon und all die anderen Krücken bei der Olympiade im Hundert-Meter-Lauf zum Aufgeben gebracht hätte. Der Kartoffelmann konnte nur noch seinen Rücken und die Beine sehen, auf dem Weg Gott weiß wohin, wo es Schutz gab. Er hatte keine Schritte hinter sich gehört, aber er hatte auch nicht darauf geachtet. Er war über die Straße gestürmt zwischen die kleinen Häuser und über die Straße auf der anderen Seite des Viertels den Hügel hinunter, und schließlich war er langsamer geworden, weil sonst sein Brustkorb geplatzt wäre.

Sein Name war Gustav Smedsberg, und er saß vor einem Polizisten in einem dicken Strickpullover, der sich ihm als Bertil Ringirgendwas vorgestellt hatte.

»Gut, dass Sie zu uns gekommen sind.«

»Mir ist hinterher eingefallen, dass ich was gelesen habe über jemanden, der rumläuft und Leute niederschlägt.«

Ringmar nickte.

»War der das?«

»Das wissen wir nicht. Es kommt darauf an, woran Sie sich erinnern.«

»Ungefähr an das, was ich dem erzählt hab, als ich angerufen hab. Dem Diensthabenden oder wie der heißt.«

»Wir fangen noch mal von vorn an«, sagte Ringmar, und das taten sie.

»Er hat sich von hinten rangeschlichen, ich hab ihn nicht gehört«, sagte Gustav Smedsberg.

»Gab es noch andere Geräusche?«

»Nein.«

»Kein Verkehr auf der Straße?«

»Nein, nur ein Zeitungsbote.«

»Sie haben in dem Moment einen Zeitungsboten gesehen?«

»Ja. Oder kurz vorher. Als ich die Straße oberhalb des Platzes überquerte. Gibraltargatan.«

»Woher wussten Sie, dass es ein Zeitungsbote war?«

»Eine Person, die am frühen Morgen einen Stapel Zeitungen schleppt«, sagte Gustav Smedsberg, »das ist für mich ein Zeitungsbote.«

»War er allein?«

»Ja. Ich hab nur ihn gesehen. Der Junge ging in ein Haus, als ich vorbeikam.« Gustav Smedsberg sah Ringmar an. »Harter Job und so früh am Morgen.«

»Haben Sie mit ihm gesprochen, dem Zeitungsboten?«

»Nein, nein.«

»Haben Sie ihn noch mal gesehen?«

»Nein.«

»Sind Sie sicher?«

»Ja, natürlich.« Gustav Smedsberg sah Ringmar wieder an, richtete sich gerade auf und der Stuhl knackte leise.

»Glauben Sie ...«

»Was?«

»Glauben Sie, der Zeitungsbote hat versucht, mich zu erschlagen?«

»Ich glaube gar nichts«, sagte Ringmar.

»Warum fragen Sie dann so nach ihm?«

»Erzählen Sie, wie er gekleidet war«, sagte Ringmar.

»Wer? Der Zeitungsbote?«

»Ja.«

»Keine Ahnung. Absolut keine Ahnung. Es war dunkel. Es hat ein wenig geregnet, und ich hatte den Kopf gesenkt.«

»Trug er eine Kopfbedeckung?«

»Äh ... ich glaube ja.«

»Was hatte er auf dem Kopf?«

»Eine Mütze ... glaub ich. An eine Kappe hätte ich mich vermutlich erinnert. Eine Nike-Kappe oder so.« Er sah aus dem Fenster und wieder zu Ringmar. »Vermutlich war es eine Mütze.«

»Die Person, die Sie angegriffen hat, trug die etwas auf dem Kopf?«

Gustav Smedsberg antwortete nicht. Er dachte nach. Ringmar wartete.

»Ich kann mich leider nicht erinnern«, antwortete Smedsberg schließlich. »Jedenfalls nicht im Augenblick.« Er strich sich mit der Hand über die Stirn, wie um sein Erinnerungsvermögen auf Trab zu bringen. »Müsste man sich wirklich an so was erinnern?«

»Es kommt auf die Umstände an«, sagte Ringmar. »Vielleicht fällt es Ihnen später wieder ein. Morgen oder übermorgen. Es ist wichtig, dass Sie uns benachrichtigen, sobald eine Erinnerung auftaucht. Erinnerung an irgendwas.«

»Wie irgendwas? Muss das nicht mit dem Fall zu tun haben?«

»Sie wissen, was ich meine.«

»Okay, okay. Im Augenblick bin ich wohl ein ... bisschen müde.« Er dachte an sein Bett zu Hause im Wohnheim und an die Pläne für diesen Tag, die nicht gerade großartig waren.

»Vielleicht ist es ein Eisen gewesen«, sagte Gustav Smedsberg, nachdem sie eine kleine Pause gemacht hatten.

»Ein Eisen?«

»Brandeisen. So eins, was man benutzt, um Tiere zu kennzeichnen.«

»Wie kommen Sie darauf?«

»Ich bin auf einem Bauernhof aufgewachsen.«

»Und dort gab es Brandeisen?«

Der Junge schien zu zögern.

»Äh … klar gab es die«, sagte er schließlich. »Das sind alte Geräte, die gibt's schon lange.«

»Ist das üblich, dass man Tiere auf diese Weise kennzeichnet?«, fragte Ringmar.

»Es kommt vor. Aber es ist nicht so üblich wie in Montana oder Wyoming zum Beispiel«, sagte Smedsberg. Er sah Ringmar an. »Die amerikanische Prärie.«

»Ich weiß.«

»Ich bin dort gewesen. Echt heiß da.«

»Waren Sie dort Cowboy?«

»Nee. Aber vielleicht werd ich eines Tages Cowboy. Wenn ich mit der Uni fertig bin.«

»Der reitende Ingenieur.«

Gustav Smedsberg lächelte.

»Es gibt dort Jobs. Ingenieurstellen, meine ich.«

»Woran haben Sie erkannt, dass es ein Brandeisen war?«, fragte Ringmar und kehrte von Montana nach Mossens Sportplatz zurück.

»Ich hab nicht gesagt, dass es eins war. Aber ich glaube es. Ich bin allerdings nur kurz stehen geblieben und hab nicht abgewartet, bis er das Ding wieder ausgebuddelt hatte.«

»War es der Griff, der Ihnen bekannt vorkam?«

»Das war es wohl.«

»Wie hat er ausgesehen?«

»Ich kann ja mal versuchen, ihn aufzuzeichnen. Oder Sie müssen aufs Land rausfahren und sich so ein Ding angucken.«

»Sehen die alle gleich aus?«

»Ich weiß nur, wie sie zu Hause aussahen. Dieses sah denen ähnlich. Aber das Stempeleisen selbst hab ich natürlich nicht gesehen.«

Ringmar erhob sich.

»Ich möchte, dass Sie sich ein paar Fotos anschauen.«

Er ging quer durchs Zimmer und zog eine der Mappen mit den Fotos hervor.

»Oh, Scheiße«, sagte Smedsberg, als er das erste Bild gesehen hatte. »Ist er tot?«

»Keins dieser Bilder zeigt tote Menschen«, sagte Ringmar. »Aber sie hätten durchaus tot sein können.«

Gustav Smedsberg bekam unterschiedliche Fotos von den drei jungen Männern vorgelegt, die aus verschiedenen Blickwinkeln aufgenommen waren. Die Männer waren mit einem Werkzeug geschlagen worden, das offenbar immer dasselbe war.

»Und ich sollte also das vierte Opfer werden«, sagte Smedsberg.

»Wenn es derselbe Täter war«, sagte Ringmar.

»Was ist das für ein verdammter Idiot?« Smedsberg schaute Ringmar an und dann wieder auf ein Foto, das Jakob Stillmans Hinterkopf zeigte. »Was will er?« Er starrte auf das Bild. Ringmar beobachtete ihn. »Falls es ein Verrückter ist, hat er vermutlich nichts weiter im Sinn, als jemanden niederzuschlagen.« Gustav Smedsberg schaute wieder auf. »Irgendwen.«

»Kennen Sie einen dieser jungen Männer?«, fragte Ringmar.

»Nein.«

»Nehmen Sie sich Zeit.«

»Ich kenne sie nicht.«

»Was sagen Sie zu den Verletzungen?« Ringmar nickte zu den Fotos.

Smedsberg studierte sie noch einmal, hielt sie ins Lampenlicht.

»Ja ... er könnte schon versucht haben, sie zu kennzeichnen.«

»Sie zu kennzeichnen? Was meinen Sie damit?«

»Wie schon gesagt, es könnte ein Brandeisen sein.«

»Sind Sie sicher?«

»Nein, das Problem ist ja, dass man normalerweise das Zeichen in das Fell eines Tieres brennt.«

»Eins versteh ich nicht«, sagte Ringmar. »Ein Brandeisen wird üblicherweise dafür verwendet, Tiere zu kennzeichnen. In diesem Fall wurde es wie ein Schlagholz benutzt. Könnte das Eisen trotzdem Zeichen hinterlassen?«

»Das weiß ich wirklich nicht.«

»Okay, aber ein gewöhnliches Brandeisen ist vermutlich sehr schwer, man braucht wohl viel Kraft dafür?«

»Doch, das würde ich schon sagen.«

»Sehr große Kraft?«

»Jaaa ...«

»Der Mann, der Sie angegriffen hat ... ist der Ihnen groß vorgekommen?«

»Nicht besonders. Normal.«

»Okay. Angenommen, er wollte Ihnen mit dem Eisen eins überziehen. Er kommt angeschlichen. Sie hören ihn nicht und er ...«

»Warum hab ich ihn nicht gehört? Das hätte ich doch eigentlich müssen?«

»Die Frage wollen wir im Moment mal beiseite lassen«, sagte Ringmar. »Er ist hinter Ihnen. Er holt aus. Im selben Moment beugen Sie sich zur Seite.«

»Schwanke, besser gesagt. Ich war nicht ganz sicher auf den Beinen, um ehrlich zu sein.«

»Sie schwanken, schwanken zur Seite. Er greift an, aber da ist nur Luft, in die er stößt. Er stößt in die Luft. Die Waffe fliegt davon und bleibt im Sand stecken. Er reißt daran, aber sie sitzt fest. Sie sehen ihn dort stehen, dann laufen Sie weg.«

»Ja.«

»Warum ist dieses Ding in der Erde stecken geblieben?«, fuhr Ringmar fort. »Das wäre doch nicht passiert, wenn er damit direkt zugeschlagen hätte.«

»Ist das nicht egal? Das Wichtigste, Sie müssen ihn schnell fassen«, sagte Smedsberg. »Vielleicht ist er hinter mir her?«

Ringmar antwortete nicht. Smedsberg schaute weg. Er sah aus, als grübelte er wieder über etwas nach.

»Vielleicht will er wirklich Menschen kennzeichnen.« Er sah Ringmar wieder an. »Vielleicht will er beweisen, dass er diese Menschen besitzt, die er gekennzeichnet hat?«

Ringmar hörte zu. Smedsberg wirkte konzentriert, als wäre er selbst bereits Ermittler im Fahndungsdienst.

»Vielleicht will er uns gar nicht umbringen ... die Opfer.

Er will vielleicht zeigen, dass er ... *besitzt*«, sagte Gustav Smedsberg.

»Faszinierend«, sagte Halders. »Der Junge kann gleich bei uns einsteigen. Unten anfangen und sich zur Spitze raufarbeiten.«

»Und wo ist die Spitze?«, fragte Aneta Djanali.

»Das werde ich dir zeigen, wenn wir dort ankommen«, antwortete Halders. »Eines schönen Tages sind wir dort.«

»Heute ist ein schöner Tag«, sagte Aneta Djanali.

Sie hatte Recht. Die Sonne war aus einem langen Exil zurückgekehrt. Das Licht dort draußen brannte in den Augen, und Aneta Djanali war mit einer schwarzen Sonnenbrille ins Präsidium gekommen. Die Brille verlieh ihr das Aussehen einer Soulqueen auf der Reise durch ein nördliches Land. Das hatte Halders ihr jedenfalls gesagt, als sie sich vorm Eingang trafen.

Sie saßen in Winters Büro. Winter saß auf seinem Stuhl und Ringmar auf der Schreibtischkante.

»Wollen wir Kontakt zum Bauernverband aufnehmen?«, fragte Halders, und Winter war nicht ganz sicher, ob er einen Witz machte.

»Gute Idee, Fredrik«, sagte er. »Du kannst mit Götaland anfangen.«

»Niemals«, sagte Halders und sah die anderen an. »Das war nur ein Scherz.« Sein Blick wanderte zu Winter. »Und wenn es nun tatsächlich ein Bauerntölpel ist? Was sollen wir machen? Wie sollen wir alle Kartoffelschweine der Region erfassen?«

»Eine aussterbende Gattung, die Bauern«, sagte Ringmar. »Bald ist der schwedische Bauer verschwunden. Dafür sorgt die EU.«

»Übrig bleibt nur der kleine zähe portugiesische Olivenanbauer«, sagte Halders. »Schwedische Hausmannskost wird aus Oliven bestehen, egal, ob man diesen Scheiß mag oder nicht.«

»Oliven sind gesund«, sagte Aneta Djanali. »Im Gegensatz zu gegrillten Schweinepfötchen.«

»Himmel, warum hast du Schweinepfötchen gesagt!«, schrie Halders. »Hör bloß auf, sonst werde ich rückfällig!«

Endlich haben wir zu unserem normalen Jargon zurückgefunden, dachte Winter. Es hat lange gedauert.

»Vielleicht will er Schweine kennzeichnen«, sagte Halders plötzlich ganz ernst. »Der Täter. Leute kennzeichnen, die er für Schweine hält, die müssen gebrandmarkt werden.«

»*Wenn* es denn ein Brandeisen ist oder wie das heißt«, sagte Winter.

»Wir müssen versuchen, uns ein Brandeisen zu beschaffen, um Vergleiche anstellen zu können.«

»Und wer lässt sich freiwillig eins überbraten, damit wir vergleichen können?«, erwiderte Halders.

Alle sahen ihn an.

»Nee, nee, nee, ich nicht. Ich hab einen Schlag gekriegt, der reicht fürs Leben.«

»Aber der scheint noch nicht gereicht zu haben«, entgegnete Djanali. Direkt danach fragte sie sich, ob sie zu weit gegangen war. Aber Fredrik fordert es ja geradezu heraus, dachte sie.

Halders wandte sich an Winter.

»Die Antwort könnte bei den Opfern liegen. Vielleicht gibt es doch einen Zusammenhang. Das brauchen keine Zufälle gewesen zu sein.«

»Mhm.«

»Wenn wir einen gemeinsamen Nenner finden, dann sind wir schon einen Schritt weiter. Die beiden ersten Jungs haben wir bis jetzt noch nicht so genau überprüft. Jedenfalls nicht ausreichend.«

»Tja ...«, sagte Ringmar.

»Tja was? Ich kenne zehn Fragen, die ich ihnen stellen könnte, und die ihnen nicht gestellt worden sind. Vor allen Dingen finde ich die Aussage von dem letzten Jungen reichlich merkwürdig. Gustav. Dem Bauernsohn.«

»Wieso merkwürdig?«, fragte Aneta Djanali.

»Einfach ... verworren.«

»Das macht ihn vielleicht umso glaubwürdiger«, sagte Winter.

»Oder ganz und gar unglaubwürdig«, sagte Halders. »Wie kann man auf einem offenen Feld überhören, dass sich einem jemand von hinten nähert?«

»Das gilt dann aber auch für die anderen«, sagte Aneta Djanali. »Meinst du, dass alle daran beteiligt waren? Dass die Opfer sich freiwillig schwer verletzen ließen? Oder sich der drohenden Tat bewusst waren?«

»Vielleicht will er uns etwas Wichtiges mitteilen ... traut sich aber nicht«, sagte Ringmar.

Alle verstanden, was Ringmar meinte. Viele logen, weil sie Angst hatten, das geschah häufig.

»Dann müssen wir ihn noch einmal befragen«, sagte Aneta Djanali.

»Mich wundert eigentlich gar nichts mehr«, sagte Halders. »Aber okay, vielleicht waren sich nicht alle bewusst, was passierte. Oder sie waren es, jedenfalls teilweise. Aber dieser Junge, Gustav Smedsberg, kann verschiedene Gründe haben, seine Geschichte zu erzählen.«

Niemand gab einen Kommentar dazu ab. Winter betrachtete die dunstigen Sonnenstrahlen, die durchs Fenster fielen. Wir brauchen das Licht, hatte er gedacht, als er die Jalousien hochzog, kurz bevor die anderen kamen. Und es ward Licht.

Die Bäume im Park dort unten hatten mit den Fingern auf ihn gezeigt, schwarze Finger, die in der Sonne glänzten. Der Himmel war so blau, wie er Ende November sein konnte.

»Er hat unter anderem von einem Zeitungsboten erzählt, den müssen wir überprüfen«, sagte Winter, während er den Blick weiter zum Himmel gerichtet hielt. »Das macht Bergenhem, wenn er vom Lunch kommt. Jemand hat an dem Morgen dort gearbeitet, und vielleicht hat er was gesehen.«

»Oder etwas getan«, sagte Ringmar.

»Umso besser, falls es zur Lösung des Falles führt.«

»Wie war es bei den anderen Fällen?«, fragte Aneta Djanali. »Waren da auch Zeitungsboten unterwegs?«

Winter sah Ringmar an.

»Das ... wissen wir noch nicht«, sagte Ringmar.

»Ist das eine vorsichtige Umschreibung dafür, dass wir es noch nicht überprüft haben?«, fragte Halders.

»Jetzt haben wir ein deutlicheres Zeitmuster«, sagte Winter und stand auf. »Alle Überfälle sind ungefähr zum gleichen Zeitpunkt passiert – in den Stunden vor der Dämmerung.«

»*Wee wee hours«,* sagte Halders.

»Wir versuchen alle zu verhören, die sich zu der Zeit in der Umgebung aufgehalten haben, und jetzt sind die Zeitungsboten an der Reihe«, sagte Winter.

»Eine harte Arbeit«, bemerkte Halders.

»Zeitungsboten zu verhören?«, fragte Aneta Djanali.

»Ich hab mal Zeitungen ausgetragen«, antwortete Halders, ohne ihren Einwurf zu beachten.

»Gut«, sagte Winter. »Dann gehst du zusammen mit Bergenhem.«

»Erst will ich die Tatorte noch einmal überprüfen«, sagte Halders.

7

Er stand vor dem Kapellplatsen. Schön war er nicht. Es hatte einmal eine andere Stadt gegeben. In den Parks hatten Kinder gespielt. Dann ließ man eine Bombe fallen, und die Stadt verschwand. Er ging über den Parkplatz. Es gibt keine glücklichen Straßen mehr, ihr seid verschwunden mit euren Vierteln. Die Betonburgen verdeckten die Sonne, die sich noch einen Moment am nördlichen Himmel hielt. Halders drehte den Kopf nur unter Schwierigkeiten. Soll zwischen diesen hooohen Häusern ein Lied sich erheben, genauso seltsam wie der Song, den wir einmal gesungen haben? Wie hieß die Sängerin noch, die in den sechziger Jahren auf die Bühne hinkte und wieder hinaushinkte? Löfberg? Löfgren? Löfgren. Polio oder so was. In der Bewegung behindert wie er. Nichts zu machen.

Halders drehte den Kopf wieder und spürte die Steifheit. Kein Rollen mit dem Kopf mehr. Der Schlag gegen die Nackenwirbel hatte eine physische Erinnerung hinterlassen. Nach rechts ging es gut, schlechter nach links. Er hatte gelernt, stattdessen den Körper zu drehen.

Andere Erinnerungen waren schlimmer. Hier, quer über diesen Platz war er einmal mit Margareta gelaufen, als sie noch sehr jung und sehr arm und sehr glücklich gewesen waren. Die Sieben hatte sich schon genähert, und er hatte sich davor aufgebaut und wäre fast überfahren worden. Aber die Bahn hatte angehalten. Und Margareta war fast vor Lachen gestorben, als der Schock sich gelegt hatte. Und nun war sie gestorben, nicht nur fast, überfahren von einem Betrunkenen, und die Frage war, ob sich sein eigener Schock schon gelegt hatte oder sich je legen würde. Er wusste es nicht. Sie waren geschieden, als es passierte, aber das bedeutete nichts. Ihre Kinder waren noch da, die Erinnerung an alles, das gemeinsame Leben. So war es doch. Wenn es einen Sinn im Leben gab, so lag er darin. Magdas Gesicht, wenn am Frühstückstisch die Sonne darauf fiel. Das unmittelbare Glück in den Augen des Mädchens, die in dem sekundenschnellen Licht zu Diamanten wurden. Das Gefühl in ihm selber. In dem Augenblick. Glück, eine Sekunde.

Trotzdem war er dabei, wieder der Alte zu werden. Der Wortwechsel mit seinen Kollegen heute Morgen war ein Anzeichen dafür. Er war froh darüber. War es eine Art Therapie? Wahrscheinlich.

Er war froh, dass Aneta es begriffen und mitgemacht hatte.

Vielleicht waren sie beide auf dem Weg zu etwas Gemeinsamem. Nein, nicht vielleicht. Wir sind auf dem Weg zu etwas Gemeinsamem. *Very slowly, very carefully.*

Er drehte sich um, *slowly, carefully*. Der Student war die Treppen von der Karl Gustavsgatan heraufgekommen. Vielleicht war er erschöpft gewesen. Definitiv angeschickert. Bier. Aris Kaite, schwarz wie nur ein richtiger Neger sein kann, wie Aneta, und dann so ein Name. Aris. Vielleicht eine Beschwörung von den Eltern, hatte Halders bei dem Gespräch mit dem Jungen gedacht, als es ihm besser ging. Ein arischer Neger. Waren das nicht die ersten Menschen auf der Welt gewesen? Die Neger?

Dieser studierte Medizin.

Eine schreckliche Verletzung am Kopf. Hätte tödlich sein können. Er dachte daran, während er bei den Treppen stand und auf die Steine hinuntersah, die in der Sonne glänzten. Niemand war an den potentiell tödlichen Schlägen gestorben. Warum? War es ein glücklicher Zufall? War es mit Berechnung geschehen? Konnte man so etwas berechnen? Sollten sie nicht sterben?

Hier hatte der Überfall stattgefunden, an der obersten Stelle, ein Stück vom Kapellplatsen entfernt. Danach Dunkelheit.

Der Linnéplatsen lag im Schatten von Häusern, die neu waren, aber alt wirken sollten oder wenigstens so, als könnten sie allmählich mit den hundert Jahre alten Patrizierhäusern zusammenwachsen.

Jens Book war vor dem »Marilyn« niedergeschlagen worden, dem Videoladen. Dort stand Halders jetzt. In den Fenstern hingen fünf Filmplakate, und auf allen waren Leute zu sehen, die mit Pistolen oder anderen Waffen herumfuchtelten. *Die Fast! Die Hard III! Die And Let Die! Die!*

Jens Book war das erste Opfer. Studierte Publizistik. Der Arier Kaite das zweite. Jakob Stillman das dritte. Studienkamerad von Bertils Tochter, dachte Halders und machte einem Radfahrer Platz, der sich mit rasender Geschwindigkeit vom Sveaplan näherte. Gustav Smedsberg das vierte, der Bauerntölpel, der bei Chalmers gelandet war. Brandeisen. Halders lächelte. Brandeisen, *my ass.*

Book war am übelsten zugerichtet, wenn man eine solche Abstufung machen konnte. Der Schlag hatte Nerven und anderes getroffen und den Jungen auf der rechten Seite gelähmt. Es war noch ungewiss, wie weit er wieder hergestellt werden würde. Vielleicht hat er nicht so ein Glück wie ich, dachte Halders und machte erneut Platz für einen verrückten Radfahrer. Halders fiel fast in die Tür der Videothek.

Er dachte wieder an die Schläge. Auch an den, den er selber bekommen hatte. Dann an jene, die die Jungen verletzt hatten.

Es war schnell gegangen. Peng, keine Vorwarnung. Nichts vorher bemerkt. Keine Schritte. Nur peng. Keine Chance, sich zu verteidigen, keine Deckung.

Keine Schritte, dachte er wieder.

Er sah dem Radfahrer nach, der mit souveräner Todesverachtung bei Rot die Kreuzung überquerte. *Die*? Ha!

Radfahrer.

Haben wir nach einem Radfahrer gefragt? Haben wir daran gedacht? Er hatte den Arier selbst verhört, aber von einem Radfahrer war nicht die Rede gewesen.

War der Täter auf einem Fahrrad gekommen?

Halders sah auf den Asphalt, als ob in diesem Augenblick alte Reifenspuren sichtbar werden könnten.

Winter saß in seinem Zimmer und rauchte einen Corps. Das Fenster zum Fluss hin stand zwei Zentimeter offen und ließ Luft herein, die durchdringender zu duften schien als der Rauch des Zigarillos. Der Panasonic auf dem Fußboden spielte *Lush Life*, Coltrane, immer wieder Coltrane, heute und in den letzten Wochen. Winter hatte zwei Knöpfe seines Zegna-Sakkos geöffnet. Wer in diesem Augenblick ins Zimmer kam und es nicht besser wusste, konnte glauben, er arbeitete nicht. Bergenhem trat ein.

»Zu dem Zeitpunkt war dort kein Zeitungsbote.«

Winter erhob sich, legte den Zigarillo in den Aschenbecher, stellte die Musik leiser und schloss das Fenster.

»Smedsberg hat ihn doch gesehen«, sagte er dabei.

»Er *sagt*, er hat einen gesehen«, sagte Bergenhem. »Aber das war kein Zeitungsbote.«

Winter nickte abwartend.

»Ich hab bei der Zeitung angerufen. Genau an dem Morgen, also vorgestern, hatte sich der zuständige Bote für das Gebiet krank gemeldet, kurz vor Dienstbeginn, und es hat mindestens drei Stunden gedauert, bevor sie Ersatz fanden.«

»Er könnte trotzdem dort gewesen sein«, sagte Winter.

»Was?«

»Er könnte sich doch krank gemeldet haben und trotzdem hingegangen sein«, wiederholte Winter. »Vielleicht hat er sich plötzlich besser gefühlt.«

»Sie«, sagte Bergenhem, »es war eine Sie.«

»Eine Sie?«

»Ich hab mit ihr gesprochen. Sie hatte eine ordentliche Erkältung, daran gibt's keinen Zweifel, und ein Mann und drei Kinder waren an dem Morgen zu Hause, die können ihr ein Alibi geben.«

»Aber die Leute haben ihre Zeitungen bekommen?«

»Nein. Erst als der Ersatzmann auftauchte. Sagen sie jedenfalls bei der *Göteborgs-Posten*.«

»Hast du die Abonnenten überprüft?«

»Noch keine Zeit. Aber das Mädchen bei der *GP* sagt, an dem Morgen wär eine ganze Reihe von Klagen eingegangen. Wie immer, so drückte sie sich aus.«

»Aber Smedsberg hat jemanden gesehen, der Zeitungen trug«, sagte Winter.

»Hat er wirklich gesagt, dass er die Zeitungen gesehen hat?«, fragte Bergenhem.

Winter wühlte in einem Haufen Papier in einem der Körbe auf seinem Schreibtisch und las das Protokoll, das Ringmar verfasst hatte.

Woher wissen Sie, dass es ein Zeitungsbote war?, hatte Ringmar gefragt.

Weil er einen Stapel Zeitungen trug und einen Hauseingang betrat, und ich hab ihn auch wieder rauskommen und ins nächste Haus gehen sehen, hatte Smedsberg geantwortet.

War draußen ein Wagen mit mehr Zeitungen?, hatte Ringmar gefragt.

Gut, dachte Winter, eine gute Frage.

Nee ... einen Wagen hab ich nicht gesehen. Nein, ich hab wohl keinen gesehen. Aber es ist sicher, dass er Zeitungen trug, hatte Smedsberg geantwortet.

»Ja«, sagte Winter und sah Bergenhem an, »er hat gesehen, dass diese Person Zeitungen trug und in die Häuser in der Gibraltargatan ging.«

»Okay.«

»Aber kein Wagen, in dem er sie transportiert hat. Haben Zeitungsboten nicht so was?«, sagte Winter.

»Ich werde das überprüfen«, sagte Bergenhem.

»Überprüf auch, wer die Vertretung war.«

»Natürlich.«

Winter zündete sich noch einen Zigarillo an und blies den Rauch aus.

»Wir haben es möglicherweise mit einem falschen Zeitungsausträger zu tun, der sich im Zusammenhang mit dem Überfall in der Gegend aufhielt.«

»Möglich.«

»Das ist ja interessant. Die Frage ist, ob es sich um unseren Mann handelt. Und wenn er das nicht ist – was hat er dann dort gemacht?«

»Ein Verrückter?«, sagte Bergenhem.

»Ein Verrückter, der Zeitungsbote spielt? Ja, warum nicht.«

»Eine mildere Form«, sagte Bergenhem.

»Aber wenn es unser Mann ist, dann muss er es geplant haben. Ein Bündel Zeitungen dabeihaben und so. Zu dem Zeitpunkt vor Ort sein.«

Bergenhem nickte.

»Wusste er, dass Smedsberg unterwegs war? Oder wusste er, dass zu dem Zeitpunkt jemand vorbeikommen würde? Dass die Studenten in den frühen Morgenstunden über Mossens Sportplatz zu schwanken pflegen? Irgendwer?«

»Warum sich die Mühe machen und Zeitungen schleppen?«, fragte Bergenhem. »Reicht es nicht, wenn er sich versteckt?«

»Vielleicht hat er diese Verkleidung oder wie man das nun nennen soll, diese *Rolle*, gewählt, um sich eine Art Sicherheit zu verschaffen«, sagte Winter. »Mit der Umgebung verschmelzen. Ruhe ... vermitteln. Wer verkörpert nicht mehr Ruhe als ein arbeitsamer Zeitungsbote?«

»Vielleicht hat er sogar Kontakt aufgenommen«, sagte Bergenhem.

Winter rauchte und sah, wie der Tag draußen sich verdunkelte. Die Sonne hatte sich wieder zurückgezogen.

»Das ist mir auch grad eingefallen«, sagte er und sah Bergenhem an.

»Darf man nicht mal einen Gedanken ganz allein haben?«, entgegnete Bergenhem.

»Du hast ihn immerhin zuerst ausgesprochen.« Winter lächelte.

Bergenhem hatte sich gesetzt und beugte sich jetzt vor.

»Vielleicht haben sie sogar miteinander geredet. Es ist absolut ungefährlich, ein paar Worte mit einem Zeitungsboten zu wechseln.«

»Möglich, aber warum erzählt Smedsberg nicht mehr davon?«, fragte Winter.

»Was meinst du?«, sagte Bergenhem.

»Tja ... vielleicht ist es so. Alles ist möglich. Sie haben etwas zueinander gesagt. Der Junge ist weitergegangen. Der Bote hat das Haus betreten.«

»Also hör mal, Erik, so kann es nicht gewesen sein. Das hätte Smedsberg uns doch erzählt.«

»Dann liefere mir eine andere Theorie.«

»Ich weiß nicht, aber *wenn* sie Kontakt hatten und ein paar Worte miteinander gewechselt haben, dann verheimlicht Smedsberg etwas vor uns.«

»Und was sollte das dann sein?«

»Hm ...«

»Will er verschleiern, dass er mit einem Fremden gesprochen hat? Nein. Er ist erwachsen, und wir sind nicht seine Eltern. Will er verschleiern, dass er ein wenig angetrunken war? Will er nicht, dass wir ihn und andere daran erinnern? Nein.«

»Nein«, wiederholte Bergenhem, der wusste, auf welchem Weg Winter war.

»Wenn wir bei dieser hypothetischen Diskussion etwas finden wollen, das er verbergen möchte, dann könnte das mit irgendeiner Veranlagung von ihm zu tun haben«, sagte Winter.

»Ja«, sagte Bergenhem.

»Aber was will er vor uns verbergen?«, fragte Winter und sah Bergenhem durch den Zigarillorauch an.

»Er könnte schwul sein«, sagte Bergenhem. »Er hat den falschen Zeitungsboten vielleicht angesprochen, und der hat angebissen, sie waren vielleicht auf dem Weg in Smedsbergs Studentenbude, und unterwegs hat es geknallt.«

»Aber wir leben im Jahr zweitausendeins in einer aufgeklärten Gesellschaft«, sagte Winter. »Ist es da nicht ein wenig merkwürdig, dass ein junger Mann, der seine Veranlagung verbergen möchte, so weit geht, eine Person zu schützen, die versucht hat ihn zu ermorden?«

Bergenhem zuckte mit den Schultern.

»Wäre das nicht merkwürdig?«, wiederholte Winter.

»Wir müssen ihn fragen«, sagte Bergenhem.

»Das werden wir tun. Warum nicht. Es könnte eine ganze Menge erklären.«

»Noch etwas«, sagte Bergenhem.

»Ja?«

Bergenhem suchte Winters Blick. »Wo sind die Zeitungen?«

»Tja.«

»Er hat Zeitungen dabeigehabt, aber kein Abonnent hat so

früh seine Zeitung gekriegt. Und wir haben auch keinen liegen gebliebenen Stapel gefunden.«

»Wir haben nicht gesucht«, sagte Winter. »Wir sind doch davon ausgegangen, dass die Zeitungen bei den Leuten angekommen sind.«

»Ja, stimmt auch wieder.«

»Vielleicht sind sie da. Irgendwo ein Stapel. Wäre gar nicht schlecht, sie zu finden, oder?«

»Nein.«

»Aber wenn wir hier über den Zeitungsboten reden, dann glauben wir Smedsbergs Story, dass es dort in jener Nacht einen Zeitungsboten gegeben hat«, sagte Winter, »oder dass er jemanden gesehen hat, der als solcher aufgetreten ist.« Winter rieb sich die Nasenwurzel. »Warum sollten wir das glauben, wenn wir, mal ganz hypothetisch, nicht an andere Teile seines Berichtes glauben?«

»Jetzt kommt es also darauf an, Zeugen zu finden, die einen falschen Zeitungsboten gesehen haben«, sagte Bergenhem.

»Ja, und die Untersuchung läuft ja schon.«

Bergenhem kämmte seinen Haaransatz mit der linken Hand, von links nach rechts. Seine vierjährige Tochter hatte sich dieselbe Angewohnheit zugelegt.

»Diese Diskussion könnte ein neues Licht auf die anderen Überfälle werfen«, sagte er.

»Oder einen Schatten«, sagte Winter.

»Aber wenn«, fuhr Bergenhem fort, »vier Überfälle, keine Zeugen für die eigentliche Tat, keine Spur vom Täter. Die Opfer haben nichts gehört oder gesehen, jedenfalls nicht viel.«

»Weiter«, sagte Winter.

»Ja ... vielleicht haben sie alle ... Kontakt zum Täter gehabt.«

»Wie? Du meinst, er ist vielleicht jedes Mal als Zeitungsbote aufgetreten?«

»Ich weiß nicht. Vielleicht ist er auch jedes Mal als was anderes aufgetreten, um sie nicht zu erschrecken.«

»Könnte sein.«

»Sind die Zeitungsboten bei den anderen Fällen überprüft worden?«, fragte Bergenhem.

»Nein. So weit sind wir noch nicht«, sagte Winter.

Oder so weit haben wir noch nicht gedacht, dachte er.

»Es lohnt sich, das nachzuprüfen«, sagte Bergenhem. »Wir haben uns ja schon mit einigen Leuten unterhalten, die in der nächsten Umgebung wohnen.«

»Nicht über Zeitungen.«

»Weil wir sie nicht danach gefragt haben«, sagte Bergenhem.

Genau, dachte Winter. Wer fragt, kriegt auch Antwort.

»Bleibt also nur noch die Frage nach der Veranlagung der Opfer«, sagte Bergenhem.

»Alles Schwule?«

Bergenhem machte eine Bewegung: kann-sein-aber-was-weiß-ich.

»Junge Schwule, die eine aufregende Gelegenheit sahen und teuer dafür bezahlen mussten?«, sagte Winter.

»Wäre doch möglich«, sagte Bergenhem.

»Sind sie an einen Schwulenklopper geraten? Oder an mehrere? Schwulenhasser?«

»Vielleicht«, sagte Bergenhem, »aber ich glaube, es ist nur einer.«

»Was hat dieser Täter für eine Veranlagung?«, fragte Winter.

»Er ist nicht homosexuell«, sagte Bergenhem.

»Warum nicht?«

»Ich weiß es nicht«, sagte Bergenhem. »Das passt nicht.«

»Sind Schwule nicht gewalttätig?«, fragte Winter.

»Schwulenklopper sind doch wohl nicht homosexuell?«, sagte Bergenhem. »Oder gibt es solche?«

Winter antwortete nicht.

»Das passt hier nicht«, fuhr Bergenhem fort. »Ich weiß, dass man nichts ausschließen darf, aber ich hab das starke Gefühl, dass es hier nicht passt.«

Winter wartete darauf, dass Bergenhem weiterredete.

»Na, es ist wohl noch zu früh, zu irgendwas hier eine Meinung zu haben«, sagte Bergenhem.

»Keinesfalls«, entgegnete Winter. »Nur auf diese Weise kommen wir vorwärts. Gespräche. Dialoge. Wir sind gerade im Gespräch auf ein mögliches Motiv gestoßen.«

»Und das wäre?«

»Hass«, sagte Winter.

Bergenhem nickte.

»Wir setzen mal einen Augenblick voraus, dass die vier Jungs sich nicht kennen«, sagte Winter. »Sie haben keine gemeinsame Geschichte. Aber sie sind durch ihre ... sexuelle Veranlagung miteinander verbunden.«

»Und der Täter hasst also Schwule«, sagte Bergenhem.

Winter nickte.

»Aber woher wusste er, dass seine Opfer schwul sind? Wie konnte er so sicher sein?«

»Um das zu erkennen, brauchte er nicht viel Zeit«, sagte Winter. »Nur so viel, bis er aufgefordert wurde, mit ihnen nach Hause zu gehen.«

»Ich weiß nicht ...«

»Du hast diese Überlegungen in Gang gesetzt«, sagte Winter.

»Ach, wirklich?«

»Ja.«

»Okay. Aber vielleicht hat der Täter auch alle vier gekannt.«

»Wie das?«

»Vielleicht hat er doch ... die Veranlagung. Vielleicht kannten sie einander aus einem Club. Vereinigung freier schwuler Studenten, was weiß ich. Eine Kneipe. Heimliche Kontakte. Jedenfalls hat sich das Ganze zu einem Drama der Leidenschaften entwickelt.«

»In das weitere Personen verwickelt sind«, sagte Winter.

»Vielleicht werden es noch mehr«, sagte Bergenhem.

Winter strich sich wieder über den Nasenrücken. Möglicherweise war das alles falsch. Aber vielleicht waren sie auch ein Stück vorwärts gekommen. Noch war es nur ein Gespräch, Worte, nichts als Worte, denen jetzt Taten folgen mussten, Fragen über Fragen, die beantwortet werden mussten, Akten, die studiert werden mussten, wieder und wieder, Wanderungen straßauf, straßab, treppauf, treppab, neue Verhöre und Telefonbefragungen.

»Du hast vorhin gesagt, da sei noch eine Frage offen, die

Frage nach der eventuellen Veranlagung des Opfers, aber es gibt da noch eine«, sagte Winter. »Und die hat nichts mit irgendeiner Veranlagung zu tun.«

»Und die wäre?«

»Wenn dort wirklich ein falscher Zeitungsbote war … wenn uns das jemand anders als Smedsberg bestätigt … wie konnte dieser Zeitungsbote dann wissen, dass er an diesem Morgen ungestört war?«

Bergenhem nickte.

»Er müsste es doch gewusst haben, oder? Sonst wären er und die richtige Zeitungsbotin sich doch begegnet. Aber sie ist ja nicht gekommen. Wie konnte er das wissen?«

8

Ringmar stand am Fenster und starrte auf den novemberlichen Rasen, der jetzt nicht mehr gemäht werden musste, und darüber war er froh. Der Rasen war groß und wurde von der Lampe über dem Hauseingang und den Straßenlaternen hinter der Hecke beleuchtet.

Der Regen hing wie ein Schleier über dem Garten, und ein Wind ging durch die drei Ahornbäume, deren Kronen er hatte wachsen sehen in den vergangenen zwanzig Jahren, die sie in diesem Haus wohnten. Zwanzig Jahre hätte er am Fenster stehen und das Gras wachsen oder sich ausruhen sehen können, wie jetzt. Zum Glück hatte er anderes zu tun gehabt. Aber trotzdem. Er war fünfunddreißig gewesen, als sie das Haus kauften. Sogar noch jünger als Winter. Ringmar nahm einen Schluck Bier, das in dem dünnen Glas schimmerte. Jünger als Winter. Während einer langen Zeitspanne, ziemlich lange, bevor auch Winter älter wurde, war es ein geflügeltes Wort im Dezernat gewesen, sogar im ganzen Präsidium. Niemand war jünger als Erik.

Er nahm wieder einen Schluck, lauschte auf den Wind und dachte an Martin, seinen Sohn. Wie merkwürdig sich manches entwickelt hatte. Moa hingegen, seine fünfundzwanzigjährige Tochter, wohnte zu Hause, vorübergehend, aber es könnte einige Zeit dauern, ehe sie eine neue Wohnung fand. Sein siebenundzwanzigjähriger Sohn aber hatte nicht mal seine letzte Adresse hinterlassen. Martin konnte mit einem Schiff auf der anderen Seite des Erdballs segeln. Oder in einer Bar im Stadtteil Vasastan stehen. Die Stadt war groß genug, um ihm aus dem Weg zu gehen, wenn er es darauf anlegte. Wenn niemand nach ihm suchte. Und Ringmar suchte nicht. Nicht aktiv. Nicht nach außen. Bald ein Jahr lang hatte Martin nichts von sich hören lassen. Ringmar wusste nicht mehr als Moa, wusste, dass der verflixte Bengel lebte, und das war's.

Er suchte stattdessen im Innern, versuchte Ursachen zu finden.

Hatte er sich ihm gegenüber nicht anständig verhalten? Hatte er nicht versucht, immer für seine Kinder da zu sein? War es doch der verdammte Job? Die sonderbaren Arbeitszeiten ... die kleinen Postdepressionen, die gar nicht immer so klein gewesen waren.

Die Erinnerung an eine Kinderleiche kann man nicht einfach am selben Abend unter der Dusche abschrubben. Das kleine Gesicht, die weichen Züge, die schon fast nicht mehr da sind. Jünger als irgendetwas anderes, und dann das. Schluss, aus, vorbei, für immer.

Ringmar leerte das Glas. Meine Gedanken wandern. Aber die Kinder sind das Schlimmste gewesen.

Jetzt sehne ich mich nach einem Gespräch mit meinem einzigen Sohn.

Das Telefon an der Küchenwand neben der Tür klingelte. Gleichzeitig flatterten einige kleine Vögel aus dem Gras auf da draußen, als hätte das Klingeln sie erschreckt.

Ringmar stellte das Glas auf die Spüle und hob den Hörer ab. Die Uhr an der Wand überm Telefon zeigte zwanzig null null.

»Ja, hier ist Bertil.«

»Hallo, Erik hier.«

»Guten Abend, Erik.«

»Was tust du gerade?«

»Schau zu, wie sich das Gras ausruht. Trinke böhmisches Bier.«

»Könntest du dich ein bisschen mit Moa unterhalten?«, fragte Winter.

»Was willst du eigentlich sagen, Papa?«

»Wenn ich ehrlich sein soll, ich weiß es auch nicht genau.«

»Das hast du dir doch nicht selbst ausgedacht.«

»Das nicht gerade«, antwortete er.

Er saß in ihrem Zimmer in dem Sessel, der dort gestanden hatte, seitdem das Zimmer ihr gehörte. Zwanzig Jahre. Sie hatte oft dort gesessen und aus dem Fenster auf den Rasen geschaut, genau wie er.

»Jedenfalls hat also jemand den Verdacht, Jakob Stillman könnte schwul sein?«

»Ich weiß nicht, ob ich es Verdacht nennen würde.«

»Nenn es, wie du willst. Ich möchte nur wissen, worum es eigentlich geht.«

»Es geht unter anderem um den Job, den ich nun mal habe«, sagte Ringmar und verlagerte das Körpergewicht auf dem weichen Sessel, der nach all den Jahren etwas abgenutzt war. Ungefähr wie ich. »Wir prüfen verschiedene Theorien. Oder Hypothesen.«

»Diese kannst du vergessen«, sagte sie.

»Ach?«

»Total daneben.«

»Du hast doch gesagt, du kennst ihn nicht?«, fragte Ringmar.

»Er hat eine Freundin. Vanna. Ich hab sie zu dir geschickt, wenn ich mich richtig erinnere.«

»Du erinnerst dich richtig.«

»Na also.«

»Manchmal sind die Dinge komplexer.«

Sie antwortete nicht.

»Tja ...«, sagte er.

»Und was würde es bedeuten?«, fragte sie. »Wenn er wider Erwarten doch schwul sein sollte?«

»Wenn ich ehrlich sein soll, ich weiß es nicht«, sagte Ringmar.

»Was wissen wir eigentlich?«, sagte Sture Birgersson, der sich gerade eine neue John Silver an einer alten anzünden wollte. Der Dezernatschef stand an seinem üblichen Platz, wo er beim Gespräch immer stand, vorm Fenster, hinter dem Schreibtisch.

»Hattest du nicht aufgehört?«, fragte Winter.

»Die Lungen sind wieder in Ordnung«, antwortete Birgersson und inhalierte den Rauch. »Ich hab's mir anders überlegt.«

»Gesund«, sagte Winter.

»Ja, nicht?« Birgersson hielt die Zigarette vor sich und studierte sie, als ob sie eine kleine Mohrrübe wäre. »Aber wir waren eben woanders.«

»Du hast es ja gelesen«, sagte Winter.

»Brauchst du mehr Leute?«

»Ja.«

»Es gibt keine.«

»Vielen Dank.«

»Wenn es noch schlimmer wird, kann ich vielleicht ein paar ranschaffen«, sagte Birgersson.

»Inwiefern noch schlimmer?«

»Noch ein Opfer, Mensch. Vielleicht ein Toter.«

»Wir hätten es mit vier Toten zu tun haben können«, sagte Winter.

»Mhm.« Birgersson zündete die Zigarette an der Glut der Kippe an. »Grausam, aber nicht grausam genug.«

»Vier Morde«, sagte Winter. »Das wäre ein Rekord, jedenfalls für mich.«

»Für mich auch.« Birgersson kam um den Schreibtisch herum. Winter nahm den Duft nach Tabak wahr. Als ob die alte Tabakfabrik unten am Fluss wieder aufgemacht hätte. »Aber du hast Recht. Es ist übel. Vielleicht haben wir mit einem Serienmörder zu tun, der nicht gemordet hat.«

»Wenn es jedes Mal derselbe war.«

»Glaubst du das nicht?«

»Doch, das glaub ich«, sagte Winter.

Birgersson drehte sich um und nahm drei Blätter, die auf dem Schreibtisch lagen. Der war im Übrigen leer, sauber, glänzend. Geradezu zwanghaft, dachte Winter. Das dachte er jedes Mal, wenn er bei dem Dezernatschef war.

Birgersson las wieder in dem Dokument und schaute auf.

»Ich frage mich, ob diese Schwulentheorie stimmt«, sagte er.

»Nur du, Lars, Bertil und ich kennen sie«, sagte Winter.

»Das ist wohl auch am besten so.«

»Du hast mir beigebracht, mit doppelt geschliffenen Gläsern zu suchen«, sagte Winter.

»Hab ich das gesagt? Das ist gut.« Birgersson strich sich übers Kinn. Er sah Winter an und lächelte fast. »Könntest du mich daran erinnern, was ich damit gemeint habe?«

»Gleichzeitig nach unten und vorwärts blicken. In diesem Fall parallel verschiedene Motive suchen.«

»Hm.«

»Das sind Selbstverständlichkeiten«, sagte Winter.

»Das hab ich lieber nicht gehört.«

»Wie alle großen Gedanken.«

»Hear, hear«, sagte Birgersson.

»Die Schwulentheorie könnte uns ein Motiv liefern.«

»Habt ihr noch mal einen der Jungs verhört? Ich meine mit diesem Hintergedanken.«

»Der Gedanke ist noch ganz neu«, sagte Winter.

Birgersson antwortete nicht, und das bedeutete, die Diskussion war für diesmal beendet. Winter holte ein Päckchen Corps hervor und zog die Schutzhülle von einem der dünnen Zigarillos ab.

Birgersson hielt ihm sein Feuerzeug hin.

»Du hattest doch auch aufgehört«, sagte er.

»Es hat zu wehgetan«, sagte Winter. »Jetzt fühl ich mich wieder besser.«

Halders stand mitten auf dem Doktor Fries Torg. Hier war die Zeit stehen geblieben, sie umgab den Platz, der zu Zeiten des Wohlfahrtsstaates gebaut worden war, in denen man in seinen Träumen, seinem Glauben und Vertrauen nach vorn geschaut hatte. Hier bin ich wieder Kind, dachte Halders. Hier ist alles echt, so hat es ausgesehen.

Platten, Steine, Beton. Aber damals war es trotzdem eine glückliche Straße gewesen. Hoch über dem Boden schwebte der Beton. Nicht schlecht, gar nicht schlecht.

Nur wenige Menschen bewegten sich zwischen der Bibliothek, den Vereinslokalen und der Zahnarztpraxis, zu der Winter ging, soviel Halders wusste. Eine Pizzeria, natürlich. Eine geschlossene Bankfiliale, natürlich. Tabak und Zeitungen, eine

Post, aber die würde es auch nicht mehr lange geben. Ein Supermarkt, dessen äußere Erscheinung mit dem Entstehungsjahr des Platzes übereinstimmte.

Halders setzte sich auf eine der Bänke und zeichnete einen Plan in sein Notizbuch.

Hier war Stillman vorbeigekommen auf dem Weg von den Treppen dort unten, die zur Stadt hinunterführten. Er musste durch das Dickicht gegangen sein, das zu dem Zeitpunkt völlig im Dunkeln gelegen haben muss. Er hätte auch einen anderen Weg wählen können. Dies war der schwierigste. Vielleicht hatte der Junge einen Hang zum Abenteuer. Halders zog eine Linie von dem Punkt, wo er saß, und dem Weg, den Stillman genommen haben musste, zu dem Punkt, wo er niedergeschlagen worden war.

Fast mitten auf dem Platz. Er schaute zu der Stelle. Jemand könnte im Schatten unter den Arkaden vor dem Supermarkt gestanden haben. Oder neben dem Tabakladen. Oder dem Delikatessengeschäft auf der anderen Seite. Ist mit einem Eisen hervorgestürzt. Dem Eisen eines Golfschlägers. Einem anderen Eisen. Oder ist auf dem Fahrrad angebraust gekommen. Oder ist gerannt wie der Teufel auf lautlosen Sohlen, und der Junge, der müde und betrunken war, hatte nichts gehört. Schade, dass die Opfer keinen Walkmanstöpsel im Ohr und die Musik in höchster Lautstärke im Schädel gehabt hatten. Das hätte einiges erklärt.

Vielleicht waren sie auch gar nicht allein gewesen. Der Gedanke war Halders durch den Kopf geschossen, als er die Orte wieder aufgesucht hatte. Vielleicht war jemand bei ihnen gewesen, den sie nicht nennen wollten, obwohl der Betreffende versucht hatte, sie zu erschlagen. Könnte es so gewesen sein? Deckten sie ihren Täter? Halders hatte viel im Lauf der Jahre gelernt. Es war ein Irrglaube zu meinen, die Menschen würden sich rational verhalten. Die menschliche Psyche war ein interessantes Stück Wirklichkeit. Oder eher ein erschreckendes. Man musste es nehmen, wie es kam.

Nicht allein. Jemanden decken. Oder schämten sie sich wegen irgendetwas? Er schaute wieder auf seine Skizze, zeichnete eine gerade Linie zum Wartehäuschen der Straßenbahnen-

und Bushaltestelle. Dorthin war Stillman unterwegs gewesen, hatte er gesagt.

Von woher? Er hatte immer noch nicht erklären können, was er hier getan hatte. Die Behauptung, er sei einfach nur so herumgelaufen, ließ Halders nicht gelten. Nach Olofshöjd zu seiner Studentenbude war es weit. Man konnte zwar zu Fuß durch den Schlosswald und über Änggården und Guldheden dorthin gehen, genau wie es theoretisch möglich war, zu Fuß von Göteborg ostwärts nach Shanghai zu gelangen.

Hatte er hier jemanden besucht? Warum zum Teufel wollte er es dann nicht sagen, wenn es so war? Hatten sie einen kleinen Nachtspaziergang unternommen? Wir müssen uns noch mal ausführlich mit ihm unterhalten. Und mit den anderen Studenten. Halders erhob sich und ging zu dem Delikatessengeschäft, um sich etwas zu essen zu kaufen.

Winter trieb sich noch ein wenig auf dem Hof herum, nachdem er sich winkend von Elsa verabschiedet hatte. Eine Weile hatte sie ihm vom Fenster aus gewinkt, aber dann war sie plötzlich verschwunden, und er hatte begriffen, dass er und Angela nicht die Einzigen in ihrem Leben waren.

Auf dem Hof waren viele Kinder. Zwei Erzieherinnen, soweit er sehen konnte. Draußen auf der Straße floss dichter Verkehr vorbei, die zweite *rush hour* am Morgen zur Arbeit. Bald werde ich mich auch ins Getümmel stürzen.

Als Winter zum Zaun blickte, sah er einen kleinen Ausbüchser auf dem Weg durchs Gebüsch. Vielleicht derselbe wie beim letzten Mal auf der Jagd nach der Freiheit außerhalb des Kindergartenareals.

Winter sah, wie sich die Büsche hinter dem Jungen schlossen. Bald würde er wieder zum Vorschein kommen. Vielleicht hatte er dort drinnen einen Geheimplatz und ging jeden Tag hin.

Winter ging zum Zaun und schaute nach rechts, um das Kind auf der anderen Seite der Büsche und auf der richtigen Seite vom Zaun zu sehen, aber er sah niemanden. Er ging näher, sah jedoch immer noch niemanden, hörte nichts. Er ging noch näher und entdeckte ein Stückchen abstehenden Stahldraht, er zog daran und merkte, dass der Rest ihm folgte wie eine Schwingtür.

Er drehte sich um, aber der kleine Junge war nicht zu sehen.

Was zum Teu...

Er war zu groß für die Öffnung und ging rasch zurück durch die Pforte, doch auch auf dem Hof war der Junge nirgends zu sehen.

Er ging die zehn Meter zur Kreuzung, die teilweise von dicht wachsenden Tannen, die den Kindergarten umgaben, verdeckt wurde. Als er sich nach rechts wandte, sah er den Jungen zwanzig Meter entfernt auf dem Trottoir in zielbewusstem Tempo wegmarschieren.

Als Winter mit dem Jungen zum Hof zurückkehrte, war sein Verschwinden schon aufgefallen.

»Es sollte gerade eine kleine Zwischenmahlzeit geben«, sagte die stellvertretende Leiterin, die besorgt an der Pforte stand.

»Im Zaun ist ein Loch«, sagte Winter und ließ den Jungen zu Boden, der sich ohne Protest von ihm hatte einfangen lassen.

»Himmel«, sagte sie und hockte sich vor das Kind. »Hast du einen kleinen Spaziergang gemacht, August?«

Der Junge nickte.

»Du darfst nicht hinter den Zaun gehen«, sagte sie.

Der Junge nickte wieder.

Sie schaute zu Winter auf.

»So was hab ich noch nicht erlebt.« Sie sah zu den Wacholderbüschen. »Wie kann der Zaun kaputtgegangen sein?«

»Ich weiß es nicht«, sagte Winter. »Ich hatte keine Zeit, das zu untersuchen. Sie müssen ihn auf jeden Fall sofort reparieren lassen.«

»Ich ruf gleich an.« Sie richtete sich auf. »Die Kinder müssen so lange drinnen bleiben.«

»Der ganze Zaun muss kontrolliert werden«, sagte Winter. Er sah sie nicken, während sie mit August auf dem Arm ins Haus zurückkehrte.

Winter ging noch einmal zum Zaun und riss an dem losen Teil. Ein weiteres Stück folgte ihm, als ein paar verrostete Halterungen sich lösten. Er war stärker als August, trotzdem war es dem Jungen gelungen, den Zaun zu öffnen, vielleicht war er ja schon schadhaft gewesen. Winter dachte an Elsa. War sie mal mit August hier gewesen? Geh niemals mit fremden Männern.

Die ganze Gruppe spielte eine Art Verstecken, die Kinder lachten, und das sah so lustig aus. Er hätte zu ihnen laufen und bis hundert zählen und »Fertig!« rufen mögen und »Ich komme!«. Und dann würde er mitspielen und suchen, er würde jemanden aus einem Versteck hervorspringen sehen, aber er würde schneller sein und es wieder zurückschaffen und ihn anschlagen, und noch einmal würden sie es spielen, und alle würden sagen, er sei der Schnellste und Beste und dann, wenn er selbst mit Verstecken an der Reihe war, würde ihn niemand finden, und er würde hervorstürzen und sich freischlagen. Jedes Mal würde er das schaffen.

Jetzt weinte er.

Es regnete, er sah es auf der Windschutzscheibe.

Wieder dieselbe Stimme im Radio, immer diese Stimme, wenn er losfuhr, wenn er sich so fühlte wie jetzt. Wenn er dort sein wollte, wo die Kinder waren. Mit den Kindern sprechen, mehr tat er nicht.

Dieselbe Stimme, dieselbe Zeit, dasselbe Programm, dasselbe Licht am Himmel. Dasselbe Gefühl. Wenn eins der Kinder ihn begleiten wollte? Ihn zu Hause besuchen wollte? Wie sollte er da nein sagen können? Selbst wenn er es wollte?

Die Stimmen dort draußen klangen wie ein Rauschen, wie Regen. Er mochte diese Geräusche und wie sie sich so angenehm mischten, dass er nicht mehr lange stillsitzen und zuhören konnte.

Dann kam dieses Gefühl, das anders war, und er wusste, es machte ihm Angst. Er versuchte den Kopf zu schütteln, damit es in ihm versank, wie es früher auch geschehen war, aber das Gefühl versank nicht. Es zwang ihn, sich zu recken und die Autotür zu öffnen, einen Fuß auf den Boden zu setzen, der mit verrottetem Laub bedeckt war. Und jetzt stand er neben dem Auto, und das Gefühl war stärker. Es schnürte ihm wie ein Band die Brust zusammen. Er hörte sein eigenes Atmen, und ihm erschien es so laut, dass es eigentlich alle hören müssten. Aber niemand hörte es. Alle rannten durcheinander. Alle lachten. Alle waren fröhlich, und er wollte nicht daran denken, wie es gewesen war, als er so klein war und beim Herumlaufen gelacht hatte. Mit Mama. Mama hatte ihn an der Hand gehalten, und die Erde war mit buntem Laub bedeckt gewesen.

Dort lief ein kleines Mädchen.

Ein gutes Versteck.

Er ging ihr nach.

Hier ist ein noch besseres.

Ja, ich spiele mit. Jetzt schauen sie her! Wenn sie dich nun entdecken!

Hier. Hier.

Versteck dich.

Hier drinnen.

Er hatte den Durchgang schon früher entdeckt, er war wie eine Öffnung zwischen den Felsen zum Wald hin, wo er das Auto geparkt hatte. Hinter dem Hügel. Er war fast erstaunt gewesen, wie leicht es war, vom Parkplatz hierher zu fahren.

Das ist der beste Platz. Niemand findet dich hier.

Er spürte den Regen auf der Zunge, als er merkte, dass er sie herausstreckte.

Er hatte gedacht, die Polizei würde sich noch mal melden, aber warum sollte sie? Er hatte nichts getan. Es war ... der andere. Alle hatten es begriffen. Auf der Dienststelle hatten sie es begriffen. Ruh dich ein paar Wochen aus, inzwischen werden wir die Sache ordentlich untersuchen.

Ich brauche keine Wochen. Ich brauche meine Arbeit. Das hatte er gesagt. Er hatte die Fragen nach dem, was passiert war, beantwortet, hatte berichtet.

So einen habt ihr noch nie im Wagen gehabt. So einen! In der Stadt wimmelt es von solchen Typen, in den Straßenbahnen, den Bussen. Eine Gefahr für die Leute und eine Gefahr für die Fahrer. Schaut nur! Ist das, was passiert war, kein Beweis dafür? Das, was den Unfall *verursacht* hatte?

Ja, das ist mein Auto. Wer kann dich da drinnen finden? Das ist das beste Versteck.

9

Janne Alinder streckte den Arm, um den Schmerz im Ellenbogen zu lindern. Er hob ihn in einem Winkel von fünfundvierzig Grad mit geöffneter Hand an und dachte, wenn jetzt einer hereinkäme, könnte es wie ein zweifelhafter Gruß wirken.

Johan Minnonen kam aus dem Flur herein.

»Ich werd nichts sagen«, sagte er.

»Tennisarm«, sagte Alinder.

»Dafür ungewöhnlich gerade.«

»Glaub, was du willst.«

»Mein Vater hat auf deren Seite gekämpft.«

»Wessen Seite?«

»Von den Deutschen natürlich, gegen die Russen.«

»Nicht alle Deutschen waren Nazis«, sagte Alinder.

»Frag mich nicht.« Minnonens Gesicht verfinsterte sich. »Ich war noch zu klein. Und mein Vater ist nicht wieder nach Hause gekommen.«

»Das tut mir Leid«, sagte Alinder.

»Ich übrigens auch nicht. Ich bin auch nicht mehr nach Hause gekommen. Mich haben sie hierher geschickt, und hier bin ich geblieben.« Minnonen stand immer noch da. »Kriegskind, wie das hieß. Ich hieß Juha und daraus wurde Johan.«

»Und ... deine Mutter?«

»Doch, wir haben uns nach dem Krieg wieder gesehen, aber es waren so viele Geschwister. Tja ...«

Alinder wusste, mehr würde er nicht erfahren. Noch nie hatte Minnonen etwas darüber hinaus erzählt.

Himmel, er saß ja immer noch mit ausgestrecktem Arm da.

Das Telefon vor ihm klingelte. Er nahm die rechte Hand herunter und griff nach dem Hörer. Minnonen schlug die Hacken zusammen und salutierte, bevor er raus zu den Autos ging.

»Polizeirevier Majorna-Linnéstad, Alinder.«

»Ja ... guten Tag ... hier ist Lena Sköld. Ich hab schon vor ein paar Tagen angerufen, wegen meiner Tochter ... Ellen ...«

Sköld, Sköld, dachte Alinder. Tochter. Da war doch was.

»... wegen Ellen also. Sie hat gesagt, sie ist mit jemandem mitgegangen ... einem Fremden.«

»Ja, jetzt erinnere ich mich. Wie geht es ihr?«

»Gut ... wie immer ...«

»Hm.«

»Aber Sie haben ja gesagt, ich soll mich melden, wenn ich glaube, dass etwas fehlt. Das haben Sie doch gesagt?«

Wenn du es sagst, wird es wohl so sein, dachte Alinder. Ja, doch, genau ... sie hat Recht.

»Ja, ich erinnere mich«, antwortete er.

»Sie hatte immer einen kleinen Schmuckanhänger in der Tasche von ihrem Overall, aber der ist weg«, sagte Lena Sköld. »Ein altes Schmuckstück. Das hatte ich schon, als ich klein war. Ich bin da wohl so ein bisschen abergläubisch. Es soll Glück bringen.«

Sie verstummte.

»Ja?«

»Es hat immer in der rechten Brusttasche von ihrem Overall gesteckt. In einer extra kleinen Tasche. Ich verstehe nicht, wie ...«

Sie verstummte wieder.

»Ja?« Er wartete auf die Fortsetzung.

»Ich verstehe nicht, wie es hat rausfallen können«, vollendete Lena Sköld ihren Satz.

»Könnte Ellen den Anhänger nicht selbst herausgenommen haben?«

»Nein, das glaub ich nicht.«

»Und das ist zum ersten Mal passiert?«

»Was?«

»Das erste Mal, dass er verschwunden ist?« Dumme Frage, aber was soll ich machen, dachte Alinder. Das ist die Art von Gespräch, für die ich keine Zeit habe.

»Ja, natürlich.«

»Und was glauben Sie selber?«

»Na ja, wenn es stimmt, was Ellen erzählt hat ... dann könnte doch der Mann im Auto den Schmuckanhänger an sich genommen haben.«

»Haben Sie Ellen noch einmal danach gefragt?«

»Ja.«

»Und?«

»Sie sagt immer noch ungefähr dasselbe wie vorher. Es ist doch merkwürdig, dass sie sich erinnert, oder?«

Meine Erinnerungsnotiz, dachte Alinder. Kann ja noch ein paar Sätze hinzufügen.

»Beschreiben Sie diesen Schmuckanhänger«, sagte er und griff nach dem Stift.

»Es ist ein kleiner Vogel aus Silber«, antwortete sie.

Nur ein kleiner Gegenstand. Eine Erinnerung. Er konnte sie hervornehmen, und das genügte ihm.

Noch. Nein. Nein! Es genügte. Es genügte!

Er wusste, dass es nicht genügen würde. Er würde ... es zu etwas benutzen.

Er schloss die Augen und schaute zur Wand und der Kommode, die neben dem Bücherregal stand, in dem die Videofilme waren.

Das Auto von dem Jungen und den kleinen silbernen Vogel von dem Mädchen verwahrte er in einer Schublade der Kommode. Das Auto war blau und schwarz, und der Vogel glänzte in seiner eigenen Farbe.

Jetzt hielt er den kleinen Ball in der Hand, den das andere Mädchen in der Tasche gehabt hatte. Er war grün wie ein Sommerrasen. Maja hieß sie. Der Name klang auch nach Sommer. Maja. Das war kein Name für diese Jahreszeit. Er mochte den Herbst nicht. Im Sommer war er ruhiger, aber jetzt ... Jetzt war er nicht mehr so ruhig.

Er setzte sich ins Auto und fuhr los, fuhr und fuhr. Fuhr

herum, er wollte es nicht, aber er konnte es nicht lassen. Die Spielplätze. Die Höfe der Kindergärten.

Dabei sein und mitspielen.

Er ließ den Ball fallen, der hüpfte gegen die oberste Schublade der Kommode und zurück. Er neigte sich zur Seite und fing ihn mit einer Hand.

Wenn es draußen so dunkel war, dass er die Vorhänge nicht vorzuziehen brauchte, wenn er seine Videos sehen wollte, stellte er den Fernseher an.

Maja sagte etwas Lustiges. Er hörte sein eigenes Lachen vom Film. Sie lächelte. Er sah den Regen auf der Scheibe hinter ihr. Die nackten Bäume. Den Himmel, leer. Wie traurig es da draußen aussah, vor den Autofenstern. Grau, schwarz. Nass. Verwelkt. Der Himmel grau oder schwarz oder rot ... wie Blut. Nein. Bösartig. Der Himmel ist ein bösartiges Loch, das größer ist als alles andere, dachte er und krallte seine Hand fest um den Ball. Vom Himmel fallen Sachen, vor denen man flieht, sich versteckt. Er ist leer, aber Regen fällt herab, und wir entkommen nicht, und deswegen ist der Himmel nur ein Ort auf Erden. Der Himmel ist ein Ort auf Erden, dachte er wieder. Er dachte an die Zeit, als er Kind gewesen war. Der Onkel war zu ihm gekommen, wenn er geweint hatte. Er hatte das Licht im Zimmer ausgeschaltet, und der Onkel hatte dies und das gefragt und ihm Sachen gegeben und war dann wieder gegangen. Dann war er wiedergekommen.

Es hatte so wehgetan. Aber war das ... Papa gewesen? War das Papa gewesen? Oder der Onkel? Hinterher hatte er ihn getröstet.

So viele Male getröstet.

Er sah wieder auf die Mattscheibe. Dort drinnen im Auto war es warm und schön. Ihm war warm gewesen, als er gefilmt hatte. Die Laute vom Radio waren auch dabei. Jetzt kam die Stimme, die fluchte. Das Kind hatte es gehört. Maja. Jetzt sagte Maja, der Onkel im Radio habe ein hässliches Wort gesagt.

Ja, das war ein sehr hässliches Wort.

Was für einen schönen Ball du hast, Maja. Halt ihn mal hoch.

Winter saß mit abgewinkelten Beinen bei der Tür im Flur und rollte Elsa den Ball zu, die am anderen Ende des Flurs saß. Es war ein langer Flur. Er konnte ihr den Ball über die ganze Entfernung zurollen, aber sie schaffte es nicht, ihm den Ball zurückzurollen.

Er stand auf und setzte sich näher zu ihr.

»Dummer Ball«, sagte Elsa.

»Jetzt geht es besser«, sagte er und rollte ihn ihr wieder zu.

»Ball, Ball!«, rief sie, als es ihr gelang, ihn zu ihm zurückzurollen. »Ball Papa!«

»Hier kommt er«, sagte er und rollte ihn wieder zurück.

Elsa schlief, als Angela nach dem Spätdienst nach Hause kam. Ein langer Tag auf der Station. Frühdienst. Ein bisschen Ausruhen dazwischen. Abenddienst. Er hörte den Aufzug dort draußen im Treppenhaus knirschen und öffnete die Tür, damit Angela sie nicht aufschließen musste.

»Ich hab den Aufzug gehört.«

»Ganz Vasastan hört diesen Aufzug.« Vorsichtig zog sie sich den Regenmantel aus und hängte ihn auf einen Bügel, bevor sie ihn ins Badezimmer trug. »Der Aufzug ist schon seit dreißig Jahren pensionsreif.« Sie zog die Stiefel aus. »Es ist eine Schande, dass er immer noch arbeiten muss.«

»Elsa gefällt er jedenfalls«, sagte Winter.

»Wie war es heute?«, fragte Angela auf dem Weg in die Küche.

»Ein neuer Vorfall im Kindergarten.« Er folgte ihr.

»Und was?«

»Ein kleiner Junge ist rausgelaufen, ich glaub, es war derselbe Junge, der letztens durchs Gebüsch abgehauen ist.«

»Raus? Wohin? Wer?«

»Ich glaub, er heißt August. Weißt du dann, wer das ist?«

»Ja ... ich glaube.«

»Im Zaun hinterm Gebüsch war ein Loch, und August ist auf die Straße gelaufen.«

»Himmel.«

»Ich hab ihn grad noch eingefangen, bevor etwas passieren konnte.«

»Wie zum Teufel kann da ein Loch im Zaun sein?«, sagte Angela aufgebracht, und sie fluchte wahrhaftig nicht oft.

»Durchgerostet.«

»Himmel«, wiederholte sie. »Was sollen wir tun?«

»Wie meinst du das?«

»In welchen Kindergarten sollen wir Elsa geben? Du glaubst doch wohl nicht, dass ich sie dort lasse, wenn da ein Loch im Zaun ist und dahinter eine der meistbefahrenen Straßen Europas?« Sie sah ihn an und hob die Hand. »Es ist wie ein Loch hinaus in die grausame Wirklichkeit.«

»Sie haben es schon repariert.«

»Woher weißt du das?«

»Ich hab's kontrolliert.« Er lächelte. »Heute Nachmittag.«

»Haben sie den Zaun ausgetauscht?«

»Scheint so.«

»Scheint? Du machst dir also keine weiteren Sorgen?«

»Ich hab die Leiterin vorhin angerufen, bin aber nicht durchgekommen.«

»Dann versuch ich es noch mal.«

Sie stand auf, ging zum Telefon und wählte eine der Nummern, die auf dem Zettel am Kühlschrank standen.

Angela biss ihn in die Fingerknöchel, als sie spürte, dass er genauso kurz davor war wie sie. Er hörte eine Feder in der Matratze unter ihnen quietschen, ein Geräusch, das vom Aufzug kommen könnte, aber daran dachte er erst hinterher.

Sie schwiegen in der Stille.

»Könntest du ein bisschen Wasser holen?«, fragte sie dann.

Er stand auf und ging in die Küche. Gegen das Fenster zum Hof schlug Regen. Die Uhr an der Wand zeigte Viertel nach zwölf. Er füllte ein Glas mit Wasser für Angela und öffnete für sich selber ein Bier.

»Danach kannst du nicht schlafen«, sagte sie, als er das Bier auf der Bettkante trank.

»Wer hat denn was von Schlafen gesagt?«

»Ich hab nicht so eine flexible Arbeitszeit wie du«, sagte sie. »Ich hab einen Dienstplan.«

»Flexibel und kreativ«, sagte er.

Sie trank von dem Wasser und stellte das Glas auf den Holzfußboden, der in dem Licht, das von draußen hereinfiel, glänzte. Ein Bus war bis zu ihnen herauf zu hören, Reifen, die durch Wasser fuhren. Das Geräusch von einem anderen Fahrzeug. Diesmal kein Krankenwagen, zum Glück. Vielleicht eine Stimme, aber es könnte auch ein heiserer Vogel sein, der sich zu lange im Norden aufgehalten hatte.

In diesem Augenblick dachte sie das: Haben wir uns zu lange hier aufgehalten? Ist es nicht Zeit wegzuziehen aus der Steinwüste?

Sie sah ihn an. Ich wollte nicht wieder davon anfangen. Vielleicht, weil ich selber nicht mehr wegwill. Es lebt sich gut in der Stadt. Wir gehören nicht aufs Land. Elsa ist glücklich hier. Sie hat sogar eine Freundin hier im Haus. Der Zaun um den Kindergarten ist repariert. Wir könnten uns ja ein Sommerhaus auf dem Lande mieten.

Wieder sah sie Erik an, der in eigenen Gedanken versunken zu sein schien. Zwischen uns ist es jetzt besser als früher, besser als vor einem Jahr oder so. Da war ich mir nicht sicher. Eine Zeit lang war ich nicht sicher. Ich glaube, er auch nicht.

Und dann ... wir hätten in verschiedenen Welten landen können. Ich hätte im Himmel und Erik auf der Erde sein können. Ich glaube, ich wäre im Himmel gelandet. Bei ihm bin ich mir nicht sicher. Ha!

Das meiste hab ich verdrängt. Es war ... Pech.

Sie dachte daran, was in den Monaten passiert war, bevor Elsa geboren wurde. Als sie ... von einem Mörder gekidnappt worden war. Wie sie in seiner Wohnung gesessen hatte, was sie gedacht hatte.

Ich hab keinen Moment daran geglaubt, dass er mir was antun will.

Jetzt ist es anders. Es ist gut. Eine gute Zeit auf Erden. Ein guter Ort.

Sie hörte wieder Verkehrsgeräusche von da unten.

»Woran denkst du?«, fragte sie Erik, der immer noch in derselben Haltung mit dem nach innen gekehrten Blick dasaß.

Er wandte sich ihr zu und sah sie an.

»Nichts«, sagte er.

»Ich finde, uns geht es ziemlich gut«, sagte sie.

»Mhm.«

»Ist das alles, was dir dazu einfällt?«

»Hm.«

Sie griff nach einem Kissen und warf damit nach ihm. Er duckte sich.

»Elsa wird wach, wenn wir eine Kissenschlacht anfangen«, sagte er, stellte die Bierflasche ab und warf mit seinem Kissen, das mit einem dumpfen Geräusch gegen die Wand hinter ihr prallte und eine Illustrierte von ihrem Nachttisch riss.

»Nimm das!« Sie pfefferte sein Kissen zurück. Er sah es kommen.

»Wir haben tatsächlich einen kleinen vergammelten Haufen vor der Treppe gefunden«, sagte Bergenhem bei der morgendlichen Besprechung. »Er lag unter einem noch größeren Haufen Laub.«

»Warum fanden wir das nicht früher?«, fragte Halders.

»Wir haben ja nicht gesucht«, sagte Ringmar. »Wir wussten nicht, dass wir nach Zeitungen suchen mussten.«

»Habt ihr Fingerabdrücke gefunden?«, fragte Halders.

Er rieb seinen Nacken, der wieder steif war. Steifer als normalerweise, wenn man diese verdammte Steifheit überhaupt als normal bezeichnen konnte. Gestern draußen auf dem Platz war ihm zu kalt geworden.

»Beiers Jungs überprüfen das gerade«, sagte Ringmar. »Sie versuchen auch herauszufinden, von welchem Tag die Zeitungen sind. Das muss man doch noch erkennen können.«

Die Spurensucher hatten sich des durchweichten Pakets mit skeptischen Mienen angenommen.

»Sinnlos«, sagte Halders. »Genauso sinnlos, wie wenn wir an den Orten, wo die Studenten niedergeschlagen wurden, Fahrradspuren finden wollten.«

»Fahrradspuren?«, fragte Bergenhem.

»Das ist meine eigene Theorie«, sagte Halders in einem Ton, als bereitete er sich auf das Examen zum Kriminalkommissar vor. »Der Täter ist auf dem Fahrrad gekommen. Unbeleuchtet. Umwickelte Reifen. Leise. Schnell. Überraschend.«

»Ja, warum nicht?«, sagte Winter.

»Diese Alternative klingt so plausibel, dass wir alle früher hätten draufkommen müssen«, sagte Bergenhem.

»Ein radelnder Zeitungsbote«, sagte Aneta Djanali.

»Es *muss* aber kein Radfahrer gewesen sein«, sagte Halders.

»Übrigens, weil wir gerade von Zeitungsboten reden«, sagte Ringmar.

»Ja?«, fragte Aneta Djanali.

»Es ist wirklich seltsam. Genau wie in dem Fall Smedsberg, als er ... tja, auf Mossens Sportplatz fast niedergeschlagen wurde, hat sich der zuständige Zeitungsbote für die Häuser nahe dem Doktor Fries Torg am selben Morgen, als Stillman eins drüberkriegte, auch krank gemeldet«, sagte Ringmar.

»Aber Stillman hat niemanden gesehen, der Zeitungen schleppte«, sagte Halders.

»Trotzdem.«

»Was trotzdem?«, fragte Halders.

»Das lassen wir jetzt mal eine Sekunde außen vor.« Winter schrieb etwas an die Tafel und drehte sich zur Gruppe um. »Bertil und ich haben nämlich noch eine andere Idee.«

Der Abend war schon ein wenig vorangeschritten, als Larissa Serimowa sich hinter dem Empfangstresen niederließ. »Ein wenig vorangeschritten«, das war ein Ausdruck, den ihr Vater für fast alles benutzt hatte. Sein Leben war selber ein wenig vorangeschritten, er war nach dem Krieg vom Ural nach Norden gegangen, und als andere schon Enkel bekamen, gelang es ihm endlich, Kinder zu bekommen.

Eines Tages fahren wir zurück, Larissa, hatte er immer gesagt, als ob sie zusammen mit ihm geflohen wäre. Und das taten sie auch, als es schließlich möglich wurde. Da hatte sie begriffen, wirklich *begriffen*, dass sie vor so vielen Jahren zusammen geflohen waren. Seine Rückkehr war auch zu ihrer Rückkehr geworden.

Er war dort geblieben, Andrei Iljanowitsch Serimow, dort, wo immer noch Menschen lebten, die sich an ihn erinnerten und an die er sich erinnerte. Ich bleibe ein paar Monate, hatte er gesagt, als sie zurückfuhr, und sie war gerade dreieinhalb Tage zu

Hause, als die Nachricht kam, dass er vor dem Haus der Cousine Olga vom Stuhl gefallen war. Sein Herz hatte vermutlich schon aufgehört zu schlagen, als er auf die groben Planken aufschlug, die sich um das ganze große schiefe Haus zogen.

Das Telefon klingelte.

»Polizeirevier Frölunda, Serimowa.«

»Ist da die Polizei?«

»Das Polizeirevier in Frölunda«, wiederholte sie.

»Mein Name ist Kristina Bergort. Ich möchte anzeigen, dass meine Tochter Maja verschwunden war.«

Larissa Serimowa hatte »Kristina Bergort« auf das Blatt vor sich geschrieben und zögerte jetzt.

»Haben Sie gesagt, dass Ihre Tochter verschwunden *war*?«

»Mir ist klar, dass das etwas merkwürdig klingen mag, aber ich glaube, meine kleine Tochter wurde … von jemandem entführt und dann … wieder zurückgebracht.«

»Dann müssen Sie wohl von Anfang an erzählen«, sagte Larissa Serimowa. Sie hörte sich den Bericht der Frau an.

»Gibt es äußere Auffälligkeiten? Verletzungen? Schrammen?«

»Nicht soweit ich sehen kann. Wir … mein Mann und ich … haben es eben erst von ihr erfahren. Ich hab sofort angerufen. Mein Mann holt gerade ein Auto vom Nachbarn, unseres ist gerade in Reparatur. Dann fahren wir zum Frölunda-Krankenhaus und lassen sie untersuchen.«

»Verstehe.«

»Halten Sie das vielleicht für etwas übereilt?«

»Nein, nein«, antwortete Larissa Serimowa.

»Wir fahren auf jeden Fall. Ich glaube Maja, was sie erzählt hat. Sie hat übrigens gesagt, dass er ihren Ball behalten hat«, bemerkte Kristina Bergort.

»Er hat ihren Ball behalten?«

»Ihren Lieblingsball, einen grünen. Er hat gesagt, er würde ihn ihr vom Auto zuwerfen, wenn sie ausgestiegen war, aber er hat es nicht getan. Und der Ball ist weg.«

»Hat Maja ein gutes Gedächtnis?«

»Sie ist … besonders«, sagte Kristina Bergort. »Jetzt kommt mein Mann, wir fahren zum Krankenhaus.«

»Ich komme dorthin«, sagte Larissa Serimowa.

10

Das Krankenhaus war neonhell erleuchtet, dass die wartenden Leute in der Ambulanz noch kränker aussahen. Es gab viele Wartezimmer. Die halbe Stadt scheint hier versammelt, dachte Larissa Serimowa. Und das soll nun unser Wohlfahrtsstaat sein. Wir sind nicht im Ural. Fast musste sie darüber lachen. Akute Krankenpflege, das Wort gab es in Russland nicht. Akut krank ja, aber keine Pflege am Ende des Wortes.

Die Familie Bergort saß allein in einem der entlegenen Wartezimmer. Das Mädchen rollte einen Ball vor sich her über den Fußboden, aber ihre Augenlider waren schwer. Sie wird die Untersuchung verschlafen, dachte Larissa Serimowa und begrüßte erst die Frau und dann den Mann. Die Leute um sie herum starrten ihre Uniform an. Auf dem Rücken stand in grotesk großen Buchstaben das Wort POLIZEI. Wozu soll das gut sein, hatte sie gedacht, als sie die Jacke zum ersten Mal angezogen hatte. Soll damit vermieden werden, dass man in den Rücken geschossen wird? Oder das Gegenteil?

»Jetzt müssen wir warten«, sagte Kristina Bergort.

»Dauert es noch lange?«, fragte Larissa Serimowa.

»Ich weiß nicht.«

»Mal sehen, ob ich etwas machen kann«, sagte Larissa Serimowa und ging zum Empfang. Kristina Bergort sah sie mit der Schwester reden und dann durch eine Tür hinter dem Tresen verschwinden. Nach einer Weile kam sie zusammen mit einem Arzt wieder heraus, der der kleinen Familie ein Zeichen gab.

Der Arzt untersuchte das Mädchen. Er hatte kurz erwogen, es zu betäuben, ließ es dann aber.

Larissa Serimowa wartete draußen. Wie ruhig das Paar Bergort gewirkt hatte. Der Mann hatte kein einziges Wort gesagt.

Als sie wieder herauskamen, erhob sie sich.

»Der Arzt möchte mit Ihnen sprechen«, sagte Kristina Bergort.

»Fahren Sie jetzt nach Hause?«

»Was sollen wir anderes tun?« Die Frau schaute auf ihre schlafende Tochter in den Armen des Vaters.

»Was ... hat die Untersuchung ergeben?«

»Überhaupt nichts, zum Glück.« Kristina Bergort ging auf die Glastüren zu. »Ich muss wohl morgen früh noch mal mit Maja reden.«

»Sie können mich gern wieder anrufen«, sagte Larissa Serimowa.

Kristina Bergort nickte und sie gingen.

Larissa Serimowa betrat das Zimmer des Arztes. Er sprach die letzten Bemerkungen in das Diktiergerät, schaute auf und erhob sich. Sie war nicht zum ersten Mal hier. Polizisten und Ärzte begegnen sich oft, besonders in Frölunda, wo Krankenhaus und Polizeirevier so nah beieinander lagen, nur von der Schnellstraße getrennt. Nur einen Steinwurf entfernt, hatte sie einmal gedacht, und Steine waren geworfen worden, allerdings auf das Gebäude der Polizei, von Mitbürgern, die ihre Meinung über die Ordnungsmacht zum Ausdruck bringen wollten. Aber das war lange her.

Sie kannte den Arzt.

»Was ist eigentlich genau vorgefallen?«, fragte er.

»Ich weiß es auch nicht genau. Aber die Mutter hat sich Sorgen gemacht, und das kann man ja verstehen«, sagte Larissa Serimowa.

»Kinder denken sich manchmal ja so einiges aus«, sagte er. »Die Mutter hat mir erzählt, was passiert ist, ich weiß nicht recht, was ich glauben soll.«

»Du brauchst überhaupt nichts zu glauben. Die Untersuchung reicht.«

»Die hat jedenfalls nichts Auffälliges zutage gebracht.«

»Jedenfalls? Hast du irgendwas anderes gefunden, Bosse?«

»Einige Blutergüsse am Arm. Einen am Rücken. Schwer zu sagen, woher die stammen.«

»Jemand, der sie zu fest gepackt hat? Oder was Schlimmeres?«

»Ich habe danach gefragt, aber keine richtige Antwort gekriegt. Anfangs.«

»Wie meinst du das?«

»Der Vater schien die ganze Zeit in eine andere Richtung zu schauen.« Er sah sie an. »Aber vielleicht hab ich mich auch getäuscht.«

»Was hat denn die Mutter gesagt?«

»Dass das Mädchen von einer Schaukel gegen das Gerüst gefallen ist. Aber dann ist ihr wohl eingefallen, warum sie hier waren, und sie hat schnell gesagt, dass der Unbekannte, den das Mädchen getroffen hat, es vielleicht getan hat.«

»Könnte es so gewesen sein? Könnten die blauen Flecken von einem Sturz herrühren?«

»Schon möglich – sie sind ja ganz frisch.«

»Du zögerst.«

»Mir ist eingefallen, dass es ja nicht gerade ungewöhnlich ist, dass Eltern, die ihre Kinder schlagen, es als Unfall anzeigen. Oder Geschichten erfinden, die das belegen sollen, manchmal geradezu phantastische Sachen.«

»Wie die, dass das Mädchen einem Unbekannten gefolgt ist.«

»Ja. Aber das ist dein Gebiet«, sagte er und hob das Telefon ab, das gerade klingelte. Er schaute sie an, die Hand überm Hörer. »Aber es könnte ja trotzdem stimmen.«

Winter und Ringmar bereiteten sich auf das Verhör an diesem Vormittag vor. Sie saßen in Ringmars Zimmer. Winter erschien es dunkler denn je. Das kam nicht nur daher, weil draußen Herbst war.

»Hast du das Zimmer tapezieren lassen?«, fragte er.

»Japp, eigenhändig, an diesem Wochenende. Ich kann mir nächsten Sonntag dein Zimmer vornehmen.«

»Weil es so viel dunkler wirkt«, sagte Winter.

»Das entspricht meiner Stimmung. Die spiegelt sich in den Wänden.«

»Und warum ist die so düster?«

Ringmar antwortete nicht.

»Das ... Übliche?«, fragte Winter.

»Wegen Martin.«

»Hat er immer noch nichts von sich hören lassen?«

»Nein.«

»Aber Moa weiß etwas?«

»Wo er ist? Ich glaube nicht. Sonst hätte sie es mir doch wohl erzählt.« Ringmar schnaubte und hob den Arm, ein kurzes Niesen und noch eins. Er hob das Gesicht aus der Armbiege und sah Winter an. »Er ruft sie manchmal an. Soweit ich weiß.«

Bertils Augen waren feucht und Winter wusste, das kam von dem Niesanfall, aber Bertils Situation konnte einem auch so die Tränen in die Augen treiben. Warum ließ dieser verdammte Bengel nicht von sich hören? Bertil hatte das nicht verdient. So gut kannte Winter ihn.

»Aber zu meinem zweiten Kind hab ich jedenfalls noch Kontakt«, sagte Ringmar und sah an Winter vorbei zum Fenster, der untere Rand war beschlagen, ein schmaler Streifen. »Vielleicht ist die Ausbeute insgesamt doch nicht so schlecht.« Er sah Winter an. »Fünfzig Prozent Erfolg bei der Erziehung. Oder wie zum Teufel man das nennen soll.«

»Er kommt zurück«, sagte Winter. »Bestimmt lässt er wieder von sich hören.«

»Die Frage ist nur, warum er überhaupt abgehauen ist.«

»Du musst ihn fragen.«

»Ja.«

»Das hat bestimmt nichts mit dir zu tun«, sagte Winter. »Er ist einfach auf dem Weg ... zu sich selbst. Junge Menschen sind doch noch auf der Suche nach sich selbst, mehr als andere.«

»Auf der Suche nach sich selbst? Das hast du aber schön ausgedrückt.«

»Ja, nicht?«

»Aber verdammt noch mal, er ist bald dreißig. Nennst du das jung?«

»Du nennst mich doch auch jung, Bertil. Ich bin über vierzig.«

»Bist du auch auf dem Weg zu dir selbst?«

»Und wie.«

»Meinst du das ernst?«
»Und wie.«
»Suchst du den Sinn des Lebens?«
»Natürlich.«
»Bist du noch weit vom Ziel entfernt?«
»Wie siehst *du* das denn?«, fragte Winter. »Du bist ja schon über fünfzig. Du bist schon weiter.«

Ringmar sah wieder an Winter vorbei, zum Fenster, das das schwindende Nachmittagslicht hier drinnen widerspiegelte.

»Ich glaube, ich hab ihn gefunden«, sagte Ringmar, »den Sinn des Lebens.«

»Erzähl mal!«
»Er liegt darin, dass man sterben muss.«
»Sterben? Das soll der Sinn des Lebens sein?«
»Es ist der einzige Sinn.«
»Zum Teufel noch mal, Bertil.«
»Im Augenblick hab ich jedenfalls so ein Gefühl.«
»Gegen so was gibt's Medizin, Bertil.«
»Ich glaub nicht, dass ich eine klinische Depression habe.«
»Manisch bist du jedenfalls nicht, das ist mal sicher«, sagte Winter.

»Jeder hat das Recht, hin und wieder ein bisschen deprimiert zu sein«, sagte Ringmar. »Da draußen laufen viel zu viele grinsende Menschen rum.«

»Da geb ich dir Recht.«
»Viel zu viele«, wiederholte Ringmar.
»Warum redest du nicht mal mit Hanne?«, fragte Winter.

Hanne Östergaard war Polizeipastorin. Sie arbeitete halbtags im Polizeipräsidium und hatte schon mehreren helfen können. Winter war sie eine große Stütze gewesen bei seinem Fall, der ihn sehr gequält hatte.

»Warum nicht«, seufzte Ringmar.

Am Nachmittag führte er ein Gespräch, aber nicht mit Hanne Östergaard.

Jens Book wurde durch Kissen gestützt, das sah nicht besonders bequem aus, aber er schüttelte den Kopf, als Ringmar ihm anbot, das Bett zu richten.

Da sind wir also wieder, hatte Ringmar gedacht, als er das Sahlgrensche Krankenhaus betrat. Weiße Kittel und Besucher wimmelten durcheinander.

Wir müssten ein Büro hier haben. Warum ist noch niemand darauf gekommen? Für die Idee krieg ich eine Prämie. Wir sind doch ständig hier, da braucht man ein bisschen Bequemlichkeit. Vielleicht einen eigenen Sekretär? Eine eigene Ärztemannschaft, auf deren weißen Rücken POLIZEI steht? Eigene Gymnastikstunde? Restaurant? Besprechungsräume, die mit Overheadprojektoren ausgerüstet sind? Fahrzeuge, eine Mischung aus Ambulanz und Einsatzwagen? Schießstand im Keller?

Er hatte den Aufzug voller Pläne betreten. Die Pläne des Jungen hingegen waren jäh durchkreuzt worden. Für eine Weile kein Publizistikstudium mehr, vielleicht nie mehr. Vielleicht kann er über die Behinderten-Weltmeisterschaft berichten, hatte Halders gesagt, und er war einer, der war nahe daran gewesen, selbst dort teilnehmen zu können.

Doch Jens Book kann sich wieder bewegen, es fing in der rechten Schulter an und setzte sich dann langsam den Körper abwärts fort. Es gab Leben und Hoffnung. Die Lähmung im Gesicht hatte nachgelassen, und deswegen konnten sie miteinander reden. Aber Ringmar war nicht sicher, worüber sie reden sollten. Man kriegte nicht auf alle Fragen eine Antwort.

»Glauben Sie, er ist auf einem Fahrrad gekommen?«, fragte er jetzt.

Der Junge schien nachzudenken. Er war auf dem Trottoir an dem Videoladen am Linnéplatsen vorbeigegangen. Wenig Verkehr, schwache Beleuchtung, Dunst überm Park und am Nachthimmel.

»Vielleicht«, sagte er. »Es ist ja so schnell gegangen.« Jens Book bewegte den Kopf auf dem Kissenberg. »Jedenfalls hab ich nichts gehört ... oder gesehen ... nichts, das mit Sicherheit darauf hindeutet ... dass er auf einem Rad gekommen ist.«

»Nicht das Geringste?«

»Nein.«

Der Junge bewegte wieder den Kopf.

»Wie geht es?«, fragte Ringmar.

»Na ja …«

»Ich hab gehört, es geht aufwärts«, sagte Ringmar.

»Offenbar.«

»Können Sie die rechte Hand bewegen?«

»Ein wenig.«

»Bald können Sie mit den Zehen wackeln.«

Jens Book lächelte.

»Uns ist nicht ganz klar, wo Sie an jenem Abend gewesen sind«, sagte Ringmar.

»Äh … wie bitte?«

»Woher kamen Sie, als Sie niedergeschlagen wurden?«

»Was spielt das für eine Rolle?«

»Vielleicht wurden Sie von jemandem verfolgt.«

»Von dort? Das glaub ich nicht.«

»Von wo?«

»Hab ich nicht gesagt, dass ich auf einer Fete in der … Storgatan war? Etwas oberhalb vom *Noon.*«

»Doch.«

»Na also.«

»Aber nicht den ganzen Abend«, sagte Ringmar.

»Wie?«

Ringmar sah in sein Notizbuch. Die Seite war leer, aber manchmal war es gut, wenn man eine Angabe zu kontrollieren schien.

»Sie haben das Fest zwei Stunden, bevor Sie am Linnéplatsen niedergeschlagen wurden, verlassen.«

»Wer sagt das?«

Ringmar schaute wieder in sein Notizbuch.

»Mehrere, mit denen wir gesprochen haben. Das ist kein Geheimnis.«

»Das klingt ja fast so, als würde ich wegen irgendwas verdächtigt.«

»Wer sagt das?«

»Es klingt eben so.«

»Ich möchte nur wissen, was Sie getan haben. Das werden Sie doch verstehen? Wenn wir den Täter finden wollen, müssen wir sozusagen auch Ihren Fußspuren folgen«, sagte Ringmar.

Verdammter *bullshit*, dachte er. Ich denke, wie meine Tochter redet.

Der Junge antwortete nicht.

»Haben Sie jemanden getroffen?«, fragte Ringmar.

»Selbst wenn es so wäre, hat das mit der Sache nichts zu tun.«

»Sie können es uns aber doch trotzdem sagen?«

»Was sagen?«

»Ob Sie jemanden getroffen haben«, sagte Ringmar.

»Ja und nein.« Jens Books Blick irrte durchs Zimmer.

Ringmar nickte, als ob er es verstanden hätte.

»In welchem Jahr sind Sie?«, fragte Winter.

»Im zweiten.«

»Meine Frau ist Ärztin.«

»Aha.«

»Allgemeinmedizin.«

»Das hab ich auch im Auge.«

»Nicht Hirnchirurg?«

»Vielleicht sollte ich umdenken nach dem hier«, sagte Aris Kaite und verzog den Mund ein wenig. Er führte die linke Hand an den Kopf. Die Bandage war durch eine kleinere ersetzt worden. »Die Frage ist, ob ich überhaupt weiterstudieren kann.« Er legte die Hand auf die Bettdecke. »Ob ich denken, mich erinnern kann. Es ist noch nicht sicher, ob es funktioniert.«

»Wie fühlen Sie sich jetzt?«, fragte Winter.

»Besser, aber nicht gut.«

Winter nickte. Sie saßen in einem Café in der Vasastan, das Kaite vorgeschlagen hatte. Sollte öfter hier sitzen, dachte Winter. Das ist mal eine Abwechslung. Verhör beim Kaffee. Draußen ein Schild: Verhör & Kaffee.

»Ich wohne um die Ecke«, sagte er.

»Dann können Sie ja zu Fuß zur Arbeit gehen«, sagte Kaite.

»Ja, wieder.« Winter erzählte ihm von dem Fall, an dem er vor einigen Jahren gearbeitet hatte, von dem Paar in der Wohnung ganz in der Nähe, das so unbeweglich dagesessen hatte. Das Eigentümliche mit ihren Köpfen. Aber das erwähnte er jetzt nicht.

»Ich glaub sogar, dass ich darüber gelesen habe«, sagte Kaite.

»Ein Zeitungsbote hat damals Alarm geschlagen«, sagte Winter. »Ein Junge, der Verdacht geschöpft hat.«

»Die sehen sicher eine Menge«, sagte Kaite.

»Haben Sie an jenem Morgen einen Zeitungsboten gesehen?«

»Als mir der Schädel zertrümmert wurde? Ich konnte überhaupt nichts sehen.«

»Als Sie zum Kapellplatsen raufkamen ... oder kurz bevor Sie überfallen wurden. Ist da kein Zeitungsbote in der Nähe gewesen? Auf der anderen Straßenseite? Bei den Häusern?«

»Warum fragen Sie das?«

»Haben Sie jemanden mit Zeitungen gesehen?«

»Nein.«

»Okay. Ich sag Ihnen, warum. Sie haben bestimmt gehört, dass ein anderer junger Mann auf dieselbe Weise ... angegriffen wurde. Bei Mossens Sportplatz.«

»*Yes.*«

»Er sagt, er hat kurz vorher einen Zeitungsboten gesehen, aber an dem Morgen haben die Leute gar keine Zeitungen bekommen, der zuständige Bote hatte sich krank gemeldet.«

»Woher wusste er denn, dass er einen Zeitungsboten gesehen hat?«

»Die Person trug Zeitungen und lief morgens um halb fünf die Treppen rauf und runter.«

»Hört sich an wie ein Zeitungsbote«, sagte Kaite.

»*Yes*«, sagte Winter.

»Aber wie konnte der wissen, dass die zuständige Zeitungsbotin krank war?«, fragte Kaite. »Er hätte doch riskiert, mit ihr zusammenzutreffen. Woher wusste er das?«

»Das fragen wir uns auch.« Winter sah den schwarzen Jungen an, der genauso schwarz war wie Aneta Djanali, aber andere Gesichtszüge von einem anderen Teil des Kontinents hatte.

»Merkwürdig«, sagte Kaite.

»Woher kommen Sie, Aris?«

»Aus Kenia.«

»Dort geboren?«

»*Yes.*«

»Wohnen viele Kenianer in Göteborg?«

»Einige. Wieso?«

Winter zuckte mit den Schultern.

»Ich hab kaum Umgang mit ihnen«, sagte Aris Kaite.

»Mit wem haben Sie denn Umgang?«

»Nicht mit vielen.«

»Studienkollegen?«

»Das auch.«

»Mit wem waren Sie an jenem Abend zusammen?«

»Wie?«

»Als Sie niedergeschlagen wurden. Mit wem waren Sie da zusammen?«

»Ich hab doch gesagt, dass ich allein war.«

»Bevor Sie zum Kapellplatsen kamen, meine ich.«

»Mit niemandem. Ich bin nur in der Stadt herumgelaufen.«

»Haben Sie niemanden getroffen?«

»Nein.«

»Den ganzen Abend nicht?«

»Nein.«

»Es war eine lange Nacht.«

»Ja.«

»Und in der Nacht haben Sie auch niemanden getroffen?«

»Nein.«

»Und Sie möchten, dass ich das glaube?«

»Warum sollten Sie nicht?« Kaite sah erstaunt aus. »Ist das so seltsam?«

»Sie haben die Person, die Sie niedergeschlagen hat, nicht vielleicht doch gekannt?«

»Was ist das für eine Frage? Wenn ich wüsste, wer es war, würde ich es doch sagen.«

Winter antwortete nicht.

»Was sollte ich für einen Grund haben, es nicht zu sagen?«

11

Was fällt Ihnen ein, wenn ich Fahrrad sage?«, fragte Halders.

»Soll das 'ne Art Assoziationsspiel sein?«, gab Jakob Stillman zurück.

»Asso was?«

Stillman musterte den Kriminalinspektor sehr genau, seinen rasierten Schädel, das grobe Polohemd, Jeans und die derben Schuhe.

Wer war er? Ein überalterter Skinhead, der irgendwie in den Polizeidienst geraten war?

Vorsichtig drehte er den Körper, und der Kopf folgte der Drehung, das tat weh. Die Kopfschmerzen wollten nicht nachlassen. Das Gespräch machte es auch nicht besser.

»Assoziationsspiel«, wiederholte er. »Jemand sagt etwas und man assoziiert etwas anderes zu dem Wort.«

»Wenn Sie Fahrrad gesagt hätten, hätte ich vielleicht Überfall gesagt«, sagte Halders.

»Ja, das ist ja auch eine völlig nahe liegende Verbindung.«

Halders lächelte.

»Verstehen Sie, worauf ich hinauswill?«, fragte er.

»Gehen Sie bei Ihren Verhören immer so vor?«

»Sie studieren Jura, oder?«

»Ja ...«

»Sind Sie noch nicht bei dem Kapitel kognitive Verhörtechnik angekommen?«

Stillman schüttelte den Kopf. Das hätte er nicht tun sollen. Er hatte das Gefühl, als wäre irgendwas locker dort drinnen.

»Wir machen weiter«, sagte Halders. »Halten Sie es für möglich, dass der Täter eventuell auf einem Fahrrad gekommen ist?«

»Ich hab nur einen Körper gesehen, wie ich es schon Ihrem Kollegen gesagt habe. Und es ist ja so verdammt schnell gegangen.«

»Eben deswegen vielleicht«, sagte Halders. »Weil er auf einem Fahrrad kam.«

»Ja ... möglich wäre es.«

»Sie können es also nicht ganz ausschließen?«

»Nein ... das kann ich wohl nicht.«

Halders schaute in seine Aufzeichnungen, in denen Wichtiges neben Unwichtigem stand. Es war, als hätte er, seit er den Schlag auf den Kopf bekommen hatte, mehr Lust, sich Notizen zu machen. Als ob er sich nicht mehr auf seinen eigenen Kopf verlassen könnte. Früher hatte er sich häufig mit Erinnerungsnotizen hinter den geschlossenen Augenlidern begnügt. Jetzt brauchte er Block und Stift.

»Als Bert... Kommissar Ringmar Sie gefragt hat, ob diese Geräusche, die Sie gehört haben ... das waren doch offenbar keine menschlichen Geräusche Ihrer Aussage zufolge. Was könnten das für Laute gewesen sein?«

»Darauf weiß ich keine Antwort«, sagte Jakob Stillman.

»Was fällt Ihnen ein, wenn ich Fahrrad sage?«, fragte Halders.

»Ich weiß nicht, was ich sagen soll«, antwortete Book.

»Ich habe Sie gefragt, ob Sie sich einige Stunden, bevor Sie niedergeschlagen wurden, mit jemandem getroffen haben, und Sie haben mit Nein geantwortet.«

Book schwieg.

»Das ist eine Antwort, die Sie etwas weiter ausführen müssen«, sagte Ringmar.

»Ich hab jemanden getroffen«, antwortete Book.

Ringmar wartete.

»Aber das hat nichts mit der Sache zu tun«, fuhr Book fort.

»Wen haben Sie getroffen?«

»Das hat überhaupt nichts mit alldem zu tun«, beharrte Book.

»Warum ist es dann so schwer, es zu sagen?«

»Scheiße, können Sie mich nicht einfach in Ruhe lassen?«, sagte Book.

Ringmar wartete.

»Das ist ja so, als hätte man ein Verbrechen begangen«, sagte Book. »Da liegt man gelähmt und kaputt und ... und ...« Er verstummte, sein Gesicht verzog sich, und er weinte.

Jetzt hör auf, Bertil, dachte Ringmar.

»Wenn ich erfahre, wen Sie getroffen haben, kann es mir vielleicht helfen, den Täter zu finden, der Sie verletzt hat«, sagte er. Dabei hatte er das Gefühl, als hätte er das schon mal gesagt, viele Male, zu vielen Opfern.

»Okay, ist ja egal«, sagte Book. »Ich hab einen Mann getroffen, okay?«

»Das ist ganz okay«, sagte Ringmar. »Warum war es nur so schwer, das auszusprechen?«

Der Student antwortete nicht. Er studierte etwas hinter Ringmars Kopf, aber Ringmar wusste, dass es dort nichts zu studieren gab als eine leere Fläche, gestrichen mit einer Farbe, die noch nie Glanzpunkte gehabt hatte. Krankenzimmer sind wahrhaftig lutheranische Behausungen, dachte er, oder sie ähneln Zimmern von Sekten, die sich selbst kasteien: Wir gehen auf den Tod zu, wohin immer wir gehen, und hier hat man die Chance, das Ziel etwas schneller zu erreichen.

»Wer war das?«, fragte er.

»Ein junger Mann.«

»Ein Freund?«

Book nickte vorsichtig. Das sah irgendwie feierlich aus, als ob er sein großes Geheimnis schließlich doch noch verraten hatte. Und genau das hatte er ja getan.

»Ein naher Freund?«

»Ja.«

»Ich werde nicht fragen, wie nah«, sagte Ringmar. »Aber ich muss Sie fragen, ob Sie ihn zu Hause getroffen haben?«

»Ja.«

»Ich brauche seine Adresse.«

»Wozu das?«

Ringmar antwortete nicht darauf. Stattdessen fragte er: »Hat er Sie begleitet, als Sie gingen?«

»Wie begleitet, wann?«

»Als Sie von ihm weggegangen sind.«

»Ja ... ein Stück.«

»Wann war das?«

»Daran erinnere ich mich nicht.«

»Wann war das – im Verhältnis zu dem Zeitpunkt, als Sie niedergeschlagen wurden?«

»Tja ... vielleicht eine halbe Stunde vorher.«

»Wohnt er in der Nähe?«

Book antwortete nicht.

»Waren Sie nun zusammen, bis Sie niedergeschlagen wurden?«

»Nein.«

»Wo haben Sie sich getrennt?«

»Wei... weiter oben an der Straße.«

»Auf der Övre Husargatan?«

»Ja.«

»Wo genau?«

»Unterhalb vom Sveaplan.«

»Wann?«

»Ich will den Namen und die Adresse Ihres Freundes haben«, sagte Ringmar.

Es war schon ziemlich dunkel, als sie sich in Winters Zimmer versammelten. Das Licht dort drinnen reichte nicht bis in alle Winkel.

»Kannst du nicht endlich mal den Zigarillo ausmachen?«, fragte Halders.

»Ich hab das Päckchen ja noch nicht mal rausgenommen«, sagte Winter erstaunt.

»Ich wollte nur vorbeugen«, sagte Halders.

Ringmar räusperte sich und verteilte Papiere auf dem Schreibtisch, den Winter gerade aufgeräumt hatte.

»Das ist dem Jungen verflixt schwer gefallen«, sagte Ringmar. »Book also.«

»Hoffentlich konntest du ihn davon überzeugen, dass uns die sexuelle Veranlagung im Prinzip egal ist«, sagte Winter.

»Dieses ›im Prinzip‹ macht die Sache nicht gerade leicht«, sagte Ringmar.

»War sein Freund zu Hause?«

»Am Telefon hat sich niemand gemeldet.«

»Wir müssen später hinfahren.« Winter sah Bergenhem an. »Schaffst du das heute Abend, Lars?«

»Ja, nur eine Kontrolle, oder?«

»Nein«, sagte Halders. »Bring ihn her und peitsch ihn aus.«

»Hast du das sarkastisch gemeint?« Bergenhem wandte sich an Halders. Der grinste nur.

»Es geht vor allem um den Zeitpunkt, Lars«, sagte Winter, »aber das weißt du ja selber.«

»Sein Schwulenkumpel war es bestimmt nicht«, sagte Halders.

»Vielleicht hat er etwas gesehen«, sagte Ringmar.

»Dann hätte er sich wohl schon bei uns gemeldet«, sagte Halders.

»Du weißt nicht, wie das ist«, sagte Ringmar.

»Wie was ist?«, sagte Halders.

»So was mit sich rumzuschleppen«, sagte Bergenhem.

»Nein, aber du weißt das?«, fragte Halders.

»Für den Betroffenen kann es verflixt schwer sein, mit so was rauszurücken«, sagte Bergenhem. Er schien nicht gehört zu haben, was Halders gesagt hatte. »Schlimmer als das hier.«

»Aha«, sagte Halders, »aber woher kommt es dann, dass man fast täglich in der Zeitung lesen kann, wie sich wieder irgendein schwuler Prominenter outet?«

»Für Prominente ist das anders«, sagte Bergenhem.

Ringmar räusperte sich wieder.

»Hast du Halsschmerzen?« Halders wandte sich Ringmar zu.

»Fredrik«, sagte Winter.

Halders drehte sich zu Winter um.

»Diese vier Jungs haben etwas gemeinsam, und damit meine

ich nicht ihre Sexualität«, sagte Winter. »Kannst du noch mal wiederholen, was du mir erzählt hast, Fredrik?«

»Ich hab ein wenig in der Vergangenheit geforscht«, sagte Halders. »Sie haben alle im Studentenheim von Olofhöjd gewohnt.«

Bergenhem pfiff durch die Zähne.

»Was mehr oder weniger für ungefähr die Hälfte aller Göteborger Studenten gilt«, sagte Halders.

»Aber trotzdem«, sagte Bergenhem.

»Kaite und Stillman wohnen immer noch dort«, sagte Winter.

»Smedsberg ist ins Studentenheim von Chalmers gezogen«, sagte Ringmar.

»Und warum?«, fragte Bergenhem.

Das hatten sie noch nicht herausgefunden.

»Und Book lebt in einer Wohngemeinschaft in Skytteskogen«, sagte Halders. »Die muss jetzt wohl behindertengerecht eingerichtet werden.«

»Was machen wir mit Olofshöjd?«, fragte Winter. »Vorschläge?«

»Wir haben nicht genug Leute«, sagte Ringmar.

»Aber wir können ja schon mal Kaites und Stillmans Zimmernachbarn befragen«, sagte Bergenhem.

»Kaite hat was Merkwürdiges gesagt, als ich mit ihm gesprochen hab«, bemerkte Winter. Er suchte nach dem Zigarillopäckchen in der Brusttasche und sah Halders' Blick. »Wir sprachen darüber, dass Smedsberg einen Zeitungsboten gesehen hatte, und Kaite war so auf Zack zu fragen, woher der falsche Zeitungsbote denn wusste, dass er ungestört operieren konnte.«

»Vielleicht hat er's auch nur drauf ankommen lassen«, sagte Bergenhem. »Der falsche Bote, also.«

»Das meine ich nicht«, sagte Winter. »Kaite hat ›sie‹ gesagt. ›Er hätte doch riskiert, mit ihr zusammenzutreffen‹, hat er gesagt. Woher wusste er, dass es eine Sie war?«

»Vielleicht ein Versprecher«, sagte Bergenhem.

»Ist das nicht ein etwas merkwürdiger Versprecher?«, fragte Winter.

»Vielleicht sind alle Zeitungsboten in der Welt des jungen Mannes weiblich«, sagte Halders. »In seiner Phantasiewelt. In der Morgendämmerung liegt er da und wartet auf sie.«

»Aber wie passt das zu der Schwulentheorie?«, sagte Bergenhem.

»Frag mich nicht«, sagte Halders, »das fällt in dein und Eriks Ressort.«

12

Bergenhem hatte Rückenwind, als er den Sveaplan überquerte. Vor dem kleinen Laden flatterte ein Zeitungsblatt auf.

Die Häuser um den Platz wirkten schwarz im Dämmerlicht. Rechts fuhr eine Straßenbahn vorbei, sie verströmte ein gelbes und kaltes Licht. Zwei Elstern flogen vor ihm auf, als er auf den Knopf neben dem Namensschild drückte. Er hörte eine ferne Stimme.

»Ich möchte zu Krister Peters. Hier ist Lars Bergenhem vom Landeskriminalamt.«

Keine Antwort, aber die Tür summte, und er öffnete sie. Das Treppenhaus war geruchlos, als ob der Wind es durchgepustet hätte. Die Wände waren genauso dunkel wie die Fassade des Hauses.

Bergenhem wartete auf den Fahrstuhl, der nicht kam, und ging zu Fuß hinauf. Er klingelte an der Tür mit Peters' Namensschild. Die Tür wurde nach dem zweiten Klingeln einige wenige Zentimeter geöffnet. Der Mann dahinter mochte in Bergenhems Alter sein. Fünf, sechs oder sieben Jahre älter als die Studenten.

Er starrte Bergenhem an. Die dunklen Haare hingen ihm in die Stirn, als wären sie absichtlich mit Gel oder Spray so drapiert worden. Das Gesicht war seit drei oder vier Tagen unrasiert. Er trug ein weißes Unterhemd, das sich leuchtend von dem sonnengebräunten, muskulösen Körper absetzte. Natürlich, dachte Bergenhem. Aber nein, jetzt darfst du keine Vorurteile haben. Der Kerl ist nur ungekämmt und unrasiert, aber gut trainiert.

»Zeigen Sie mir bitte Ihren Ausweis«, sagte der Mann.

Bergenhem hielt ihn hoch und fragte gleichzeitig: »Krister Peters?«

Der Mann nickte und deutete auf Bergenhems rechte Hand, in der er die Plastikhülle mit dem Ausweis hielt.

»Das könnte eine Fälschung sein.«

»Darf ich einen Augenblick hereinkommen?«

»Sie können ja wer weiß wer sein«, sagte Peters.

»Haben Sie schlechte Erfahrungen mit Leuten an der Tür?«

Peters lachte auf, kurz, und öffnete die Tür ganz. Er wandte Bergenhem den Rücken zu und ging ihm voran in die Wohnung, die sich zu allen Seiten des Vorraums öffnete. Bergenhem sah die Häuser auf der anderen Seite vom Platz. Der Himmel wirkte von hier drinnen heller, blauer, als ob das Haus über die Wolken hinausragte.

Er folgte Peters, der sich auf ein dunkelgraues Sofa setzte. Es schien nicht ganz billig gewesen zu sein. Auf einem niedrigen Glastisch lagen Zeitschriften. Rechts von ihnen standen ein Glas, eine Flasche und eine etwas beschlagene Karaffe, in der Wasser sein mochte. Bergenhem setzte sich in einen Sessel, der genauso bezogen war wie das Sofa.

Peters war noch einmal aufgestanden.

»Jetzt war ich aber unhöflich«, sagte er, verließ das Zimmer und kam mit einem zweiten Glas zurück. Dann setzte er sich wieder und hielt die Flasche hoch. »Einen kleinen Whisky?«

»Ich weiß nicht«, sagte Bergenhem.

»Es ist schon nach zwölf«, sagte Peters.

»Irgendwo ist es immer nach zwölf«, sagte Bergenhem.

»*Hell, it's noon in Miami*, wie Hemingway sagte, wenn er um elf Uhr anfing zu trinken.«

»Vielen Dank«, sagte Bergenhem, »aber ich bin mit dem Auto da und muss hinterher gleich nach Hause.«

Peters zuckte mit den Schultern und goss sich etwas Whisky in sein Glas und füllte es dann mit einigen Tropfen Wasser auf.

»Ihnen entgeht ein guter Springbank«, sagte er.

»Vielleicht habe ich später ja noch mal die Gelegenheit«, sagte Bergenhem.

»Vielleicht.« Peters trank, stellte das Glas ab und sah Bergenhem an. »Wollen Sie nicht zur Sache kommen?«

»Wann haben Sie sich in jener Nacht von Jens Book getrennt?«, fragte Bergenhem.

»Eine schreckliche Geschichte«, sagte Peters. »Wird er wieder gehen können?«

»Ich weiß es nicht.«

»Es ist unfassbar, nur ein paar Häuserblöcke von hier entfernt.« Peters nahm wieder einen Schluck und Bergenhem roch einen Hauch von Alkohol. Er könnte das Auto stehen lassen und mit dem Taxi nach Hause fahren. *Hell, it's noon* in Torslanda.

»Sie waren in der Nähe, als es passierte«, sagte er.

»Offenbar ja.«

»Jens hat mir nur widerwillig davon erzählt«, sagte Bergenhem.

»Wovon erzählt?«

»Dass er bei Ihnen war.«

»Ach.«

»Dass er noch kurz vorher mit Ihnen zusammen war, bevor ... es passierte.«

»Ach.«

Bergenhem schwieg.

Peters hielt das Glas in der Hand, trank aber nicht.

»Hoffentlich glauben Sie nicht, ich hätte ihn niedergeschlagen?«, sagte er. »Sie glauben doch nicht, ich hätte ihn lahm geschlagen, und er weiß das und schützt mich?« Peters nahm einen Schluck. Bergenhem konnte noch keine Wirkung des Alkohols an ihm feststellen.

»Glauben Sie das?«, wiederholte Peters.

»Ich glaube gar nichts«, antwortete Bergenhem. »Ich versuche nur herauszufinden, was wirklich passiert ist.«

»Tatsachen«, sagte Peters, *»always the facts.«*

»Jens sagt, Sie hätten sich eine halbe Stunde, bevor er niedergeschlagen wurde, getrennt.«

»Mag sein«, sagte Peters. »Ich weiß ja nicht genau, wann es passiert ist. Wann er niedergeschlagen wurde.«

»Wo war es?«, fragte Bergenhem. »Wo haben Sie sich getrennt?« Er schaute in sein Notizbuch. Dort stand »unterhalb vom Sveaplan«, das hatte Book Ringmar gesagt.

»Hier draußen.« Peters zeigte unbestimmt zum Fenster. »Etwas unterhalb vom Sveaplan.«

»Wo genau?«

»Ich kann es Ihnen zeigen, wenn es so wichtig ist.«

»Gut.«

Peters schien in Erinnerungen zu versinken.

»Was haben Sie getan, nachdem Sie sich getrennt haben?«

»Getan ... ich hab eine Zigarette geraucht. Dann bin ich wieder nach Hause gegangen, hab mir eine CD angehört und dann hab ich geduscht und bin schlafen gegangen.«

»Warum sind Sie mit rausgegangen?«

»Ich brauchte ein bisschen frische Luft«, sagte Peters. »Und es war ein schöner Abend, nicht so stürmisch.«

»Haben Sie noch jemand anders dort draußen gesehen?«, fragte Bergenhem.

»Keine Fußgänger«, antwortete Peters. »Ein paar Autos sind vorbeigekommen, in beide Richtungen.«

»Haben Sie Jens nachgesehen?«

»Während ich rauchte, ja. Er hat sich sogar einmal umgedreht und mir gewinkt. Ich hab auch gewinkt, dann war ich mit Rauchen fertig und bin wieder reingegangen.«

»Und Sie haben niemand anders auf der Straße gesehen?«

»Nein.«

»Keinen Fußgänger?«

»Nein.«

Bergenhem hörte Geräusche von der Straße. Es war die Straße mit dem größten Verkehrsaufkommen der Stadt. Die Sirene eines Krankenwagens ertönte. Das Krankenhaus war nicht weit entfernt. Und plötzlich erkannte er die Musik, die Peters aufgelegt hatte.

»The Only Ones«, sagte Bergenhem.

Peters verbeugte sich in Bergenhems Richtung.

»Nicht schlecht. Eigentlich sind Sie zu jung für The Only Ones.«

»Ist Jens öfter hier gewesen?«, fragte Bergenhem.

»Ja.«

»Sind Sie bedroht worden?«

»Wie bitte?«

»Hat Sie jemand bedroht?«

Peters antwortete nicht. Er trank einen kleinen Schluck Whisky. Wieder nahm Bergenhem den guten Duft wahr. The Only Ones setzten ihre dunkle Wanderung durch das Land der Drogen der frühen achtziger Jahre fort. Die Musik lag wie ein düsterer Teppich über dem Zimmer.

»Klar wird man bedroht«, sagte Peters. »Wenn jemand rauskriegt, dass man schwul ist, besteht immer die Gefahr.«

Bergenhem nickte.

»Verstehen *Sie*, wovon ich rede?«

»Ich glaube schon«, antwortete Bergenhem.

»Da bin ich nicht ganz sicher«, sagte Peters.

»Verstehen Sie denn, worauf ich hinauswill?«

Peters dachte nach. Er hielt das Glas in der Hand, trank aber nicht. Die Musik war verstummt. Bergenhem sah draußen einen schwarzen Vogel vorbeigleiten und noch einen. Irgendwo in der Wohnung klingelte ein Telefon, klingelte und klingelte. Peters rührte sich nicht. Die Musik setzte wieder ein, etwas, das Bergenhem nicht sofort erkannte. Das Telefon klingelte weiter, schließlich schaltete sich der Anrufbeantworter ein. Bergenhem hörte Peters' Stimme, aber es folgte keine Nachricht.

»Sie meinen doch wohl nicht, dass der, der Jens niedergeschlagen hat, es auf mich abgesehen hatte?«, sagte Peters schließlich.

»Ich weiß es nicht.«

»Oder dass er Jens aus ... einem besonderen Grund niedergeschlagen hat?«

Bergenhem antwortete nicht.

»Dass er es nicht auf Jens persönlich abgesehen hatte, sondern nur weil ... weil er schwul ist?«

»Ich weiß es nicht«, wiederholte Bergenhem.

»Tja ... so könnte es sein.« Peters hielt sein Glas hoch, das jetzt leer war. »In der Beziehung überrascht mich überhaupt nichts mehr.«

»Erzählen Sie, ob und wann Sie sich mal bedroht gefühlt haben«, sagte Bergenhem.

»Wo soll ich anfangen?«

»Das letzte Mal.«

Aneta Djanali parkte das Auto und stieg aus. Halders massierte seinen Nacken und sah Aneta zu, wie sie die Autotüren mit der Fernbedienung schloss. Sie drehte sich zu ihm um.

»Hast du Schmerzen?«

»Ja.«

»Ich kann dich heute Abend massieren.«

»Sehr gern«, sagte Halders.

Aneta schaute in ihren Notizblock, und sie gingen auf eine der Türen des Studentenwohnheims zu. Im Treppenhaus stand ein Fahrrad. An der Wand hing eine schwarze Tafel, überladen mit Nachrichten, Schicht auf Schicht. Ganz oben hing ein großes Plakat, das vom Herbstfest der Studentenschaft kündete. Das Fest war schon lange vorbei.

Es roch unbestimmt nach Essen, ein Geruch, der entstanden war durch jahrzehntelange Zubereitung von Schnellgerichten aus billigen Zutaten. Halders hatte während seiner Polizeiausbildung in Stockholm in einem Studentenwohnheim gewohnt. Den Geruch erkannte er sofort wieder.

»Hier riecht es wie zu meiner Zeit im Studentenheim«, sagte er.

»Das hab ich auch gedacht«, sagte Aneta Djanali, »überbackene Brote und Hackfleischsoße.«

»Weiße Bohnen in Tomatensoße«, sagte Halders.

Aneta Djanali lachte kurz auf.

»Was ist daran so witzig?«, fragte Halders.

»In Masthugget wohnte ein Mädchen, dessen Diät bestand nur aus weißen Bohnen in Tomatensoße. Die hat sie direkt aus der Dose gelöffelt«, sagte Aneta Djanali, »ohne das Essen vorher aufzuwärmen.«

»Muss gut geschmeckt haben.«

»Mir wurde regelmäßig schlecht.«

»Haben weiße Bohnen in Tomatensoße nicht immer den Effekt?«, fragte Halders.

Aneta Djanali zog die Gerüche erneut ein.

»Ist es nicht komisch, dass es eine Art Erinnerungsspeicher geben muss, der sofort in Aktion tritt, wenn man einen Geruch wiedererkennt?«, sagte sie. »Man erkennt einen bekannten Geruch, und sofort stürzen die Erinnerungen auf einen ein.«

»Hoffentlich ist dir jetzt nicht allzu schlecht«, sagte Halders. »Wir sind ja im Dienst.«

»Aber du verstehst doch, was ich meine?«

»Nur zu gut«, sagte Halders. »Es gibt Sachen, die hab ich vergessen, dachte ich, und jetzt stürzen sie auf mich ein, genau wie du sagst.«

»Hoffentlich beeinträchtigen sie dich nicht zu sehr.« Aneta Djanali lächelte.

»Aber apropos Weiße-Bohnen-Diät«, sagte Halders, »da hättest du mal die Diät sehen sollen, die ich mit ein paar Freunden gemacht habe.«

»Verschon mich«, erwiderte Aneta Djanali und klingelte an der Tür zu dem Trakt, in dem Gustav Smedsberg gewohnt hatte, bevor er zu Chalmers zog. Jakob Stillman lebte im Korridor darüber, wenn er nicht im Sahlgrenschen lag. Bald würde er wiederkommen.

Aris Kaite wohnte im Nebenhaus. Es brauchte nicht zu bedeuten, dass sich die jungen Männer kannten oder wiedererkennen würden, wenn sie sich begegneten. Irgendwie ist das sehr anonym hier, dachte Aneta Djanali. Jeder kümmert sich nur um sich selbst, büffelt, schleppt sich in die Gemeinschaftsküche, um irgendwas zu essen zusammenzumixen und schleppt sich mit dem Teller zurück in sein Zimmer, und nur wenn es mal eine Party gibt, hebt man den Blick. Andererseits finden ja vielleicht ziemlich oft Partys statt. Zu meiner Zeit gab es welche, die feierten die ganze Woche Samstag, Samstag die ganze Woche lang. Vielleicht gibt es solche Studenten immer noch. Und wenn es für sie immer Samstag ist, haben sie vielleicht sogar Recht. Für mich ist es auffallend oft Montag. Obwohl es sich vielleicht gerade ändert.

Halders las die Namensschilder.

»Vielleicht hegt einer von denen hier Groll gegen seinen Nächsten«, sagte er.

»Mhm.«

»Da kommt einer von ihnen«, sagte er, als hinter der Glastür ein Mädchen auftauchte. Halders hielt seinen Ausweis hoch, und sie öffnete.

»Ich erinnere mich an Gustav«, sagte sie.

Sie saßen in der Küche. Halders und Aneta Djanali waren eingehüllt von Erinnerungen, in eine Duftwolke von weißen Bohnen. Alles war bekannt, hier drinnen war die Zeit stehen geblieben, so wie sie in allen anderen Studentenwohnheimen stehen geblieben war, in allen Städten. Der Geruch war zeitlos. Wenn ich den Kühlschrank öffne, bin ich wieder in meiner Jugend, dachte Aneta Djanali.

»Er ist also niedergeschlagen worden?«, fragte das Mädchen.

»Nein«, sagte Halders. »Er wurde angegriffen, aber er ist davongekommen, und deswegen ist er ein wichtiger Zeuge für uns.«

»Aber ... warum kommen Sie dann hierher?«

»Er hat ja kürzlich noch hier gewohnt.«

»Was soll das heißen?«

Das war keine naseweise Frage. Sie sieht nicht naseweis aus, dachte Halders. Mir gefällt das Wort. Naseweis. Es lässt erahnen, dass ein Kind zuerst drauf gekommen ist.

»Die Angelegenheit ist so ernst, dass wir aufzudecken versuchen, mit wem das Opfer Kontakt gehabt haben kann«, sagte Aneta Djanali.

»Aber Gustav ist doch kein Opfer in dem Sinn?«

»Er hätte eins werden können«, sagte Aneta Djanali.

»Warum ist er hier ausgezogen?«, fragte Halders.

»Ich weiß es nicht«, antwortete das Mädchen. Aber er sah ihr an, dass sie nicht die Wahrheit sagte.

»Hat er mit jemandem Streit gehabt?«, fragte Halders.

»Streit? Was hätte das für ein Streit sein sollen?«

»Alles von einem leisen Meinungsaustausch bis zu einem ausgewachsenen Krieg mit Granatwerfern und Luftangriffen«, sagte Halders. »Streit. Irgendeine Form von Streit.«

»Nein.«

»Ich frag nur, weil das ein sehr ernster Fall ist«, sagte er. »Oder mehrere. Mehrere Fälle.«

Sie nickte.

»Gab es also einen besonderen Grund, dass Gustav hier ausgezogen ist?«, wiederholte Halders.

»Haben Sie ihn gefragt?«

»Jetzt fragen wir Sie.«

»Das müsste er doch wohl selber erzählen können?«

Weder Halders noch Aneta Djanali antworteten. Sie sahen das Mädchen an, das aus dem Fenster schaute, durch das mildes Novemberlicht fiel. Dann sah sie die beiden wieder an.

»Ich kannte Gustav nicht besonders gut«, sagte sie.

Halders nickte.

»Eigentlich kannte ich ihn gar nicht.«

Wieder nickte Halders.

»Aber da war etwas ...« Jetzt schaute sie wieder aus dem Fenster, als ob sie das »etwas« mit dem Blick einfangen wollte.

»Und was war das?«, fragte Halders.

»Tja ... Streit, wie Sie schon sagten.« Sie sah Halders an. »Nicht gerade Granatwerfer, aber einige Male ... mehrere Male hat er ins Telefon gebrüllt, und in seinem Zimmer hat's auch Gebrüll gegeben.«

»Was für Gebrüll?«

»Na ja, eben Herumgeschreie. Was sie gebrüllt haben, konnte man nicht verstehen. Das ist einige Male vorgekommen.«

»Wer hat geschrien?«, fragte Aneta Djanali.

»Gustav ... und der andere, der bei ihm war.«

»Wer war bei ihm?«

»Ich weiß es nicht.«

»War es ein Mann oder eine Frau?«

»Ein Mann, ein junger Mann.«

»Sind Sie sicher, dass es nur einer war?«

»Ich glaube schon.«

»Sie haben ihn gesehen?«

»Ich weiß ja nicht, ob es derselbe war. Aber aus seinem Zimmer ist eine Weile, nachdem ich das mit angehört hatte, ein junger Mann gekommen. Ich war auf dem Weg in die Küche und er kam raus und ging.« Sie nickte zum Korridor.

»Haben Sie ihn mehrmals gesehen?«

»Nein. Nur das eine Mal.«

»Wer wohnt jetzt in Gustavs altem Zimmer?«, fragte Aneta Djanali.

»Ein Mädchen«, antwortete sie. »Ich hab sie bislang kaum gesehen. Sie ist gerade erst eingezogen.«

»Würden Sie diesen jungen Mann wieder erkennen, der aus Gustavs Zimmer gekommen ist?«

»Das weiß ich nicht. So leicht ist das ja nicht. Man sieht nur die Hautfarbe. Und hier wohnen viele davon.«

»Das versteh ich nicht ganz«, sagte Aneta Djanali. »Dieser junge Mann, der aus Gustavs Zimmer gekommen ist ... er war also nicht weiß?«, fragte Aneta Djanali.

»Nein, er sah aus wie Sie. Er war schwarz. Hab ich das nicht gesagt?«

Er sah Sonne aufblitzen, als er das Haus verließ, in dem er wohnte, ein Reflex. Es war ein hässliches Haus, aber das Sonnenblitzen war hübsch.

Andere sagten, die Sonne komme vom Himmel, aber er wusste es besser. Die Sonne kam von irgendwo anders her, wo es warm und still war und alle nett zueinander waren. Dort gab es niemanden, der ... Sachen tat, die man nicht tun wollte. Wo die Kinder tanzten und die Großen neben ihnen tanzten und spielten und lachten.

Plötzlich spürte er Schweiß auf der Stirn, aber das war nicht die Sonne, so warm war es nicht.

Seit er ... ja, seit er tatsächlich gezwungen worden war, seiner Arbeit fernzubleiben, war es schlimmer geworden.

In den Zimmern herumzuwandern.

Die Filme. Nein, nicht jetzt. Doch. Nein. Doch. Doch.

Es war schlimmer geworden.

Er war zu seiner Kommode gegangen und hatte die Sachen der Kinder herausgenommen, sie in der Hand gehalten, einen Gegenstand nach dem anderen. Das kleine lustige Silberdings, das einen Vogel darstellen sollte. Vielleicht einen Wellensittich? Ein Papagei war das jedenfalls nicht, haha.

Der grüne Ball war auch schön, weich, und er hüpfte so lustig. Er sah überhaupt nicht aus, als ob er hüpfen könnte, und fühlte sich ganz weich an, aber der konnte hüpfen!

Jetzt hielt er ein Auto in der Hand, das schwarz-blaue Auto, das er von dem Jungen bekommen hatte, mit dem er das erste Mal gesprochen hatte. Es war dasselbe Auto. Nein, es war dieselbe Marke. Er war nicht gerade ein Experte, aber das war doch dieselbe Marke wie sein Auto? Ja. Kalle hat der Junge geheißen. Es war so schön gewesen, mit Kalle im Auto zu sitzen und mit ihm zu reden. Was hast du denn da? Darf ich mal sehen? Mmmm. Das ist aber schön. Ich hab auch ein Auto. Das sieht genauso aus wie deins. Nur ein bisschen größer. Nein, viel größer! Viel, viel größer! Wir sitzen gerade darin. Wir können damit wegfahren, und dann fährst du gleichzeitig mit deinem Auto, Kalle.

Aber daraus war nichts geworden. Damals nicht.

Er rollte Kalles Auto über den Fußboden, durch das größere Zimmer und dann über die Schwelle in die Küche, brrrmmm, BRRRMMM, es hallte wider im Zimmer, als er das Motorgeräusch nachahmte. BRRRRMMMM!

Und jetzt öffnete er die Tür zu seinem großen Auto. Immer noch war seine Stirn schweißbedeckt. Es war schlimmer geworden.

Er fuhr los. Er wusste, wohin. Er hatte Schmerzen, so fest biss er die Zähne zusammen. Nein, nein, nein! Er wollte doch nur, dass es schön war. Nichts anderes, n-i-c-h-t-s-a-n-d-e-r-e-s, aber während er fuhr, wusste er, dass es diesmal anders sein würde, und da spielte es keine Rolle mehr, dass er nach links abzubiegen versuchte, bei der ersten Kreuzung dann aber doch nach rechts abbog, und dann in die nächste Straße.

Er hätte mit geschlossenen Augen fahren können. Die Straßen folgten den Gleisen. Er folgte den Gleisen. Er konnte die Straßenbahn hören, bevor er sie sah. Die Gleise blitzten in der Sonne, die immer noch schien. Er hielt sich dicht an die Gleise, dann hatte er weniger Angst.

13

Das Licht über den Feldern war weich wie Wasser. Alles schien zu Boden zu sinken. Die Bäume, die Steine. Die Äcker, die schwarz zu glühen schienen, die Erde in Wellen gepflügt, wie ein erstarrtes Meer, das nicht schmelzen und erst im Frühling wieder zum Leben erwachen würde.

Was mache ich dann? Was habe ich dann getan? Was habe *ich dann getan*?

Weit entfernt sah er einen Traktor. Er konnte ihn nicht hören, sah aber, wie er sich bewegte. Der hatte so lange dort draußen auf den Feldern gestanden, dass seine Farbe sich aufgelöst hatte. Alles hatte die gleiche Farbe da draußen, die Maschine und die Natur, das gleiche abgenutzte Novemberlicht, das ständig vom Tag in die Dämmerung hinüberzugleiten schien.

Jetzt war er ruhig, nachdem er eine Stunde gefahren war, aber er wusste, das war nur vorübergehend, genau wie alles andere um ihn herum nur vorübergehend war. Nein. Alles um ihn herum war nicht vorübergehend. Es ist ewig, dachte er. Es ist größer als alles andere.

Ich wünschte, ich würde es lieben, aber ich hasse es.

Er fuhr durch das Tor, das eine neue Schicht Rost auf der alten angesetzt zu haben schien. Die Auffahrt war fast so wie die Äcker da draußen, aufgewühlt von Traktorrädern, die weiter surrten draußen in der Prärie.

Jetzt hielt er auf dem Hof.

Früher habe ich von der Prärie geträumt. Früher hätte ich ein Pferd haben sollen, und wir wären über die Lichtung dort geritten und nie zurückgekehrt.

Ich könnte gen Himmel geflogen sein. Viele hätten mich sehen können.

Ich werde es tun.

Zwei Hühner scharrten auf dem Hof. Der Wind wirbelte Halme und Späne im Kreis herum. Wie immer roch es nach Mist, Stroh und Saat, nach Erde und verrottendem Laub und vergammelten Äpfeln und Holz, das langsam verfaulte. Und immer noch war der Geruch nach Tieren da, obwohl es keine Tiere mehr gab.

Nicht einmal Zack. Er ging zum Hundezwinger, der frei in der Luft zu schweben schien, als ob der Wind ihn vom Boden aufheben und über Felder und Wegkreuzungen davontragen könnte.

Er vermisste Zack. Zack war ein Freund gewesen, wenn er einen Freund brauchte, und dann war Zack verschwunden, aber das Leben um ihn herum war weitergegangen, als ob nichts passiert wäre.

Jetzt hörte er den Traktor, der den Weg heraufkam, bald würde er sich brummend durchs Tor zwängen und ungefähr dort halten, wo er jetzt stand.

Er drehte sich um. Der Alte schaltete den Motor aus und kletterte mit einer Bewegung, die eher von Gewohnheit als von Geschmeidigkeit zeugte, herunter. Der Körper würde sich noch lange, nachdem er all seine Weichheit verloren hatte, ganz routinemäßig weiterbewegen.

Alles, was weich ist, dachte er wieder. Wenn man Kind ist, ist alles weich, und alles außerhalb ist hart, und dann wird man genauso.

Der Alte kam auf ihn zugehumpelt.

»Lange her«, sagte er.

Er antwortete nicht.

»Hab nicht mal das Auto erkannt«, sagte der Alte.

»Es ist neu.«

»Sieht aber nicht neu aus.« Der Alte glotzte auf die Motorhaube.

»Ich meine, dir ist es neu.«

Der Alte sah ihn an. In seinem Gesicht waren Flecken von Erde. So hatte er immer ausgesehen. Es hatte nichts mit dem Alter zu tun, dass er es einfach nicht schaffte, seine persönliche Hygiene in den Griff zu kriegen.

»Arbeitest du nicht?«, fragte der Alte. »Es ist doch mitten in der Woche.« Er schaute zum Himmel hinauf, als wollte er sich dort den Wochentag bestätigen lassen. Dann wandte er sich ihm wieder zu und schnaufte: »Und mit der Straßenbahn konntest du ja kaum herkommen.« Er schnaufte wieder. »Das wäre ein Anblick gewesen.«

»Ich hab heute frei«, antwortete er.

»Der Weg ist weit.«

»Nicht so schlimm.«

»Du könntest genauso gut auf der anderen Seite des Erdballs wohnen«, sagte der Alte. Er schaute wieder hinauf zum Großen Kalender im Himmel. »Ist es jetzt vier oder fünf Jahre her, dass du zuletzt hier gewesen bist?«

»Ich weiß es nicht.«

»Siehst du.«

Über sich hörte er das Geräusch von Flügeln. Er schaute hinauf und sah die Raben, die zwischen der Scheune und dem Wohnhaus hin- und herflatterten.

»Wenn du schon mal hier bist, sollst du auch einen Kaffee haben«, sagte der Alte.

Sie gingen ins Haus. Er nahm den Geruch im Vorraum wahr, und plötzlich war er in eine andere Zeit versetzt.

Damals, als er Kind gewesen war.

Drinnen sah alles unverändert aus. Auf diesem Stuhl da hatte er früher gesessen. Ihm gegenüber hatte sie gesessen, groß, rot.

Sie war lieb gewesen, anfangs schon. Das war zu der Zeit gewesen, als er gespürt hatte, dass sein Jungenkörper immer noch weich war, da war es noch nicht zu spät gewesen.

War es so? Stimmte seine Erinnerung?

Das gehörte in die andere Zeit. Die Onkel und Tanten hatten entschieden, dass er nicht bei seiner Mutter wohnen sollte. Er hatte einen Pflegevater bekommen, und jetzt klapperte er am Herd, nach einer Weile blubberte das Wasser im Kessel, und der Alte nahm mit zittrigen Bewegungen Tassen und Teller aus dem Schrank hinter sich.

»Ja, hier ist alles unverändert, wie du siehst«, sagte er und stellte einen kleinen Korb mit Zimtschnecken auf den Tisch, die noch in der Plastikverpackung steckten.

»Ja.«

»Nicht mehr so ordentlich wie früher, aber sonst unverändert«, sagte der Alte.

Er nickte. Das sollte wohl ein Scherz sein.

Der Kaffeekessel pfiff, und der Alte schenkte Kaffee ein. Dann setzte er sich wieder und sah ihn mit diesem vertrauten Blick an, das eine Auge schien zu versinken, das andere hob sich.

»Warum bist du gekommen?«

»Ich weiß ... nicht.«

Er war schon mehrmals zurückgekommen. Vielleicht, weil es das letzte Zuhause gewesen war, das er gehabt hatte. Und die Landschaft hatte ihm gefallen, sie hatte ihm wirklich gefallen. Der Duft hier.

»Ich hab geschrieben«, sagte er.

»Das ist nicht dasselbe.«

Er trank von dem Kaffee. Der schmeckte, wie die Erde da draußen schmecken mochte, oder wie der verölte Schotter, mit dem sie die Straße gedeckt hatten, als er noch hier wohnte. Da war noch ein Geruch, an den er sich erinnerte.

»Was ist?«, fragte der Alte.

»Wie meinst du das?«, fragte er zurück.

»Was willst du hier?«

»Ich will gar nichts. Muss man immer was wollen?«

Der Alte trank von seinem Kaffee und nahm sich eine Zimtschnecke, biss aber nicht hinein.

»Ich kann dir nichts geben«, sagte er.

»Hab ich denn um was gebeten?«

»Nur, dass du es weißt«, sagte der Alte. Jetzt biss er in die Zimtschnecke und redete im Kauen weiter: »Bei mir ist eingebrochen worden. Im Stall, kannst du dir das vorstellen? In einen Stall einzubrechen, wo keine Tiere sind und es nichts zu holen gibt.«

»Woher weißt du denn, dass eingebrochen wurde?«

»Wie?«

»Woher weißt du, dass eingebrochen wurde, wenn es nichts zu holen gab?«

»So was sieht man, wenn man den Stall sein ganzes Leben kennt. Man sieht, wenn jemand drinnen gewesen ist.« Der Alte spülte die Zimtschnecke mit Kaffee hinunter. »So was merkt man«, wiederholte er.

»Aha. Und es wurde nichts gestohlen?«

»Ein paar Sachen, aber nichts von Bedeutung.« Die Augen des Alten waren jetzt auf etwas anderes gerichtet. »Darum geht es nicht.«

Er schwieg.

»Man will eben nicht, dass hier jemand rumläuft, wenn man selbst nicht zu Hause ist. Oder im Bett liegt und schläft.«

»Das versteh ich.«

Jetzt musterte ihn der Alte, die Augen schauten in zwei verschiedene Richtungen.

»Du siehst nicht gesund aus«, sagte er.

»Ich bin ... krank gewesen.«

»Was hast du gehabt?«

»Nichts Besonderes.«

»Grippe?«

»So was Ähnliches.«

»Und deswegen bist du hergekommen, um dich in der Dungluft zu erholen.«

»Ja.«

»Na, dann hol mal tief Luft«, sagte der Alte und schnaubte, das sollte wohl ein Lachen sein.

»Hab ich schon getan.«

»Bitte sehr.«

Er führte wieder die Tasse zum Mund, brachte es aber nicht über sich zu trinken. Ihn schauderte in der feuchten Luft, die sie mit in die Küche gebracht hatten. Der Alte hatte es noch nicht geschafft, Feuer im Herd zu machen nach der Arbeit auf dem Feld. Gott mochte wissen, was er dort trieb.

»Ich glaub, ich hab noch ein paar Sachen hier.«

Der Alte antwortete nicht, schien nichts gehört zu haben.

»Ich hab kürzlich dran gedacht, und da sind mir ein paar Sachen eingefallen.«

»Was für Sachen?«

»Spielzeug.«

»Spielzeug?« Der Alte goss sich Kaffee nach, diese schwarze Brühe, die einen umbringen konnte. »Was willst du denn mit Spielzeug?« Er sah ihn an. »Du hast doch wohl kein Kind gekriegt?«

Er antwortete nicht.

»Du hast doch wohl kein Kind gekriegt?«, wiederholte der Alte.

»Nein.«

»Kann ich mir auch nicht vorstellen.«

»Es sind meine ... Erinnerungen«, sagte er. »Mein Spielzeug.«

»Was ist es denn für Spielzeug?«

»Es liegt in einer Kiste, glaub ich.«

»Ja, Herr im Himmel«, sagte der Alte, »wenn noch was da ist, dann liegt es auf dem Speicher. Dort hab ich seit damals nicht aufgeräumt, seit Rut gestorben ist.« Er starrte ihn wieder an. »Sie hat nach dir gefragt.«

»Ich geh mal rauf«, sagte er und erhob sich.

Die Treppe zum nächsten Stockwerk knarrte genau wie früher.

Er ging nicht in sein ehemaliges Zimmer.

Es roch nach nichts. Als ob alles verschwunden wäre, seit der Alte hier nicht mehr schlief. Er hatte sich ein Bett in der Kammer neben der Küche hergerichtet. Aber es ist nicht verschwunden, dachte er jetzt. Nichts verschwindet. Es ist noch da und es wird immer größer und stärker und schrecklicher.

Durch das Fensterchen am Giebel fiel schwaches Nachmittagslicht. Er knipste das Licht an, eine nackte 40-Watt-Glühlampe, die an einem Kabel von der Decke hing. Er sah sich um, aber es gab nicht viel zu sehen. Das Bett, in dem er geschlafen hatte. Einen Sessel, an den er sich erinnerte. Drei Korbstühle, einen schiefen Tisch. Drei Mäntel hingen auf Bügeln rechts an der Stange.

Auf dem Fußboden lagen Sägespäne, drei kleine Haufen. In der hinteren Ecke standen ein paar Kartons unter dem Fenster. Dorthin ging er und öffnete den linken. Unter ein paar Decken und Handtüchern lagen seine beiden Sachen, er nahm sie heraus und trug sie zum Auto.

Der Alte kam aus dem Haus.

»Du hast also was gefunden.«

»Ich fahr jetzt«, sagte er.

»Und wann kommst du wieder?«, fragte der Alte.

Nie, dachte er.

Winter parkte hinter dem Block, in dem die Hälfte aller Geschäfte am Doktor Fries Torg waren. Es war nicht das erste Mal. Einmal hatte er so heftige Zahnschmerzen gehabt, dass er doppelt gesehen hatte. Als sein Zahnarzt den Zahn berührte, hatte Winter seine Waffe entsichert. Nein. Aber die vorsichtige Berührung des Zahnarztes hatte gereicht, dass er fast bewusstlos geworden war.

Jetzt ging es nicht um einen Zahnarztbesuch. Vielleicht wäre das besser gewesen. Brutal misshandelte junge Leute, das war schlimmer.

Der Platz war fast menschenleer. Wie in den sechziger Jahren, dachte er. So sieht es hier aus. Ich muss vier Jahre alt gewesen sein, vielleicht drei. Schon zu der Zeit ging Vater zu einem Zahnarzt hier. Das war doch hier?

Sein Handy vibrierte in der Innentasche seines Mantels.

Er erkannte die Nummer auf dem Display.

»Hallo, Mutter.«

»Du hast die Nummer gesehen, Erik?«

»Wie immer.«

»Wo bist du gerade?«

»Auf dem Doktor Fries Torg.«

»Doktor Fries Torg? Warst du beim Zahnarzt?«

»Nein.« Er machte einen Schritt zur Seite, um zwei junge Frauen mit Kinderwagen vorbeizulassen. »Ist Papa nicht früher auch zu einem Zahnarzt hier gegangen?«

»Ja … ich glaube. Warum fragst du das?«

»Ach, nur so.« Er hörte es den ganzen Weg von Nueva Andalucía bis ins Göteborg der sechziger Jahre rascheln. Vielleicht blätterte sie in der Zeitung, aber das glaubte er nicht. »Wie ist es an der Sonnenküste?«

»Verhangen«, antwortete sie. »Der ganze Tag war verhangen und gestern auch.«

»Das muss ja schrecklich sein«, sagte er. »Wolken über der Costa del Sol.«

»Ja.«

»Was heißt Wolkenküste auf Spanisch?« Er zog ein Päckchen Corps aus der Innentasche seines Mantels und zündete sich einen Zigarillo an. Er schmeckte wie der frühe Winter, der ihn umgab, ein dunkler Geschmack voller schwerer Düfte.

»Das weiß ich nicht«, sagte sie.

»Nun wohnst du schon seit Jahrzehnten da unten und kennst nicht das spanische Wort für Wolken?«

»Ich glaub, dafür gibt es hier kein Wort«, sagte sie.

Er lachte.

»Wusstest du, dass die Japaner kein Wort für blau haben?«, fragte er.

»Das kenn ich aber«, sagte sie. »Blau heißt *azul.*«

»El cielo azul«, sagte Winter und sah zum grauen Licht des Himmels auf.

»Jetzt reißt es über dem Meer auf«, sagte sie, »in diesem Moment, während wir reden.«

Er wusste, was sie sah. Vor einigen Jahren hatte er einige frühe Herbsttage im heißen Marbella verbracht, während sein Vater im Krankenhaus der Stadt starb.

An einem Morgen war er von seinem Frühstückstisch im Café Gaspar aufgestanden und unter einem dunklen Himmel zum Strand hinuntergegangen, und innerhalb weniger Sekunden war der Himmel über dem Mittelmeer aufgerissen und von Afrika her hatte sich Sonnenschein über das Wasser ergossen.

»Hast du einen besonderen Grund, dass du anrufst?«, fragte er jetzt.

»Weihnachten«, sagte sie. »Das ist mir gerade eingefallen. Habt ihr nicht Lust, über Weihnachten herunterkommen?«

»Ich weiß nicht, ob es geht.«

»Denk an Elsa. Ihr würde es hier gefallen. Und Angela.«

»Und mir?«, fragte er.

»Dir auch, Erik, dir auch.«

»Ich weiß im Augenblick nicht, ob wir freibekommen können«, sagte er. »In Angelas Abteilung herrscht ein ziemliches Durcheinander.«

»Es gibt doch wohl noch ein paar andere Ärzte?«

»Während der großen Festtage sind es unglaublich wenige.«

»Dann sorg dafür, dass Angela verschwindet«, sagte sie. »Möchte sie nicht gern herkommen?«

»Kannst du nicht zu uns kommen?«, fragte er.

»Ich komme im Frühling. Aber es wäre schön, Weihnachten mit euch hier unten zu feiern. Das haben wir doch noch nie gemacht.«

»Hast du Lotta auch gefragt?«

Seine Schwester hatte die Mutter regelmäßig mit ihren beiden Töchtern besucht.

»Sie will irgendwas mit den Mädchen und guten Freunden unternehmen.«

»Wie heißt er?«, fragte Winter und dachte daran, wie seine Schwester versucht hatte, nach ihrer düstren Scheidung einen Freund zu finden.

»Von einem Er hat sie nicht gesprochen.«

»Okay, ich werd es rauskriegen.«

»Misch dich nicht in ihr Leben ein, Erik.«

»Ich hab gemeint, dass ich rauskriegen werde, ob wir Weihnachten freihaben.«

»Das hättest du längst tun sollen, Erik.«

Er antwortete nicht.

»Ich kann einen Weihnachtsschinken machen«, sagte sie.

»Nein, nein! Wenn wir kommen, dann möchten wir Fisch und Schalentiere essen.«

Winter konnte sich seine Mutter nicht vor einem Herd vorstellen, so eine Mutter war sie nie gewesen. Sie konnte gebeugt über der Arbeitsplatte in der Küche stehen, aber dann schnitt sie Zitronenscheiben für die Drinks oder schraubte den Shaker zusammen. Manchmal ein Gläschen zu viel. Aber sie war immer nett gewesen. Sie hatte ihre Kinder mit Respekt behandelt. Er war zu einem Mann herangewachsen, der die Menschen, denen er begegnete, genauso zu behandeln versuchte. Er hatte Boden unter den Füßen. Allzu viele hatten keinen Boden, gegen den sie sich stemmen konnten, wenn es hart kam.

»Bald ist Dezember«, sagte sie. »Ihr müsst euch sofort um die Tickets kümmern. Vielleicht ist es auch schon zu spät.«

»Du hättest ja eher anrufen können«, sagte er.

Sie antwortete nicht.

Plötzlich begriff er, warum sie nicht angerufen hatte. Sie hatte bis zum letzten Moment darauf gewartet, dass er fragen würde, ob sie kommen dürften. Nur Andeutungen. Jetzt wollte sie nicht mehr warten.

»Ich lasse Plätze reservieren«, sagte er.

Warum nicht. Satte zwanzig Grad warm und viele Lokale mit leckeren Tapas und einige besonders gute Restaurants. Es war ja nur ein Weihnachten. Er hatte so viele Weihnachten in Göteborg verbracht, eingehüllt von scharfen Meereswinden wie in raue Schals. Zwischen den Festen lange Tage, die nie richtig hell wurden, gefüllt mit Nebel, den ein armer Detektiv nicht durchdringen konnte, wenn er auf der Jagd nach Lösungen von Rätseln durch die Stadt strebte. Holmes. *My name is Sherlock Winter Holmes.*

Sie verabschiedeten sich. Er blieb auf dem Platz stehen, und einen Moment lang hatte er keine Ahnung, warum er hergekommen war.

Er fuhr in die Stadt zurück, das flache Land im Rücken, weg von all den Gerüchen, die zu jener Welt gehörten.

Sein Kopf war übervoll von Erinnerungen, die er jetzt loswerden wollte, zum offenen Fenster sollten sie hinausgeblasen werden. Der Fahrtwind zerrte an seinen Haaren, es war ein schönes Gefühl.

Er ordnete sich in einen Kreisverkehr ein, der ihm vertraut war. Das Netz von Zubringerstraßen zog ihn langsam ins Zentrum, wie eine Spirale, die sich nach innen drehte. Oder nach unten, dachte er, als er bei Rot an der Allén halten musste.

Er parkte an der Stelle, wo er vorher auch gestanden hatte. Vielleicht war es genau dieselbe Stelle. Nein. Der Ahorn war sein Richtzeichen und zeigte, dass er an einer anderen Stelle stand.

Er wischte sich über die Stirn und spürte den Schweiß. Auch sein Nacken und sein Hinterkopf waren feucht.

Er berührte den Papagei, der unterm Rückspiegel hing. Bill war dabei. Er berührte den kleinen Teddy, der auf dem Sitz neben ihm lag. Komisch, dass er ihm nie einen Namen gegeben hatte.

Er berührte den Papagei, der neben dem Teddy lag. Er sah genauso aus wie Bill. Fast dieselben Farben, vielleicht war etwas gelber und weniger rot, aber es fiel kaum auf.

»Was willst du denn mit dem Zeug?«, hatte der Alte gefragt, als er ins Auto gestiegen war.

»Das gehört mir«, hatte er geantwortet.

»Danach hab ich nicht gefragt. Ich hab gefragt, wozu du das um alles in der Welt haben willst.«

»Es gehört mir«, hatte er nur wiederholen können.

Das Einzige, was ihm noch geblieben war aus seiner Kindheit.

»Du bist schon immer komisch gewesen«, hatte der Alte gesagt.

Er hätte ihn über den Haufen fahren mögen wegen dieser Worte. Einen großen Kreis auf dem Hof fahren und auf ihn los, ihm zeigen, dass er nicht wollte, dass man so mit ihm redete.

Er hielt den Vogel hoch, der an ihm vorbeisah, hinaus auf die Bäume, die Wiese und zum Spielplatz, wo die Kinder schaukelten oder hintereinander herrannten oder Verstecken spielten. Es waren allzu viele dort, und es waren allzu wenige Erwachsene dabei, die aufpassten, dass den Kindern nichts passierte.

Er musste ihnen helfen.

Er stieg aus und ließ das Spielzeug im Auto, schloss aber nicht ab.

Er hatte das Auto auf der Straße hinter dem Park geparkt. Die führte an dem Platz vorbei, und er war innerhalb von ein oder zwei Minuten hinter den hohen Häusern, da spürte er wieder den Schweiß. Ihm wurde plötzlich schlecht. In seinem Kopf drehte sich alles wie ein Karussell. Er blieb stehen und atmete tief durch, da wurde es besser. Er ging noch ein paar Schritte und jemand sagte etwas.

Er schaute zu dem Jungen hinunter, der neben dem Busch stand.

»Wie heißt du?«, fragte der Junge.

14

Er sah seine Hände auf dem Lenkrad. Sie zitterten. Er musste das Steuer festhalten, sonst wäre er ins Schlingern geraten. Das wollte er nicht.

Der Parkplatz war besetzt, das war nicht ungewöhnlich. Er musste noch eine Runde um den Häuserblock fahren, und als er zurückkam, gab es eine Lücke.

Er trank ein Glas Wasser in der Küche, bevor er seine Schuhe auszog. Das hatte er noch nie getan. Die Schuhe gehörten in den Flur, sie sollten keinen Schmutz und Split hereintragen wie jetzt. Gestern hatte er geputzt, hier drinnen sollte es so lange wie möglich ordentlich sein.

Er stellte das Glas ab und sah auf seine Hand herunter und auf das, was darin war. Er drehte den Kopf weg, ging ins Bad und wusch seine Hände mit abgewandtem Gesicht. Da er nicht richtig sehen konnte, was er tat, spritzte Wasser über den Beckenrand, aber das war auch egal.

Er trocknete seine Hände ab. Das Telefon klingelte. Das Handtuch fiel ihm herunter. Das Telefon klingelte weiter. Er ging in den Flur.

»Hal… hallo?«

»Ist da Jerner? Mats Jerner?«

»Äh … ja.«

»Hallo, Göteborger Straßenbahnbetrieb, Järnström. Ich ruf wegen des Unfalls auf dem Järntorget an, wegen der Ermittlung. Die hab ich jetzt übernommen.«

Järnström und Järntorget, dachte er. Bestimmten sie die Ermittler nach Unfallorten? Oder Opfern? Mein Name klingt ja auch ähnlich.

»Ich bin fast fertig damit«, fuhr Järnström fort.

»Sind wir uns schon mal begegnet?«

»Nein.«

Er hörte Papierrascheln in der Leitung.

»Eigentlich sind wir fertig«, sagte Järnström. »Sie können wieder anfangen.«

»Wieder anfangen zu arbeiten?«

»Ja.«

»Keine Verhöre mehr?«

»Verhöre?«

»Na ja, Fragen danach, wie ich meinen Job mache.«

»Darum ging es ...«

»Dann bin ich also nicht mehr ... schuld?«

»Das hat doch nie jemand behauptet. Sie wer...«

»Ich wurde doch beurlaubt.«

»So würde ich das nicht ausdrücken.«

»Wie soll man es denn sonst ausdrücken?«

»Wir waren eben mit dieser Ermittlung beschäftigt, und das hat seine Zeit gebraucht.«

»Und wer ist nun schuld?«

»Wie bitte?«

»WER IST DENN SCHULD?«, brüllte er in den Hörer. Der Kerl hörte wohl schlecht, deshalb musste er ein wenig lauter sprechen. »WER MUSS DIE SCHULD AUF SICH NEHMEN FÜR ALLES, WAS PASSIERT IST?«

»Nun mal ganz ruhig, Jerner.«

»Ich bin ruhig.«

»Die Angelegenheit ist erledigt«, sagte Järnström, »was Sie angeht.«

»Und für wen ist sie nicht erledigt?«

»Jetzt verstehe ich Sie nicht ganz.«

»Ist es für den Besoffenen nicht erledigt? Es war doch allein seine Schuld.«

»Das ist ein Problem«, sagte Järnström.

»Für wen?«

»Für den Verkehr«, sagte Järnström.

»Für die Fahrer«, sagte er jetzt. »Es ist ein Problem FÜR DIE FAHRER.«

»Ja.«

»Dann passieren solche Sachen.«

»Ja, ich weiß.«

»War sonst noch was?«

»Nein, im Augenblick nicht. Vielleicht brauchen wir später noch mal ein paar Details, aber ...«

»Dann kann ich also wieder anfangen zu arbeiten?«

»Deswegen hab ich Sie ja angerufen.«

»Vielen Dank«, sagte er und legte auf. Er sah, dass seine Hand wieder anfing zu zittern. Jetzt war sie sauber, aber sie zitterte.

Er ging zurück in die Küche und setzte sich, stand aber gleich wieder auf und ging in den Flur. Er griff in seine rechte Jackentasche und nahm die Erinnerung an das Mädchen heraus.

Er setzte sich aufs Sofa und betrachtete es. Plötzlich begann er zu weinen. So weit war es noch nie gekommen. Nie. Er hatte gespürt, dass es jetzt passieren würde, und war einen großen Kreis gefahren, um dem zu entkommen, aber stattdessen war er von der Spirale aufgesogen worden, und er hatte gewusst, dass es so enden würde.

Wie würde es das nächste Mal enden?

Nein NEIN NEIN NEIN!

Er stand auf, um die Kamera aus dem Flur zu holen, und der innere Kampf setzte sich fort.

Er sah sich den Film auf dem Fernsehschirm an.

Er hörte die Stimme des Jungen, die ihn fragte, wie er heiße. Er hörte sich selbst antworten, obwohl er sich in dem Moment nicht bewusst gewesen war, dass er antwortete. Aber er nannte nicht seinen jetzigen Namen. Er sagte den anderen Namen, den er gehabt hatte, als er Kind gewesen war, ein kleiner Junge wie er, nein größer, aber trotzdem klein.

Auf dem Bildschirm flimmerte es. Autos, Bäume, Regen draußen, der Verkehr auf der Straße, eine Ampel und noch eine, seine eigene Hand am Lenkrad. Der Junge. Sein Haar.

Jetzt keine Stimme, überhaupt keine Geräusche. Seine Hand. Wieder etwas Haar, kein Gesicht, in diesem Film nicht.

Winter versuchte bei der Musik zu denken. Sie passte zu der Novemberdämmerung dort draußen. Die Autoscheinwerfer auf der anderen Seite des Flusses waren jetzt heller als das Licht vom Himmel.

Er war denselben Weg gegangen wie der Jurastudent Stillman in jener Nacht. War die Treppen heraufgekommen und an seiner Zahnarztpraxis und der Bibliothek vorbeigegangen und hatte sich mitten auf den Platz gestellt, wo Stillman den Schlag versetzt bekommen hatte. Wie konnte das geschehen? Wieso hatte der junge Mann nicht gesehen, dass sich ihm jemand näherte? Vielleicht ein Radfahrer. Aber selbst den hätte er irgendwie hören müssen. Jemand hat sich von hinten angeschlichen. Tja. Nein, daran glaubte er nicht. Oder war es jemand, der zufällig gleichzeitig des Weges kam, von hinten oder von der Seite oder von vorn? Eher vorstellbar. Aber Stillman hätte es dann doch merken müssen, zum Teufel noch mal. Hätte hinterher davon berichten können müssen.

Er könnte jemandem begegnet sein, den er kannte.

Blieb noch die Alternative, dass er tatsächlich mit jemandem zusammen gewesen war, dessen Identität er nicht preisgeben wollte. Warum? *Why? Porqué?*

Das war die schwerste Frage, immer und in allen Sprachen. »Wer?« und »Wo?« und »Wie?« und »Wann?« waren die unmittelbaren Fragen, die unmittelbare Antworten forderten. Und wenn es darauf Antworten gab, dann war der Fall auch gelöst. Aber immer dieses »Warum?«, häufig wie ein kleiner Stachel in seinem Bewusstsein, noch lange danach. Etwas Ungelöstes. Wenn es sich denn erklären ließ. Nicht alles bringt Erklärungen mit sich. Das Leben wurde einem nicht erklärt.

Trotzdem. Wenn er dieses »Warum« klarer sehen könnte und das frühzeitig, dann würde er auch öfter und schneller zu dem »wer«, »wo«, »wie« und »wann« gelangen.

Es klopfte an der Tür, und er rief »herein«. Ringmar trat ein. Winter blieb auf seinem Stuhl sitzen, und Ringmar setzte sich auf die Schreibtischkante.

»Eine etwas zwielichtige Atmosphäre hier drinnen«, sagte Ringmar.

»Meinst du das Licht?«

»Was sonst?«

»Es ist so friedvoll«, sagte Winter.

Ringmar warf einen Blick auf den Panasonic, der schräg unterm Fenster auf dem Fußboden stand, und hörte einen Augenblick der Musik zu.

»Friedvolle Musik«, sagte er.

»Ja.«

»Past zum Licht.«

»Bobo Stenson Trio. *War Orphans*«, sagte Winter.

»Kriegsopfer.«

»Nein, eher die Waisen des Krieges.«

»Kriegsopfer klingt besser.«

»Wenn du meinst.«

Ringmar setzte sich auf den Stuhl vorm Schreibtisch. Winter machte die Lampe auf dem Tisch an, und das Licht verbreitete einen kreisrunden Schein zwischen ihnen. So hatten sie schon viele Male gesessen und sich in der Diskussion langsam der Lösung eines Rätsels genähert. Winter wusste, dass er ohne Ringmar nicht so weit gekommen wäre, wie er gekommen war. Er hoffte, dass für den älteren Kollegen dasselbe galt. Nein, er wusste es. Trotzdem gab es natürlich Dinge, die er nicht wusste von Bertil. Einzelheiten seines Lebens.

Aber jetzt wollte er mehr über den älteren Mann wissen, der ihm gegenübersaß. Wenn er selbst mehr erzählen wollte. Vielleicht hing das mit Winters eigenem Leben zusammen, seiner … Entwicklung. Er war reifer geworden, hatte sich von einem einsamen jungen Mann mit viel Macht zu einem Menschen entwickelt, der auch andere mit einbezog.

Bertil war der Kitt dieser Dienststelle. Er wusste es. Alle wussten es. Winter war … ja, was war er? Der Schlagbohrer im Putz? War er der Putz?

Wie dem auch sei, jedenfalls brauchten sie einander, brauchten ihre Gespräche. Den Jargon, der nie nur Jargon war.

Ringmars Gesicht wirkte magerer denn je. Um seine Augen war ein Schatten.

»Warum zum Teufel lügen alle ständig?«, sagte er.
»Das gehört zum Job«, sagte Winter.
»Das Lügen?«
»Sich die Lügen anzuhören.«
»Zum Beispiel diese Jungs. Der Fall fängt an verzwickt zu werden.«
»Es ist vor allen Dingen für die Jungs verzwickt.«
»Aber langsam auch für uns«, sagte Ringmar.
»Wir werden ihn aufklären. Das ist unser Job. Sie können nichts aufklären.«
Ringmar nickte und schwieg.
»Du bist natürlich nicht hergekommen, um mir das zu erzählen, Bertil, oder?«
Ringmar antwortete nicht.
»Wenn ich ehrlich sein soll, du siehst nicht gut aus«, sagte Winter.
Ringmar fuhr sich über Stirn und Gesicht, als ob er Müdigkeit und Schatten wegwischen wollte. Es sah aus, als würde er den Kopf zum Jazz aus dem Panasonic bewegen, ohne sich dessen bewusst zu sein.
»Hast du Fieber?«, fragte Winter.
»Das nicht.«
Winter wartete, dass Ringmar weitersprach. Die Musik verstummte, die CD war zu Ende. Draußen war es jetzt dunkler. Er sah die Autoscheinwerfer deutlicher, die Geräusche von draußen waren auch klarer. Ein paar Regentropfen fielen gegen die Fensterscheibe. Bald könnte es Schnee sein. Für Göteborger war Schnee ein seltenes Geschenk. Für die Schneeräumer eine Überraschung, denn jedes zweite Jahr gab es ein einziges Chaos. Winter hatte gerade diese Art von Chaos immer gemocht. Dann ging er mitten im Schneesturm über Heden zu Fuß nach Hause und trank einen heißen Grog am Fenster.
»Es geht natürlich um Martin«, sagte Ringmar.
Winter wartete.
»Ich weiß nicht, wie ich es formulieren soll«, sagte Ringmar.
»Sag's einfach.«
»Es ... geht um ... Väter und Söhne«, sagte Ringmar.

»Väter und Söhne«, wiederholte Winter.

»Ja … ich versuche herauszufinden, was zum Teufel der Junge eigentlich denkt«, sagte Ringmar. »Wie es so hat kommen können. Was dazu geführt hat.« Er fuhr sich wieder über die Stirn. »Was habe ich getan? Und er. Nein, vor allen Dingen ich.«

Winter wartete, holte sein Corpspäckchen hervor, nahm sich aber keinen Zigarillo. Er schaute auf, und Ringmar sah ihm in die Augen.

»Deswegen hab ich an dich gedacht«, sagte Ringmar. »Daran, wie du … was du mit deinem Vater erlebt hast. Wie es gekommen ist, warum ihr … du … keinen Kontakt hattet.«

15

Winter zündete sich einen Zigarillo an und nahm einen tiefen Zug. Der Rauch schwebte durch den Lichtkreis der Schreibtischlampe.

»Da stellst du eine komplizierte Frage, Bertil.«

»Du hast ja gesehen, wie schwer es mir fällt.«

Winter nahm wieder einen Zug. Er sah sich selbst am Berghang überm Mittelmeer, als sein Vater neben einer schneeweißen Kirche beigesetzt wurde. Sierra Blanca. Zu spät, um Kontakt aufzunehmen.

»Er ist mit seinem Geld abgehauen«, sagte Winter.

»Ich weiß.«

»Das hat mir nicht gepasst.«

»War das alles?«

Winter antwortete nicht, rauchte wieder, stand auf, ging zum Fenster und öffnete es. Es hatte aufgehört zu regnen. Er strich die Asche ab, nachdem er sich überzeugt hatte, dass unten auf dem Rasen niemand herumlief. Dann drehte er sich um.

»Ich weiß nicht«, sagte er.

»Wie viel wusstest du eigentlich von seinen Geschäften?«

»Genug, um sie abzulehnen.«

»Du bist eine moralische Person.«

»Er hat sich falsch verhalten«, sagte Winter. »Er hätte bleiben und ... na ja, solidarisch sein sollen. Er hatte genügend Geld. Das Haus in der Sonne hätte er trotzdem haben können.« Winter lächelte. »Hätte er seine Steuern bezahlt, hätten wir uns vielleicht einen weiteren Fahnder leisten können.«

Er kehrte zum Schreibtisch zurück. Plötzlich war er sehr müde. Alles, was er eben zu Bertil gesagt hatte, was hatte das für einen Sinn? Alles hätte sich lösen lassen, wenn sie miteinander geredet hätten. Nur Reden hilft. Das ist doch das Einzige, was uns voranbringt, dachte er. Schweigen erzeugt neues Schweigen und schließlich eine Stummheit wie Zement.

»Irgendwann konnten wir nicht mehr miteinander reden«, sagte er. »Wir hatten die Chance verpasst. Ich weiß nicht ... ich hab oft gedacht, es müsste noch was anderes dahinter stecken, das weiter zurückliegt. Etwas, das nicht mit diesem Geld zu tun hatte.«

Ringmar schwieg. Die Schatten um seine Augen waren tiefer geworden.

»Himmel, Bertil, das kann ich dir doch nicht alles erzählen.«

»Deswegen bin ich aber gekommen.«

»Ich glaub nicht, dass du dazu neigst, dich selbst zu quälen. Und du bist nicht wie er.«

»Wir sind alle verschieden«, sagte Ringmar, »trotzdem machen wir die gleichen verdammten Fehler.«

»Was hast du für Fehler gemacht?«

»Irgendwas muss ich ja getan haben. Ich habe einen erwachsenen Sohn, der mich nicht sehen will. Er will nicht mal mit mir reden.«

»Das wird er sich noch anders überlegen.«

»Sprichst du aus eigener Erfahrung?«

Winter antwortete nicht. Aus einem schwarzen Himmel fielen jetzt wieder Regentropfen gegen die Scheiben. Noch nicht mal fünf, aber die Nacht ist schon da.

»Entschuldige, Erik. Es ist nur ... Scheiße ...«

»Soll ich versuchen mit ihm zu reden?«, sagte Winter.

»Ich weiß ja nicht mal, wo er ist.«

»Deine Tochter hat doch bestimmt irgendwie Kontakt zu ihm? Moa?«

»Ich weiß es ehrlich gesagt nicht«, sagte Ringmar.

»Oder soll ich mal mit ihr reden?«

»Ich weiß es nicht, Erik. Ich hab's versucht, aber sie respektiert seinen Wunsch.«

»Und was ist mit Birgitta?«

»Für sie ist es wahrscheinlich am schlimmsten. Er hat offenbar beschlossen, auch sie einzuschließen, wenn er nichts mit mir zu tun haben will.« Ringmar richtete sich auf dem Stuhl auf und lächelte genau wie Winter eben. »Man kann wohl sagen, eine Art *package deal.*«

»Soll ich ihn verprügeln, wenn ich ihn finde?«

»Endlich kommst du mal richtig zur Sache. Ich hätte nicht geglaubt, dass du so was fragen würdest.«

»Gewalt ist die extremste Form von Kommunikation. Wenn die Wörter nicht mehr ausreichen, kommen die Schläge.« Winter hielt seine Faust in den Lichtkreis. »Gar keine so ungewöhnliche Art miteinander zu kommunizieren.« Er nahm die Faust herunter. »Auch nicht im Dezernat.«

»Lass es uns lieber erst mit der verbalen Form versuchen«, sagte Ringmar.

Es klopfte an Winters Tür und er rief herein. Bergenhem kam herein und trat in den Lichtschein am Schreibtisch.

»Verhört ihr einander?«, fragte er.

»Mangels Verdächtiger muss man nehmen, was man hat«, sagte Winter.

»Lass mich bitte außen vor«, sagte Bergenhem.

»Du bist ja gerade erst hereingekommen«, sagte Winter.

»Ich bin der Sache mit dem angeblichen Brandeisen nachgegangen. Smedsbergs Bauernverband-Gerede.«

»Die Information darüber hab ich schon vermisst«, sagte Winter.

»Jetzt kommt sie.« Bergenhem setzte sich auf den Stuhl neben Ringmar. Er war deutlich erregt. Winter stand auf und machte die Stehlampe neben dem Panasonic an. Es wurde richtig gemütlich.

»Ich hab mit einer Frau beim Landwirtschaftsamt gesprochen«, sagte Bergenhem. »Abteilung Tierschutz.«

»Was sonst?«, sagte Ringmar.

Winter lachte.

»Gleich wird's noch lustiger«, sagte Bergenhem. »Auf den

Bauernhöfen in Schweden gibt es tatsächlich solche Brandeisen, nicht nur in Wyoming und Montana.« Bergenhem hatte einen Notizblock vor sich liegen, aber er brauchte nicht hineinzuschauen. »Es ist aber nicht erlaubt, den Tieren solche Symbole einzubrennen. Jedenfalls nicht mit einem heißen Eisen.«

»Wie macht man es dann?«, fragte Ringmar.

»Mit so genanntem tiefgekühlten Eis«, antwortete Bergenhem.

»Kohlensäureschnee«, sagte Winter.

Bergenhem sah ihn an. Er schien fast enttäuscht zu sein.

»Wusstest du das?«

»Nein, aber man kann es ja erraten.«

»Das hast du doch nicht geraten?«

»Mach weiter«, sagte Winter.

»Ja, also, man kann dieses Brandeisen in Kohlensäureschnee abkühlen, oder besser gesagt in flüssigem Stickstoff, und dann die Tiere damit kennzeichnen.«

»Und so macht man das auch heute?«, fragte Ringmar.

»Offenbar. Wird meistens bei Trabrennpferden benutzt, ganz einfach eine Identifikations-Kennzeichnung. Die Frau im Amt hat gesagt, dass man auch Rinder so kennzeichnet.«

Ringmar nickte. Bergenhem warf ihm einen säuerlichen Blick zu.

»Das hast du schon gewusst, Bertil?«

»Die Bauern geben sich nicht mit den Marken an den Ohren zufrieden«, sagte Ringmar. »Wenn sie die Kühe in großen Gruppen melken, können sie das Zeichen da oben im Ohr nicht erkennen, während sie da unten mit den Eutern beschäftigt sind.«

»Himmel, wo bin ich gelandet?«, seufzte Bergenhem. »Ist dies das Direktionszimmer vom Bauernverband?«

»Die neuen EU-Gesetze sind einfach bescheuert«, sagte Winter.

»Warum ist es verboten, mit einem heißen Eisen zu kennzeichnen?«, fragte Ringmar und sah wieder ernst aus.

»Tja, wahrscheinlich aus humanitären Gründen, wenn man den Ausdruck Humanität in Verbindung mit Tieren benutzen kann. Jedenfalls sind die Tierschutzgesetze 1999 geändert worden, und da wurde es erlaubt, mit Kohlensäureschnee zu kennzeichnen, aber es steht nichts über glühende Eisen darin, und das bedeutet, dass es verboten ist.«

»Aber man kann immer noch dieselben alten Eisen benutzen?«, fragte Winter.

»Ja. Ich habe extra nachgefragt.«

»Okay. Und sonst noch was?«

»Das Interessanteste ist das Zeichen selbst«, antwortete Bergenhem. »Sie benutzen eine Zahlenkombination.« Jetzt las er in seinem Notizblock. »Häufig sind es drei Zahlen. Aber es können auch mehr sein.«

»Was bedeuten die Zahlen?«, fragte Ringmar.

»Eine Produktionseinheitsnummer«, sagte Bergenhem, »die nur dem entsprechenden Hof zugeordnet ist.«

Ringmar pfiff durch die Zähne.

»Gilt das für alle Bauernhöfe des Landes?«, fragte Winter.

»Für alle Höfe, die Rinder, Schafe, Ziegen und Schweine halten.«

»Und die das nicht tun?«, fragte Winter.

»Wie meinst du das?«

»Die Höfe, die keine Tiere mehr haben? Das kommt ja vor. Sind die immer noch registriert? Oder wird denen die Nummer entzogen?«

»Das weiß ich noch nicht. Den Verantwortlichen in der Abteilung hab ich noch nicht erreicht.«

»Dann tragen diese Jungs vielleicht tatsächlich eine Zahlenkombination unter dem Schorf ihrer verheilenden Wunden herum«, sagte Ringmar. »Wie eine Tätowierung.«

»Kann man den Heilungsprozess nicht beschleunigen?«, fragte Bergenhem.

»Ich werde mit Pia reden«, sagte Winter.

»Und dann wäre der Fall gelöst«, sagte Ringmar.

Bergenhem sah ihn an.

»Meinst du das ernst, Bertil?«

»Klar.«

»Vielleicht haben wir es mit einem Täter zu tun, der seine Waffe vor der Tat in Kohlensäureschnee getaucht hat«, sagte Winter.

»Und wo soll er das getan haben?«, fragte Ringmar.
»Er könnte den Schnee ja in einer Thermoskanne mit sich herumtragen«, sagte Winter, »zum Beispiel.«
»Bleiben hinterher Spuren?«, fragte Bergenhem.
»Nicht die geringste Chance«, antwortete Winter. »Das kann ich mir nicht vorstellen. Wer könnte übrigens noch mehr über so was wissen? Tiere, Kohlensäureschnee und Ähnliches?«
Er sah Ringmar an.
»Inseminateure«, sagte Ringmar. »Die bewahren die Spermien tiefgekühlt auf.«
Winter nickte.
Diese Jungs sind in der falschen Branche, dachte Bergenhem.

Die Kinder schliefen. Halders und Aneta Djanali saßen auf dem Sofa, und Halders hörte Musik. *All that you can't leave behind*. Alles, was du nicht hinter dir lassen kannst.
Er kriegte einen *Flash* vor lauter schwarzen Erinnerungen. Ob Aneta zuhörte, wusste er nicht. Sie studierte die Glastür zur Veranda, die vom Regen gepeitscht wurde. *It's a beautiful day*, sang Bono. Er war kaum zu hören, so laut prasselte der Regen jetzt herunter. Vielleicht stellt sich ein Irländer so einen schönen Tag vor, dachte Halders. Oder ein Göteborger.
Er spürte Anetas Hand an seinem Hals.
»Soll ich dich jetzt massieren?«
Er neigte den Kopf etwas nach vorn, sie stand auf, stellte sich hinter ihn und begann, seine angeschlagenen Wirbel zu massieren. Er spürte, wie er sich entspannte. *Stuck in a moment you can't get out of*, sang Bono. So war es. Im Augenblick war es gut.
Seine Frau war von einem Autofahrer überfahren worden, der Fahrerflucht begangen hatte, und gestorben. Wie lange war das jetzt her? Anfang Juni war es gewesen, daran erinnerte er sich. Die Abiturexamen hatten Mitte Mai stattgefunden, aber seine Kinder waren die letzten Tage noch zur Schule gegangen. Es war heiß gewesen wie die Hölle, und eine Hölle war es geblieben.

Schließlich hatten sie den Mistkerl gefunden. Halders hatte selbst versucht, ihn zu finden, aber es war ihm nicht gelungen. Dann war er im Dienst verletzt worden. Idiotisch verletzt. Verursacht von einem Idioten, wie er es selber war. Nein, dachte er jetzt, während Aneta ihn wie ein Profi knetete. Das war ich nicht, nicht damals. Es war jemand anders.

Der verfluchte Fahrer war eine traurige Gestalt gewesen, nicht wert, ihn totzuschlagen. Als Halders ihn sah, viel später, bedeutete er ihm nichts mehr. Er spürte keinen Hass. Er hatte keine Kraft dafür und Zeit. Die Kraft, die er noch hatte, brauchte er für die Kinder, die langsam begriffen, was mit ihrem Leben passiert war. Nichts würde wie vorher sein. Margaretas Stimme war nicht mehr da, ihr Körper und ihre Bewegungen. Sie waren geschieden gewesen, er und Margareta, aber auch das spielte keine Rolle mehr.

Mama ist im Himmel, sagte Magda manchmal.

Ihr großer Bruder schaute sie dann an, ohne einen Kommentar dazu abzugeben.

Vielleicht glaubt er ihr nicht, dachte Halders, wenn er da am Küchentisch saß. Glaubt nicht an den Himmel. Der Himmel ist nur etwas, das wir von der Erde aus sehen können. Da oben ist dasselbe wie hier unten. Meistens Luft und Regen und große Entfernungen in alle Richtungen.

»Wie fühlst du dich jetzt?«, fragte Aneta Djanali.

Slow down my beating heart, sang Bono mit einer Stimme, die schwarz sein könnte, schwarz wie Anetas Hände, die er auf seinen Schultern sah. Eine Hand über der Brust. *Slow down my beating heart.*

»Lass uns ins Bett gehen«, sagte er.

Angela fuhr durch den Regen. Jetzt war es wirklich Abend, obwohl der Übergang fast unmerklich gewesen war. Sie lächelte. Bald ist Dezember und es würde schön sein, über Weihnachten freizuhaben. Die Arbeit mit den Patienten wurde schwerer. Sie wurden müder, wenn sich das Jahr seinem Ende näherte, und auch sie wurde müder. Sie hatte es geschafft, zwischen den Feiertagen freizubekommen. Erik hatte schon früher mal was von der Costa del Sol gemurmelt. Sie hatte gehofft, daß Siv anrufen würde. Sie kam gut aus mit Siv. Sie hatte auch nichts gegen einen blauen Himmel und etwas Sonne und ein Glas Wein und auf Holzkohle gegrillte Langusten.

Aber erst einige Besorgungen im Haga-Einkaufszentrum. Dort war heute Abend bis acht geöffnet.

Sie fuhr über den Linnéplatsen und die Linnégatan hinunter und schaute in den Rückspiegel. Sie sah Blaulicht rotieren, plötzlich, geräuschlos, als ob hinter ihr lautlos ein Hubschrauber gelandet wäre.

Der Streifenwagen blieb hinter ihr. Was mag das für ein Einsatz sein?, dachte sie. Hier kann ich nicht an den Straßenrand fahren, um sie vorbeizulassen. Jetzt stellten sie die Sirene an. Ja, ja, ich *werde* aus dem Weg fahren, sobald ich kann.

Sie sah eine Lücke vorm Schnapsladen und bog dort ein.

Der Streifenwagen hielt hinter ihr. Das Blaulicht rotierte immer noch, als ob etwas Ernstes passiert wäre. Sie sah keine Menschen auf dem Trottoir.

Im Rückspiegel sah sie einen Polizisten aussteigen und ihr wurde ganz kalt. Sie war stumm, erfüllt von Angst, denn alles, was sie vor noch gar nicht langer Zeit erlebt hatte, kehrte zurück, die Erinnerungen waren da wie Strahlen von Licht, das kreiste. Sie war ... gekidnappt worden von einem Mann in Polizeiuniform. Sie war von jemandem gestoppt worden, den sie für einen Polizisten gehalten hatte, und Elsa hatte in ihrem Bauch ...

Es klopfte an ihrer Scheibe und sie sah seinen schwarzen Handschuh. Sie wollte nicht hinschauen. Wieder klopfte es und sie schaute hin, hastig, sah seine Geste: Drehen Sie die Fensterscheibe runter.

Sie tastete nach dem Hebel an der Tür, fand ihn aber nicht. Jetzt. Das Fenster ging ruckartig herunter.

»Haben Sie in der Fahrschule nicht gelernt, dass Sie anhalten müssen, wenn die Polizei kommt?«, fragte er mit ruppigem Tonfall.

Sie antwortete nicht. Sie dachte: Haben Sie nicht ein bisschen Höflichkeit und Benehmen auf der Polizeischule gelernt? Sind Sie überhaupt zur Schule gegangen? Wenigstens zur Grundschule?

»Wir sind Ihnen lange gefolgt«, sagte er.

»Ich hab ... nicht gedacht, dass es mir gilt«, sagte sie.

Er sah sie an, schien ihr Gesicht zu studieren. Sein eigenes war dunkel, gefleckt von der elektrischen Straßenbeleuchtung. In seinen Augen war eine Härte, vielleicht etwas Schlimmeres. Eine Sehnsucht, etwas oder jemanden zu schlagen. Eine berechnende Provokation. Oder nur vielleicht Müdigkeit, dachte sie. Alle waren müde von der Arbeit. Sie war in diesem Moment furchtbar müde, schaffte es trotzdem, sich anständig zu benehmen.

Sie kannte einige Polizisten vom Sehen, aber dieser gehörte nicht dazu. Sie versuchte im Rückspiegel zu erkennen, ob ein Kollege im Auto hinter ihr saß, aber sie konnte nichts sehen wegen des Regens, der über die Rückscheibe des Golfs strömte.

Die erste Woche im eigenen kleinen Auto, und dann passiert das.

»Den Führerschein«, sagte er.

Als sie ihn schließlich gefunden hatte, warf er einen Blick darauf und sagte »Angela Hoffman?«, und sie nickte.

Er entfernte sich ein Stück mit dem Führerschein und ihr war klar, dass er ihren Namen überprüfen ließ. Sekundenlang wünschte sie, sie trüge Eriks Nachnamen. Das brutale Gesicht hätte ihn wiedererkannt. Hätte etwas gemurmelt, ihr den Führerschein zurückgegeben und wäre weitergefahren mit seinem verdammten Blaulicht, um einen anderen armen Menschen zu schikanieren.

Sie beruhigte sich. Sie hätte ihre Irritation zeigen können ... oder ihren Schrecken ... aber das hätte die Situation nur verschlimmert.

Vielleicht sollten wir heiraten? Ich könnte dann Hoffman-Winter heißen. Dann fühlt man sich vielleicht sicherer auf den Straßen.

Hochzeit am Meer.

Gib zu, dass du schon mal dran gedacht hast.

Es kratzte an der Scheibe. Er reichte ihr den Führerschein, murmelte wieder »Angela Hoffman« und kehrte zu seinem Auto zurück. Das Blaulicht hatte die ganze Zeit rotiert und eine kleine Gruppe Neugieriger angelockt, die sich auf dem Trottoir versammelt und den Verbrecher studiert hatte, dessen Papiere vom verlängerten Arm des Gesetzes kontrolliert wurden. Oder sein verschlagenes *face*, dachte sie und fuhr mit einem Blitzstart nordwärts. In dem Augenblick hatte sie die sinnlosen Besorgungen vergessen, die sie hier erledigen wollte, bog in die erstbeste Straße nach Osten ab und war bei fünf zu Hause und bei vier aus der Tiefgarage oben und ihre Stiefel landeten bei zwei in einer Flurecke.

»Ich dachte, du hättest einen Haufen Leute mitgebracht«, sagte Winter. Er kam mit Elsa auf dem Arm aus der Küche. »Das klang ja wie ein ganzes Einsatzkommando.«

»Ich zähle gerade rückwärts von zehn«, sagte sie.

»*Hard day at the office?*«

»Nur hinterher«, sagte sie. »Auf dem Nachhauseweg wurde ich von einem deiner Kollegen geschnappt.«

»Kontrolle?«

»Nein, nur 'ne Schikane.«

Elsa zappelte auf seinem Arm, sie wollte zu Angela und zu dem noch nicht beendeten Abendessen.

»Warte mal.« Winter ging zurück in die Küche, setzte Elsa auf den Stuhl und ließ sie allein essen. Auf der Tischplatte war Essen verstreut.

»Ich glaub, mir ist schlecht«, sagte Angela. Sie kam in die Küche, ihren Mantel hatte sie immer noch nicht ausgezogen. Dann ging sie wieder, und nach einer Weile hörte er sie in einem anderen Zimmer weinen.

Er griff nach dem Telefon und rief seine Schwester an.

»Hallo, Lotta. Sind Bim oder Kristina heute Abend zu Hause?«

»Bim ist hier. Was ist los?«

»Könnte sie kurzfristig als Babysitter einspringen?«

»In allen Jobs gibt es Scheißkerle«, sagte Winter.

»Der gehört doch entlassen«, sagte sie. »So darf man sich doch nicht aufführen.«

»Ich krieg leicht raus, wer das war«, sagte er.

Sie hatte diese Falte zwischen seinen Augen gesehen. Er

könnte etwas Drastisches tun. In ihm gab es eine dunkle Seite, die ihn zu wer weiß was treiben könnte. Für einen kurzen, schrecklichen Moment.

»Und dann?«, fragte sie.

»Das willst du doch gar nicht wissen.« Er nahm einen Schluck von dem bestellten Puligny Montrachet.

»Komm, lass uns auf den Kerl pfeifen.« Auch sie trank und schaute aus dem Fenster. »Wir sind ja hier.« Dann sah sie ihn wieder an und machte eine Kopfbewegung zu den Häusern auf der anderen Seite der Lasarettgatan. »Mir gefallen die Gardinen, die da in meiner ehemaligen Wohnung hängen.« Sie schaute zum Balkon und dem Fenster daneben, oben im fünften Stock. Dort war Licht. Die Aussicht war schön gewesen, in alle Richtungen, oben vom höchsten Punkt von Kungshöjd.

Er nickte.

»Manchmal vermisse ich sie«, sagte sie.

Er nickte wieder.

»Es war ja auch eine ganz schön lange Zeit«, sagte sie.

»Für mich auch.«

»Für dich war es ja nur ein Platz zum Übernachten.« Sie lächelte. »Aber du bist ja selten über Nacht geblieben.«

»Ich vermisse die Aussicht«, sagte er.

»Aber dieses Lokal gab es damals noch nicht.« Sie sah sich in dem Restaurant um.

Das *Bistro 1965* war neu, sie waren zum zweiten Mal hier, und sie sollten noch oft wiederkommen. Vielleicht waren sie die ersten Stammgäste.

Angelas in Koriander gebratene Pilgermuscheln wurden mit Kürbispüree aufgetragen. Es ist ja kürzlich erst Halloween gewesen, hatte sie beim Bestellen gedacht. Winter bekam sein leicht geräuchertes Zanderfilet mit Auberginen und Vanilleöl.

»Lecker«, sagte sie.

»Mhm.«

»Müssen wir ein schlechtes Gewissen haben, weil Elsa nicht mitkommen durfte?«, fragte sie und trank einen Schluck vom Wasser.

»Wir können ja die Speisekarte mitnehmen und sie ihr morgen Abend vorlesen«, antwortete er.

»Ich muss sie erst mal selber lesen«, sagte sie und studierte die gastronomische Wörterliste, die hinter dem Tagesmenü klemmte.

»Weißt du zum Beispiel, was Escalavida ist?«

»Das ist ein Püree aus Paprika, Zwiebeln, Aubergine und Zitrone, unter anderem.«

»Das hast du heimlich schon vorher gelesen.«

»Natürlich nicht.« Er nahm einen Schluck und lächelte.

»Und was ist Gremolata?«

»Das ist zu leicht.«

Sie sah auf. »Nun übertreib nicht!«

»Du musst mich schon richtig herausfordern.«

»Confit?«

»Zu leicht.«

»Vierge?«

»Vierge?«

»Ja, Vierge.«

Er schielte zu der Speisekarte auf seinem Schoß. »Das steht hier nicht.«

»Ha! Hab ich doch gewusst, du schummelst.«

Draußen fuhr ein Auto vorbei. Der Abend war klarer geworden. Über dem Haus, in dem Angela früher gewohnt hatte, waren Sterne am Himmel.

Als er sie dort das erste Mal besucht hatte, war er in Uniform gewesen, obwohl er keinen Dienst hatte. Bist du verrückt?, hatte sie gesagt. Die Nachbarn werden glauben, ich sei kriminell.

Ich hab nicht dran gedacht, hatte er geantwortet.

Wie kann man an so was nicht denken?, hatte sie gefragt.

»Warum lächelst du?«, hörte sie ihn fragen.

»Das erste Mal.« Sie nickte zu dem Haus, dessen Putz im Licht der Straßenlaternen glänzte. Von der Kungsgatan kam ein Auto herauf. »Du warst in Uniform.«

Sie unterhielten sich weiter, wurden ruhig. Man bekommt doch immer wieder das Gefühl, ganz privat zu sein, wenn man in einem Lokal mit vielen Fremden um sich herum sitzt, dachte Winter. Es ist irgendwie paradox.

Er trank von seinem Wein, einen Fiefs de Lagrange, den er

zu seinem gegrillten Lammrücken mit Gremolata, Ragout von Limabohnen und Artischocken und diesem Vierge bestellt hatte, an den er nicht gedacht hatte, als er ihn bestellte: eine leichte Soße aus Jungfrauenöl, Tomaten, Lammfond, Knoblauch und Kräutern. Er hatte von Angelas Rotweinrisotto gekostet.

Die Kellnerin wechselte die Kerze. Jetzt waren weniger Menschen im Lokal. Winters Handy in der Innentasche seines Sakkos klingelte.

Elsa, dachte Angela.

»Ja?«, meldete sich Winter.

»Hier ist Bertil. Entschuldige, wenn ich störe.«

16

Winter sah den Jungen durch die offene Tür. Er schlief. Oder besser gesagt, er war in barmherzigen Tiefschlaf versetzt worden. Angela stand neben Winter. Sie hatten ein Taxi direkt vom Bistro genommen. Diesmal will ich dabei sein, hatte sie gesagt. Du sollst nicht immer alles allein machen müssen. Außerdem ist es mein Arbeitsplatz, sogar meine Abteilung. Und Elsa schläft.

»Er hätte erfrieren können«, sagte Ringmar, der an der anderen Seite des Bettes stand.

»Oder noch was anderes«, antwortete Winter. Er hatte die Berichte gelesen, das Bisschen, was man bisher wusste. Der Bericht eines Arztes vom Krankenhaus, der Bericht der Gerichtsmedizinerin Pia Fröberg.

»Wann wurde die Polizei informiert?«, fragte Winter.

»Nicht lange, nachdem er verschwunden war«, antwortete Ringmar.

»Wann war das? Wann ist er verschwunden?«

»Nach vier.« Ringmar las in seinen Notizen. »Ungefähr viertel nach vier. Aber das ist eine unsichere Angabe.«

»Stammt die vom Personal des Kindergartens?«

»Ja.«

»Was ist passiert? Was haben sie mit ihm gemacht?«

»Tja ... das weiß niemand genau.«

»Er ist also allein herumgestromert?«

Ringmar antwortete nicht.

»Hat *er* das getan?«

»Ich weiß es nicht, Erik. Ich hab sie noch nicht verhö...«

»Okay, okay. Wer ein Kind kidnappen will, schafft es auch so.«

Angela zuckte zusammen.

Neben dem Jungen saß eine Frau. Da waren Apparate. Geräusche, die künstlich klangen. Licht, das grell war.

»Wir gehen in das andere Zimmer«, sagte Winter.

Man hatte ihnen einen Raum zur Verfügung gestellt.

»Wo sind die Eltern?«, fragte Winter, während sie durch den Korridor gingen.

»Oben bei einem der Ärzte.«

»Sie bleiben wohl hier?«

»Natürlich.«

»Ich fahr jetzt nach Hause«, sagte Angela.

Sie umarmten sich, und Winter küsste sie. Über ihre Schultern sah er Ringmar in die Augen. Sein Gesicht war ganz eingefallen.

Das Zimmer war nackt wie die Bäume draußen und die Straßen unter ihnen. Winter lehnte sich in die eine Ecke. Von den drei Glas Wein, die er im Lauf des Abends getrunken hatte, hatte er Kopfschmerzen bekommen. Er versuchte sie mit der linken Hand von seiner Stirn zu reiben. Weiter entfernt spielte ein Radio Rockmusik. *Touch me*, schnappte er auf. Und etwas, das wie *take me to that other place* klang. Aber es gab keinen anderen Ort. Es war hier, alles war hier. Er kannte die Band nicht, aber das war nicht verwunderlich. Halders hätte sie vermutlich sofort erkannt. Und Bergenhem. Und Macdonald. *Take me to that other place. Reach me. It's a beautiful day.*

Der Junge dort drinnen war nicht viel älter als Elsa.

»Was ist weiter passiert?« fragte er.

»Sie haben einen Wagen losgeschickt und dann noch einen«, antwortete Ringmar.

»Wohin?«

»Zuerst zum Spielplatz und dem Park. Dann ... tja.«

»Dann hat man aufs Geratewohl herumgesucht«, ergänzte Winter.

»Es lagen zehn Kilometer dazwischen.«

Zehn Kilometer zwischen dem Spielplatz, wo der Junge verschwunden war, und dem Ort, wo man ihn schließlich gefunden hatte.

»Wer hat ihn gefunden?«

»Der klassische Fall, ein Hund und sein Herrchen.«

»Wo ist er, ich meine der Hundebesitzer?«

»Zu Hause.«

Winter nickte.

»Es sind also vier Stunden vergangen«, sagte er.

»Gute vier Stunden.«

»Wie viel wissen wir über die Verletzungen?«, fragte Winter.

Ringmar machte eine hilflose Bewegung, die alles und nichts bedeutete. Ihm schien es schwer zu fallen, die Hand zu heben. Draußen auf dem Flur hatten die Gitarren aufgehört zu klingen. Wer zum Teufel spielte hier drinnen Rockmusik?

»Er hat offenbar Verletzungen am Oberkörper«, sagte Ringmar. »Und im Gesicht. Keine ... keine unterhalb der Taille.«

»Ich hab das Gesicht gesehen«, sagte Winter.

»Und ich den Arm«, sagte Ringmar.

»Wundert dich überhaupt noch etwas in diesem Leben?«, fragte Winter, stieß sich von der Wand ab und massierte wieder seine Stirn. »In dem Leben, das wir gerade leben?«

»Es gibt Fragen, die kann man weder mit ja noch mit nein beantworten«, sagte Ringmar.

»Wo waren die Eltern, als die Meldung in der Zentrale einging?«

»Der Mann arbeitete, zusammen mit mehreren anderen, und die Frau trank Kaffee mit einer Freundin.«

Und ich hab Wein in einem Lokal getrunken, dachte Winter. Ein kurzer Moment der Ruhe und Wärme in einer geschützten Nische des Lebens.

»Er muss ein Auto gehabt haben«, sagte er. »Oder? Ist mit dem Jungen mitten durch die Rushhour gefahren, als alle nur geradeaus schauten und nach Hause wollten.«

»Er hat das Auto im Park abgestellt«, sagte Ringmar. »Oder daneben.« Er rieb sich das Kinn, und Winter hörte das Kratzen der einen Tag alten Bartstoppeln. »Die Leute von der Spurensicherung sind jetzt dort.«

»Viel Glück«, sagte Winter ohne Überzeugung. Eine Million sich überschneidender Spuren auf einem Parkplatz. Nun müssen wir wieder unter unseren bekannten Missetätern suchen, dachte er. Einfach anfangen. Entweder finden wir ihn, oder wir finden ihn nicht. Das kann eine lange Reise werden.

»Ich muss auch noch mit dem Personal vom Kindergarten reden«, sagte er. »Wie viele es auch sein mögen. Oder ... wenige.«

Aber zuerst die Eltern. Sie saßen in einem Zimmer, das Winter kannte. Angelas Zimmer. Sie hatte dafür gesorgt, dass sie dorthin geführt wurden, bevor sie nach Hause fuhr. Auf dem Schreibtisch stand normalerweise ein Foto von ihm und Elsa, aber sie hatte es entfernt, bevor Paul und Barbara Waggoner mit ihrer Verzweiflung hereinkamen. Klug. Sie war klug.

Der Mann stand und die Frau saß. Es lag eine Art unterdrückter Rastlosigkeit über ihnen, die Winter nur allzu gut kannte nach all seinen Begegnungen mit Angehörigen von Verbrechensopfern. Sie waren natürlich auch Opfer. Eine Rastlosigkeit, die wie ein fast greifbarer Wille war, die Zeit bei *damals* anzuhalten. Verbrechensopfer suchten für ewig ein Leben in dem Vergangenen. Andere vielleicht auch. Er selbst wäre gern im *Bistro 1965* sitzen geblieben, vor einer Stunde, die genauso gut in einer anderen Zeitrechnung in einer anderen Welt hätte sein können. Die geschützte Nische. *Take me to that other place.*

Bertil hätte ihn eigentlich nicht anrufen müssen, aber Bertil wusste, dass er dabei sein wollte. Bertil täuschte sich nie: Dies würde eine lange, dunkle Reise werden, und Winter musste von Anfang an dabei sein. So etwas konnte man anderen nicht erklären. Er sah Ringmar neben der Frau stehen, die auf dem kurzen Besuchersofa saß. Zwischen uns ist etwas, zwischen Bertil und mir. Er rieb sich wieder die Stirn. Meine Kopfschmerzen haben nachgelassen.

»Wird er wieder sehen können?«, fragte Barbara Waggoner ohne aufzuschauen.

Winter antwortete nicht, Ringmar auch nicht. Wir sind keine Ärzte, dachte Winter. Schau uns an, dann merkst du es.

»Das ist nicht der Arzt, Barbara«, sagte der Mann mit kaum vernehmbarer Stimme. »Wir haben doch gerade mit dem Arzt gesprochen.« Winter hörte einen schwachen Akzent, der englisch sein könnte. Der Name des Mannes deutete darauf hin.

»Er konnte uns nichts darüber sagen.« Jetzt schien die Frau all ihre Hoffnung auf neue Spezialisten zu setzen, die gerade zur Tür hereingekommen waren.

»Frau Waggoner …«, sagte Winter, und sie schaute auf. Er stellte sich und Ringmar vor. »Dürfen wir ein paar Fragen stellen?« Er sah den Mann an, und der nickte.

»Wie kann jemand so etwas mit einem … Kind tun«, sagte sie.

Auf diese Frage hatte Winter keine Antwort. Sie stellte die schwerste Frage zuerst: Warum?

»Ist es nicht Ihr Job, das herauszufinden?«, fragte der Mann mit demselben dünnen Tonfall wie vorher, mit einer kraftlosen Aggressivität. Winter wusste, sie könnte sich steigern, wenn er nicht vorsichtig war. Der Mann muss Engländer sein, dachte er.

»Zuallererst müssen wir den finden, der das getan hat«, sagte er.

»Was ist das für ein Monster?«, sagte der Mann. »*What kind of fucking monster is this?!*« Engländer.

»Wir werd…«

»Führen Sie Register über solche Leute? Da müssen Sie vermutlich einfach nur suchen?« Zurück aus der Muttersprache, aber mit einem stärkeren Akzent.

»Wir werden ihn suchen«, sagte Winter.

»Warum sitzen Sie dann hier?«

»Wir müssen Ihnen ein paar Fragen über Simon stellen«, sagte Winter. »Es so…«

»Fragen? Wir können auch nicht mehr sagen als das, was wir gesehen haben.«

»Paul«, sagte die Frau.

»Ja?«

»Beruhige dich bitte.«

Der Mann sah sie an und dann Winter, und dann schaute er weg.

»Also stellen Sie Ihre Fragen«, sagte er.

Winter stellte Fragen nach dem Zeitpunkt des Verschwindens, nach besonderen Gewohnheiten und der Kleidung. Er fragte, ob der Junge etwas bei sich gehabt habe. Etwas, worüber man im Augenblick nicht mit dem Kleinen sprechen konnte.

»Wie – bei sich gehabt?«

»Fehlt etwas? Was er vermissen könnte?«

»Irgendetwas«, ergänzte Ringmar, »ein Spielzeug, ein Kuscheltier. Ein Amulett, irgendwas, das er immer bei sich hatte.«

»*Keepsake?*«, fragte der Mann.

»Ja.«

»Warum fragen Sie danach?«

»Ich verstehe es«, sagte Barbara Waggoner. Sie war jetzt aufgestanden. Auch bei ihr bemerkte Winter einen schwachen Akzent. Er überlegte kurz, ob sie zu Hause Englisch oder Schwedisch miteinander sprachen, oder beides, wegen des Jungen. Vielleicht Englisch, weil der Junge ja Schwedisch in der Schule lernen würde.

»Also?«, sagte der Mann.

»Ob irgendwas verschwunden ist«, sagte sie, »verstehst du nicht? Ob der ... der das ... ob er Simon was weggenommen hat.«

Der Mann nickte.

»Hatte er etwas, was man ihm wegnehmen könnte?«, fragte Winter.

»Seine Uhr.« Barbara Waggoner führte die Hand zum Mund. »Die hat er nie abgenommen.« Sie sah ihren Mann an. »Ich hab sie nicht gesehen ...«

»Sie ist blau«, sagte Paul Waggoner und starrte seine Frau an.

»Eine Spielzeuguhr«, erklärte Barbara Waggoner.

Ringmar verließ das Zimmer.

»Soll ich Kaffee für Sie kommen lassen?«, fragte Winter. »Tee?«

»Danke, man hat uns schon etwas angeboten«, antwortete Barbara Waggoner.

»Ist so was ... normal hier?«, fragte ihr Mann. »Ist es normal, dass Kindern so was geschieht?«

Winter wusste nicht, ob seine Frage der Stadt Göteborg im Besonderen oder dem ganzen Land galt, oder der Misshandlung von Kindern im Allgemeinen oder der Art von Verbrechen, mit dem sie gerade konfrontiert wurden. Es gab verschiedene Antworten. Eine Antwort war die, dass es zur Normalität gehörte, dass Kinder von Erwachsenen misshandelt wurden. Kinder und Jugendliche. Es geschah häufig in Familien. Fast immer in der Familie, dachte er und sah das Ehepaar Waggoner an. Es mochte um die dreißig sein oder vielleicht sogar jünger als sie im Augenblick wirkten. Ihre Gesichter waren jetzt eingefallen, gezeichnet von scharfen Linien und Schatten. Väter und Mütter schlugen ihre Kinder. Ihm waren viele solcher Kinder begegnet. Kinder, die behindert blieben für den Rest des Lebens. Manche konnten nicht mehr gehen. Oder nicht mehr sehen. Er dachte an den kleinen Simon, dessen Augen nicht mehr so waren wie früher.

Manche starben. Die, die überlebten, vergaßen nie. Niemand vergaß etwas. Himmel, er hatte erwachsene Opfer getroffen, aber die Wunde war sichtbar geblieben, in den Augen, in der Stimme. In ihrer Handlungsweise. Ein entsetzliches Erbe, das kein Erbe war, sondern viel schlimmer.

»Ich meine hier in der Stadt«, sagte Paul Waggoner. »Können Kinder wirklich entführt und misshandelt werden ... und ... vielleicht ...« Er konnte nicht weitersprechen. Sein Gesicht fiel noch mehr in sich zusammen.

»Nein«, sagte Winter, »das ist nicht normal.«

»Ist es schon mal passiert?«

»Nein, nicht so.«

»*How do you mean?* Nicht so?«

Winter sah den Mann an.

»Ich weiß noch nicht genau, was ich meine«, sagte er. »Wir müssen erst mehr darüber herausfinden, was wirklich passiert ist.«

»Ein unbekannter Verrückter hat unser Kind entführt, als es

auf dem Spielplatz mit seinem *daycare* war«, sagte Paul Waggoner. »*Das* ist passiert.« Er sah Winter an, aber in seinem Blick war mehr Niedergeschlagenheit als Aggression. »Genau das ist passiert. Und ich habe gerade gefragt, ob so etwas schon einmal vorgekommen ist.«

»Über all das weiß ich bald mehr«, antwortete Winter.

»Wenn es schon einmal passiert ist, dann kann es wieder passieren«, sagte Paul Waggoner.

»REICHT ES DIR NICHT, DASS ES PASSIERT IST, PAUL?«, sagte seine Frau sehr laut und legte ihm einen Arm um die Schultern. »Uns ist es passiert, Paul. Simon ist es passiert. Reicht dir das nicht? Können wir uns nicht ... darauf konzentrieren und versuchen ... ihm zu helfen? Verstehst du das nicht? Lass doch die Polizei ihre Arbeit tun, dann machen wir ... unseren Teil. Paul? Verstehst du, was ich sage?«

Er nickte kurz. Vielleicht hatte er es verstanden. Winter hörte, wie Ringmar hinter ihm die Tür öffnete. Er drehte sich um. Ringmar schüttelte leicht den Kopf.

»Haben Sie die Uhr gefunden?«, fragte Paul Waggoner.

»Nein«, antwortete Ringmar.

Larissa Serimowa zog den Riemen fest und spürte das Gewicht der Waffe an ihrem Körper. Oder war es das Wissen, was diese Waffe anrichten konnte? Eine SigSauer wog nicht mehr als irgendein anderer Gegenstand, dessen Gewicht man vergessen konnte. Aber das galt nicht für Pistolen.

Es war milde in diesem frühen Dezember wie in einem südlichen Land. Die Schaufenster im Weihnachtsschmuck bei elf, zwölf Plusgraden. Brorsson ließ die Autoscheibe halb herunter. Das Haar wurde ihm aus der Stirn geblasen. Er sah fast aus wie ein Traber auf dem Weg ins Ziel. Sie überlegte kurz, ob Pferde dumm waren oder nur nervös. Ein Blatt segelte im Wind vorbei und sie rasten in vollem Galopp auf den Abgrund zu. Dummheit? Nervosität? Beides?

Für Belle Brorsson galt beides. Larissa Serimowa lächelte, aber es war keine Freundlichkeit darin. Brorsson war für andere eine gefährliche Person.

»Pass auf, dass du keine Genickstarre kriegst«, sagte sie.

»Die krieg ich nur im Sommer«, sagte er. »Aus irgendeinem Grund nur im Sommer.«

»Ich kenn den Grund«, sagte sie, als sie zum Meer abbogen. Durch Brorssons geöffnetes Autofenster hörte sie Seevögel.

»Und das wäre?«

»Im Sommer kriegst du Genickstarre, weil du meistens bei geöffnetem Fenster fährst.« Sie sah das Wasser hinter den Feldern blitzen. Sie schienen fast genauso feucht wie das Meer.

»Aber jetzt ist nicht Sommer«, sagte er.

Sie lachte laut.

»Aber es ist mild«, sagte er. »Rein statistisch gesehen ist die Durchschnittstemperatur so hoch, dass es noch zum Sommer zählt.«

»Aber dann ist es ja Sommer, Belle«, sagte sie.

»Ja, da hast du tatsächlich Recht.« Er wandte sich ihr zu und blinzelte mit seinen Traberaugen.

»Und dann ist auch damit zu rechnen, dass du demnächst eine Genickstarre kriegst.« Sie schaute zu den Klippen und dem Meer, beide waren gleichermaßen unbewegt.

Brorsson ließ die Autoscheibe hochgleiten.

»Geradeaus«, sagte sie beim Kreisverkehr.

Sie fuhren zu einem Wendeplatz und parkten. Die Reihenhäuser rechter Hand waren in unterschiedlichen Höhen gebaut. Felswände erhoben sich hinter ihnen. Hier war die Bucht offen, hinter den Schären wartete der große Ozean. An den Stegen lagen noch Segelboote wie zur Bestätigung dessen, was Brorsson eben gesagt hatte: Dieses Jahr würde der Sommer nicht aufhören. Kein Schnee in diesem Jahr, und Larissa Serimowa mochte Schnee. Schnee auf der Erde und Schnee auf dem Eis. Das ist mein Erbe. Eine weiße Seele in einem weißen Körper.

»Es ist geöffnet«, sagte Brorsson.

Durch die Restauranttür schimmerte warmes Licht. Es sah einladend aus. Die Horizontlinie zerschnitt das Gebäude, das wie ein Turm oder ein Leuchtfeuer aufragte. Die Stille hier in den äußersten Schären wirkte erholsam. Aber nicht auf sie.

»Wir haben doch gerade erst was gegessen«, sagte sie.

»Ich weiß, aber ich finde, wir sollten sie beobachten, wer da so rauskommt.« Sie sah seine Augen, gleichzeitig träge und aufgekratzt. »Ich will noch ein paar Leute blasen lassen. Ich sammle vor Weihnachten noch ein paar betrunkene Autofahrer, wegen der Statistik.«

»Das hab ich kapiert.«

»Und was sagst du?« Er sah auf seine Armbanduhr.

»Kannst du die arme Menschheit nicht ein einziges Mal in Ruhe lassen?«

»Wieso?«

»Wie gestern Nachmittag die arme Frau auf der Linnégatan. Wir hatten gar keinen Grund, sie zu stoppen, wenn es dir nicht um deine Statistik gegangen wäre.«

»Sie hat nicht angehalten«, sagte er.

»Sie hat versucht, dich vorbeizulassen.«

»Sie ist leicht davongekommen«, sagte er.

»Wovon?«

Er antwortete nicht.

»Wovon ist sie davongekommen?«, wiederholte sie.

»Arrogantes Weib«, sagte er.

»Du hast ein Problem, Belle«, sagte sie.

»Also bleiben wir ein Weilchen?«, fragte er.

»Zum Teufel, nein. Sie wohnen da oben, und dorthin wollen wir.« Sie zeigte den Abhang hinauf.

»Dann hätte ich nicht erst hier runterfahren müssen«, sagte er.

»Ich wollte das Meer sehen«, sagte sie.

»Wenn ich das Meer küsse«, sagte er.

Leck mich am Arsch, dachte sie. Im Fluchen war sie gut. Schließlich hatte sie ein russisches Erbe, nicht wahr? Die russische Sprache ist führend in der Welt, wenn es um Flüche geht. In Schweden sagt man »hässliche Wörter«, aber viele der russischen Flüche sind schön, dachte sie, während sie wieder übers Meer schaute.

Sie stiegen ins Auto und fuhren langsam die steil ansteigende Straße hinauf.

»Hier ist es«, sagte sie, und er parkte ein.

»Ich warte draußen«, sagte er.

»Schikanier nicht die Nachbarn«, erwiderte sie und stieg aus, ging zu dem Doppelhaus und klingelte.

Kristina Bergort öffnete nach dem zweiten Läuten. Larissa Serimowa sah die Tochter Maja hinter ihrer Mama hervorspähen.

»Kommen Sie herein«, sagte Kristina Bergort.

»Ich hoffe, ich komme nicht ungelegen.« Larissa Serimowa merkte, wie blöd das klang. Schließlich hatte sie angerufen und Kristina Bergort hatte gesagt, es passe ihr.

Das Mädchen hielt sich dicht neben seiner Mutter.

»Mein Mann hat angerufen, er kann jetzt nicht weg von seiner Arbeit«, sagte Kristina Bergort.

Ich wollte ja sowieso nur mit dir reden, dachte Larissa Serimowa. Sie kam sich plump vor in ihrer Uniform in der Küche.

Das Mädchen sah sich den Gürtel und die Waffe an, und Larissa fiel ein, dass sie das Kind noch nicht begrüßt hatte.

»Hallo, Maja«, sagte sie.

Das Mädchen schaute auf, schüchtern, lächelte kurz und sah wieder weg.

»Du kannst in dein Zimmer spielen gehen«, sagte ihre Mutter.

Maja drehte sich um, und Larissa sah einen Kratzer auf ihrem Oberarm, wie ein Kreidestrich. Das Mädchen entfernte sich, zum Flur. Larissa sah ihr nach, sah, wie das Kind die Schwelle überschritt. Irgendetwas war da. Larissa überlegte, was es sein könnte. Es war etwas in ihren Bewegungen. Was war es ... das Bein? Es war ...

Maja verschwand.

»Ist irgendwas mit ihren Beinen?«, fragte Larissa Serimowa.

»Wie ... Beinen?«

»Majas Beinen. Es sah aus, als ob sie hinkte.«

»Maja hinken? Das ist mir noch nicht aufgefallen.« Kristina Bergort sah sie mit einem besorgten Ausdruck an. »Das hätte ich doch merken müssen?«

Larissa Serimowa überlegte, was sie jetzt sagen sollte. Sie sollte es wissen. Sie wusste ja, warum sie hier war.

»Möchten Sie Kaffee?«

Larissa Serimowa dachte an Belle Brorsson da draußen und nahm dankend an, da klingelte ihr Handy.

»Willst du lange drinnen bleiben?«, fragte Brorsson.

»Zehn Minuten, eine Viertelstunde.«

»Ich dreh unterdessen eine Runde.«

Sie machte das Handy aus und dachte an die Menschheit, die Brorsson jetzt ausgeliefert war. Dann wandte sie sich Kristina Bergort zu.

»Ich habe über diese Geschichte nachgedacht, die Maja erzählt hat«, sagte Larissa Serimowa.

17

Es gab Kaffee und Käsestangen und drei Sorten Kekse. Die Zimmer waren im Übermaß weihnachtlich geschmückt. Angela erkannte Elsas Bilder, da Elsa sie ihr schon einmal gezeigt hatte. Es gab Linien und Kreise, die alles Mögliche symbolisieren konnten. Oder nur vorstellen. Nicht alles bestand aus Symbolen.

Es roch nach geschmolzenem Wachs und Glühwein. Die Eltern schlenderten durch die Räume und redeten über die Weihnachtsstimmung, die sich hier drei Wochen vor Heiligabend ausgebreitet hatte.

Die Kinder waren nicht hier heute Abend. Keine Überstunden für sie, dachte Angela. Elsa durfte sich mit Erik erholen. Den Ball über den Boden rollen, bis Erik sich nicht mehr aufrichten kann vor lauter Gelenkschmerzen. Nein. So schlimm ist es nicht. Aber es ist natürlich ein Unterschied, ob man mit vierzig oder mit fünfundzwanzig Vater wird.

Sie sah sich um. Was die Mutterschaft anging, befand sie sich selbst in einem mittleren Alter, nicht zu jung und nicht zu alt. Heutzutage war es keine Sensation mehr, wenn man bis über dreißig wartete, ehe man Kinder bekam. Viele warteten. Aber sie hatte nicht mehr warten wollen. Erik hatte es hinausgezögert, bis sie nicht mehr bereit war, es zu akzeptieren.

Die Zukunft war noch nicht vorbei. Wart's ab, Erik, und du wirst sehen.

Sie versammelten sich im größten Raum. Die Leiterin hieß

sie zum traditionellen jährlichen Treffen willkommen, die Stadtbewohner und Kinder der Großstadt.

Angela sah das Haus am Meer vor sich. Eine Allee, Bäume darum herum, Schotterweg und Küchengarten. Eine Stille, die aus dem Anblick der Brandung bestand. Das Geräusch des Brausens zu ahnen.

Die Zukunft war noch nicht vorbei.

Aber die Wohnung am Vasaplatsen gab man nicht einfach so auf. Im Augenblick schien sie der beste Ort für Elsa zu sein. Viel blanker Fußboden, auf dem rollten Bälle leicht wie nichts.

Erst hinterher, als die Gruppen kleiner wurden, kam die Sache zur Sprache. Es waren mehrere Stimmen. Viele hatten heute Abend daran gedacht, natürlich auch das Personal; eine der Erzieherinnen sagte: »Wir wussten nicht recht, was wir davon halten sollten.«

»In welchem Kindergarten ist es passiert?«, fragte jemand.

»Leberblümchen.«

»Wo ist der?«

»In Änggården.«

»Das ist ja gar nicht weit entfernt.«

»Sie waren im Schlosswald.«

»Das ist wahnsinnig.«

»Ja.«

»Ist so was schon mal passiert?«

»Nicht, dass ich wüsste.«

»Wie geht es dem Jungen?«

»Ich weiß es nicht.«

Angela hörte nur zu. Sie hatte den Jungen am selben Abend gesehen und später auch, zuletzt heute. Einen Tag danach. Simon. Seine Eltern. Bei irgendeiner Gelegenheit hatte sein Vater *»fuck«* gesagt, vielleicht auch zweimal.

Angela saß ein wenig abseits, nah beim Fenster, auf einem niedrigen Kinderstuhl. Draußen warf eine Straßenlaterne Licht auf die Schaukeln und die Rutschbahn. Die Autoscheinwerfer erhellten die Straße weiter unten. Sie dachte an den schadhaften Zaun. Der war doch hoffentlich repariert?

Sie konnte den Kirchturm im Park auf der anderen Straßenseite sehen, auch er war beleuchtet.

Eine Frau setzte sich auf den anderen Kinderstuhl.

»Hoffentlich kommen wir wieder hoch«, sagte sie.

»Ich trau mich noch gar nicht«, sagte Angela.

»Lena Sköld«, sagte die Frau und reichte ihr die Rechte.

»Angela Hoffman.«

Sie kannte Lena Sköld nicht. Meistens brachte Erik Elsa her und holte sie auch wieder ab. Doch, jetzt erkannte sie sie. Sie meinte sich sogar zu erinnern, wie ihr Kind aussah. Ein Mädchen mit dunklen Haaren.

»Ich bin Ellens Mutter«, sagte Lena Sköld.

»Elsas Mutter«, sagte Angela.

»Genau.« Lena Sköld hob ihre Kaffeetasse. »Wir ... Ellen ... ist noch nicht lange hier.« Sie nahm einen Schluck. »Vorher waren wir in einem anderen Kindergarten.«

»Ich glaube, ich erinnere mich an Ellen«, sagte Angela.

»Sie ist auf dem Bild da hinter Ihnen.«

Angela drehte den Kopf und betrachtete das kleine Foto an der Wand, das auf ein größeres Blatt Papier geklebt war. Das Mädchen stand an einem Strand und lachte aufs Meer hinaus. Es war windig. Das Foto war eingerahmt mit Farben vom ganzen Regenbogen. Pfeile mit dem Namen des Mädchens zeigten auf das Bild.

»Sie wollte, dass jeder genau sieht, dass sie es ist und niemand anders auf dem Bild.« Lena Sköld lächelte.

»Offenbar hat sie ein gutes Selbstvertrauen«, sagte Angela.

»Tja ... ich weiß nicht.« Lena Sköld trank wieder von ihrem Kaffee. »Man wird sehen.« Sie sah Angela an. »Ich bin allein erziehend.« Sie stellte die Tasse ab und lächelte. »So nennt man das wohl.«

Angela nickte. Durchs Fenster sah sie einige Eltern aus dem Kindergartengebäude kommen, auf dem Weg nach Hause. Sie warf einen Blick auf die Uhr.

»Es ist wohl Zeit sich zu bewegen«, sagte Lena Sköld, »falls man überhaupt noch hochkommt.« Sie bewegte die Beine. »Gar nicht so leicht.«

»Ich glaub, ich versuch es gar nicht erst.«

Lena Sköld blieb auch sitzen, ein Blick durchs Fenster, das ihr Gesicht spiegelte.

»Ich muss an das denken, über was wir vorhin geredet haben«, sagte sie jetzt.

»An den Jungen?«

»Ja.« Lena Sköld schien mehr sagen zu wollen, und Angela wartete. »Mir ist etwas Merkwürdiges passiert vor einiger Zeit. Oder besser gesagt Ellen.« Sie sah Angela an. »Es ist ein unheimliches Gefühl. Ich meine, was diesem Jungen passiert ist und so, das ist ja wirklich unheimlich. Aber ich rede von Ellen. Im Zusammenhang mit alldem hier also.«

Was will sie nur sagen?, dachte Angela.

»Es war merkwürdig«, fuhr Lena Sköld fort, »das mit Ellen. Sie ist nach Hause gekommen und hat von jemandem erzählt ... dass sie jemanden getroffen hat, als der Kindergarten einen Ausflug gemacht hat.«

»Wie getroffen?«

»Einen ... Onkel. Dass sie jemanden getroffen hat, mit dem sie eine Weile im Auto gesessen hat. Jedenfalls hab ich es so verstanden, dass es ein Auto gewesen ist.«

»Das hat sie erzählt?«

»So hab ich's mir jedenfalls zusammengereimt«, sagte Lena Sköld. »Und noch etwas. Sie hat etwas bei sich gehabt, das ist an dem Tag verschwunden.«

»Was war es?«, fragte Angela.

»Ein kleiner silberner Schmuckanhänger, den sie in ihrem Overall bei sich trug. Er war weg. Die Polizei hat gesagt, ich soll überprüfen, ob etwas fehlt, und das war also dieser Schmuckanhänger.«

»Die Polizei?«

»An dem Abend, als Ellen mir das erzählt hat, hab ich bei der Polizei angerufen.«

»Bei welcher Polizei?«

»Wie meinen Sie das?«

»Haben Sie in der Zentrale angerufen?«

»Ich weiß nicht, wie das Revier hieß. Ich hab eine Telefonnummer gewählt und wurde von irgendwem irgendwohin durchgestellt. Es war übrigens ein Revier hier in der Nähe. Majorna und Linnéstaden.«

»Was haben sie gesagt?«

»Der, mit dem ich gesprochen habe, hat alles aufgeschrieben. Jedenfalls hatte ich den Eindruck. Und dann hat er gesagt, ich soll überprüfen, ob etwas fehlt, und das hab ich getan und wieder angerufen und von diesem Anhänger erzählt.«

»Haben die wieder von sich hören lassen?«

»Nein.«

»Wie geht es Ellen?«

»Wie immer. Vielleicht hat sie sich das ja auch nur ausgedacht.« Lena Sköld sah sich im Spielzimmer um, das aufgeräumt und blank gewienert war. Das Spielzeug lag in großen Kisten entlang der Wände. Überall hingen Zeichnungen. Auf den meisten war Weihnachten dargestellt.

Es roch immer noch nach Kerzenwachs und Glühwein und der vorweihnachtlicher Erwartung. Aus den anderen Zimmern waren Stimmen zu hören, es waren jetzt weniger.

»Aber wenn ich das von dem Jungen höre, bin ich mir doch nicht so sicher.«

Angela schwieg.

»Was sagen Sie dazu?«, fragte Lena Sköld.

»Haben Sie versucht, mit Ellen darüber zu reden?«

»Ja, einige Male.«

»Was sagt sie?«

»Ungefähr immer dasselbe. Sie scheint es nicht vergessen zu haben. Es ist immer dieselbe kleine Erzählung. Wenn es also kein Märchen ist, keine Phantasie.«

18

Angela ging in Gedanken versunken nach Hause. In den Schaufenstern waren Weihnachtsmänner, aber es lag kein Schnee. Das Trottoir glänzte von Feuchtigkeit in der Straßenbeleuchtung. Sie dachte an den verletzten Jungen und seine Eltern. Sie dachte an Lena Sköld, die ein wenig von ihrem Leben erzählt hatte. Es war ein einsames Leben, in dem es keinen Mann für Lena und keinen Papa für Ellen gab. Vielleicht später einmal.

Angela blieb vor der Haustür stehen. Jetzt war es still auf dem Vasaplatsen, aber ein feuchter Nordwind blies von der Allén herauf. Sie schlug den Jackenkragen hoch und blieb stehen. Auf der anderen Straßenseite hielt eine Straßenbahn und fuhr dann weiter in die Richtung, aus der der Wind kam. Sie sah zwei Personen im vorderen Wagen, aber keine im hinteren. Ihr war aufgefallen, dass der Fahrer ihr einen hastigen Blick zugeworfen hatte, als er wieder anfuhr.

Wenn man Straßenbahnfahrer war, bekam man viel von der Stadt zu sehen. Wer eine Linie lange fuhr, kannte Straßen, Kreuzungen und Parks entlang der Strecke bald auswendig. Und schnell war die Bahn auch nicht. Es ging wirklich verflixt langsam, und Angela freute sich, dass sie jetzt den Golf hatte. Gleichzeitig hatte sie ein schlechtes Gewissen, weil sie nun größeren Anteil hatte an der Verschmutzung der Luft, die alle einatmen mussten, ob sie es nun wollten oder nicht.

Das Auto muss stehen bleiben. Manchmal.

Elsa atmet diese Luft ein. In dieser Beziehung ist der Vasaplatsen nicht der beste Ort. Was soll man machen? Einfach wegziehen? Wir müssen wieder darüber reden, Erik und ich, ernsthaft.

Sie hatte im Flur nach den beiden gerufen, jedoch keine Antwort bekommen und war ins Schlafzimmer gegangen. Sie waren im Doppelbett eingeschlafen. Um sie herum lagen etwa zehn Bilderbücher.

Sie hob Elsa hoch, die im Schlaf murmelte, und legte sie in ihr Bett in ihrem eigenen Zimmer, in dem die Nachttischlampe brannte.

Winter war wach geworden und hatte in der Küche den Wasserkocher angestellt.

»Möchtest du Tee?«

»Gerne. Den brauch ich nach dem Kaffee dort.«

»Möchtest du auch ein Stück Tarte?«

»Nein danke.«

»Ein halbes Baguette mit Brie und Salami?«

»*Non merci.*«

»Geräucherte Musch...«

»Ich hab keinen Hunger, Erik.«

»Wie war der Abend?«

»Viel Gerede über das Verbrechen. Über den Jungen Waggoner.«

»Wir werden versuchen ihn morgen zu verhören.«

»Habt ihr schon was rausgekriegt?«

»Im Augenblick überprüfen wir die stadtbekannten Verrückten. Bis jetzt noch nichts.«

»Was sagt Pia?«

Angela hatte die Gerichtsmedizinerin einige Male getroffen.

»Sie konnte keine sexuelle Gewaltanwendung entdecken«, sagte er. »Es war vermutlich nur gewöhnliche Gewalt.«

»Nur?«

»Hast du die Gänsefüßchen nicht gehört? Ich wollte sie nicht in die Luft zeichnen.«

»Gibt's denn nun Tee?«

Der Wind trieb den Regen gegen die große Frontschutzscheibe. Mit dem einen Wischer stimmte etwas nicht. Der war mit dem anderen nicht im Einklang. Oder war es der andere? Jedenfalls war es, als schaute man jemandem zu, der ein Bein nachzog. Er musste Bescheid sagen.

Die Stadt flimmerte. Es würde wieder Weihnachten werden. Der Alte hatte ihn gefragt. Er hatte nein gesagt.

Fast niemand im Wagen, und er wollte sich nicht beklagen. Eben ist jemand am Vasaplatsen ausgestiegen, aber niemand eingestiegen. Vor einer Haustür hatte eine Frau gestanden und war ihm mit Blicken gefolgt. Hatten die Leute nichts anderes zu tun? Links von ihr an der Ecke lag ein Restaurant. Sollte sie doch dorthin gehen.

Am Hauptbahnhof stiegen mehrere ein, auf dem Weg nach Norden in die Pampa, wohin er natürlich auch unterwegs war. Eine Pampa mit Häusern, die so hoch waren, dass es aussah, als wollten sie in den Himmel fliegen. Aber sie hätten ihn nach dem Himmel fragen sollen, und er könnte ihnen sagen, wie es war. Es gab dort oben nichts.

Wie immer das auch zugehen mochte, wenn sich ein Haus bücken und ihn etwas fragen würde!

Er fuhr am Fluss entlang, der schwarz war wie immer, und er konnte die andere Brücke im Westen sehen, die größer war und schöner. Von hier aus betrachtet war vieles schön. Es gab Tannenbäume, die glänzten von tausend Lichtern.

Der Junge hatte mit ihm gekämpft.

Er biss sich in die Knöchel, dass es wehtat.

Bill schwang an seiner Schnur neben ihm. Der Papagei war so befestigt, dass niemand, der einstieg, ihn sehen konnte. Dazu müsste er sich schon zu ihm vorbeugen, und warum sollten die Leute das tun? Außerdem war es nicht erlaubt.

Er hielt den Wagen an, und Fahrgäste strömten herein. Weswegen die nur alle um diese Zeit unterwegs waren? Es war schon ziemlich spät.

Warum hatte er den Jungen nicht zurückgebracht?

Er hatte es tun wollen. Das tat er immer. Wenn er überhaupt erst weggefahren war.

Ich verstehe nicht, warum ich ihn nicht zurückgebracht

habe. Vielleicht weil der Junge sich gewehrt hat. Das war es gewesen. Er wollte nicht lieb sein, als ich lieb war. Ich hab's versucht.

Rechts von ihm sagte jemand etwas. Die Türen waren offen. Jetzt spürte er den Wind von draußen. Es kam vor, dass sich der Wind im Wagen fing.

»Warum fahren wir nicht?«

Er drehte sich um und sah den Mann an, der hinter der Scheibe stand.

»Sechzehn Kronen«, sagte er.

»Wie bitte?«

»Eine Fahrkarte kostet sechzehn Kronen«, wiederholte er. Das sollten die Leute doch wissen, wenn sie mit der Straßenbahn fuhren. Manche bezahlten überhaupt nicht, fuhren schwarz. Manche wurden geschnappt, wenn Kontrolleure einstiegen. Er sprach nie mit den Kontrolleuren, die Tensonliga genannt wurde, da sie alle diese hässlichen Tensonjacken trugen. Sie machten ihre Arbeit und er seine.

»Ich will keine Fahrkarte«, sagte der Mann. »Ich hab schon gestempelt.«

»Keine Fahrkarte?«

»Warum stehen wir hier rum? Warum fahren Sie nicht?«

»Es ist eine Haltestelle«, antwortete er. »Man muss die Leute doch aus- und einsteigen lassen.«

»Das haben sie längst getan, Mensch!« Der Mann schien betrunken zu sein. Immer waren Betrunkene in den Wagen. Davon konnte er ein Lied singen!

»Wir sind vor hundert Jahren aus- und eingestiegen, und jetzt wollen wir losfahren.« Der Mann beugte sich näher zu ihm heran. »Warum zum Teufel fahren Sie nicht?«

»Ich ruf die Polizei!«, sagte er, ohne es auch nur eine Sekunde gedacht zu haben, dass er es sagen würde.

»Was?«

Er wollte es nicht wiederholen.

»Die Polizei rufen? Verdammt gute Idee. Dann kommen wir vielleicht endlich weg hier. Die Polizei kann uns ja eskortieren«, sagte der Betrunkene. »Ich kann übrigens selbst anrufen.« Er holte ein Handy hervor.

Jetzt fahr ich.

Der Wagen fuhr mit einem Ruck an und der Mann mit dem Handy wurde zurückgerissen, verlor fast das Gleichgewicht und konnte sich gerade noch an einer Stange festhalten, aber das Handy fiel zu Boden.

Sie fuhren.

»Sie sind ja verrückt«, rief der Mann in seiner lächerlichen Körperhaltung. Besoffener, der sich nicht auf den Beinen halten konnte. Jetzt bückte er sich. Er sah es im Spiegel. »Mir ist das Handy runtergefallen.« Verstehen konnte er ihn nicht. Jetzt war der Mann wieder vorn bei ihm. Es war verboten, während der Fahrt mit dem Fahrer zu sprechen.

»Wenn es kaputt ist, dann zeig ich Sie an, darauf können Sie Gift nehmen, Sie Idiot.«

Er beschloss es zu ignorieren. Das war das Beste.

Jetzt hielt er wieder an. Leute warteten darauf, aussteigen zu können. Der Betrunkene stand ihnen im Weg. Die Leute drängelten. Der Betrunkene musste beiseite gehen. Jetzt kam eine Dame. Eine Fahrkarte? Natürlich. Das macht sechzehn Kronen. Und bitte sehr, die Fahrkarte und vier Kronen zurück.

Er fuhr, hielt wieder an, fuhr wieder. Jetzt war es ruhig. Er hielt wieder an, öffnete die Türen.

»Da haben Sie aber verdammt Glück gehabt, dass das Handy funktioniert, Sie Idiot!«, schrie jemand, der ausstieg, und er wusste, wer es war. Schön, den los zu sein.

Leider gab es noch mehr von der Sorte. Andere würden einsteigen, wenn er zurückfuhr. So war das immer. Die waren eine Gefahr für den Verkehr. Man sollte ihn nur mal fragen. Das hatten sie übrigens ja auch getan.

»Ich hab irgendwie die Vorfreude auf Weihnachten verloren«, sagte Angela. »Ein ganz plötzliches Gefühl im Fahrstuhl. Oder eine Erkenntnis.«

»Eine Erkenntnis wovon?«

»Du weißt es.«

»Du hättest nicht mitgehen sollen, als wir das erste Mal bei dem Jungen waren«, sagte Winter.

»Doch.«

Er schwieg, lauschte einen Augenblick auf den Kühlschrank und das Radio, das leise in seiner Ecke murmelte.

»Haben wir den Flug für den dreiundzwanzigsten gebucht?«

»Mhm.«

»Das wird bestimmt schön.«

»Wahrscheinlich.«

»Weihnachten in der Wärme«, sagte sie.

»So warm ist es vermutlich gar nicht.«

»Nein, Heiligabend friert es garantiert in Marbella.« Sie wärmte die Hände an der Tasse, die sie noch nicht ausgetrunken hatte. »Sturm und Eiseskälte und keine Zentralheizung.«

»Vielleicht liegt sogar Schnee«, sagte Winter.

»Es *liegt* Schnee. Auf dem Gipfel der Sierra Blanca.«

Er nickte. Sie würden reisen. Seine Mutter würde sich freuen. Die Sonne würde scheinen. Fünf Tage an der Costa del Sol, und dann begann wieder ein neues Jahr, es würde Frühling werden und Sommer, und weiter brauchte man nicht vorauszuschauen.

»Ich hab eine Mutter im Kindergarten getroffen, die hat mir was erzählt«, sagte sie und sah ihn an. »Etwas Merkwürdiges.«

»Ja?«

»Wir hatten über den kleinen Jungen gesprochen. Und dann hat sie erzählt, dass ihre Tochter einen Fremden getroffen hat. Anscheinend mit einem Erwachsenen in einem Auto gesessen hat. Mehr nicht.«

»Wie, nicht mehr?«

»Ich weiß nicht ... das Kind ist nach Hause gekommen und hat erzählt, dass es in einem Auto gesessen hat, glaub ich, eine Weile, mit jemandem. Das war alles.«

»Das hat es seiner Mutter erzählt?«

»Ja, Ellen, so heißt das Mädchen. Sie geht auch in Elsas Kindergarten. Ellen Sköld.«

»Der Name kommt mir bekannt vor.«

»Wahrscheinlich kennst du sie auch. Ihre Mutter heißt Lena.«

»Und sie hat dem Kind geglaubt?«

»Sie wusste wohl nicht recht, was sie glauben sollte. Es war ja nichts passiert.«

»Was hat sie gemacht, als sie es erfahren hat?«

»Hat Anzeige erstattet, glaube ich. Jedenfalls hat sie mit jemandem beim Polizeirevier von Linnéstaden gesprochen.«

»Was hat das Kindergartenpersonal gesagt?«, fragte er.

»Sie hat mit denen geredet, aber niemand hat etwas bemerkt.«

»Sie können ihre Augen nicht überall haben«, sagte er.

Sie ging zur Spüle und stellte den Teebecher ab. Winter blieb sitzen. Sie kam an den Tisch zurück. Winter war in Gedanken weit weg.

»Woran denkst du?«

»An das, was du gerade erzählt hast. Es klingt sonderbar.«

»Das findet Lena Sköld auch.«

»Sie hat jedenfalls eine Anzeige erstattet. Dann müsste es ja auch eine Notiz darüber geben.« Er sah sie an. »Im Revier, meine ich.«

»Ja, ich verstehe. Die sollte es wohl geben. Der Polizist, mit dem sie gesprochen hat, scheint sie ernst genommen zu haben. Er hat ihr empfohlen zu prüfen, ob dem Mädchen ein Gegenstand fehlte, und sie vermisste wirklich was.«

»Was wann verschwunden war?«

»Am selben Tag, als es passiert ist.«

»Kinder verlieren dauernd etwas. Das ist nichts Besonderes, das weißt du doch.«

»Es scheint sich um etwas zu handeln, das sie nicht verlieren kann, einen Schmuckanhänger, der irgendwie befestigt war.«

»Lena Sköld«, sagte Winter nachdenklich.

»Ja. Was wirst du tun?«

»Mit ihr reden.«

»Ich hab ihr nicht erzählt, dass ich mit einem Kriminalkommissar zusammenlebe.«

»Dann erfährt sie es jetzt. Spielt das eine Rolle?«

»Nein ...«

»Ich glaub sogar, ich hab schon mal ein paar Worte mit ihr gewechselt, als ich Elsa abgeholt oder gebracht habe. Der Name des Kindes kommt mir jedenfalls bekannt vor. Aber ich glaub nicht, dass die Mutter meinen Beruf kennt.«

Winter lächelte und erhob sich.

»Du hast schon gewusst, warum du mir das alles erzählt hast«, sagte er.

Sie nickte.

Winter ging ins Bad und putzte sich die Zähne. Er glaubte, dass er das Mädchen sogar wiedererkennen würde, wenn er es sah.

Er machte kein Licht an, als er die Wohnungstür hinter sich schloss. Er kannte sich so gut hier drinnen aus, dass er sich blind zurechtgefunden hätte.

Dunkelheit drinnen war schöner als draußen. Durch die Ritzen der Jalousien fiel Licht, obwohl er sie ganz fest zugezogen hatte.

Er saß vorm Fernseher. Der Junge im Videofilm lachte. Oder es sah so aus, als ob er lachte. Irgendetwas stimmte nicht.

Warum hatte er aufgehört? Plötzlich mochte er den Jungen nicht mehr berühren.

Er sah sich alle Filme an. Es war schon eine richtige kleine Sammlung. Ähnliche Filme, aber jeder war anders. Jetzt kannte er alle Details, und er kannte sie auch nicht. Bei jedem neuen Anschauen eine neue kleine Entdeckung. Das wusste er doch alles. Und doch wusste er es nicht. Er war unterwegs zum … zum … er weigerte sich, daran zu denken. Weigerte sich. Ich weigere mich!

Denk nicht an den Jungen. Es war etwas anderes. Nein. Das war es NICHT.

Mama hat ihn nie gehört, wenn er gerufen hat. Er war dorthin gezogen und brauchte nicht mehr das Bett für seine tausend Meilen entfernte Mama vorzubereiten. Mama war da. Er rief.

Sie hat ihn nicht gehört.

Einmal war er *hinterher* rausgekommen, und er hatte gerufen, und sie hatte mit abgewandtem Gesicht dagesessen und ihn auch diesmal nicht gehört. Als ob es ihn gar nicht gäbe. Er hatte es nicht gewagt, sich vor sie zu stellen. Vielleicht hatte sie ihn vorher nicht gehört, aber wenn er sich vor sie stellte, und sie würde ihn immer noch nicht sehen, dann hätte es ihn nicht mehr gegeben. Er wusste, dass sie nicht blind war, also hätte es ihn nicht gegeben. Es gab ihn nicht.

Dann war sie weg gewesen.

Und dann war all das andere gekommen.

Das Telefon klingelte. Er zuckte mit der Fernbedienung in der Hand zusammen und ließ das Telefon klingeln, klingeln. Fünfmal, sechsmal. Es verstummte. Er hatte keinen Anrufbeantworter, wozu sollte der gut sein?

Es klingelte wieder. Er war nicht da. Oder er war da, aber er hörte das Telefon nicht, und dann war es nicht da. Es hörte schließlich auf, und er konnte noch ein bisschen Filme gucken und sich dann für die Nacht vorbereiten. Alles, ohne Licht zu machen. Wer draußen vorbeiging, würde sicher glauben, dass hier drinnen niemand war oder dass da jemand schlief. Und genau das wollte er jetzt tun.

19

Halders und Aneta Djanali waren wieder im Studentenheim, auf einem anderen Korridor. Das Mädchen, das den Streit in Smedsbergs Zimmer gehört hatte, hatte Aris Kaite als den identifiziert, der davongestürmt war. Kein Zweifel trotz Halders Provokationen: Finden Sie eigentlich, dass alle Schwarzen gleich aussehen? Aneta Djanali hatte keine Miene verzogen.

Sie saßen in Kaites Zimmer. An der Wand überm Schreibtisch hing ein Bild von einer Winterlandschaft, ein weißes Feld. Das Zimmer war aufgeräumt oder wirkte jedenfalls aufgeräumt. Der Schreibtisch war ordentlich: Stifthalter, Notizbuch, Computer, ein Drucker auf einem Aktenschränkchen, zwei ordentliche Bücherstapel neben dem Stifthalter, mehr Bücher in zwei niedrigen Regalen. Ein Mini-CD-Spieler, zwei kleine Lautsprecher im Fenster, das auf die Straße schaute, wo die Autos in der Dämmerung vorbeifuhren.

Ist das wichtig?, dachte Aneta Djanali. Hier zu sein? Das weiß man nie.

»Kann man ahnen, dass dieser junge Mann Medizin studiert, wenn man sich hier nur umsieht?«, fragte Halders.

»Das Anatomieplakat dort ist ein gewisser Hinweis«, antwortete Aneta Djanali und nickte zur Wand, wo das Bett stand.

»Solche Plakate hat doch heutzutage jeder«, sagte Halders. »Heute sind alle so verdammt an sich selbst interessiert. Man hängt seine Röntgenaufnahmen zu Hause im Wohnzimmer neben der Vitrine auf.«

»Trotzdem ist es noch etwas Besonderes.«

»Besonderes? Das ist total üblich heute.«

»Mhm.«

»Glaubst du mir nicht?«

»Warum ist der junge Mann noch nicht wieder hier?«, fragte Aneta Djanali.

»Eine gute Frage.« Halders sah auf seine Armbanduhr. Kaite hatte gesagt, er müsste zur Toilette. Draußen im Flur gab es eine gemeinsame für die Mieter.

Sie hatten nicht vorher angerufen und sich angekündigt.

Kaite trug immer noch eine Bandage am Kopf. Was verbirgt sich darunter?, hatte Halders sich gefragt. Morgen wissen wir es wahrscheinlich. Der Junge sieht aus wie ein schwarzer Prinz mit Turban. Vielleicht läuft seine gesamte Verwandtschaft zu Hause in der Savanne so herum. Wenn er sich im Spiegel sieht, kriegt er Heimweh.

Vielleicht ist er jetzt dorthin unterwegs. Halders sah wieder auf die Uhr und dann in den kleinen Vorraum des Zimmers.

»Was ist das da für eine Tür?«

»Muss wohl ein Schrank sein«, sagte Aneta Djanali.

Halders erhob sich und öffnete die Tür. Er sah die Toilette und das Waschbecken und einen Duschvorhang.

Der Junge *war* auf dem Weg nach Hause.

»Er ist abgehauen«, sagte er und öffnete die Tür zum Korridor.

Warum um alles in der Welt?, dachte Aneta Djanali.

Winter rief das Revier in der Tredje Långgatan an.

»Polizeirevier Majorna-Linnéstaden, Alinder.«

Winter stellte sich vor und erklärte sein Anliegen.

»Kommt mir bekannt vor«, antwortete Alinder.

»Wissen Sie, wer das Gespräch entgegengenommen hat?« Er wollte es nicht Anzeige nennen.

»Lena Sköld, haben Sie gesagt? Eine kleine Tochter, die erzählt hat, dass sie mit einem Onkel mitgegangen ist? Das war ich.«

»Okay. Haben Sie gerade Zeit, die Angaben zu überprüfen?«

»Geben Sie mir fünf Minuten, dann sehe ich in den Akten nach. Wo erreiche ich Sie?«

Sieben Minuten später rief Alinder an.

»Jetzt hab ich's.«

»Okay.«

»Das Mädchen heißt also Ellen. Die allein erziehende Mutter war nicht ganz sicher, ob sie es sich nicht doch ausgedacht hatte.«

»Was hat das Kind erzählt?«

»Hm, hm, mal sehen ... Es hat mit einem fremden Onkel in einem Auto gesessen. Das war alles.«

Winter hörte Papier rascheln.

»Nein, warten Sie mal«, fuhr Alinder fort. »Das Mädchen hat auch erzählt, dass es Süßigkeiten bekommen hat.«

»Hat die Mutter mit dem Kindergartenpersonal gesprochen?«

»Ja, niemand hatte etwas bemerkt.«

»War sie aufgeregt?«

»Wann? Als sie mich angerufen hat?«

»Ja.«

»Nein.«

»Noch etwas?«, fragte Winter.

»Ja, ich lese gerade ... ich hab sie gebeten zu prüfen, ob irgendwas verschwunden war, und sie hat später wieder angerufen und erzählt, dass das Kind einen silbernen Schmuckanhänger in einer Extratasche in ihrer linken Brusttasche vom Overall gehabt hat, und der war jetzt weg.«

»Gab es da einen Zusammenhang?«

»Ich habe sie das auch gefragt, und sie sagte, es sei zum selben Zeitpunkt verschwunden. Und dass es im Prinzip unmöglich war, dass dieser Gegenstand von allein herausfallen könnte und das Mädchen ihn kaum selbst hervorgenommen hat.«

»Vielleicht wusste das Kind nicht einmal etwas davon«, sagte Winter. Ich muss Lena Sköld fragen, dachte er.

»Nein. Die Mutter sagte, das Ding soll Glück bringen oder so was. Es hat ihr gehört, als sie klein war.«

»Und jetzt ist es also weg.«

»Das hat sie damals jedenfalls gesagt. Ob es doch wieder aufgetaucht ist, weiß ich natürlich nicht.«

»Ich werde mit ihr sprechen.«

»Warum fragen Sie mich danach?«, fragte Alinder. »Und wo haben Sie erfahren, dass sie hier angerufen hat?«

»Meine Partnerin hat sie auf einer Elternversammlung getroffen«, sagte Winter. »Unsere Kinder sind im selben Kindergarten. Vielen Dank für Ihre Hilfe.«

»Warum interessiert Sie das eigentlich?«, fragte Alinder.

»Ich weiß noch nicht genau«, antwortete Winter. »Ich hab so eine Idee.«

»Ich hab ja von dem kleinen Jungen gehört«, sagte Alinder.

»Was haben Sie gehört?«

»Einfach vom Spielplatz entführt. Hab ich kürzlich im Internet gesehen. So eine Scheiße. Wie geht es ihm?«

»Er ist stumm«, antwortete Winter, »sagt kein Wort. Aber seine Augen sind wieder in Ordnung.«

»Sehen Sie da wirklich einen Zusammenhang? Zwischen dem Anruf der Frau und dem, was dem Jungen passiert ist?«

»Was meinen Sie denn selber?«

»Tja ... ich hab Ihren Fall ja gerade erst auf den Tisch bekommen. Spätestens jetzt hätte ich wohl angefangen nachzudenken. Ich weiß nicht. Vielleicht hätte ich mich demnächst bei Ihnen gemeldet. Vielleicht auch nicht. Aber die Notiz liegt hier ja vor.«

»Mehr solcher Anrufe haben Sie nicht bekommen? Oder jemand anders in Ihrem Revier?«

»Ich nicht, und von den anderen hab ich nichts gehört, aber ich kann ja mal nachfragen.«

»Okay, also vielen Dank noch mal.« Winter legte auf.

Er rief Lena Sköld an. Eine halbe Stunde später trafen sie sich in ihrer Wohnung. Ellen saß am Tisch und malte einen Schneemann.

»Hat sie schon mal Schnee gesehen?«, fragte Winter.

»Als sie ein Jahr alt war. Er ist drei Tage lang liegen geblieben«, antwortete Lena Sköld.

Das Klima an der Westküste, und jetzt ist es milder denn je, dachte Winter. Bald wachsen Palmen an der Avenyn.

»Das sieht ja aus wie ein richtiger Schneemann«, sagte er. »Meine Elsa ist noch ein wenig jünger, aber wenn sie so was zustande bringt, bin ich richtig stolz.«

»Möchten Sie eine Tasse Kaffee?«

»Bitte.«

»Sie können ja schon mal Ihre Fragen stellen, während ich die Kaffeemaschine anmache.«

Sie erhob sich. Winter blieb am Küchentisch sitzen, Ellen gegenüber, die eine neue Zeichnung angefangen hatte. Er sah etwas, das ein auf den Kopf gestelltes Auto darstellen könnte.

Kinder und Zeichnungen. Er dachte an den Fall Helene, der Fall der toten Frau, der für sie so lange anonym geblieben war. Ihr Gesicht in der Dämmerung in einem Graben am Delsjön, ihre entblößten Zähne, der offene Mund, wie ein Ruf aus weiter Ferne, und er hatte in der Zeit gesucht, die Vergangenheit hatte Schatten auf die Zukunft geworfen, und in der Dunkelheit war die Wahrheit verborgen. Die einzigen Wegweiser, die ihm zur Verfügung gestanden hatten, waren die Zeichnungen eines Kindes gewesen. Das Kind sah, was es sah, und zeichnete dann seine Erinnerungen auf.

Erinnerungen konnten sich öffnen wie Tore, und er konnte eintreten, oder ein anderer konnte eintreten. Jemand anders könnte ihm zuvorkommen, und das wäre gleichzusetzen mit dem Abgrund. Er hatte es schon einmal gesehen. Wenn sich die Erinnerung öffnete, könnte es zu einer Katastrophe führen, der endgültigen.

Wenn er nicht rechtzeitig zur Stelle war.

Warum denke ich das gerade jetzt? Die Zeichnung, ja. Aber da war noch etwas anderes. Hängt das alles mit einer Erinnerung zusammen?

»Ein Auto«, sagte er zu Ellen.

Sie nickte.

»Ein großes Auto.«

Wieder nickte sie, zeichnete Räder.

»So eine Zeichnung hat sie auch gemacht, als sie nach Hause kam und von dem Fremden erzählt hat«, sagte Lena Sköld.

Sie trat mit zwei Kaffeebechern und einer kleinen Milchkanne an den Tisch.

»Haben Sie die noch?«

»Na klar. Ich bewahre alle ihre kleinen Kunstwerke auf.«

»Ich würde sie mir später gern ansehen.«

»Warum?«

»Ich weiß es nicht. Vielleicht fällt mir etwas auf, das uns weiterhilft.«

»Wobei?«

»Das weiß ich auch noch nicht.« Er lächelte.

»Was halten Sie nun von dem, was Ellen erzählt hat?«

Das Mädchen schaute auf.

»Ich habe mir genügend Gedanken darüber gemacht, um hierher zu kommen«, sagte er und nahm einen Schluck Kaffee.

»Und was passiert jetzt?«, fragte Lena Sköld.

»Auch darauf kann ich noch nicht genau antworten.«

Winter sah das Mädchen an, das wieder aufschaute und lächelte.

»Sie werden sie doch nicht verhören wollen?« Lena Sköld war Winters Blick zur Tochter gefolgt.

Winter machte eine Bewegung mit den Händen: Ich weiß es nicht.

»Ist das auch woanders passiert? Das ... was Ellen vielleicht passiert ist?«

Dieselbe Bewegung von Winter.

»Sie wissen es nicht?«, fragte sie.

»Wir werden untersuchen, ob es Zusammenhänge gibt«, antwortete er.

Am Nachmittag saß Winter in Ringmars Zimmer. Dieselbe Form wie sein eigenes, aber das Fenster in eine andere Himmelsrichtung.

Die Stadt dort draußen war jetzt mit kleinen Lichtern überzogen. Die Dämmerung setzte nach drei ein, und die Stadt begann wie in Weihnachtsvorfreude zu glitzern.

»Hast du schon Weihnachtsgeschenke gekauft?«, fragte Ringmar, der am Fenster stand und zuschaute, wie die Lichter angingen.

»Natürlich«, log Winter.

»Bücher?«

»Ja, zumindest für Elsa.« Das stimmte wenigstens. »Den Rest kauf ich wahrscheinlich wie immer in allerletzter Minute.«

»Wann geht der Flug an die Sonnenküste?«

»Ein Tag vor Heiligabend.« Winter rollte einen Zigarillo zwischen den Fingern, ohne ihn anzuzünden. Er roch so gut. »Aber ich befürchte, ich werde nicht mitfliegen können.«

»Ach?«

»Was glaubst du?«

Ringmar drehte sich zu ihm um.

»Du meinst, falls wir dann immer noch auf der Jagd sind?«

Winter antwortete nicht.

»Vielleicht ist unsere Aufgabe dann abgeschlossen und wir kommen genau wie alle anderen Leute zur Ruhe«, sagte Ringmar.

»Hast du die Anfrage an den Kriminalnachrichtendienst abgeschickt?«

»Vor einer halben Stunde.«

Sie hatten auch eine Aufforderung per E-Mail ins Netz gesetzt. Aber wer las schon all seine Mails? Da war das Blatt vom Kriminalnachrichtendienst schon besser. Gab es noch mehr wie Alinder? Und Lena Sköld? Es war einen Versuch wert.

Hier kamen die Informationen nicht an. Nur wenn eine Anzeige direkt bei der Zentrale einging. Sonst wusste man nicht, was passierte. Niemand kümmerte sich ja mehr darum, die Informationen zu bündeln.

»Niemand fasst noch irgendwas zusammen«, wie Ringmar zum jungen Bergenhem gesagt hatte. »Niemand ruft mehr direkt bei der Fahndung an. Früher zu Zeiten der guten alten Verbrechensfahndung ging alles direkt zum Chef, der las alles und behielt Kopien von allem da, zum Beispiel Anzeigen von hässlichen alten Männern. Sammelte jeden Verdacht oder alles, was Leute beobachtet hatten, das sonderbar wirkte.« Ringmar hatte zu seinen eigenen Worten genickt. »Viele sehen überall und ständig solche hässlichen alten Männer, es ist wichtig, sie nicht zu ignorieren. Oder? Wir sollten alles archivieren und wieder vornehmen, wenn wir nach einem wirklich hässlichen alten Kerl suchen.«

Winter saß da und rollte seinen Zigarillo.

»Der Junge scheint sein Sprachvermögen verloren zu haben«, sagte Ringmar. »Ich bin vor einer Stunde bei ihm gewesen.«

»Nichts Neues?«

»Nein.«

»Wir werden ja sehen, was wir bis jetzt haben«, sagte Winter.

»Das Mädchen Sköld? Könnte alles ausgedacht sein. Das Personal hat nichts bemerkt.«

»Wir werden ja sehen«, wiederholte Winter.

Der Nachbar hatte seine Weihnachtsbeleuchtung angebracht, als Ringmar nach Hause kam. Die schlafenden Espen und Ahornbäume im Garten auf der anderen Seite des niedrigen Heckenskeletts waren übersät mit Hunderten von glitzernden Lämpchen, die sich im matten Lack seines ungewaschenen Audi spiegelten.

Alle Fenster im Nachbarhaus waren mit Adventskerzenhaltern geschmückt. Da wohnt jemand, der genügend Geld hat, dachte Ringmar. Ein privates Beleuchtungsdepot. Ein Bad im Licht.

Sein Gesicht war noch voller Abscheu, als er im Flur stand.

»Hast du irgendwas gegessen, was dir nicht bekommen ist?«, fragte Moa, die gerade auf dem Weg nach draußen war.

»Wohin willst du?«

»Was ist das für ein Ton!«

»Entschuldige.«

»Ich will versuchen ein Weihnachtsgeschenk zu kaufen, wenn mir eins unterkommt«, sagte sie. »Das erinnert mich daran, dass ich gar keine Wunschliste von dir habe.«

»Eine Wunschliste? Ich hab seit fünf Jahren keine Wunschliste mehr geschrieben. Oder seit sieben.«

»Nun wohne ich zufällig zu Hause, und da ist eine Wunschliste ein Muss«, sagte die Tochter und zog sich den zweiten Stiefel über die Ferse.

»Du weißt sowieso, was ganz zuoberst auf der Liste steht«, sagte er.

Sie schaute auf. »Denkst du, das ist mir nicht klar?«

»Mhm.«

»Glaubst du, ich habe es nicht probiert? Denkst du, ich hab nicht mit ihm geredet?«

»Was sagt er denn?«

Sie antwortete nicht und richtete sich auf.

»Wann hast du zuletzt mit ihm gesprochen?«

»Das ist schon eine Weile her.«

»Was soll das heißen?«

Sie öffnete die Haustür.

»Wann redest du das nächste Mal mit ihm?«, fragte Ringmar. »Himmel, Moa, das ist ja verrückt.«

»Hab noch etwas Geduld, Papa.«

»Wie lange zum Teufel soll ich denn noch Geduld haben?«

20

Jemand aus Frölunda will dich sprechen«, sagte Möllerström, als Winter vorbeiging. Der Registrator fuchtelte mit dem Telefonhörer.

»Ich nehm's bei mir an«, antwortete Winter.

Er hob den Hörer auf seinem Schreibtisch ab, ohne seinen Mantel auszuziehen.

»Winter.«

»Hallo, hier ist Larissa Serimowa vom Revier Frölunda.«

Eine neue Stimme für ihn.

»Hallo.«

»Ich habe Ihre Anfrage im Blatt des Kriminalnachrichtendienstes gelesen.«

»Aha.«

»Und natürlich auch im Internet. Ich hab hier tatsächlich was Ähnliches.«

»Schießen Sie los.«

»Bei mir ist der Anruf einer Mutter eingegangen, die erzählte, dass ihre kleine Tochter einem Fremden begegnet ist.«

»Woher wusste sie das?«

»Der Mädchen hat es ihr erzählt.«

»Was erzählt?«

»Was ich eben gesagt habe. Eine kurze … Begegnung.«

»Verletzungen?«

»Nein …«

»Ich höre Zweifel in Ihrer Stimme.«

»Es ist so kompliziert. Vielleicht. Ich hab einen Verdacht. Falls das Mädchen verletzt ist. Aber das braucht nicht mit der anderen Sache zusammenzuhängen.«

»Nein.«

»Oder auch doch.« Winter hörte Papier rascheln. »Übrigens vermisst das Mädchen einen Ball. Sagt die Mutter. So was verlieren Kinder ja ständig, aber sie sagt, er verschwand am selben Tag.«

»Wo sind Sie jetzt?«

»Im Revier.«

Winter sah auf die Uhr.

»Ich bin in einer halben Stunde da.«

Das Frölundarevier war nicht klein, wirkte aber winzig durch das Möbelkaufhaus nebenan. Der Parkplatz vor dem Kaufhaus war besetzt. Autos mit Sofas und Sesseln auf dem Dachständer fuhren davon. Offene Anhänger transportierten Betten und Bettgestelle, die lebensgefährlich in alle Richtungen ragten, sodass ein unaufmerksamer entgegenkommender Fahrer leicht an ihnen hängen bleiben konnte. Ein Glück jedenfalls, dass es nicht regnet, dachte Winter. Ein nasses Bett ist kein Spaß. In diesem Jahr stehen wohl neue Einrichtungen auf den Wunschlisten der Leute. Das kann man sich leisten, wenn die Konjunktur anzieht.

Larissa Serimowa wartete auf ihn hinter der Glasscheibe des Empfangs.

»Ich bin mit ins Krankenhaus gefahren«, sagte sie. »Die Mutter war sehr besorgt, der Vater war auch dabei.«

»Die Familie heißt also Bergort?«

»Ja, das Mädchen heißt Maja.«

»Was hat der Arzt gesagt?«

»Er hat jedenfalls keine Verletzungen am Unterleib gefunden. Aber er hat etwas anderes gefunden.«

»Ja?«

»Maja hatte einige Blutergüsse am Körper.«

»Ist sie misshandelt worden?«

»Er wusste es nicht.«

»Wie sah es aus?«

»Blutergüsse eben, blaue Flecken. Nicht groß.«

»Er muss doch eine Meinung dazu gehabt haben?«

»Die Mutter hat gesagt, Maja ist von einer Schaukel gegen das Gestänge gefallen. So ist es passiert, meinte sie. Maja hat geschrien, sagte sie. Und der Arzt sagte, es könnte so gewesen sein.«

»Oder?«

Sie schaute in die Abschrift der Notizen, die sie hatte ausdrucken lassen. Ordnung, dachte Winter, vielleicht wird sie eine unendliche Bedeutung bekommen.

»Es sei gar nicht ungewöhnlich, sagte er, dass Eltern, die ihre Kinder schlagen, es als Unfall anzeigen. Oder Geschichten erfinden, die die Verletzungen belegen sollen, manchmal geradezu phantastische Sachen. Da spielte er vielleicht auf die Sache mit dem Fremden an.«

»Aber er wollte keine Anzeige erstatten?«

»Nein, keineswegs.«

»Und Sie selber?«

Sie sah ihn an, als ob sie die Frage jeden Moment erwartet hatte.

»Mir hat es keine Ruhe gelassen. Ich bin wieder hingefahren und hab die Mutter und das Mädchen besucht.«

Winter wartete. Sie hatten den Empfang noch nicht verlassen. Er trug immer noch seinen Mantel. Ihm war kurz durch den Kopf gegangen, dass das Hemd von Kriminalinspektorin Larissa Serimowa die gleiche blaue Farbe hatte wie der Himmel dort draußen. Im Sommer würde es ausgewaschen wirken gegen den aggressiv klaren Himmel, aber jetzt passte es in die Winterwelt, wie eine Art Tarnkleidung.

»Mit dem Kind war etwas. Es ist wieder passiert«, sagte Larissa Serimowa.

»Sind Sie sicher?«

»Nein. Und ja.«

»Wie hat sich die Mutter verhalten?«

»Als ob noch nie was geschehen wäre.«

»Trotzdem hat sie das Verschwinden angezeigt«, sagte Winter.

»Und die Frage ist: warum«, sagte Larissa Serimowa.

»Wollen Sie die Eltern anzeigen?«

»Ich bin mir nicht sicher«, sagte sie. »Alles wirkt so ... normal. Eine harmonische kleine Familie. Eine Familie genau wie jede andere.«

Wie meine, dachte Winter.

»Sind Sie dem Vater außer im Krankenhaus noch mal begegnet?«, fragte er. »Wie hieß er noch gleich?«

»Bergort, Magnus Bergort. Und nein, er war nicht zu Hause, als ich dort war.«

Winter schaute zur Tür. Das Tageslicht war schwach und doch heller als seit Monaten.

»Wollen wir ein bisschen rausgehen?« Zur Erklärung hielt er einen Zigarillo hoch.

Sie standen vor den Autos. Larissa Serimowa bibberte in ihrem Hemd. Winter rauchte. Es war erst die vierte dieses Tages. Jeden Tag wurden es weniger, aber es gab eine Grenze.

»Was haben Sie für einen Eindruck von dieser Geschichte?«, fragte er.

»Sie baut ja auf der Erzählung des Kindes auf ... seiner Aussage. Die Mutter weiß nicht, was sie glauben soll. Fest steht nur, dass der Ball verschwunden ist und dass Maja sagt, dieser Onkel oder wie wir ihn nun nennen sollen, habe ihren Lieblingsball genommen. Er hat gesagt, er will ihn ihr vom Auto aus zuwerfen, was er aber nicht getan hat.«

»Und wo hat das Auto gestanden?«, fragte Winter.

»Neben einem der Kindergärten oberhalb der Marconigatan. Dort gibt es einen Abhang, wo die Kinder manchmal spielen.«

»Kann man da denn parken?«

»Ja, und auch noch gut versteckt, außerdem ist da Asphalt. Ich hab's kontrolliert.«

»Und das Personal hat nichts gemerkt?«

»Nein.«

»Hätten sie es nicht merken müssen?«, fragte Winter.

»Ich weiß es wirklich nicht.«

Sie fuhren zur Marconigatan. Der Verkehr hatte mit der Dämmerung zugenommen. Der riesige Parkplatz hinter dem Frölunda Torget füllte sich. Einige wollten zum Kulturhaus, zur Bibliothek oder ins Hallenbad, die meisten in die Warenhäuser. Die Straßenbahnen folgten ihren Schienen. Die Fenster der Hochhäuser leuchteten wie breite Lächeln, ein Stockwerk über dem anderen. Das Mondlicht war jetzt stärker als das der Sonne. Es gab Sterne da oben, die daran erinnerten, dass der Himmel nicht für immer geschlossen hatte. Winter verspürte plötzlich Hunger und dachte an Essen. Er sah auf die Uhr. Später am Nachmittag würde er es bis in die Markthallen schaffen, aber einzukaufen war nicht die wichtigste Erledigung des Tages.

Einige Kinder gruben im Sand. Neben ihnen standen zwei Frauen. Zwei Angestellte für drei Kinder, dachte Winter. Von einem solchen Verhältnis gehe ich nicht aus.

Die Leiterin war noch da. Sie wirkte wie die meisten Menschen, die versuchten, bis zu den Feiertagen durchzuhalten. Auf ihrer Schürze sind Marmeladenflecken. Ein kleines Kind saß auf ihrem Schoß, es lachte, als Winter einen Finger in den Mund steckte, die Backen aufblies und ein kleines Plopp-Konzert für alle gab.

»Das muss ich nun wohl auch immer machen«, sagte die Leiterin und stellte das Kind auf den Boden. Es war ein Junge, der gerade laufen gelernt hatte.

Sie nahm die Schürze ab, die ein Kleid schützte, das genauso aussah wie die Schürze. Ihre Augen standen weit auseinander, und sie machte den Eindruck, dass sie mit ihrem Job und dem, was es darüber hinaus gab, gut fertig wurde.

Winter hatte sich schon vorgestellt.

»Lassen Sie uns rausgehen«, sagte die Frau. Sie hieß Margareta Ingemarsson, ein Name, der zu ihr passte, wie Winter fand. Und zu ihrer Arbeit.

»Wir haben uns ja schon mal gesehen«, sagte Larissa Serimowa.

Sie ist ehrgeizig, dachte Winter, während er die Kollegin ansah. Aber sie hat uns nicht angerufen. Hätte sie das getan, ich hätte nichts dazu sagen können. Eine Notiz wäre liegen geblieben, bei uns genau wie bei ihr.

Sie standen schräg hinter der Kindergartenanlage, die U-förmig zur Straße hin lag, wo der Verkehr in einem Meer von

Autoscheinwerfern zusammenfloss. Dahinter gab es einen Zaun und einen Abhang hinter Bäumen. Ein schmaler asphaltierter Weg schlängelte sich vom Parkplatz vorm Kindergarten um den Hang zu den Parkplätzen des Wohngebietes auf der anderen Seite des Abhangs.

»Einen Augenblick«, sagte Winter und stieg den Abhang ein Stück hinauf. Er sah den Weg dort unten, teilweise versteckt von Baumstämmen. Dann kehrte er zurück zu Larissa Serimowa und Magareta Ingemarsson.

»Ich weiß nicht, was ich dazu sagen soll«, sagte sie.

»Haben Sie mit Majas Mutter gesprochen?«, fragte Winter.

»Ja.« Sie schaute hastig zum Hügel hinauf und dann zu Winter. »Wir wissen nicht recht, was wir davon halten sollen.«

»Könnte es passiert sein?«

»Wie meinen Sie das?«

»Was das Kind erzählt hat, dass es eine Weile mit jemandem in einem Auto gesessen hat. Jemand, den es nicht kannte«, sagte Winter.

»Für mich klingt es unwahrscheinlich«, sagte Margareta Ingemarsson. »Aber was soll ich sagen? Wir haben nichts bemerkt. Und ich wage zu behaupten, dass wir auf unsere Kinder aufpassen.«

»Spielen sie manchmal hier?« Winter nickte zu dem Abhang und den Bäumen.

»Manchmal. Aber nie allein.«

»Wie ist die Personalsituation?«

»Im Verhältnis zur Zahl der Kinder? Katastrophal.«

Das ist auch eine Antwort, dachte Winter. Mir ist das nichts Neues. Ich bin Kriminalkommissar, aber ich bin auch Vater.

Das Präsidium war warm und anheimelnd wie immer. Mein zweites Zuhause. Winter ging durch den Korridor, der nur noch auf seinen Tannenbaum wartete. Er hörte das Geräusch von Tasten, die in fröhlichem Takt angeschlagen wurden. Im Empfang wurde der letzte Bericht des Tages getippt. Er sah einen gekrümmten Rücken. Ein paar Zeilen noch und dann nach Hause, nach Hause, nach Hause. Er dachte an Rehbraten mit kleinen Mandelkartoffeln. Oder an ein leckeres Wurzelgemüse. Vielleicht Pilze. So hab ich früher nicht gedacht. Hängt das mit meinem Alter zusammen? Tatsache war, dass er es jetzt schwerer verkraftete, wenn er eine Zwischenmahlzeit ausfallen lassen musste.

Er hörte das Telefon in seinem Zimmer klingeln. Es hörte auf, fing aber wieder an, als er im Zimmer war.

»Erik? Hallo. Hier geht's drunter und drüber ... Wir haben zwei Verkehrsunfälle reingekriegt. Kannst du Elsa abholen?«

Angelas Stimme klang gestresst.

Der nächste Kindergarten. Na klar.

»Und wann?«

»Um halb sechs. Heute ist ja Donnerstag.«

Winter schaute auf die Uhr, die über dem Waschbecken an der Wand hing. Warum hab ich sie dorthin gehängt? Halb fünf. Vielleicht würde er es auch noch in die Markthalle schaffen.

»Wann kommst du?«, fragte er.

»Ich weiß es nicht, keinen blassen Schimmer. Und jetzt muss ich los.«

»Okay. Ich hol sie ab. Ich mache ...« Aber sie hatte schon ein schnelles »Küsschen und tschüss« gesagt, ehe er etwas über das Abendessen hatte sagen können. Aus der Leitung tönte ein einsames Freizeichen in sein Ohr.

Er checkte seine E-Mails. Es gab mehrere Mitteilungen. Er öffnete eine davon und wählte die Direktnummer.

»Polizeirevier Örgryte-Härlanda, Berg.«

»Hallo, Winter von der Fahndung. Ich möchte gern Bengt Josefsson sprechen.«

»Er ist vor einer Stunde gegangen.«

»Haben Sie seine Privatnummer?«

»Woher weiß ich, dass Sie wirklich von der Fahndung sind?«

»Ich muss in fünfzig Minuten meine Tochter aus dem Kindergarten abholen und vorher noch zur Markthalle, und davor muss ich mit Josefsson sprechen. Er hat mir eine Mail geschickt. Bitte geben Sie mir jetzt seine Nummer.«

»Ich seh auf dem Display, dass Sie einer von uns sind, jedenfalls jemand, der vom Präsidium anruft«, sagte Berg.

Der Bergidiot wäre eine Entdeckung für die Weihnachtsrevue der Polizei, wenn wir eine hätten, dachte Winter. Er bekam die Nummer und rief an.

»Josefsson.«

»Hallo, Winter hier.«

»Ach ja, genau.«

Winter hörte Josefsson etwas hinunterschlucken und ein Klirren, das wie Eiswürfel in einem Whiskyglas klang. Blended. Josefsson feierte seine Stunden in Freiheit.

»Es geht um dieses Kind«, sagte Josefsson.

»Ich höre«, sagte Winter.

»Ich hab also Ihre Mitteilung gelesen und hab etwas, das vielleicht dazu passt.« Winter hörte wieder einen Schluck und ein Klirren, das etwas schwächer wurde, da die Eiswürfel schmolzen und kleiner wurden. »Ich hab da eine Notiz von einem Anruf«, sagte Josefsson, und seine Stimme klang schon etwas belegt und mild vom Rauch im Schnaps.

Er fand am Kanal eine Parklücke für den Mercedes und ging in die Markthallen. Winter kaufte seinen Braten und einige Meereskrebse für eine mögliche Vorspeise, reifen Ziegenkäse für einen möglichen Nachtisch. In der Halle duftete es stärker als sonst nach frischem Schweinefleisch, das zu Weihnachten gehörte. Winter dachte an Schalentiertapas an einer südlichen Küste. Bald würde er dort sein.

Aber er war nicht sicher. In seinem Kopf herrschte Unruhe. Er erkannte sie wie einen alten Feind, der immer wiederkehrt.

Elsa war schon angezogen. Er hatte es noch rechtzeitig geschafft.

Im Auto fragte sie nach dem Abendessen.

»Hast du Hunger?«

»Gooooßen Hunger.«

»Habt ihr heute nichts zu essen bekommen?«

»Nein!« Sie reckte die Nase.

»Gar nichts?«

»Nein!«

»Dann versteh ich, dass du Hunger hast.«

»Unwasgibs?«

Er brachte es nicht übers Herz, ihr vom Rehbraten zu erzählen. Bambi. Er brachte es einfach nicht übers Herz.

»Einen leckeren kleinen Braten, den ich schnell im Backofen mache, und ich kann Kartoffelbrei mit frischen Pfifferlingen machen.«

»Ja!«

»Und vorher darfst du mir helfen, einen Salat zu machen aus Krebsen und was wir so zu Hause finden.«

»Zu Hause finden WO!?«

»In deiner Nase«, sagte er und drehte sanft an ihrer Nase.

»Hahaha!« Sie hüpfte in ihrem Sitz. »Goooßen Hunger.«

In der Küche schlief sie fast ein mit einem Meereskrebs im Arm, der aussah wie ihr Kuscheltier. Er nahm ihn ihr weg und bereitete ihn zusammen mit den anderen vor.

Elsa konnte nicht warten. Sie aß eine Klaue, und er musste ihr rasch eine Portion Kartoffelbrei zubereiten und Lachs und Dorsch von gestern aufwärmen. Es duftete gut aus dem Backofen, aber Elsas Interesse war erloschen.

Er las ihr etwas vor.

»Bist du müde heute Abend, meine Kleine? Was habt ihr heute gemacht?«

Sie schlief. Er schloss die Augen und dachte an den Jungen Waggoner, der nicht sprechen wollte und den einen Arm nicht heben, aber wenigstens wieder sehen konnte.

Er legte sie in ihr Bett und lehnte die Tür an. Dann ging er in die Küche, kontrollierte den Braten, schälte mehr Kartoffeln und holte Pilze aus dem Tiefkühlfach. Ihm fiel das Geklirr am Telefon ein, und er goss sich etwas Rosebank mit Wasser ein.

Der Himmel war klar. Winter stand an der offenen Balkontür und trank und genoss den frischen, trockenen Kräutergeschmack und den Duft nach Wind aus dem Flachland. Den Gedanken an einen Corps schob er beiseite. Er ließ die Tür für eine Weile offen und ging zu seinem Schreibtisch, wo er sein Powerbook aufschlug und eine Weile nachdachte, während Musik das ganze Zimmer füllte.

Wenn jemand die Szene sah, mochte sie friedvoll wirken. Er fühlte sich nicht friedvoll. Er versuchte sich von außen einem

Muster zu nähern, all dem, was er heute gehört hatte, einen gemeinsamen Sinn abzugewinnen. Aber in dem Muster war kein Friede.

Angela kam, als er gerade den Tisch deckte.

»Schenkst du mir ein bisschen Wein ein?«, sagte sie, kaum dass sie in der Küche war. Er hatte ihre Tasche aus großer Höhe herunterfallen hören. »Mmm, das riecht gut.«

Sie ging zu Elsa, während er noch einen Klacks Butter zu der Soße gab.

»Ja, heute mal ein Gläschen Wein?«, sagte Angela, als sie zurückkam und die tiefen Teller mit dem Salat aus Schalentieren sah. »Es ist ja Donnerstag.«

»Elsa war sehr müde.«

»Ich bin jetzt eher hungrig als müde«, sagte sie. »Und durstig.« Sie sah zu dem Wein im Glas und hielt es gegen das Licht. »Als unser Hausarzt behaupte ich, dass ein Glas Wein nach einem harten Arbeitstag gesund ist.«

Sie saßen am Tisch. Aus dem Wohnzimmer tönte immer noch Musik, Mingus.

»Du hast Elsa hoffentlich nicht erzählt, was für ein Braten das ist?«, fragte sie.

Er schüttelte den Kopf.

»Er schmeckt trotzdem tierisch gut. Alles schmeckt gut.«

»Besser als im *Bistro 1965*?«

»Es gibt Fragen, auf die kann man nicht mit ja oder nein antworten.«

Wie auf die Frage, haben Sie aufgehört, Ihr Kind zu schlagen?, dachte er.

21

Die Morgenbesprechung fand im Zeichen des Lichtes statt. Zwei Kerzen brannten in den Adventskerzenhaltern auf dem Tisch, überall im Haus brannten unzählige Adventskerzen. Es gab Kaffee und Pfefferkuchen. Halders knabberte einen nach dem anderen in sich hinein. Bevor Winter etwas sagen konnte, wurde die Tür aufgerissen, Birgersson sah mit einem eigentümlichen Grinsen herein und winkte ihnen.

»Kommt mal gucken.«

Sie hörten den Gesang draußen. Und sie sahen die Lichterbraut Lucia mit ihren Begleiterinnen durch den Korridor schreiten.

Winter erkannte die Kollegin vom Empfang und die eine oder andere ihrer Begleiterinnen. Am Ende des Zuges gingen zwei Sternjungen mit dem gleichen eigentümlichen Grinsen, das Birgersson eben gezeigt hatte. Er grinste immer noch, als Winter ihn von der Seite ansah. Die beiden mit den spitzen Mützen auf dem Kopf waren erfahrene Jungs aus der Abteilung Untersuchunghaft. Einer war für seine gewalttätige Veranlagung bekannt.

Halders versuchte ihm ein Bein zu stellen, als sie vorbeizogen. Der Kollege antwortete mit einer Geste, die international bekannt war.

Der Luciazug entfernte sich, *Saaancta Luciiiia* in Tonarten, die es gar nicht gab, verstärkt von den Verblendziegeln der Korridorwände. Bergenhem hielt sich die Ohren zu.

»Wusstest du, dass heute Lucia ist?«, fragte Winter an Birgersson gewandt.

»Bin ich denn nicht der Chef hier? Ich weiß alles.«

»Und jetzt müssen wir wieder bis zum nächsten Jahr warten«, sagte Aneta Djanali, »ein ganzes Jahr, bevor wir wieder diesen Anblick genießen dürfen.«

»Dann bist du vielleicht die Lichterbraut«, sagte Halders. »Eine schwarze Lucia wäre doch modern und *politically correct*, nicht?«

»Ja, das wäre ein Traum. Ein Traum würde in Erfüllung gehen.«

»Lucia stammt ja sowieso aus Afrika«, sagte Halders.

»Sizilien«, korrigierte Aneta Djanali. »Süditalien.«

»Südeuropa, Nordafrika, das gehört doch alles zusammen«, sagte Halders.

»Der Kaffee wird kalt«, sagte Winter.

Auf den Tischen brannten noch die Kerzen, aber sie hatten Licht angemacht. Schluss mit der Gemütlichkeit, dachte Aneta Djanali.

»Wir versuchen heute wieder mit dem Jungen zu sprechen«, sagte Ringmar.

»Wieviel versteht er?«, fragte Halders. »Er ist ja erst knapp vier.«

»Die Eltern sagen, er spricht gut. Außerdem ist er zweisprachig«, sagte Ringmar.

»Das ist mehr, als man von uns behaupten kann«, sagte Halders.

»Das gilt nur für dich«, erwiderte Aneta Djanali.

»Er steht immer noch unter Schock, aber sie haben keine Verletzungen am Kopf gefunden«, sagte Winter. »Sein Bewegungsvermögen hat sich verbessert, wahrscheinlich wird nichts zurückbleiben.« Er sah auf. »Jedenfalls nicht physisch.«

»Hast du was rausgekriegt?« Halders sah Möllerström an.

»Es gibt viele Namen«, antwortete der. »Pädophile, Kindesmisshandler, andere Sexualverbrecher, na, ihr wisst schon. Die Liste ist lang.«

»Wir arbeiten uns langsam hindurch«, sagte Winter.

»Die wir bisher befragt haben, haben alle ein Alibi«, sagte Bergenhem. »Alle haben sich ordentlich betragen.«

»Kriegen wir mehr Leute, um die Haustüren abzuklappern?«, fragte Halders.

»Vielleicht«, sagte Winter.

»Warum zögert Birgersson da noch?«, fragte Halders. »Es hätte ja zu einem Mord führen können. Die Leute in der Gegend haben vielleicht den Verrückten gesehen, wie er den Jungen im Auto mitgenommen hat.«

»Warum hat sich der Täter nicht sexuell an dem Jungen vergangen?«, fragte Aneta Djanali. Sie sah sich um. »Ich hab dran gedacht, ihr habt dran gedacht. Aber er hat keine derartigen Verletzungen. Warum? Was wollte dieser Täter? Warum hat er ihn überhaupt verletzt? Haben diese Verletzungen etwas zu bedeuten? Hat er es von Anfang an geplant? Ist es in dem Auto passiert? Wollte er ihn ursprünglich vergewaltigen? Warum hat er ihn so zurückgelassen?«

»Das sind viele Fragen«, sagte Halders.

»Aber wir müssen sie uns doch stellen«, sagte Aneta Djanali.

»Natürlich«, sagte Winter. »Und es wird noch schlimmer.« Alle schauten auf. »Oder vielleicht auch besser. Jetzt hört mal zu. Dies ist von den letzten vierundzwanzig Stunden.«

Er erzählte von den Kindern, die dem fremden Onkel begegnet waren. Ellen Sköld. Maja Bergort. Und Kalle Skarin, der Junge in Bengt Josefssons Notiz im Revier Härlanda.

»Tja, was soll man sagen«, begann Halders.

»Irgendwas«, sagte Winter. »Wir sind ein Team, wir machen Teamarbeit, und jetzt will ich Meinungen hören.«

»Ob es wirklich einen Zusammenhang zwischen den dreien gibt?«, fragte Halders in die Luft.

»Das wissen wir noch nicht«, sagte Winter. »Wir müssen mit den Kindern reden.«

Alle sahen ihn an.

»Meinst du das wirklich?«, fragte Sara Helander.

»Ich weiß noch nicht hundertprozentig, was ich meine«, sagte Winter. »Jetzt mal weiter in der Diskussion.«

»Zusammenhänge«, sagte Aneta Djanali. »Wir haben über Zusammenhänge geredet. Aber wie können die aussehen?«

»Drei Kinder beziehungsweise vier mit dem Jungen Waggoner. Ein Unterschied: Die anderen drei sind nicht entführt worden.«

»Warum nicht?«, fragte Sara Helander.

»Er war noch nicht reif«, sagte Halders. Er sah Ringmar und Winter quer über den Tisch an. »Eine einfache Psychologie. Bei den ersten Malen war der Idiot noch nicht reif. Er hat getestet und ist vielleicht jedes Mal einen kleinen Schritt weiter gegangen, und dann war es so weit. Aber das braucht nichts Sexuelles zu bedeuten. Oder es kommt noch.«

»Blitzanalyse«, sagte Aneta Djanali.

»Ich werde Recht behalten«, sagte Halders. Er sah wieder Winter an. »Und das bedeutet, dass es wieder passieren wird. Wi-der-lich.« Er schüttelte sich. »Vorausgesetzt natürlich, es besteht ein Zusammenhang. Und dass etwas von all dem wirklich passiert ist. Den Fall Waggoner kennen wir ja. Aber die anderen? Könnten ja reine Phantasien der Kinder sein.«

»Könnten es sein«, sagte Winter.

»Vier noch ziemlich kleine Kinder, die alle in das Auto eines fiesen Kerls krabbeln, ohne dass es jemand merkt? Ist das glaubwürdig?«, sagte Sara Helander.

»Vielleicht nicht so ein hässlicher Kerl der Art«, sagte Halders. »Hast du meine Analyse eben nicht gehört?«

»Ist das glaubwürdig?«, wiederholte Sara Helander. »Dass niemand vom Personal etwas bemerkt?«

»Welchem Personal?«, fragte Halders.

»Was?«

»Es gibt zum Teufel noch mal ja kein Personal mehr«, sagte Halders. »Da gibt mir sogar Erik Recht, ganz zu schweigen von all den armen Würstchen, die das Personal darstellen sollen, aber nicht ausreichen. So ist das doch. Immer größere Kindergruppen und immer weniger, die auf sie aufpassen.«

»Du meinst also, es könnte passiert sein? Dass sie einfach so verschwunden sind?«

»Bei Gott, ja.«

»Ich bezweifle das«, sagte Sara Helander.

»Dann geh mal mit diesem Zweifel zu irgendeinem Spielplatz, wo es viele Kinder gibt, und dann denk eine Sekunde darüber nach, ob du selbst eins von ihnen mitnehmen könntest«, sagte Halders. »Oder dir wenigstens einen kleinen privaten Augenblick mit einem von ihnen leisten kannst.«

»Na ja.«

»*You'd be surprised*, Sara. Wie leicht das geht.«

»Wollen wir diese Spielplätze noch mal richtig überprüfen?«, fragte Bergenhem. »Spielplätze, Kindergartengelände oder wo das nun passiert ist?« Er sah Winter an. »Also mal abgesehen von Plikta, wo Simon gekidnappt wurde.«

»Das gilt auch für Ellen Sköld«, sagte Winter. »Ihr zufolge ist das auch in Plikta passiert.«

Im selben Moment sah er Elsas Gesicht. Seine Tochter schaukelt mitten auf dem Spielplatz neben dem Parkplatz.

Trieb sich der Täter jetzt dort herum? War er schon zweimal dort gewesen und hatte es geschafft, seinen Plan auszuführen? Würde es wieder geschehen? Genau dort? Vielleicht. Mehr als vielleicht.

»Also«, sagte Bergenhem, »wollen wir jemanden hinschicken?«

»Ja«, sagte Winter mit Elsas Gesicht vor Augen, »aber ich weiß noch nicht genau, wie wir vorgehen sollen. Ich muss noch ein bisschen nachdenken und mit Sture reden.«

»Tu's jetzt, solange er noch Lucia in seinem Langzeitgedächtnis hat«, sagte Halders, und Sara Helander kicherte.

»War das witzig?«, fragte Halders ganz erstaunt.

»Da ist noch was«, sagte Winter. »Dreien der Kinder fehlt etwas nach dem Kidnapping oder wie man das nun nennen soll. Maja Bergort hat einen Ball verloren ...«

»Himmel«, unterbrach Halders, »wann verlieren Kinder keine Bälle?«

»Darf ich weiterreden?«

Halders nickte und schwieg.

»Ihren Lieblingsball«, sagte Winter, »den hatte sie immer bei sich. Ellen Sköld besaß einen kleinen silbernen Schmuckanhänger in Form eines Vogels, der in einer Reißverschlusstasche in ihrem Overall war. Weg. Und Simon Waggoners Uhr ist auch verschwunden.« Er schaute auf. »Alles den Eltern zufolge jedenfalls.«

»Und das vierte Kind?«, fragte Aneta Djanali. »Wie hieß es?«

»Skarin, Kalle Skarin. Darüber kann ich noch nichts sagen. Ich hab gestern kurz mit seiner Mutter gesprochen. Sie will nachsehen und überlegen«, sagte Winter.

»Wie sieht das chronologisch aus?«, fragte Halders.

»Den Anzeigen zufolge hat es mit Skarin angefangen, dann Sköld, dann Bergort, zuletzt Waggoner.«

»Wenn er der Letzte ist«, sagte Halders.

»Gibt es Arztberichte?«, fragte Aneta Djanali.

»Bei zwei Fällen, Waggoner natürlich und zu dem Mädchen Bergort.«

»Und?«

»Keine sexuelle Gewalt, falls du das meinst. Waggoners Verletzungen kennen wir ja, und was Maja Bergort angeht, gibt es nur einen Verdacht von Verletzungen.«

Alle sahen ihn an.

»Eine Kollegin in Frölunda, Larissa Serimowa, hat die Anzeige entgegengenommen und war auch mit im Krankenhaus, wohin die Eltern das Mädchen direkt nach ihrer Erzählung gebracht haben. Der Arzt fand ein paar blaue Flecken. Ein paar Tage später war Serimowa zu Hause bei der Familie und meinte, noch mehr gesehen zu haben.«

»Dann hängt der Fall gar nicht mit unserer Sache zusammen«, sagte Halders. »Sie schlagen ihr Kind und bringen es atemlos in die Notaufnahme, um die Verletzungen untersuchen zu lassen und unschuldig zu wirken.« Er sah Sara Helander an. *»Happens all the time.«*

»Aber die Geschichte der Mutter stimmt fast genau überein mit dem, was die anderen Mütter erzählt haben«, sagte Winter.

»Warum sind es nur Mütter?«, fragte Halders.

»Stimmen also überein«, wiederholte Winter.

Dazu fiel eine Weile niemandem ein Kommentar ein. Die Kerzen brannten immer noch, während der Tag draußen vorm Fenster heller wurde. Winter sah, wie die Betonpfeiler des Nya-Ullevi-Stadiums langsam in Dunst eingehüllt wurden, grau wie die Luft, die sie umgab. Alles war ein Ganzes, alles schien in sich selbst zu schweben. Es gab keine Abgrenzungen, keine

Linien. Jetzt hörte er die Streifenwagen unten, der Verkehr war dichter als gewöhnlich. Der Morgen nach dem Luciafest und die Stadt war eine andere, Tausende von Jugendlichen brauchten Hilfe nach den nächtlichen Feten. Sie liegen bündelweise in der Stadt rum, wie Halders gesagt hatte, als er kam. Die Ausnüchterungszellen waren gefüllt mit Jugendlichen, die ihren Rausch ausschliefen, dem Kater entgegen, der schrecklich war.

»Ich versuche ein Muster bei den Orten zu finden«, sagte Winter. »Warum gerade dort? Warum die Kindergärten oder die Spielplätze?«

»Hast du einen Plan gezeichnet?«, fragte Aneta Djanali.

»Damit will ich heute Vormittag anfangen.«

Daraus entstehen nur noch mehr Fragen, dachte Halders, sagte es aber nicht. Stattdessen sagte er: »Willst du mit den Eltern reden?«

»Ja.«

»Mit allen?«

»Ja.«

»Bei der Bergortfamilie draußen in Önnered möchte ich gern dabei sein.«

»Wenn du ruhig bleibst«, sagte Winter.

»Du brauchst mich«, sagte Halders.

Der Morgen war noch nicht vorbei. Die Arbeit war nicht vorbei. Sie arbeiteten ja nie an einer einzigen isolierten Frage zur Zeit. Das wäre dann eine der besten aller Welten, aber darin lebten sie nicht. In der besten aller Welten würde es sie gar nicht geben, nicht als Berufsgruppe. Im Paradies gab es keine Kriminalpolizei, keine Schutzpolizei. Gesetz und Ordnung errichteten sich selbst. Alle lebten im Land von Milch und Honig.

Aber wer zum Teufel möchte in dem Kleister herumplatschen?, wie Halders einmal gesagt hatte, als das Thema zur Sprache gekommen war.

Fredrik versuchte zu seinem Jargon zurückzukehren, aber Winter sah die Schatten um seine Augen, tiefer als bei Bertil.

Brauchst du eine Pause?, hatte Winter vor noch gar nicht langer Zeit in leichtem Tonfall gefragt. Halders hatte eine

Pause gemacht, eine viel zu kurze. Ich höre meinen Kindern zu, hatte er gesagt, und das hatte Winter verstanden. Fredrik war aus einem einsamen Leben mit geteiltem Sorgerecht in ein Leben als einsamer Erwachsener mit zwei schulpflichtigen Kindern geschleudert worden. Welche Rolle spielte Aneta? Er wusste es nicht. Wusste sie es?

»Unser schwarzer Medizinstudent ist immer noch verschwunden«, sagte Halders und sah Aneta Djanali an. »Hast du die Heimatfront eingeschaltet?«

»Sie halten Ausschau in den Savannen zwischen Kenia und Burkina Faso«, antwortete sie.

»Gibt es Savannen in Burkina Faso?«, fragte Bergenhem, der sich für Geographie interessierte.

»Nein«, antwortete Aneta Djanali, »das ist doch der Witz.«

»Das ist eine Interpretationsfrage.« Halders lächelte.

»Ich kann euch nicht ganz folgen«, sagte Bergenhem.

»Da bist du nicht allein«, sagte Aneta Djanali.

»Wenn ihr so weitermacht, schafft es der Junge bis nach Südafrika«, sagte Winter.

»Dann müssen wir ihn dort schnappen«, sagte Halders.

»Jetzt hör aber auf, Fredrik.«

Halders richtete sich in seinem Stuhl wieder auf. Winter sah, wie sich sein Gesicht anspannte, die Schmerzen im Nacken kamen wieder.

»Gestern am späten Nachmittag haben wir Smedsberg geschnappt, bevor er zu den Dungsavannen auf der Ebene von Västergötland abhauen konnte. Er hat uns bestätigt, dass er Streit mit dem Arier Kaite hatte.«

»Worüber?«

»Eine Braut.«

»Eine Braut?«

»Hat er jedenfalls behauptet. Kaite bildete sich ein, mit einem Mädchen zusammen zu sein, das sich einbildete, mit Smedsberg zusammen zu sein.«

»Und was hat Smedsberg geglaubt?«, fragte Winter.

»Er hat sich neutral verhalten, wie er es ausdrückte.«

»Gibt es überhaupt ein Mädchen?«

»Es gibt einen Namen und eine Telefonnummer, aber keine

Adresse. Wir haben angerufen, es hat sich jedoch niemand gemeldet. Wir haben die Adresse rausgefunden und sind hingefahren, aber es war niemand zu Hause. Irgendwie, ich weiß nicht mehr genau, wie, haben wir es geschafft, in die Wohnung zu gelangen, aber Kaite war nicht da und das Mädchen auch nicht«, berichtete Halders.

»Warst du dabei, Aneta?«, fragte Winter, und sie schüttelte den Kopf.

»Hab im Auto gesessen und den Funk abgehört.«

Winter sah Halders an.

»Hast du einen Zettel auf dem Tisch im Flur hinterlassen, dass sie dich anrufen soll, wenn sie nach Hause kommt?« Winters Stimme klang säuerlich.

»Hab nicht dran gedacht!«

»Glaubst du Smedsberg?«

»Ich glaube niemandem«, sagte Halders, »aber er hat uns immerhin den Namen gegeben. Josefin. Josefin Stenvång. Was für ein Name! Wetten, dass der nicht der ursprüngliche ist?«

»Smedsberg ist der Einzige von diesen vier Jungen, der nicht verletzt wurde«, sagte Ringmar.

»Siehst du da einen Zusammenhang, Bertil?«, fragte Halders.

»Äh ... was?«

»Vier Studenten und drei verletzt. Vier Kinder und drei unverletzt. Siehst du einen Zusammenhang?«

»Was hast du zu Frühstück gegessen, Fredrik?«, fragte Ringmar. »Du wirkst etwas überdreht.«

»Kommt es bei diesem Job nicht darauf an, Zusammenhänge zu sehen?«, sagte Halders. »Entschuldige, dann hab ich mich wohl total getäuscht.«

»Fredrik«, sagte Winter.

Halders drehte sich um.

Vielleicht kommt die große, die riesige schreckliche Krise in diesem Augenblick, dachte Winter. Bis jetzt hat er durchgehalten. Leider. Haben seine Augen einen irren Blick? Nein. Ist er hyperaktiv geworden? Noch nicht. Was soll ich sagen, jetzt, da ich seine volle Aufmerksamkeit habe? Geh raus?

»Lass Bertil weiterreden«, sagte Winter.

»Okay, okay«, sagte Halders.

»Wir haben also Smedsberg«, sagte Ringmar. »Er ist dem Schlag ausgewichen, oder den Schlägen. Er wird nicht mit einem Brandeisen oder was zum Teufel gezeichnet. Er hat einen Zeitungsboten gesehen. Er ist auf einem Bauernhof aufgewachsen. Er deutet an, dass die Verletzungen eine Nummer aufweisen könnten, die ihrerseits zu einem Bauernhof führen könnte. Er hat im selben Studentenheim gewohnt wie die beiden anderen, Kaite und Stillman. Book übrigens auch. Bisher hat er behauptet, keinen von ihnen zu kennen. Auch Book nicht.«

»Außerdem ist er bei Chalmers«, sagte Halders.

»Aber lieber Fredrik, behalt doch bitte einmal deine Kommentare für dich«, sagte Sara Helander. Halders schien sie nicht zu hören.

»Und dann ist da Jens Book«, fuhr Ringmar fort. »Student der Publizistik, nur im Augenblick nicht. Er liegt noch im Sahlgrenschen, seine Bewegungsfähigkeit rechts hat zugenommen. Der letzte Befund ist positiv, eigentlich sehr positiv, denn der Junge wird vermutlich wieder gehen können.«

»Vermasselt ihm der Schlag die Journalistenkarriere, dann ist der Bericht sehr, sehr positiv«, bemerkte Halders. Er wandte sich an Sara Helander. »Ich mag nämlich keine Journalisten.«

»Jens Book war kaum eine halbe Stunde, bevor er am Linnéplatsen vor dem Videoladen Marilyn niedergeschlagen wurde, mit seinem Freund Krister Peters zusammen.«

»Seinem homosexuellen Freund«, sagte Halders.

»Hast du damit Probleme, Fredrik?« Ringmar hob den Blick aus den Akten.

»Keineswegs. Ich wollte es nur verdeutlichen.«

»Peters ist homosexuell«, sagte Bergenhem. »Ich hab ihn getroffen, wie ihr wisst. Er hält damit nicht hinterm Berg.«

»Aber warum hat er das Treffen mit Book hinterm Berg gehalten?«, fragte Aneta Djanali.

»Nicht Peters war das, sondern Book selber«, sagte Ringmar. »Wir mussten es ihm aus der Nase ziehen. Das hat seine Zeit gedauert.«

»Kein ungewöhnliches Verhalten«, sagte Bergenhem. »Wenn er es keinem sagen will, dann will er es eben nicht. Viele wollen das nicht. Darüber haben wir schon mal gesprochen.« Bergenhem sah, dass Halders etwas sagen wollte, es sich dann aber anders überlegte. »Hast du einen Kommentar dazu, Fredrik?«

Halders schüttelte den Kopf.

»Books eventuelles Verhältnis mit Peters braucht also nicht im Zusammenhang mit dem hier zu stehen«, fuhr Bergenhem fort.

»Aber Peters hat kein Alibi«, stellte Ringmar fest.

»Es ist aber doch so, dass wir über Book am besten Bescheid wissen«, sagte Bergenhem. »Jedenfalls was das angeht, was die vier Jungs getan haben, bevor sie Prügel kriegten. Wenn wir Peters glauben, wissen wir im Großen und Ganzen, was Book den ganzen Abend gemacht hat, abgesehen von den Minuten vor dem Schlag.«

»Ja«, sagte Winter, der eine Weile geschwiegen, zugehört und sich Notizen gemacht hatte. »Aber mit Kaite ist das anders. Was hat er in den Stunden getrieben, bevor er auf dem Kapellplatsen den Schlag bekam?«

Niemand antwortete.

»Kaite hält die Antwort in der Schwebe, und jetzt ist er wer weiß wohin entschwunden«, sagte Bergenhem. »Außerdem hatte er Streit mit Smedsberg, der im Nachbarhaus gewohnt hat. Da hast du einen Zusammenhang, Fredrik.« Halders zuckte zusammen. Als ob er aus einem kurzen Koma erwacht wäre, dachte Winter.

»Und unser Freund, der Jurist Jakob Stillman, ist gar nicht mehr so still, aber er hat auch kein gutes Gedächtnis«, fuhr Bergenhem fort. »Falls das nicht der Schlag auf seinen Kopf angerichtet hat. Was ich nicht glaube. Ich glaube, er war irgendwo und will es uns nicht sagen, und dann ist er über den Doktor Fries Torg gegangen und bekam auch so einen Schlag.«

»Was führte ihn ausgerechnet zum Doktor Fries Torg?«, fragte Aneta Djanali.

»Was führte Kaite zum Kapellplatsen?«, sagte Bergenhem.

»Gibt es einen Zusammenhang?«, fragte Halders.

»Vielleicht keinen, außer dass beide auf dem Heimweg waren«, sagte Winter.

»Auf dem Weg zum selben Ziel, aber aus verschiedenen Richtungen«, sagte Ringmar.

»Zu verschiedenen Zeitpunkten«, sagte Bergenhem.

»Stillman scheint ja eindeutig heterosexuell zu sein«, sagte Halders, »jedenfalls wenn man dem Freund von Bertils Tochter glauben kann.« Er sah Bergenhem an. »Wo wir gerade von Nicht-Zusammenhängen reden.«

»Der Zusammenhang hier besteht darin, dass drei von ihnen an denselben Täter geraten sind«, sagte Ringmar, »oder eigentlich vier, da Smedsberg ja dieselbe Behandlung zugedacht war.«

»Wenn wir ihm glauben können«, sagte Halders.

»Er hat eine Anzeige erstattet«, sagte Aneta Djanali.

»Das hat die Familie in Önnered auch getan«, sagte Halders. »Vielleicht aus demselben Grund wie Gustav Smedsberg.« Halders sah Winter an. »*By the way*. Wollen wir jetzt rausfahren?«

»Gleich.«

»Und wenn wir schon von fahren reden, vielleicht sollten wir einen Abstecher zum Hof seines Vaters machen, dem alten Smedsberg?«, sagte Bergenhem. »Draußen auf der Ebene von Västergötland, wie Fredrik sagte.«

»Warum das denn?«

»Die Waffe. Das Brandeisen. Wenn wir die Hypothese verfolgen, dass alle genau entgegengesetzt agieren zu dem, was sie aussagen, dann ist es Gustav Smedsberg, der die anderen Jungs niedergeschlagen hat, und er hat es mit genau so einem Brandeisen getan, von dem er erzählt hat. Logischerweise müsste es zu Hause auf dem Hof liegen, oder ein ähnliches.«

»Na hör mal«, sagte Aneta Djanali, »wenn wir jetzt in Kürze eine Nummer rauskriegen, mit deren Hilfe wir den Hof finden können, von dem die Waffe stammt ... tja, wenn Smedsberg Leute halb tot schlägt mit einer Waffe, die auf *seine* Spur führt ... und uns dann auf die Spur setzt ... ihr versteht, was ich meine.«

»Du meinst, wir sollen voraussetzen, dass Menschen rational und mit einer gesunden Logik handeln«, sagte Halders,

»sollen wir davon ausgehen? An dem Tag, an dem wir das tun, können wir hier einpacken und gebrannte Mandeln im Schlosswald verkaufen.« Er sah Bergenhem an. »Gebrannte Mandeln! Wie bin ich denn jetzt darauf gekommen?«

»Wir werden sehen«, sagte Winter, »es kann schon sein, dass wir raus in die Ebene müssen.«

»Ich habe so eine Idee, dass Kaite dort ist«, sagte Bergenhem. »Und das Mädchen vielleicht auch.« Er sah Halders an. »Apropos Logik, von der du gerade gesprochen hast. Smedsberg und Kaite sind vermutlich Feinde, was liegt da näher, als dass Kaite sich zu Hause bei Smedsberg erholt?«

»Genau«, sagte Halders, »aber in der gottverlassenen Gegend kann er sich nicht lange vor uns verborgen halten.«

»Wer hat denn behauptet, er verbirgt sich vor uns?«, sagte Ringmar.

»Er hat sich verdrückt, als wir mit ihm reden wollten, oder? Wir waren da und er ist abgehauen.«

»Mhm.«

»Worauf willst du hinaus, Bertil?«

»Vielleicht fürchtet er sich vor jemand anderem etwas mehr als vor dir, Fredrik.«

Halders antwortete nicht.

»Vor dir als Polizist.«

»Ja, ich hab's kapiert. Ein Punkt für dich.«

»Wie lange war er weg?«, fragte Ringmar. »Als ihr in seinem Zimmer auf ihn gewartet habt?«

»Er ist immer noch nicht zurück.« Aneta Djanali lächelte.

»Ich formuliere meine bekloppte Frage sofort neu«, sagte Ringmar.

»Ich hab sie trotzdem verstanden«, sagte Halders. »Wir haben zehn Minuten gewartet, und dann ging uns auf, dass er nicht pinkeln war, und da war er schon *gone with the wind. Gone with the monsoon.*« Halders zeigte zum Fenster, hinter dem die blasse Klarheit des Morgens in einen aggressiven Winterregen übergegangen war. »Schaut mal, jetzt haben wir unseren eigenen Monsun hier oben am Rande des Weltalls.«

»Habt ihr alle gefragt, die auf dem Flur wohnen?«, fragte Bergenhem.

»Ja, und wir sind auch nicht eher gegangen, bis wir alle Zimmer überprüft hatten.«

»Da ist noch was …«, sagte Aneta Djanali.

Die anderen sahen sie abwartend an.

»Wir haben darauf gewartet, dass die Verletzungen der Jungen heilten, um zu sehen, ob es ein Zeichen irgendeiner Art gab. Bei Stillman und Book hat das nicht funktioniert. Der Schorf ist abgefallen, und wir haben nichts gesehen. Wir haben auf Kaite gewartet.« Sie sah in die Luft. »Gab es vielleicht noch jemanden, der auch wartete? Oder der nicht warten konnte?«

22

Er briet sich zwei Eier und ließ sie auf einen Teller gleiten. Als er davorsaß und sie ansah, merkte er, dass er keinen Hunger mehr hatte. Er erhob sich und kratzte sie in den Abfallbeutel und ihm war klar, dass er später rausgehen und ihn wegwerfen musste.

Er hatte Eier eingesammelt und sie in seiner Jacke in die Küche getragen. Ein besonderer Geruch ging von ihnen aus, als würde er durch die Schale dringen. Leg sie in die Schüssel, hatte der Alte gesagt. Die hätten ja kaputtgehen können, so wie du sie getragen hast.

Der Geruch, der in der Schale verschwand. Ein Ei war kaputtgegangen, obwohl er es so vorsichtig wie möglich getragen hatte.

Was tust du da, Kind!? Komm her. Komm her, hab ich gesagt! Dich sollte man dahin zurückschicken, woher du gekommen bist.

Er öffnete wieder die Schranktür und roch am Müllbeutel. Gebratene Eier rochen nicht wie rohe Eier auf dem Lande, oh nein. Sie schienen immer noch warm zu sein, und das verstärkte den Geruch.

Er warf den Beutel in den Müllschlucker und lauschte auf den weichen Aufprall, was bedeutete, dass sie die Tonnen im Abfallkeller bald leeren würden.

Draußen schien die Sonne.

Er ging zurück, zog seine Jacke an und ging hinaus in den

Sonnenschein, der schwächer war, als er durchs Fenster gewirkt hatte. Die Sonne stand hinter den höchsten Häusern, höher schaffte sie es zu dieser Jahreszeit nicht.

Auf den Feldern war das anders. Dort gab es keine Hochhäuser, hinter denen sich die Sonne verstecken konnte. Die Nachbarhöfe waren so weit verstreut, dass sie aus der Ferne wie ein Teil der Erde wirkten. Es könnte ein Meer sein, er befand sich mittendrin. Es gab kein Ende. Die Ebene war unendlich wie der Ozean, und er stand auf der Insel, auf der er lebte, und es war eine einsame Insel, von der er sich fortsehnte, doch es kamen keine Schiffe, die ihn wegbringen könnten. Er konnte schwimmen, aber nicht weit. Er war nicht besonders groß. Als er groß wurde.

Er ging um die Hochhäuser herum und sah die Sonne, in die er starren konnte, ohne blind zu werden. Sie hing da oben wie eine schwache Lampe.

Unten fuhr eine Straßenbahn vorbei. Er hob die Hand zum Gruß, vielleicht wurde sie von jemandem gefahren, den er kannte und der ihn sah.

Die Straßenbahn hielt ein Stück entfernt, Leute stiegen aus mit Beuteln und Paketen, die Weihnachtsgeschenke enthalten mochten. Päckchen mit lustigem, farbenfrohem Papier. Konnten sie etwas anderes als Weihnachtsgeschenke enthalten?

Er schüttelte den Kopf.

Der Alte hatte das Eisen vor ihm geschüttelt. Geschüttelt, geschüttelt. Er hatte den Geruch nach verbranntem Haar wahrgenommen, und nach mehr. Gebratenem Fleisch.

Das ist mir noch ein anständiges Werkzeug, hatte der Alte gesagt. Pass auf!, hatte er gesagt und das Eisen hatte sich genähert.

Es brannte in der Kuh. Noch eine brennende Kuh.

Wenn das geheilt ist, kann niemand behaupten, sie gehöre nicht uns. Der Alte hatte das Eisen wieder hochgehalten. Wollen wir dich auch gleich mit zeichnen, Jung'? Damit jeder weiß, wohin du gehörst, wenn du dich mal verläufst. So war das früher. Wollen wir das etwa ändern? Komm her. Er war rückwärts gegangen und hatte eine Harke unter seinem rechten Fuß gespürt. Komm her, hab ich gesagt! Da draußen wogte das Meer. Er stürzte hinaus ins Wasser.

Winter saß am Steuer. Ringmar las die Straßenschilder. Sie standen in regelmäßigen Abständen wie Wimpel im steifen Wind. Die Ebene war schwarz. Ein Traktor auf einem lang gestreckten Feld wurde zu Gott weiß was benutzt.

»Vielleicht säen sie.« Ringmar zeigte zum Traktor. »In dieser Saison scheint der Frühling vor dem Winter zu kommen.«

Es war eine andere Welt. Deshalb wollte Winter eine Weile hier sein. Er sah Horizontlinien, die man sonst nur von einem Schiff aus sah.

Ich müsste öfter raus aus der Stadt. Man läuft durch die Straßen, und die Jahre vergehen. Hierher ist es ja gar nicht weit und trotzdem ist es etwas anderes.

»Hier kann man sich nicht leicht verstecken«, sagte Ringmar.

»Es gibt Häuser«, sagte Winter.

»Alle wissen alles über alle«, sagte Ringmar.

»Das wäre gut für uns.«

»Da hinten musst du abbiegen«, sagte Ringmar.

Die Abzweigung war erst zu sehen, als sie sie erreicht hatten. Ein Schild, aber es war dünn wie die Luft, die von allen Seiten kam. Zum Haus führte keine Allee.

»Wo ist der Hof?«, sagte Ringmar.

Sie fuhren geradeaus. Der Weg senkte sich, und sie sahen das Haus. Ein Hund bellte, als sie auf den Hofplatz fuhren. Ein Mann drehte sich um, er hantierte an irgendeinem Fahrzeug.

Sie stiegen aus dem Auto.

»Guten Tag«, sagte Ringmar und stellte Winter und sich vor. Der Mann war über sechzig und trug einen Regenumhang und derbe Stiefel. Winter spürte jetzt den Regen wie weichen Sand. Der Mann sagte »Smedsberg« und wischte sich die Hände an einem Lappen ab, der auf der Motorhaube des Fahrzeuges lag. Es könnte ein Rasenmäher sein, aber vermutlich war es etwas anderes. Winter sah zu dem einstöckigen Haus mit den Gauben hinauf. In keinem Fenster konnte er einen schwedischen Kenianer entdeckten.

»Wir sind auf der Suche nach einer Person«, sagte Ringmar.

Unter anderem, dachte Winter.

»Ist was mit Gustav?«, fragte der Mann in dem Dialekt, der hier auf dem platten Land gesprochen wurde.

»Hat er es nicht erzählt?«, fragte Ringmar zurück.

»Was erzählt?«

Zwei Katzen saßen neben dem eisernen Herd, der mit Holz geheizt wurde. Der Bauer öffnete eine Klappe und legte Scheite nach. Daneben stand ein moderner Elektroherd. Es roch nach einer Art altmodischen Wärme, an die Winter keine eigene Erinnerung hatte, die er aber sofort erkannte. Er sah Bertil an, dass es ihm genauso ging.

Auf dem Fußboden lagen Flickenteppiche. Winter und Ringmar hatten sich die Schuhe nicht ausziehen dürfen. Der Bauer, Georg Smedsberg, hatte seine Stiefel gegen ein Paar Pantoffeln ausgetauscht, die selbst gemacht zu sein schienen.

An zwei Wänden hingen Wandbehänge: Eigner Herd ist Goldes wert. Gott ist die Wahrheit und das Licht. Ehre deinen Vater und deine Mutter.

Gibt es eine Frau Smedsberg?, fragte Winter sich.

Sie hatten vom Schicksal des Jungen erzählt.

»Man würde sich ja wünschen, dass er etwas gesagt hätte«, sagte Smedsberg und stellte einen Kaffeekessel, der aus Kriegszeiten zu stammen schien, auf den Herd. »Aber es ist doch nichts passiert, oder? Er ist davongekommen, oder?«

»Keine Verletzungen«, sagte Winter und nahm einen Schluck von dem teerschwarzen Kaffee, der auch aus einer anderen Welt zu stammen schien. Er würde alle Bakterien aus seinem Magen vertreiben, die guten und die schlechten.

»Guter Kaffee«, sagte Ringmar.

»So muss er sein«, sagte Smedsberg.

Um Milch zu bitten erschien sinnlos. Winter nippte nur an dem Heißen, nicht mehr. Wer eine surrealistische Szene inszenieren wollte, könnte eine Espressomaschine in diese Küche stellen.

»Sie hatten nicht zufällig kürzlich Besuch von einem Freund Ihres Sohnes?«, fragte er.

»Wann soll das gewesen sein?«

»In den letzten zwei Tagen.«

»Nein.«

»Und vorher?«

»Mich hat keiner besucht, seitdem Gustav das letzte Mal hier gewesen ist.«

Smedsberg kratzte sich am Kinn, das sauber rasiert glänzte und nicht zu seiner Kleidung und dem sonstigen Verhalten passte. Sie hatten sich nicht angemeldet. Vielleicht hatte er es trotzdem gewusst. Hier sprach sich alles herum, wie Bertil sagte. Ein fremdes Auto aus der Stadt. Mercedes. Ein Gespräch mit dem Sohn. Oder Rauchsignale. Vielleicht hatte der Junge doch angerufen und alles erzählt. Auch Landwirte von Gottes guter Erde konnten lügen.

»Wann war das?«, fragte Ringmar.

»Mal sehen ... jetzt ist bald Weihnachten ... das muss gewesen sein, als wir die Kartoffeln rausgeholt haben, Anfang Oktober.«

Schon mehr als zwei Monate her, dachte Winter. Tja. Wie oft traf er seine Mutter? Es gingen fast stündlich Direktflüge von Göteborg nach Malaga für alle Pensionäre und Golfspieler und jene, die eine Kombination aus beidem waren, und das waren die meisten.

Auf einem Sekretär an der anderen Seite vom Küchentisch stand ein gerahmtes Porträt. Eine Frau in mittleren Jahren mit Dauerwellen lächelte vorsichtig ein schwarzweißes Lächeln. Smedsberg sah Winters Blick.

»Das ist meine Frau«, sagte er, »Gustavs Mutter. Sie hat uns verlassen.«

»Sie verlassen?«

»Ich bin Witwer«, sagte der Mann und erhob sich. Er ging zu dem eisernen Herd und steckte wieder ein paar Birkenscheite hinein.

»Hat Gustav mal einen Freund aus Göteborg mitgebracht?«, fragte Ringmar.

»Wann soll das gewesen sein?«

»Irgendwann, seit er bei Chalmers studiert.«

»Ja«, sagte Smedsberg, der noch am Herd stand und seine gekrümmten und verfärbten Hände über den heißen Eisenringen wärmte. »Als er zur Kartoffelernte zum Helfen hier war, hatte er einen Freund dabei.« Smedsberg schien zu lächeln, aber vielleicht verzog er auch nur das Gesicht, weil jetzt die Hitze in den Handflächen zu spüren sein musste. »Es war ein Schwarzer.« Er hob die Hände und blies darauf. »Schwarz wie die Erde da draußen.«

»Sein Freund war also schwarz?«, wiederholte Ringmar.

»'n richtiger Neger«, sagte Smedsberg, und jetzt lächelte er. »Ich hatte noch nie einen gesehen.«

Mein erster Neger, dachte Winter. Es gibt für alles ein erstes Mal.

»Mit dem hätte man das Vieh erschrecken können«, sagte Smedsberg.

»Hieß er Aris Kaite?«, fragte Winter.

»An den Namen erinnere ich mich nicht«, sagte Smedsberg. »Ich weiß nicht mal, ob er mir überhaupt seinen Namen gesagt hat.«

»Ist er das?« Winter reichte ihm einen Abzug von dem Foto, das sie aus Kaites Studentenbude mitgenommen hatten.

»Wie soll man die denn unterscheiden?«

»Sie erkennen ihn also nicht wieder?«

»Nein.« Smedsberg gab das Foto zurück.

»Ist er danach noch mal hier gewesen?«

»Nein. Ich hab ihn nicht noch mal gesehen, daran würde ich mich wahrhaftig erinnern.« Er sah von Winter zu Ringmar. »Warum fragen Sie das alles? Ist er verschwunden oder was?«

»Ja«, antwortete Winter.

»Ist er einer von den anderen, die überfallen worden sind?«

»Warum fragen Sie das?«

»Ja … warum sonst sind Sie hergekommen?«

»Er ist einer von ihnen«, sagte Winter.

»Warum sollte jemand Gustav und diesen Schwarzen überfallen?«, fragte Smedsberg.

»Das versuchen wir ja herauszufinden«, sagte Winter.

»Vielleicht haben sie es verdient«, sagte Smedsberg.

»Wie bitte?«

»Vielleicht haben sie nichts anderes verdient«, wiederholte Smedsberg.

»Wie meinen Sie *das* denn?«, fragte Ringmar.

»Irgendwas muss ja gewesen sein. Es kann doch kein Zufall sein, dass jemand beide überfallen hat?«

»Es ist nicht gleichzeitig passiert«, sagte Winter.

»Trotzdem«, sagte Smedsberg.

»Und Gustav hat Ihnen nichts davon erzählt?«

»Ich hab doch gesagt, dass er seit Oktober nicht mehr hier gewesen ist.«

»Es gibt ja Telefon«, sagte Winter. Auch in diesem Haus gab es Telefon. Winter hatte es in der Diele gesehen. Ein altes, noch mit Wählscheibe natürlich.

»Wir haben seit einem Monat nicht mehr miteinander gesprochen«, sagte Smedsberg, und Winter sah, wie sich sein Gesicht verdunkelte.

Ringmar beugte sich vor.

»Haben Sie noch mehr Kinder, Herr Smedsberg?«

»Nein.«

»Sie wohnen allein hier?«

»Seit meine Gerda fortgegangen ist, ja.«

»Hat Gustav damals noch zu Hause gewohnt?«

»Jaaa ...« Smedsberg wirkte abwesend. »Er war klein und dann wurde er groß. Er war auch beim Militär. Dann ... ist er nach Göteborg gezogen und hat angefangen zu studieren.«

»Dann will er den Hof also nicht übernehmen?«, sagte Ringmar.

»Da gibt's nichts zu übernehmen«, sagte Smedsberg. »Der Hof kann mich kaum am Leben erhalten, und wenn ich nicht mehr da bin, können die Krähen das Ganze übernehmen.«

Dazu sagten sie nichts.

»Soll ich mehr Kaffee aufsetzen?«, fragte Smedsberg.

»Ja, bitte«, sagte Ringmar, und Winter sah ihn an. Bertil will uns verlassen, diese Welt, die wir die unsere nennen. Es wird ein schmerzhafter Abschied. »Falls Sie noch Zeit haben.«

»Ich muss nur den Kaffeesatz noch mal aufkochen«, sagte Smedsberg und ging zum Herd.

»Gustav hat uns noch was erzählt«, sagte Winter, als Smedsberg an den Tisch zurückkam. »Die Verletzungen der jungen Männer könnten durch irgendeine Art Eisen verursacht worden sein. Das war seine Idee. Irgendein Brandeisen, das bei der Viehhaltung benutzt wird.«

»Ein Brandeisen? Hat er gesagt, wir hätten so was?«

»Das hat er, glaube ich, nicht gesagt. Aber die Jungen wurden mit so einem Eisen niedergeschlagen.«

»Davon hab ich noch nie was gehört«, sagte Smedsberg.

»Wovon?«, fragte Winter.

»Dass jemand Leute mit so einem Eisen niederschlägt. Noch nie gehört.«

»Das war Gustavs Idee.«

»Woher hat er das? So was hat nie auf dem Hof existiert.«

»Aber er kann so ein Eisen doch trotzdem kennen?«, fragte Ringmar.

»Könnte er wohl«, sagte Smedsberg. »Ich fra...« Er brach ab. Der Kaffeekessel auf dem Herd pfiff, und er stand auf und holte den Kessel.

»Nein, danke«, sagte Winter. Smedsberg setzte sich.

»Ich hab immer Ohrenmarken für meine Kühe benutzt«, sagte er. »Wenn ich sie überhaupt kennzeichnen musste. Früher hatten wir Genossenschaftsnummern, die haben wir benutzt.«

»Was heißt das?«, fragte Winter.

»Wie ich gesagt habe. Wir haben sie in diesem Gebiet mit Nummern gekennzeichnet.«

»Die galten für dieses Gebiet? Nicht nur für den Hof?«, fragte Winter.

»Nein. Für ein größeres Gebiet.«

»Aber wir haben erfahren, dass es besondere Produktionsnummern gibt.«

»Die sind später gekommen, 95, mit der EU.«

»Und die gelten für den einzelnen Hof?«

»Ja.«

»Dann gelten sie auch für Ihren Hof?«

»Ja. Aber ich hab keine Kühe mehr, überhaupt kein Vieh, nur die Hunde, Katzen und die Hühner. Vielleicht schaff ich mir Schweine an.«

»Gibt es trotzdem noch Nummern?«

»Die ruhen derzeit, aber sie gelten immer noch für den Hof.«

Winter sah Ringmar von dem Kaffee trinken und sein Gesicht plötzlich zerreißen, und ein schwarzer Strom von gekochtem Kaffee floss aus seinen Aug... Nein, aber er zog eine diskrete Grimasse.

»Sie haben also nie so ein Eisen ... Brandeisen auf dem Hof gehabt?«

»Nein. Es ist sehr ungewöhnlich. In Amerika haben sie wohl solche Dinger, die Areale sind größer da, man brennt die Tiere damit, die Zeichen kann man leichter aus der Entfernung erkennen.« Er lächelte. »Kann mir schon vorstellen, dass sie da auch Vieh stehlen.« Er nahm einen tiefen Schluck von der Teerbrühe. »In Deutschland kennzeichnen sie so auch Pferde.«

»Aber hier nicht?«

»Pferde? In dieser Gegend gibt's keine Pferde.«

»Kennen Sie jemanden, der diese Methode benutzt hat?«, fragte Winter.

Smedsberg antwortete nicht sofort, er schien die Antwort im Kaffeebecher zu suchen und schaute auf. Er ließ den Blick durch den Raum schweifen, zum Fenster, aber Regen verwehrte die Aussicht.

»Irgendwo, wo Gustav es gesehen haben kann?«, fuhr Winter fort.

»Haben Sie ihn nicht gefragt?«

»Nicht direkt«, antwortete Winter, aber das stimmte nicht ganz. Gustav Smedsberg konnte sich nicht erinnern, hatte er behauptet. »Die Frage ist erst jetzt richtig aktuell geworden.«

»Sie meinen, die Frage ist heißer geworden?« Ein Lächeln glitzerte in Smedsbergs linkem Auge. Ein Bauer mit Humor, schwarz wie sein Kaffee und die Nacht, die in einigen Stunden kommen würde.

»Sie haben also noch nie so ein Eisen gesehen?«, fragte Winter.

»Hm ... es gibt einen Hof in der Nachbargemeinde.« Smedsberg sah Winter in die Augen. »Ich bin nicht von hier, aber meine Gerda kommt aus der Gemeinde. Als ihre Eltern noch lebten, waren wir ja manchmal dort.«

Er kratzte sich wieder am Kinn, dann an der Stirn, wie um seine Erinnerung zu massieren.

»Es gab da einen Hof ... ich weiß nicht, ob es ihn noch gibt. Der Bauer war ein bisschen sonderbar. Er hatte seine eigenen Methoden.« Smedsberg massierte kräftiger. »Es war im Nachbardorf. Wir hatten da mal was zu erledigen, und ich glaube, er ... er kennzeichnete einige Tiere auf die Art. Wenn ich richtig drüber nachdenke.« Er kam zurück aus seinen Erinnerungen und schaute die beiden an. »Ich erinnere mich tatsächlich noch an den Geruch. Auch an ein Geräusch. Ja. Als wir zurückfuhren, hab ich Gerda danach gefragt, und sie sagte ... sie sagte, dass er seine Tiere mit einem Brandeisen gekennzeichnet hat.«

»Mit dieser Nummer von der Genossenschaft?«, fragte Ringmar.

»Nein ... er hatte seine eigenen. Ich erinnere mich, dass ich Gerda gefragt habe, und sie wusste das.«

»Sie haben ein gutes Gedächtnis, Herr Smedsberg«, sagte Winter.

»Es ist ... der Geruch«, sagte er. »Komisch, nicht? Man nimmt einen Geruch wahr und erinnert sich plötzlich an ganz viel.«

Die Erinnerung öffnet ihre Tore weit, dachte Winter.

»Wie hieß der Bauer mit den eigenen Methoden?«

»Daran kann ich mich nicht erinnern, beim besten Willen nicht.« Smedsberg schien zu glucksen. »Irgendwo gibt's ja auch Grenzen.«

»Erinnern Sie sich denn, wo der Hof lag? Oder liegt?«

»In der Nachbargemeinde also.«

»Könnten Sie uns die Stelle zeigen?«, fragte Ringmar.

»Jetzt gleich?«

»Ist es weit?«

»Ja ... über vierzig Kilometer, glaub ich. Hängt davon ab, welchen Weg man nimmt.«

»Hätten Sie Zeit, es uns jetzt zu zeigen? Wir können sofort losfahren. Hinterher bringen wir Sie auch wieder nach Hause.«

Smedsberg zog eine andere Hose an. Zögernd stieg er in Winters Mercedes. Winter sah den Escort, der neben dem größeren Stall still vor sich hin rostete.

Durch die Felder führte ein schnurgerader Weg. Schwarze Vögel kreisten über ihnen, folgten ihnen wie Seevögel einem Schiff. Das Licht versank wieder, versank in der Erde und über den verstreuten Höfen, hinter deren Fenstern Licht aufflammte. Sie fuhren durch ein kleines Dorf mit einer grauen Kirche und einem Hof daneben, auf dem viele Autos parkten.

»Adventskaffee«, sagte Smedsberg.

Sie begegneten zwei reitenden Mädchen, die Pferde waren groß wie Häuser. Es gab also doch Pferde hier. Winter fuhr so nah an den Wegrand, wie er sich in dem lockeren Schotter traute, und die Mädchen winkten. Im Rückspiegel wirkten die Pferde noch größer. Hier draußen herrschte eine andere Art Leben.

»Jetzt sind wir gleich da«, sagte Smedsberg.

Er dirigierte sie nach links in eine kleine Wegkreuzung. Der Straßenbelag bestand aus ungleichmäßig fleckigem Ölschotter, der schon die beiden letzten Weltkriege miterlebt zu haben schien. Die Felder waren von windschiefen Zäunen umgeben, als wäre die Gegend verlassen. Was ja auch stimmt, dachte Winter. Sie kamen an zwei aufgelassenen Höfen vorbei.

»Hier ziehen die Leute weg«, sagte Smedsberg wie um Winters Gedanken zu kommentieren. »Früher gab es auf diesen beiden Höfen viele Kinder.«

Sie erreichten eine weitere Kreuzung.

»Links«, sagte Smedsberg wieder. Es war ein Schotterweg. Smedsberg zeigte auf ein Holzhaus, das im letzten Tageslicht rot leuchtete, eine Scheune, eine kleinere Hütte, ein Zaun. In den Fenstern brannte kein Licht.

»Die Kinder ihres Bruders benutzen es als Sommerhaus, aber sie sind nicht oft hier«, sagte Smedsberg. »Jetzt sind sie ja auch nicht da.«

Der Wald wurde größer und dichter. Sie kamen zu einer Lichtung, mehr Wald, wieder eine Lichtung. Ein düsteres kleines Blockhaus am Weg.

»Früher ist das mal eine Art Dorfladen gewesen«, sagte Smedsberg.

»Die Gegend ist wahrhaftig entvölkert«, sagte Ringmar.

Plötzlich öffnete sich der Wald, und sie fuhren über ein Feld, das nach dem Schwarz der Bäume, die hinter ihnen lagen, unendlich wirkte. Auf der anderen Seite stand ein großes Haus, fünfzig Meter abseits vom Weg.

»Da ist es«, sagte Smedsberg. »Das war das Haus.«

Hinter den Fenstern brannte Licht.

23

Wie sollen wir es erklären?«, fragte Ringmar, als sie auf das Haus zugingen. Smedsberg war auf ihren Wunsch im Auto sitzen geblieben.

»Wir brauchen überhaupt nichts zu erklären«, sagte Winter.

Die Winde wirbelten ums Haus. In der Ferne konnte Winter ein einziges Licht sehen, wie ein Leuchtfeuer am Rand der Ebene. Es wurde rasch dunkler. Es schien auch kühler geworden zu sein, als ob der Winter nun doch Einzug hielte. Wenn er in einem Monat wieder hierher käme, würde es vielleicht rundum weiß sein und wirklich wie ein Meer aussehen. Dann würde es noch schwerer werden, Himmel und Erde zu unterscheiden.

Als er die Hand hob, um an die Tür zu klopfen, spürte er, dass er wiederkommen würde. Dieses Gefühl war unerklärlich. Er kannte es, und es hatte ihn schon früher tief in die Dunkelheit geführt. Es war eine Vorahnung, die Entsetzliches ankündigte. War es erst einmal da, dann verschwand es nicht wieder.

Alles hängt zusammen.

Er stand mit erhobener Hand da. Der wirbelnde Wind, ein verirrtes Sausen in den Ohren. Aus dem Fenster linker Hand fiel ein dünnes Licht. Herber Duft nach Erde. Sein eigener Atem wie Rauchsignale, Bertils Atem. Noch ein Geruch, unbestimmbar. Er dachte an ein Kind, das schaukelt, er sah es. Das Kind wandte ihm das Gesicht zu und lachte, es war Elsa. Eine Hand versetzte der Schaukel einen Schubs, und da war noch ein anderes Gesicht, das sich ihm zuwandte. Das war nicht er, nicht er selber. Er kannte es nicht.

»Wolltest du nicht klopfen?«, sagte Ringmar.

Nachdem er dreimal gegen die Tür gehämmert hatte, rührte sich da drinnen etwas, und eine Stimme sagte: »Wer ist da?«

Ringmar und Winter sahen sich an. Zwei durchgedrehte Kommissare in teuren Mänteln hämmern an die Tür eines einsamen Hauses mitten im Nirgendwo. Auf dem Rücksitz unseres Autos sitzt ein Hillbilly, der uns mit seiner Räuberpistole hierher gelockt hat. Hinter der Tür wartet sein psychopathischer Bruder mit dem Elchstutzen. Unsere Körper werden im Schweinemist versinken und nie wieder auftauchen. Mit unseren Mänteln werden sich die Brüder auf ihren Traktoren wärmen.

You've got me covered, Erik?

Uh ... sorry, no, Bertil Boy.

»Polizei«, sagte Winter. »Dürfen wir reinkommen und ein paar Fragen stellen?«

»Wonach?«

Die Stimme klang rau und schwankte in der Tonlage, die Stimme eines alten Mannes.

»Dürfen wir reinkommen?«, wiederholte Winter.

»Wie soll ich wissen, dass ihr keine Diebe seid?«, sagte die Stimme, gedämpft durch die Tür, die morsch wirkte, aber massiv.

»Ich hab meinen Ausweis in der Hand«, sagte Winter.

Sie hörten ein Gemurmel und das metallische Klirren des Riegels. Die Tür wurde geöffnet, und dort drinnen erschien die Silhouette des Mannes, beleuchtet von einem funzligen Licht, das aus dem Vorraum oder der Küche kommen mochte. Winter streckte dem Mann seinen Ausweis hin. Der Mann schob sein Gesicht vor und prüfte mit zusammengekniffenen Augen Foto und Text, sah Winter schließlich an und nickte zu Ringmar.

»Und wer ist der da?«

Ringmar stellte sich vor und zeigte seinen Ausweis.

»Um was geht es?« Der Mann war leicht gebeugt, aber nicht klein, kurz geschoren, und trug ein schmutzig-weißes Hemd,

Hosenträger, eine Hose von unbestimmbarem Fabrikat und derbe Socken. Von Kopf bis Fuß klassischer ländlicher Stil. Winter nahm den Geruch von Feuer und Asche wahr und von Essen, das gerade eben zubereitet worden war. Schweinefleisch. Im Vorraum herrschte eine feuchte Kühle, und die kam nicht nur von draußen.

»Wir haben bloß ein paar Fragen«, wiederholte Winter.

»Haben Sie sich verirrt?«, fragte der Mann. Er schien zur Decke zu zeigen. »Die Landstraße ist in der Richtung.«

»Wir suchen nach einer Person«, sagte Winter. Es war am besten, damit zu beginnen.

»Große Suchaktion?«

»Nein, wir sind allein unterwegs.«

»Wie war Ihr Name?«, fragte Ringmar.

»Ich heiße Carlström«, antwortete der Mann, ohne ihnen die Hand zu reichen. »Natanael Carlström.«

»Können wir uns einen Augenblick setzen, Herr Carlström?«

Er gab einen Seufzer von sich und führte sie in die Küche, die an Georg Smedsbergs Küche erinnerte, nur ein wenig kleiner und dunkler war und entschieden dreckiger. Winter dachte an Smedsberg da draußen auf dem Rücksitz in dem kälter werdenden Auto, und es tat ihm Leid, dass sie ihn dort zurückgelassen hatten. Sie mussten sich kurz fassen.

»Wir suchen nach diesem Jungen.« Ringmar reichte Carlström das Foto von Aris Kaite. Es war ein einfaches Foto, vermutlich in einem Automaten aufgenommen. Kaites Gesicht sah rußig aus vor der schäbigen Wand. Trotzdem hatte er sich die Mühe gemacht, es zu vergrößern, und es gerahmt in seinem Zimmer aufgehängt, hatte Winter gedacht.

»Dann müsst ihr aber schnell suchen, es wird bald dunkel und dann könnt ihr ihn nicht mehr sehen«, sagte Carlström, und das Seufzen wurde durch einen rasselnden Atemzug ersetzt, das ein Lachen sein konnte.

»Haben Sie ihn nicht gesehen?«, fragte Winter.

»Einen Neger hier auf dem Land? Das wär mal was.«

»Hat er sich hier nicht blicken lassen?«

»Nie. Wer ist das?«

»Sie kennen auch niemanden, der mit ihm gesprochen hat?«, fragte Winter.

»Wer sollte das sein?«

»Ich frage Sie.«

»Hier gibt es niemand anders«, sagte Carlström. »Das haben Sie doch gesehen. Haben Sie bewohnte Häuser in der Umgebung gesehen?«

»Sie haben also mit niemandem über einen Fremden in der Gegend gesprochen?«

»Die einzigen Fremden, die ich seit langem gesehen habe, seid ihr Kommissare«, sagte Carlström.

»Kennen Sie Gustav Smedsberg?«, fragte Ringmar.

»Was?«

»Kennen Sie jemanden mit Namen Gustav Smedsberg?«

»Nein.«

»Seine Mutter ist in der Gegend aufgewachsen«, sagte Winter. Er hatte Smedsberg nicht nach ihrem Mädchennamen gefragt. »Sie war mit Georg Smedsberg aus der Nachbargemeinde verheiratet.«

»Nie gehört«, sagte Carlström.

»Der Sohn von Smedsberg ist ein Bekannter von dem verschwundenen Aris Kaite«, sagte Ringmar.

»Ach?«

»Und diese beiden jungen Männer sind überfallen worden«, sagte Winter. »Deswegen sind wir hier.«

Er versuchte von dem Brandeisen zu erzählen. Sie seien neugierig, wie so ein Ding aussehen mochte, und hätten erfahren, dass er vielleicht so eins besaß. Es könnte ihnen helfen herauszufinden, ob es wirklich wichtig war.

»Wichtig wobei?«

»Ob wir davon ausgehen können, dass es als Waffe benutzt wurde.«

Carlström sah aus, als zweifle er sehr daran.

»Wer hat gesagt, dass ich Tiere mit dem Eisen kennzeichne?«

»Wir haben uns ein wenig in der Gegend umgehört …«

»War es Smedsberg?«

Meint er den Jüngeren oder den Älteren? Ringmar und Winter sahen einander an. Er erinnerte sich an den Namen, den er angeblich nie zuvor gehört hatte.

»Georg Smedsberg meinte sich zu erinnern, dass Sie vor langer Zeit so ein Eisen benutzt haben«, sagte Winter.

»Ist er draußen im Auto?«

Der Alte sieht mehr als man glaubt. Winter hätte sich fast umgedreht und nachgeschaut, ob Smedsbergs Silhouette im Auto zu erkennen war.

»Warum kommt er nicht rein?«

»Er hat uns nur den Weg gezeigt«, sagte Winter.

Carlström murmelte etwas, das sie nicht verstanden.

»Wie bitte?«, fragte Winter.

»Ja, es kann schon sein«, sagte Carlström.

»Was?«, fragte Winter.

»Dass ich ein paar Gäule mit dem Brandeisen gekennzeichnet habe.« Er sah auf, Winter geradewegs an. »Das war nicht erlaubt. Aber niemand hat damals was gesagt.«

»Nein, nein, darum geht es nicht, wir wollten nur sehen, wie ...«

»Ich hab keins mehr«, sagte Carlström. »Ich hab mal zwei gehabt, aber die sind weg.«

»Haben Sie sie verkauft?«

»Das eine hab ich vor fünfundzwanzig Jahren an einen Auktionator verkauft, vielleicht kriegen Sie raus, wo es geblieben ist.« In seinem einen Auge blitzte es auf, als ob ihn der Gedanke amüsierte.

»Und das andere?«

»Geklaut.«

»Geklaut?«, sagte Winter. »Ist es gestohlen worden?«

»In diesem Herbst«, antwortete Carlström. »Deswegen war ich eben an der Tür ein bisschen vorsichtig. Ich wollte Sie gleich fragen, ob Sie deswegen gekommen sind, aber dann dachte ich, ich muss vorsichtig sein.«

»Wie ist das passiert?«, fragte Ringmar. »Der Diebstahl?«

»Ich weiß es nicht. An einem frühen Morgen bin ich rausgegangen, und da war das Eisen verschwunden.«

»Noch mehr Werkzeug?«

»Einiges, altes und neues.«

»Wann genau ist es passiert?«

»Im Herbst, wie schon gesagt.«

»Wissen Sie genau, wann?«

»Das weiß ich ... nicht. Ich wollte an dem Tag ins Dorf, glaub ich, und das passiert nicht alle Tage ...«

Sie warteten.

»Ich bin nicht sicher«, sagte Carlström. »Darüber muss ich nachdenken.«

»Ist vorher bei Ihnen schon mal eingebrochen worden?«

»Noch nie.«

»Haben Sie den Einbruch angezeigt?«

»Wegen der ollen Werkzeuge?« Carlström sah erstaunt aus, vielleicht auch nur gelangweilt.

»Wie viel war es?«

»Nicht viel.«

»Wissen Sie es genau?«

»Wollen Sie eine Liste haben?«

»Nein«, sagte Winter. »das ist noch nicht nötig.« Ringmar sah ihn an, sagte aber nichts.

»Haben Sie gehört, ob noch jemand bestohlen wurde?«, fragte Ringmar.

»Nein«, antwortete Carlström.

Wir müssen wahrscheinlich die Nachbarn überprüfen, dachte Winter. Das Problem ist bloß, es gibt keine Nachbarn.

»Wohnen Sie allein hier, Herr Carlström?«

»Das sehen Sie doch.«

»Man kann ja nie wissen«, sagte Ringmar.

»Ganz allein.«

»Haben Sie Kinder?«

»Wie bitte?«

»Haben Sie Kinder?«, wiederholte Winter.

»Nein.«

»Sind Sie verheiratet gewesen?«

»Nie. Warum fragen Sie danach?«

»Dann bedanken wir uns, dass Sie sich Zeit für uns genommen haben, Herr Carlström«, sagte Winter und erhob sich.

»Sind Sie mit Fragen fertig?«

»Vielen Dank«, sagte Winter. »Wenn Sie etwas über den

Verbleib Ihres Werkzeugs hören, nehmen Sie doch bitte Kontakt zu uns auf.« Er reichte Carlström seine Visitenkarte. »Da steht meine Nummer.«

Carlström nahm sie entgegen, als handle es sich um tausend Jahre altes Porzellan.

»Ganz besonders, wenn Sie etwas über dieses Brandeisen erfahren«, fügte Winter hinzu.

Carlström nickte. Dann stellte Winter seine letzte Frage, die er bis jetzt aufgespart hatte.

»Haben Sie übrigens einen Abdruck von diesem Zeichen?«, fragte er in beiläufigem Ton. »Dieses Namenszeichen, oder war es eine Ziffernkombination?«

»Wie meinen Sie?«

»Wie sah Ihr Zeichen aus?«, fragte Winter.

»Hab keinen Abdruck, falls Sie einen sehen wollten«, sagte Carlström.

»Aber Sie erinnern sich doch bestimmt, wie es ausgesehen hat?«

»Na klar.«

»Könnten Sie es vielleicht für uns aufzeichnen?«

»Warum?«

»Falls es wieder auftaucht.«

»Wenn es wieder auftaucht, dann hier«, sagte Carlström.

»Könnten Sie uns trotzdem helfen?«, fragte Ringmar. »Dann könnten wir Ihr Brandeisen gleich ausschließen, falls wir eins finden, das bei den Überfällen benutzt wurde.«

»Warum zum Teufel hätte gerade meins benutzt werden sollen?«

»Das wissen wir nicht«, sagte Winter, »und wir glauben es eigentlich auch nicht. Es wäre uns aber trotzdem eine Hilfe.«

»Ja, ja«, sagte Carlström, »es ist ein Viereck mit einem Kreis in der Mitte und einem C in dem Kreis.« Er sah Winter an. »C steht für Carlström.«

»Könnten Sie es uns bitte aufzeichnen?«

Carlström gab wieder diesen seltsamen Seufzer von sich, stand auf und ging wortlos hinaus. Nach einer Minute kam er mit einer Skizze zurück, die er Ringmar gab.

»War das schon lange Ihr Zeichen?«, fragte Ringmar.

»So lange ich mich erinnern kann. Das hat schon mein Vater benutzt.«

»Vielen Dank noch mal für Ihre Hilfe«, sagte Winter.

Sie verließen das Haus und blieben draußen auf der Treppe stehen. Die Dunkelheit war jetzt dicht, der Himmel sternenlos, und es schien auch kein Mond. Das einzige Licht, das Winter sehen konnte, war das Leuchtfeuer am Horizont, das jetzt stärker war.

»Was ist das da hinten?«, fragte er und zeigte auf den Schein. »Das Licht.«

»Fernsehmast«, sagte Carlström. »Radio, Fernsehen, Computer, was weiß ich. Das gibt's schon eine ganze Weile.«

»Nochmals danke«, sagte Ringmar, und sie gingen zurück zum Auto. Carlström blieb auf der Treppe stehen, eine gebeugte Silhouette.

»Frieren Sie?«, fragte Winter, während er das Auto startete.

»Nein, es hat ja nicht lange gedauert«, antwortete Smedsberg aus der Dunkelheit.

»Aber länger als wir gedacht haben.«

Winter wendete das Auto und fuhr zur nächstgrößeren Landstraße.

»Sind wir lange genug auf der Treppe stehen geblieben, sodass Sie ihn erkennen konnten?«, fragte Winter, als er nach rechts abgebogen war.

»Es sind ja einige Jahre vergangen, aber ich hab ihn ein paarmal gesehen«, antwortete Smedsberg. »Während ich hier saß, ist mir außerdem sein Name wieder eingefallen. Carlström, Natanael Carlström. An so einen Namen sollte man sich wirklich erinnern.«

»Ist er religiös?«, fragte Ringmar. »Oder mehr noch seine Eltern?«

»Das weiß ich nicht«, sagte Smedsberg. »Aber früher gab es viele Gottesfürchtige in dieser Gegend, unmöglich ist es also nicht.«

Sie schwiegen. Es war dunkel, der Weg war schmal, und rechts und links wurden Bäume von den starken Scheinwerfern angeleuchtet. Düstere Häuser tauchten auf und verschwanden wieder, aber es mochten andere sein als die, an denen sie nachmittags vorbeigefahren waren.

Sie kamen ins flache Land, vereinzelte Lichter flackerten wie an der Erde festgezurrt. Noch eine Kreuzung. Keine entgegenkommenden Autos.

»Er hatte mal einen Jungen«, sagte Smedsberg plötzlich vom dunklen Rücksitz.

»Wie bitte?« Winter bog nach links zu Smedsbergs Hof ab.

»Carlström, er hatte ein paar Jahre einen Jungen auf dem Hof, fällt mir gerade ein. Das gehört wahrscheinlich nicht hierher, aber in dem Augenblick, als wir abbogen, ist es mir eingefallen.«

»Was meinen Sie mit ›einige Jahre‹?«, fragte Ringmar.

»Ein Pflegekind. Bei ihm hat ein Pflegesohn gelebt. Ich hab ihn nie gesehen, aber Gerda hat einige Male von ihm erzählt.«

»War sie da ganz sicher?«, fragte Ringmar.

»Sie hat es gesagt.«

Keine Kinder, dachte Winter. Carlström hatte auf die Frage, ob er Kinder hatte, mit Nein geantwortet, aber ein Pflegekind zählte vielleicht nicht.

»Sie hat erzählt, er war nicht gut zu dem Jungen«, sagte Smedsberg. Sie waren angekommen. Das Smedsberg-Haus lag dunkel da. »Der Alte hat den Jungen gequält, und als er groß war, ist er wohl nie zurückgekommen.«

»Wie hieß er?«, fragte Ringmar. »Der Junge?«

»Das hat sie nie erzählt. Wahrscheinlich wusste sie es nicht.«

Sie fuhren nach Hause, die Straßen wurden wieder breiter.

»Interessant«, sagte Ringmar.

»Es ist eine andere Welt«, sagte Winter.

Eine Weile schwiegen sie. Es war überraschend, plötzlich die erleuchteten Häuser, Orte und Städte vorbeifliegen zu sehen, Autos zu begegnen, Laster. Eine andere Welt.

»Der Alte hat gelogen«, sagte Ringmar.

»Meinst du Carlström?«

»Ja.«

»Das ist die Untertreibung des Tages.«

»Er hat gelogen, dass sich die Balken biegen.«

»Jetzt kommst du der Wahrheit näher«, sagte Winter, und Ringmar lachte.

»Aber lustig ist das nicht«, sagte er.

»*No good vibrations* da draußen«, sagte Winter.

»Dort gibt es ein Geheimnis«, sagte Ringmar. »Vielleicht mehrere.«

»Wir müssen eventuelle Diebstähle in der Gegend überprüfen.«

»Aber ist es den Aufwand wert?«, fragte Ringmar. Sie näherten sich der Stadt. Der Himmel leuchtete feuergelb am Horizont, wie von unten angeleuchtet.

»Ja«, antwortete Winter. Er hatte das Gefühl nicht vergessen, das er gehabt hatte, als er gegen die Tür des Alten klopfte. Dort gab es ein Geheimnis. Er hatte es gespürt. Er hatte eine Finsternis empfunden, die tiefer als der Himmel war, der rund um das große Haus auf die Erde fiel.

24

Sie waren wieder in der Stadt. Winter nahm immer noch den Geruch von verrottender Natur wahr, der im Auto hängen geblieben war. Wenn er Glück hatte, würde er ihn bis hinauf zu Angela und Elsa begleiten. Oder Pech: Angela würde wieder vom Haus auf dem Lande anfangen. Vielleicht hatte sie Recht.

Aus dem CD-Spieler erklang Coltranes Saxophon. In Höhe des Gasometers fuhr ein Pick-up mit einem Mann am Steuer vorbei, der eine Wichtelmütze trug. Coltrane versank in seinem Solo, Vibrationen gingen durch den Mercedes und durch Winters Kopf. Noch eine Person mit Wichtelmütze fuhr vorbei.

»Was zum Teufel hat das zu bedeuten?«, fragte Ringmar.

»Parade der Wichtelmänner«, sagte Winter.

»Hast du keine Weihnachtslieder?«, fragte Ringmar und nickte zum CD-Spieler.

»Sing mit, wenn du willst«, antwortete Winter, »improvisier den Text einfach.«

»Morgen kommt der Weihnachtsmann«, sang Ringmar zu Traneing In, »kommt mit seinen Gaben.«

Er verstummte.

»Was ist los?«, fragte Winter.

»Mir ist gerade nicht ganz klar, was wir hier machen«, sagte Ringmar.

»Im Augenblick sitzen wir in meinem Auto und du singst Weihnachtslieder«, sagte Winter.

»Aber es ist doch noch gar nicht Weihnachten«, sagte Ringmar.

Winter hielt bei Rot. Die Oper leuchtete in der untergehenden Sonne. Der Fluss dahinter spiegelte funkelnd die rotscheinende Fassade. Gut gekleidete Menschen an den Fußgängerüberwegen vor ihm waren auf dem Weg in eine Oper, deren Namen er nicht kannte. Nicht seine Musik.

»Das wird kein lustiges Weihnachten«, sagte Ringmar leise, als sie weiterfuhren.

Winter warf ihm einen raschen Blick zu. Ringmar starrte geradeaus, als warte er auf mehr Wichtelmänner, die ihn auf bessere Gedanken bringen würden.

»Denkst du an Martin?«

»Was sonst?« Ringmar schaute übers Wasser, das den Glanz der Oper verloren hatte und jetzt die toten Werftkräne spiegelte, die auf der anderen Seite wie Skelette aufragten. »Man ist ja schließlich auch nur ein Mensch.«

»Ich werde mit Moa reden«, sagte Winter. »Das hab ich ja versprochen, und jetzt ist es so weit.«

»Lass es«, sagte Ringmar.

»Ich meine, ich werde indirekt mit Martin reden. Zuerst mit Moa und dann vielleicht mit Martin.«

»Das geht nur ihn und mich etwas an, Erik. Manchmal liege ich wach und denke über einzelne Ereignisse nach, die dazu beigetragen haben könnten, dass alles so gekommen ist«, sagte Ringmar. »Wann ist es passiert? Was hat es ausgelöst? Was hab ich getan?«

Winter wartete auf die Fortsetzung. Er bog von der Schnellstraße ab, um Ringmar nach Hause zu bringen. Der Mariaplan hatte das Flair eines Kleinstadtmarktplatzes. Jugendliche lungerten um die Wurstbude herum. Straßenbahnen kamen und fuhren ab. Die Apotheke lag da wie immer, der Fotoladen, die Buchhandlung, bei der er auf dem Weg nach Långedrag halten und spontan Bücher für Lotta und ihre Töchter kaufen könnte.

Das war Winters Marktplatz gewesen während seiner Kinder- und Jugendjahre in Hagen, er war aufgewachsen im selben Haus, in dem jetzt seine Schwester mit ihren Töchtern wohnte.

»Ich finde es nicht«, fuhr Ringmar fort, »das Ereignis.«

»Weil es dieses Ereignis nicht gibt«, sagte Winter. »Das hat es nie gegeben.«

»Ich glaube, du irrst. Es gibt immer etwas. Ein Kind vergisst nicht, oder ein Jugendlicher. Der Erwachsene kann vergessen oder das Erlebnis ganz anders interpretieren als es war. Jedenfalls in den Augen des Kindes.«

Winter dachte an sein eigenes Kind. Die Jahre, die vor ihnen lagen. Die möglichen Ereignisse.

Sie fuhren vor Ringmars Haus vor. Es erstrahlte unter der Weihnachtsbeleuchtung des Nachbarn, genau wie der Fluss im Glanz der Oper gefunkelt hatte.

Ringmar sah Winter an, dessen Gesicht wie von einem Scheinwerfer bestrahlt wurde.

»Ist das nicht schön?«, fragte er mit einem dünnen Lächeln.

»Sehr schön. Und jetzt weiß ich auch, warum du nachts wach liegst.«

Ringmar lachte auf.

»Kennst du ihn gut?«, fragte Winter.

»Nicht gut genug, um mit der SigSauer in seinen Garten zu gehen und für Dunkelheit zu sorgen und sicher zu sein, dass er es auch versteht.«

»Soll ich das für dich tun?«

»Du musst schon genug für mich tun«, sagte Ringmar und stieg aus dem Auto. »Bis morgen.« Er wedelte mit der Faust und ging den Gartenweg hinauf, der von dem funkelnden Wald des Nachbarhauses beleuchtet wurde. Hier kriegt man jede Lichttherapie, die man braucht, dachte Winter. Lichttherapie. Noch zehn Tage oder so, und sie würden in dem spanischen Garten mit den drei Palmen sitzen, unter dem Weißen Berg, und der rhythmischen Musik seiner Mutter lauschen, die den zweiten Tanquery & Tonic des Nachmittags an der Bar mixte. Einige Tapas auf dem Tisch, *gambas a la planche* und *jamón serrano*, ein Teller mit *boquerones fritos*, vielleicht *un fino* für Angela und vielleicht auch einer für ihn. Eine kleine Wolke im Augenwinkel, aber nichts, weswegen man sich Sorgen machen müsste.

In der besten aller Welten, dachte er und fuhr am Schlosswaldgraben vorbei. Ich weiß nicht, ob sie hier ist, gerade jetzt.

Ich muss erst im Flugzeug sitzen, bevor ich überhaupt was glaube.

Er bog auf die Schnellstraße ein. Heute Vormittag war er in die entgegengesetzte Richtung gefahren, Himmel, es war erst heute Vormittag gewesen, als er und Halders schweigend in die Fahrtrichtung gestarrt hatten.

»Wie geht es dir, Fredrik?«

»Besser als letztes Jahr Weihnachten. Das war nicht lustig.«

Winter hatte bemerkt, dass Bertil dasselbe Wort benutzt hatte: lustig. Ja, vielleicht. Wenn alles gut war, war es lustig.

Letztes Jahr Weihnachten hatte Fredrik Halders zusammen mit seinen beiden Kindern, Hannes und Magda, verbracht, ein halbes Jahr, nachdem Margareta überfahren worden war.

An jenem Heiligabend war Aneta Djanali einige Stunden bei Halders gewesen. Winter hatte nie mit Fredrik darüber gesprochen, aber Aneta hatte ihn, Winter, vor einem Jahr, an einem Herbsttag besucht. Sie war nicht gekommen, um sich seinen Segen abzuholen, aber sie wollte trotzdem mit ihm reden.

Sie hatten sich damals lange unterhalten. Er war froh, sie in dem Team zu haben, mit dem er am engsten zusammenarbeitete. Er war froh, Fredrik Halders zu haben, und er glaubte, Aneta und Fredrik waren froh, einander zu haben.

»Seid ihr dieses Jahr zu Hause?« Winter war durch den neuen Kreisverkehr östlich vom Frölunda Torg gefahren. Der Verkehr war ruhig, eine Atempause.

»Wie bitte?«

»Feiert ihr Weihnachten in Göteborg?«

Halders hatte nicht geantwortet. Vielleicht hatte er es nicht gehört oder nicht hören wollen.

Sie waren an der Meeresvegetation entlanggefahren, die in Gelb und Braun erstarrt war, Schilfdickicht wie struppige Linien. Auf der Suche nach Nahrung waren Vögel darüber gekreist. Auf den Feldern und Straßen waren nicht viele Menschen gewesen. Viele Autos waren ihnen auch nicht begegnet.

Später am selben Tag würde Winter diese Landschaft mit der durchsichtigen Einsamkeit vor der Stadt vergleichen, dort, wo das Land flach war.

»Hast du schon einen Tannenbaum?«, hatte Halders plötzlich gefragt.

»Nein.«

»Ich auch nicht. Es kommt mir dieses Jahr vor wie ein Riesenangang.« Er hatte aufgeschaut. »Aber die Kinder wollen natürlich einen Baum.«

»Elsa auch«, hatte Winter gesagt.

»Und du? Und Angela?«

»Einen kleinen vielleicht. Sie nadeln so schrecklich«, hatte Halder gesagt. »Ich erwische immer Tannen, die nadeln wie der Teufel. Am zweiten Weihnachtstag haben wir einen grünen Teppich im Wohnzimmer.«

»Hast du gestern Lazio-Anhänger gesehen?«, hatte Winter gefragt und war oberhalb der Anleger nach rechts abgebogen. Die Häuser wirkten wie aus den Klippen gehauen. Es war lange her, seit er zuletzt hier gewesen war.

»Nein, aber ich hab Roma gesehen.«

Winter hatte gelächelt.

»Lazio ist eine alte faschistische Gruppe mit neofaschistischem Applaus«, hatte Halders gesagt. »Von mir aus können sie zur Hölle fahren.«

»Hier ist es«, hatte Winter gesagt. Das Doppelhaus war das vorletzte in einer Sackgasse. Auf dem Grundstück stand ein Tannenbaum mit Lichterkette. Die Lichter waren nicht angezündet. Gleich dahinter ragte der Berg auf. Bergort, hatte Halders gesagt, als sie nach Önnered gekommen waren. Ha, ha, der Name passt.

»Das rechte Haus«, hatte Winter gesagt.

»Sieht ja wahnsinnig nett aus. Ist der liebe Papa denn schon zu Hause?«

»Nun mal ganz ruhig, Fredrik.«

»Was meinst du? Ich kann der *good cop* sein und du der *bad*.«

Magnus Bergort hatte sie mit einem herzlichen, festen Händedruck begrüßt. In seinen Augen war ein neugieriges Vertrauen gewesen, als ob er sich auf diesen Besuch gefreut hätte. Seine Augen waren blau, ein Blau von der durchsichtigen Art. Geisteskrank, hatte Halders gedacht. Bald bastelt er aus den Teilen einer Küchenmaschine eine Motorsäge her und stutzt damit seine Familie zurecht.

Bergort hatte einen schwarzen Anzug getragen, einen dunkelblauen Seidenschlips, Schuhe, die noch mehr als die Küchengeräte glänzten. Die Haare glatt und blond mit messerscharfem Mittelscheitel. *Führer*-Styling, hatte Halders gedacht und gesagt: »Vielen Dank, dass Sie sich für uns Zeit genommen haben.«

»Das geht schon in Ordnung«, hatte Bergort geantwortet, »ich muss erst gegen elf im Büro sein.«

Die Küche schien frisch geputzt zu sein und hatte schwach nach einem parfümierten Reinigungsmittel gerochen, vor dem angelehnten Fenster ein kreisender Seevogel. An den Wänden hatten Kochtöpfe, Messer und andere Küchengeräte gehangen. Glänzend.

Das Kind war im Kindergarten. Winter hatte diesen Zeitpunkt für am besten gehalten, um Bergorts aufzusuchen.

»Was ist Ihr Beruf, Herr Bergort?«, hatte Halders gefragt.

»Ich bin ... Wirtschaftler. Analytiker.«

»Und wo?«

»Äh ... bei einer Bank. SEB.« Er fuhr sich mit der Hand durchs Haar, ohne dass sich seine Frisur veränderte.

»Sie geben Leuten Ratschläge, was sie mit ihrem Geld machen sollen?«, hatte Halders gefragt.

»Nicht direkt. Ich beschäftige mich eher mit ... tja, langfristigen finanziellen Strategien der Bank.«

»Gibt es für eine Bank noch eine andere Strategie als die finanzielle?«, hatte Halders gefragt.

»Äh ... haha ... gute Frage, klar geht es um viel Geld.«

»Damit hab ich ein Problem«, hatte Halders gesagt. »Geld. Ehe man Zeit hat, sich in Ruhe hinzusetzen und seine Finanzen zu überschlagen, sind sie weg.«

»Ja ...«

»Sie haben keine Standardtipps? Was zum Teufel kann man tun, um seine Penunzen zusammenzuhalten, bevor sie sich in Nichts auflösen?«

»Öh ... ich könnt ja mal vers...«

»Na, im Augenblick ist das nicht so wichtig«, sagte Winter. »Sie müssen gleich zu Ihrem Job, und wir haben auch noch was zu tun.« Er meinte Erleichterung bei Bergort zu spüren. Na, warte. »Es geht darum, was Maja passiert ist.«

»Wirklich eine sonderbare Geschichte«, hatte Bergort unmittelbar geantwortet.

»Und wie sehen Sie die?«, hatte Winter gefragt.

Ist sich Magnus *Führer* eigentlich bewusst, worüber wir hier reden?, hatte Halders gedacht.

»Kristina hat es mir ja erzählt und wir ... tja, wir haben mit Maja gesprochen, und sie sagt, dass sie mit einem Onkel in einem Auto gesessen hat.«

»Was glauben Sie selber?«

»Ich weiß es wirklich nicht.«

»Hat das Mädchen eine lebhafte Phantasie?«, hatte Halders gefragt.

»Ja ...«, hatte Bergort geantwortet, »das haben doch alle Kinder.«

»Hat sie früher schon mal so was erzählt?«

Bergort sah seine Frau an.

»Nein«, hatte Kristina Bergort geantwortet, »so was nicht.«

»Etwas Ähnliches?«, hatte Winter gefragt.

»Dass sie einen Fremden unter ähnlichen Umständen getroffen hat?«, hatte Halders gefragt.

»Nein«, hatte Kristina Bergort geantwortet. »Und sie hat immer alles erzählt, also hätten wir es erfahren.«

Alles, hatte Halders gedacht. Sie erzählt alles.

»Sie hat einen Ball verloren, nicht wahr?«, hatte Winter gefragt.

»Ja, ihren Lieblingsball«, hatte Kristina Bergort geantwortet.

»Wann ist er verschwunden?«

»Am selben Tag ... als sie das erzählt hat.«

»Und wie hat sie den Ball verloren?«

»Sie hat gesagt, dieser Onkel wollte ihn ihr vom Auto aus zuwerfen. Aber das hat er nicht getan.«

»Was hat er denn getan?«

»Ist einfach damit weggefahren, soweit ich das verstanden habe.«

»Was sagt sie jetzt? Redet sie noch von dem Ball?«, hatte Winter gefragt.

»Ja, fast jeden Tag. Es ist ja noch nicht lange her.«

Halders hatte auf einem Stuhl gesessen und schien aus dem Fenster zu schauen. Dann hatte er sich ihr zugewandt.

»Sie haben gleich beschlossen, zum Frölunda-Krankenhaus zu fahren.«

»Ja?«

»Was hat Sie zu diesem Entschluss bewogen?«

Er hatte gesehen, wie sie ihrem Mann einen hastigen Blick zuwarf, Magnus *Heydrich*, der in Habtachtstellung an der Tür stand. *Heydrich* hatte sich kein einziges Mal während des Gesprächs hingesetzt und mehrere Male auf die Uhr geschaut.

»Wir hielten es für das Beste«, hatte der Mann gesagt.

»Schien sie verletzt zu sein?«

»Nicht ... soweit wir sehen konnten.«

»Hat sie gesagt, dass jemand sie geschlagen hat?«

»Nein«, hatte Kristina Bergort geantwortet.

»Sie wissen, dass wir an einem Fall arbeiten, bei dem ein Fremder ein Kind mitgenommen und verletzt hat?«

»Ja. Sie haben es erwähnt, als Sie gestern angerufen haben«, hatte Kristina Bergort gesagt.

»Ich hab nichts davon gehört«, hatte Magnus Bergort eingeworfen, »oder darüber gelesen.«

»Es hat in der Zeitung gestanden, aber nicht, was genau passiert ist. Sie verstehen? Dies ist eine vertrauliche Unterredung. Wir haben mit einem anderen Elternpaar gesprochen, das etwas ... Ähnliches erlebt hat.«

»Was bedeutet das?«, hatte Kristina Bergort gefragt.

»Wir wissen es noch nicht. Darum fragen wir ja.«

»Hatte Maja Verletzungen?«, war Halders Winter fast ins Wort gefallen.

»Nein ...«, hatte Kristina Bergort geantwortet.

»Hatte sie nicht ein paar blaue Flecken?«

»Woher wissen Sie das? Wenn Sie es wussten, brauchten Sie doch nicht zu fragen.«

»Die Polizeiinspektorin, die mit Ihnen im Krankenhaus war,

hat es uns erzählt. Aber wir möchten gern hören, was Sie selber dazu zu sagen haben.«

»Glauben Sie, dass das nichts mit der Begegnung mit diesem ... Fremden zu tun hat?«, hatte Winter gefragt.

»Ja.«

»Wieso sind Sie da so sicher?«

»Ich hab doch gesagt, es war die Schaukel.« Sie war mit Mühe auf ihrem Stuhl sitzen geblieben. »Das hab ich doch gesagt.« Sie hatte ihrem Mann einen Blick zugeworfen, der hatte genickt und noch einmal auf die Uhr geschaut. Er stand immer noch an der Tür, wie ein Zinnsoldat im Anzug. »Sie ist von der Schaukel gefallen.« Kristina Bergort hatte ihre Hand wieder erhoben. »Gefallen!«

Hier stimmt entschieden etwas nicht, hatte Winter gedacht.

25

Erinnerungen, die den Schädel wie Nägel treffen. Bang, bang, bang, mitten hinein, und das sollte nicht wehtun? TAT DAS NICHT WEH!?

Auf dem flachen Land gab es keine Träume. Alles war Leere und Wind. Er wollte nicht zum Himmel aufsehen, aber wohin sollte er sonst schauen, die schmutzige Glocke bedeckte alles, was es da oben und an den Seiten gab.

Hier ist es anders. Ich kann hinaussehen, ohne dass die Bilder mir den Kopf sprengen.

Er lag in seinem Bett und schaute zur Decke. Dort hatte er zwei Bilder gemalt, die die ganze Fläche bedeckten. Schaute er nach links, sah er einen strahlenden Sternenhimmel. Die Sternbilder hatte er aus der Erinnerung gemalt. Schaute er nach rechts, leuchtete die Sonne von einem blauen Himmel, der schönste Himmel, den er je gesehen hatte. Er hatte ihn selbst gemalt.

Manchmal zog er einen Vorhang vor, der an einer Schiene in der Mitte der Decke befestigt war, so konnte er von der Nacht zum Tag gehen und umgekehrt.

Er spürte einen Stoß im Kopf und noch einen. Wieder die Erinnerungen. »Das kann doch wohl nicht wehgetan haben?!« Der Schatten über ihm, ein Lachen. Mehrere Schatten, umringt von Schatten. Er sah nur Erde. Es regnete. Vor seinem Gesicht waren Stiefel. »Willst du hoch?« Ein Stiefel. »Er will hoch.«

War da noch mehr? Er konnte sich nicht erinnern.

Jetzt erhob er sich, ging in das andere Zimmer und suchte die neuen Erinnerungen hervor, die nicht schmerzten, wenn er sie berührte: das Auto, der Ball, der Schmuckanhänger und die Uhr. Er hielt die Uhr gegen das Licht der Straßenlaterne, da es dunkel im Zimmer war. Die Uhr war stehen geblieben und er versuchte sie vorsichtig aufzuziehen, aber die Zeiger bewegten sich nicht. Sie hatte damals schon gestanden, war dem Jungen vom Arm gerissen worden und gegen etwas Hartes geschlagen.

Wie war sie abgerissen worden?

Nein, nein, das waren keine guten Erinnerungen, solche Bilder wollte er nicht in seinem Kopf sehen, wo es schon so viele andere Verletzungen gab.

Der Junge hatte sich nicht so verhalten, wie er sollte. So war es, er war nicht wie die anderen gewesen, denen er Sachen gezeigt hatte und die ihn verstanden hatten und lieb gewesen waren und wollten, dass er lieb zu ihnen war. Der Junge gehörte nicht zu ihnen, und er war enttäuscht, als er es merkte. Daran konnte er denken und sich erinnern. Die Enttäuschung.

Er ließ den Schmuck durch seine Hand gleiten, rollte den Ball über den Boden, schob das Auto zwischen Sessel und Couchtisch hin und her, eine Runde um das Tischbein.

Es reichte nicht. Er ließ das Auto stehen und richtete sich auf.

Es reichte nicht.

Vor dem Fernsehschirm spürte er Erleichterung, er hielt die Sachen in der Hand, berührte sie, für einen Augenblick gab es keine Erinnerungen. Er schloss die Augen. Jetzt sah er es. Die Kinder bewegten sich hin und her, ohne zu wissen, dass sie gefilmt wurden. Wenn sie es nun gewusst hätten, wäre es anders gewesen. Nicht gut.

Er sah das Gesicht des Mädchens, der Zoom an seiner Kamera funktionierte. Sie schien geradewegs in die Kamera zu gucken, aber sie konnte es nicht wissen.

Er wusste, wo sie wohnte. Er hatte gewartet, als sie abgeholt wurde. Er mochte sie nicht. Wer waren die? Gehörte das Mädchen zu ihnen? Er glaubte es nicht. Er würde sie fragen. Er würde ... Sein Griff schloss sich fester um die Fernbedienung.

Er würde ... und er begann ein Lied zu singen, um den Gedanken daran, was er das nächste Mal tun würde, von sich fern zu halten. Es war einmal ein kleines Mädchen, tralalala, ein kleiner Junge, dadadada.

Es würde ein nächstes Mal geben, und dann würde es ... größer sein.

Dann würde er das tun, was er von Anfang an hatte tun wollen. Aber er war nicht ... mutig genug gewesen, es zu tun. Feigling! Feigling!

Man konnte einander bei der Hand halten. Das sollte reichen.

Er schloss die Augen, öffnete sie, schloss die Augen. Jetzt waren alle Kinder da, wie auf Befehl der beiden Betreuerinnen, die jeweils auf einer Seite standen wie Soldaten. Er lächelte. Wie Soldaten!

Sie schauten in seine Richtung, genau in die Kamera, die sie nicht sehen konnten. Niemand konnte sie oder ihn sehen. Er war ausgestiegen und stand verborgen im Gebüsch, genau wie alles andere in sich selbst verschwunden war zwischen Wald, Bäumen, Gras, Steinen, Felsen, allem, was es dort gab. Erde.

Die Kinder gingen, eine lange Reihe. Er folgte ihnen. Hier auf der Couch sah er, wie seine Hand zitterte, als er die Büsche verließ, da schwang ein Zweig auf das Objektiv zu.

Sie waren auf der Straße. Er war auf der Straße. Er war weit von ihnen entfernt, aber es war eine gute Kamera. Eine der Erzieherinnen drehte sich um und schaute hinein.

Er beugte sich vor. Sie schaute weiter in die Kamera. Er hatte sie etwas näher herangezoomt. Sie wandte sich wieder den Kindern zu, drehte sich aber noch einmal um.

Jetzt Häuser im Bild. Langweilige Häuser, die in den Himmel und an den Seiten wuchsen und wuchsen, im Vordergrund unscharfe Autos.

Er hatte die Kamera weggedreht, um dem Starren zu entgehen. *Ihr* Starren wollte er nicht haben. Was hatte sie dort verloren?

Weg mit den Häusern jetzt. Es gab andere Bilder. Er wusste, wo. Hinter dem Haus waren Felsen. Das Mädchen schaukelte. Niemand stand hinter ihr. Das Mädchen schaukelte höher und höher. Er folgte ihr mit der Kamera auf und ab.

Er folgte ihr mit dem Kopf. Die Schaukel, das Mädchen, die Hände, die sie von hinten anschubsten. Das sah lustig aus.

Woanders. Eine Familie, er war ihr gefolgt, bis sie kleiner und kleiner wurde und kein Zoom der Welt mehr half.

Stunden später, wer weiß schon, wie viele. Er fuhr an all den bekannten Plätzen vorbei. Alles war unverändert, aber das Licht war greller, brannte in den Augen. Tannen, als ob der Wald sich hier versammelt und eine öde Ebene hinterlassen hätte. Dann gibt es keinen Wald mehr. Nur Felder, dort entkommt man nicht. Kein Ort, wo man sich verstecken könnte.

Hier haben wir den Park und dort den. Er kannte sie so gut. Alles wurde vertraut.

»Ich hätte gern eine Monatskarte.«

Eine Frau schob ihr Gesicht herein, als wollte sie ihren fetten Körper durch das Glas und ihn auf der anderen Seite zum Fenster hinauspressen. Das würde ihn nicht wundern. Die sind doch alle gleich. Drücken, pressen ihre fetten Körper gegen mich, PRESSEN sich gegen mich, ihre großen Körper ...

»Haben Sie keine Monatskarte?«, fragte sie.

»Äh ... ja, das macht hundertzwanzig Kronen.«

»Hundertzwanzig? Im Zeitungsladen kostet sie hundert.«

Dann kauf sie doch dort, verschwinde und kauf sie da. Zeitungsladen. Er wollte sie nicht hier haben, in seinem Wagen. Sie presste. Ein Mann hinter ihr presste. Die wollten hier rein, zu ihm herein. Die wol...

»Warum soll ich hundertzwanzig dafür bezahlen?«, fragte sie.

»Weil sie hundertzwanzig kostet.«

»Aber war...«

»Ich muss jetzt fahren. Wollen Sie die Karte oder nicht? Ich muss fahren, du alte Fickfotze.«

»Wa... was haben Sie gesagt?!?«

»Ich muss jetzt fahren.«

»Wi... wie haben Sie mich genannt?«

»Ich hab Sie überhaupt nichts genannt. Ich hab gesagt, dass ich jetzt fahren muss, schließlich muss ich Vittora pünktlich erreichen.«

»Vittora?«

»Vittoragatan.«

»Viktoriagatan?«

»Vittoragatan.«

»Geben Sie mir die Monatskarte. Ich kann hier nicht länger stehen.«

»Hundertzwanzig Kronen.«

»Da.«

Endlich konnte er anfahren. Die Fickfotze war nach hinten verschwunden. Er nahm noch immer ihren Geruch wahr. Eklig, am liebsten hätte er sich übergeben. Ob sie wohl Kinder hatte? Nein, nein, nein, die nicht.

Er wollte sich gerade ins Auto setzen.

»Haben Sie eine Sekunde Zeit, Jerner?«

Die ist schon vorbei, dachte er. Ich hatte sie, aber jetzt ist sie vorbei.

Er setzte sich ins Auto ohne zu antworten.

»Jerner?«

Was will er – noch eine Sekunde? Da war sie, zum Fenster hinaus, auch sie weg.

»Stellen Sie bitte den Motor ab, Jerner. Was zum Teufel ist denn mit Ihnen los? Haben Sie nicht gehört, dass ich ein paar Worte mit Ihnen wechseln will?«

Ein paar Worte wechseln. Wogegen willst du sie einwechseln, welches Wort wollen wir zuerst wechseln? Was hältst du von Arsch …

»Sie könnten Probleme bekommen, wenn Sie mir jetzt nicht zuhören«, sagte der Mann, der immer noch vorm Fenster stand. Er hatte den Motor abgestellt. Trotzdem blieb der, der sich Chef nannte, stehen. Was wollte er, er redete. »… die Frau hat noch über ihr Handy in der Zentrale angerufen, und die hat das Gespräch an uns weitergeleitet. Sie hat gesagt, Sie haben sie angepöbelt und verwirrt gewirkt.«

Gepöbelt? Wer hatte gepöbelt?

Er fuhr los, scherte sich nicht darum, in den Rückspiegel zu schauen.

26

Winter schüttelte sich die Schuhe von den Füßen und ließ den Mantel fallen, wo er stand. Angela sah zu.

»Aufheben, Weib!« Er zeigte auf den Mantel.

»Nicht so laut. Elsa schläft. Sie hatte ein wenig Bauchschmerzen und war quengelig.« Angela sah den Mantel an und dann ihn. »Dir fehlt der richtige Tonfall für einen Tyrannen.«

Er ging in die Küche.

»Sind noch Reste da?«

»Dann musst du wohl im Speiseschrank nachgucken«, sagte sie.

»Wir haben keinen Speiseschrank.«

Sie saßen am Küchentisch, ihrem Lieblingsplatz. Winter dachte an Smedsbergs Küche, schlimmer noch: Carlströms Kombivariante, Stall- und Kochnische.

»Wie war's auf dem platten Land?«

»Platt.«

»Hat dich das überrascht?«

»Ja, tatsächlich. Manchmal war es wie ein Meer.«

»Die Leute, die ihr Leben in den Weiten verbringen, können krank werden«, sagte Angela. »Vom Leben dort.«

Winter dachte an die Männer, die er heute getroffen hatte.

»Kann ich gut verstehen.«

»In den USA hat die Krankheit einen Namen: *the Sickness.*«

»Nicht dumm, sollten nicht alle Krankheiten so einen einfachen Namen haben?«

»In Staaten wie Wyoming und Montana drehen die Leute durch. Draußen in den unendlichen Weiten gibt es keine Anhaltspunkte. Man sieht nichts weiter als eine platte Fläche und den Horizont.«

»Wie ein Meer, hab ich doch gesagt.«

»Es gibt nichts, woran der Blick sich halten kann, keine Bäume, keine Häuser, keine Straßen mit Autos oder Bussen. Die Leute verlieren den Orientierungssinn und am Ende den Verstand.«

»Ein Plumpsklo in Sichtweite vom Haus würde also genügen, um gesund zu bleiben?«, fragte Winter.

»Das reicht allemal.«

»Die Leute da draußen haben zwar komisch gewirkt, aber es gibt ja das eine oder andere Plumpsklo«, sagte Winter.

»Habt ihr den Jungen gefunden? Den Medizinstudenten?«

»Nein. Und damit haben wir auch nicht wirklich gerechnet.«

»Warum seid ihr denn rausgefahren?«

Er antwortete nicht, goss sich mehr Tee ein und strich noch eine Scheibe Roggenbrot, legte eine Scheibe Stilton drauf, schnitt ein Stück vom Apfel ab.

»Wolltet ihr nur mal raus aus der Stadt?«, fragte Angela.

»Da draußen stimmt irgendwas nicht«, sagte Winter.

»Was meinst du damit?«

Er nahm einen Schluck Tee, biss von dem Brot ab. Das Radio auf der Anrichte leierte den letzten Wetterbericht des Tages herunter, kühler, klarer, Aussicht auf Schnee zu Weihnachten.

»Da draußen stimmt irgendwas nicht«, wiederholte Winter ernst. »Bei einem, den wir besucht haben, hab ich ein merkwürdiges Gefühl gekriegt.«

»Und worauf führst du das Gefühl zurück?«

»*The Sickness*«, sagte er und grinste über die Teetasse.

»Willst du mich auf den Arm nehmen?«

»Ja!«

Aber er nahm niemanden auf den Arm. Angela hatte es gesehen, und dann hatte er es gesagt, viel später, sehr viel später, nachdem sie miteinander geschlafen hatten und er aufgestanden war, um zwei Gläser Sprudel zu holen. Er hatte Lust auf einen Corps, aber keine Kraft gehabt, auf den Balkon zu gehen.

»Du weißt, dass ich ... eine Fähigkeit habe«, hatte er gesagt, »du weißt schon.«

»Und was war es diesmal?«

»Als Bertil und ich nach Hause fuhren, haben wir über einen der alten Männer gesprochen, über den älteren, der hat gelogen, was das Zeug hielt. So was merkt man ja sofort. Schließlich ist es unser Job herauszufinden, ob die Leute die Wahrheit sagen oder lügen.«

»Spielt das denn immer eine Rolle?«

»Wie meinst du das?«

»Die Leute lügen aus verschiedenen Gründen. Manche lügen, ohne im Voraus zu wissen, dass sie lügen werden. Aber das macht sie nicht zu Verbrechern und braucht auch nicht zu bedeuten, dass sie irgendwas Entsetzliches verbergen.«

»Genau das Gefühl hab ich da draußen aber gekriegt. Dass sich da etwas ... Schreckliches verbirgt. Da muss etwas passiert sein. Verstehst du? In der Vergangenheit von dem Alten, mit dem wir gesprochen haben, ist irgendwas passiert, was er verdecken will.« Winter trank einen Schluck vom Mineralwasser. »Aber ich glaub, auch der andere, Smedsbergs Vater, hat gelogen. Ich weiß nicht, was ich sagen soll ... Ich weiß nicht mal, ob es da einen Zusammenhang gibt. Wahrscheinlich nicht.«

»Vielleicht ist er nervös geworden, als da zwei versnobte Kommissare aus der Großstadt auftauchten.«

»Wir sind nicht versnobt.«

»Ach? Habt ihr euch Blaumänner angezogen?«

»Im Dorfladen gekauft, ja.«

Sie trank aus ihrem Glas, er sah ihr Profil.

»Was glaubst du, hat er diesen Kaite versteckt?«

»Versteckt? Nein.«

»Was ist es dann?«

»Ich weiß es nicht, wie gesagt. Dagegen weiß ich, dass ich

mit dem anderen, Carlström, noch mal reden muss. Aber erst muss ich mit dem jungen Smedsberg sprechen.«

Er sah sie schwach nicken.

»Außerdem müssen wir mit den Kindern reden und noch mehr mit ihren Eltern.«

»Das ist alles so unheimlich«, sagte sie.

»Es kann noch schlimmer sein, als wir glauben«, sagte er.

Sie antwortete nicht.

»Ich hab versucht darüber nachzudenken, ein eventuelles Muster gesucht, das vielleicht klarer wird, wenn wir mehr Fakten haben, Erinnerungsbilder. Bilder. Gegenstände. Wenn es ein Muster gibt, wird es aber auch nicht einfacher. Und wenn es komplizierter wird, dann wird es auch … schrecklicher.« Er streckte eine Hand nach ihr aus, berührte sie an der Schulter, die gleichzeitig weich und fest war. »Verstehst du, wie ich das meine?«

»Dass es schlimmer wird. Dass es weitergehen könnte.«

»Genau.«

»Was kann man dann machen?«, fragte sie. »Die Kinder einsperren? Bewaffnete Wachen vor Kindergärten, Freizeitheimen und Schulen aufstellen?«

»Mehr Personal würde schon reichen.«

»Ha!«

»Aber es gibt keinen hundertprozentigen Schutz gegen jemanden, der anderen was Böses will.«

»Wir können also nur abwarten?«

»Absolut nicht.«

»Was würde passieren, wenn es in die Presse kommt, dass es da draußen jemanden gibt, der … der wartet. Oder sich vorbereitet.«

»Das wäre nicht gut«, sagte er.

»Was wäre, wenn ihr die Bevölkerung aufklären müsstet?«

»Das kann man auf unterschiedliche Weise machen.«

»Ich hab den kleinen Waggoner ja gesehen.« Er hörte sie atmen. »Wie ist das möglich? Wie? Was bringt einen Menschen dazu, so etwas zu tun?«

Wie soll man auf die Frage rational antworten?, dachte er.

»Ich weiß, dass es keine vernünftige Antwort auf so eine

Frage gibt, aber sie muss doch gestellt werden, oder?«, sagte sie. Sie schaute ihn an. Er sah ein Blitzen in ihren Augen.

»Das ist die Antwort auf die Frage, nach der wir die ganze Zeit suchen«, sagte er.

»Reicht das?«

»Ein Warum zu finden? Ich weiß es nicht. Manchmal gibt es ja keins.«

»Es gibt keinen Grund, meinst du?«

»Ja ... was ist der Grund dafür, dass man ein schweres Verbrechen begeht? Gibt es nur *einen* Grund? Sind es eine Reihe verschiedener Gründe? Hängen sie zusammen? Kann man sie logisch analysieren? Sollte man überhaupt logisch über Verbrechen nachdenken, oder werden sie vielleicht von Unlogik und Zufällen gelenkt? Oder ist es ein kalkuliertes Chaos, wenn es so was gibt?« Er sah sie wieder an. »Es kann so viel sein. Es kann reiner Wahnsinn sein, eine ernste Geisteskrankheit. Quälende Erinnerungen. Rache.«

»Kann das sein? Rache?«

»Ja. Rache gegen jemanden, der einem wehgetan hat. Direkt. Oder indirekt. Ja, das ist schon normal. Das kann weit zurückreichen.«

»Weit in die Vergangenheit?«

»Genau. Die Vergangenheit wirft Schatten. Das weißt du ja. So ist es oft. Man muss die Antworten jetzt finden, aber im Damals suchen. Was jetzt geschieht, hat dort seinen Ursprung.«

»So könnte es diesmal also auch sein? Der Überfall auf die Studenten? Und der misshandelte Junge?«

»Natürlich.«

»Es sind verschiedene Ereignisse, aber trotzdem.«

»Mhm.«

»Sind es nicht zwei verschiedene Sachen?«

»Schon ...«

»Du zögerst.«

»Nein, ich hab an die Suche in der Vergangenheit gedacht, graben in der Vergangenheit. Die Suche nach Antworten.«

»Seid ihr wie Journalisten, die alles untersuchen?«

»Nein ... eher wie Archäologen. Die Archäologen des Verbrechens.«

27

Auf die Fahndung nach Aris Kaite bekamen sie viele Hinweise, aber kein Tipp führte sie zu ihm.

»Hast du was Neues gehört von diesen afrikanischen Clubs?«, fragte Fredrik Halders, als sie die östlichen Hügel zu seinem Haus hinauffuhren.

»Nein«, antwortete Aneta Djanali. »Er ist nirgends Mitglied. Sie kannten ihn natürlich, aber er ist nicht Mitglied.«

»Bist du Mitglied?«

»Bei was genau sollte ich Mitglied sein?«

»Im Ougadougou-Club.«

»Wie wär es, wenn ich dich mitnehme nach Ougadougou, Fredrik? Manchmal glaub ich, du träumst von Ougadougou. Du redest ziemlich oft davon.«

»Tun das nicht alle?«, fragte Halders.

Aneta Djanali war im Östra-Krankenhaus in Göteborg geboren worden, sie hatte afrikanische Eltern, Einwanderer aus Burkina Faso, die das Land verlassen hatten, als es noch Obervolta hieß. Ihr Vater war in Schweden Ingenieur geworden, und als Aneta an der Grenze zum Erwachsensein stand, waren ihre Eltern in die Heimat zurückgekehrt. Sie hatte sich für Schweden entschieden.

Natürlich. Ihr Vater lebte jetzt allein in einem kleinen Haus in der Hauptstadt. Das Haus hatte ungefähr die gleiche ausgebleichte sonnentrockene Farbe wie der Sand, der die Stadt umgab. Alles dort war warme, scharfe Luft oder blau gefroren und die Menschen trugen immer dieselben Träume von Wasser mit sich herum, das nie kam. Aneta Djanali war dort gewesen. Das Land war ihr fremd gewesen. Sie hatte sich zwar sofort zu Hause gefühlt, aber sie hatte auch gewusst, dass sie dort nicht leben wollte.

Sie parkte vor Halders' Haus, in einem der Fenster leuchteten Adventskerzen.

»Wenn du willst, hole ich Hannes und Magda ab«, sagte sie, als er ausstieg.

»Hast du nicht noch viel zu erledigen?«

»Das kann warten.« Sie lachte kurz auf. »Ich wollte sowieso nur Maniokwurzeln und getrocknete Bananen kaufen, aber die sind ja nie ausverkauft.«

»Und wenn dein Club heute Abend ein Fest gibt?«

»Was passiert, wenn Leute deine rassistischen Witze mal ernst nehmen, Fredrik?«

»Das wage ich gar nicht auszudenken«, antwortete er.

»Soll ich sie abholen?«

»Ja, sehr gern. Ich mach inzwischen was zu essen.« Die Autotür in der Hand, beugte er sich noch mal vor. »Ich habe Sandbröt...«

»Ja, ja«, sagte Aneta Djanali und fuhr an.

Winter saß in Birgerssons Zimmer. Der Dezernatschef rauchte im Halbdunkel vorm Fenster.

Hinter ihm spreizten sich vor einem klaren Abendhimmel die Seile, die das Dach vom Ullevi-Stadion hielten. Winter konnte einen Stern sehen.

»Was machst du Weihnachten, Erik?«

»Spanien. Costa del Sol. Wenn ich hier wegkomme.«

Birgersson grunzte und strich die Asche ab.

»Wann verhört ihr die Kinder?«, fragte er.

»Morgen fangen wir an.«

»Es wird schwer.«

Winter antwortete nicht. Er beugte sich vor und zündete sich einen Corps an, das Streichholz ließ er ein paar Sekunden brennen. Birgersson lächelte.

»Vielen Dank für die Weihnachtsstimmung.«

»Sie können schon ganz gut sprechen«, sagte Winter und ließ Rauch aufsteigen. »Fast wie Erwachsene.«

Birgersson grunzte wieder.

»Trotzdem wird es hart«, fuhr Winter fort.

»In den alten Zeiten, die gerade eben vorbei sind, sagte man, ein Kind ist nach einem einzigen Verhör kaputt«, sagte Birgersson. »Dann kriegt man nichts mehr aus ihm heraus.« Er studierte den Rauch von Winters Zigarillo. »Aber jetzt lassen wir die Erinnerungen reifen. Die Bilder.«

»Mhm.«

»Lass uns mal für den Augenblick voraussetzen, dass es wirklich passiert ist«, sagte Birgersson. »Die Kinder sagen die Wahrheit.«

»Simon Waggoner sagt nichts«, sagte Winter.

»Aber bei ihm gibt's keinen Zweifel.«

Winter dachte nach.

»Der Täter hat was, mit dem er die Kinder lockt«, sagte er dann.

»Ist es ein einziger? Ein und derselbe?«

»Das setzen wir mal eine Weile voraus.«

»Red weiter.«

»Und die Kinder haben etwas, das er haben möchte.«

»Wie meinst du das?«

»Er sucht etwas bei ihnen. Eine Sache. Eine Erinnerung, die er mitnehmen kann.«

»Will er sie selbst auch haben? Will er ... die Kinder haben?«

»Mit der Frage warten wir noch«, sagte Winter. Er sog an seinem Zigarillo. Den Stern konnte er immer noch sehen und noch einen. Er schien scharfsichtiger zu werden bei dem, was er jetzt dachte. »Er nimmt etwas mit. Er will es mit nach Hause nehmen. Oder bei sich tragen.«

»Warum?«, fragte Birgersson.

»Das hat mit ... ihm selbst zu tun. Wie er war.«

»Wie er war?«

»Als er noch so klein war wie sie. Als er Kind war.«

»Wir wissen, was er mitgenommen hat«, sagte Birgersson. »Eine Uhr, einen Ball und eine Art Schmuckstück.«

»Und vielleicht auch etwas von dem Jungen Skarin. Vermutlich.«

»Sind das Trophäen, Erik?«

»Ich weiß es nicht. Nein, so nicht.«

»Gleichen diese Sachen irgendwas, das er selbst besitzt?«, fragte Birgersson. Er legte die Zigarette ab und schaukelte mit dem Drehstuhl, der ein Quietschen von sich gab.

»Das ist eine sehr gute Frage«, entgegnete Winter.

»Die jemand beantworten könnte, wenn es jemanden gäbe«, sagte Birgersson.

»Die Kinder gibt es.«

»Ja. Aber ich dachte an andere Erwachsene. Erwachsene Zeugen.« Er musterte Winter, Winters Corps, das Hemd, das am Hals aufgeknöpft war, der Schlips wie eine Schlinge um den Kragen hängend. »Haben wir es hier überhaupt mit einem Erwachsenen zu tun, Erik?«

»Das ist auch eine gute Frage.«

»Ein Kind in einem erwachsenen Körper«, sagte Birgersson.

»So einfach ist das nicht«, sagte Winter.

»Wer hat denn gesagt, dass es einfach ist? Es ist verdammt kompliziert«, sagte Birgersson. Er drehte sich plötzlich um, als würden sich Strahlen von den beiden Sternen, die über dem Wäldchen hinterm Ullevi standen, in seinen Rücken bohren. Er drehte sich zurück.

»Die Lage ist verflixt ungemütlich«, sagte er. »Du weißt, ich finde solche Ausdrücke unprofessionell, aber hier benutze ich sie.« Er zündete sich eine neue Zigarette an und zeigte damit auf Winter. »Schnapp ihn, bevor etwas noch Schlimmeres passiert.«

28

Angela rief an, als Winter Birgerssons Zimmer verließ. Er sah seine eigene Nummer auf dem Display.

»Ja?«

»Erik, die Leiterin von Elsas Kindergarten hat eben angerufen.«

»Ist Elsa zu Hause?«

»Ja, ja, Himmel.«

»Was ist los?«

»Sie haben jemanden … eine mysteriöse Person gesehen.«

»Okay, hast du die Telefonnummer?«

Er rief vom Handy aus an, immer noch auf dem Weg ins Büro.

Er saß in ihrem Dienstzimmer, das mit weihnachtlichen Kinderbildern tapeziert war. Er war nicht das erste Mal in diesem Zimmer, aber zum ersten Mal wegen dieser Angelegenheit. Im Kindergarten war nur noch das Putzpersonal unterwegs. Die Stille war merkwürdig, irgendwie unnatürlich an einem Ort, der sonst von Kinderstimmen widerhallte. Er war auch abends zu Elternversammlungen hier gewesen, aber da war die Stille eine andere gewesen, gefüllt von erwachsenem Gemurmel.

»Jemand, der gefilmt hat«, wiederholte Winter.

»Eine verzögerte Reaktion, muss man wohl sagen. Lisbeth ist es eingefallen, als einer der Väter heute Abend hier Videoaufnahmen gemacht hat.«

»Wo war es genau?«

»Als sie über den Ballplatz gingen. Jedenfalls als sie die andere Seite erreichten.«

»Wo hat er gestanden?«

Er hörte ein leises Klopfen an der Tür hinter sich.

»Da kommt sie schon«, sagte die Leiterin, die Lena Meyer hieß. »Herein!«

Lisbeth Augustsson öffnete die Tür. Sie nickte Winter zu, mit dem sie schon öfter ein paar Worte gewechselt hatte. Sie war etwa zweiundzwanzig Jahre, vielleicht fünfundzwanzig. Das braune Haar hatte sie zu dicken Zöpfen geflochten, die von roten Bändern zusammengehalten wurden. Sie setzte sich auf den Stuhl neben Winter.

»Wo hat er gestanden und gefilmt?«, fragte er.

Sie versuchte die Stelle zu beschreiben.

»Er ist uns auch gefolgt«, sagte sie.

»Und hat weiter gefilmt?«

»Ja, es schien so.«

»Kannten Sie ihn?«

»Nein.«

»Und warum sind Sie so sicher?«

»Na ja, ganz sicher nicht. Ich hab ihn auch nicht lange gesehen. Und er hatte eine Kamera vorm Gesicht.« Sie lächelte.

»Niemand, den Sie schon mal gesehen haben?«

»Nein.«

»Was hat Sie veranlasst, Frau Meyer davon zu erzählen?« Winter nickte zur Leiterin.

»Da war ja die Sache mit dem Mädchen, das behauptet, es hätte mit jemandem gesprochen. Ellen Sköld. Da wird man doch misstrauisch.« Sie sah Lena Meyer an. »Und man muss ja immer vorsichtig sein.«

Sie wusste nichts von den anderen Kindern. Nicht viel über Simon Waggoner, noch nicht. Lange konnten Winter und seine Mitarbeiter es nicht mehr geheim halten.

»Haben Sie früher schon mal jemanden gesehen, der gefilmt hat?«, fragte er. »Auf Ausflügen oder auf dem Hof?«

»Nein, heute war das erste Mal.«

»Erzählen Sie so genau wie Sie können, was passiert ist«, sagte Winter.

»Es war nicht viel. Ich hab irgendwann hochgeguckt, und da hab ich ihn gesehen, ohne mir etwas dabei zu denken. Man sieht ja häufig Leute mit Videokameras. Aber als ich noch mal hinschaute, stand er immer noch da und filmte, die Kamera auf uns gerichtet. Als er merkte, dass ich ihn sah und in die Kamera schaute, da drehte er sich weg und tat so, als filmte er die Häuser auf der anderen Straßenseite.«

»Das hat er ja vielleicht auch getan«, sagte Winter.

»Was?«

»Die Häuser gefilmt. Vielleicht hat er nicht so getan als ob. Was ist dann passiert? Haben Sie ihn weiter beobachtet?«

»Ja ... ich hab noch eine Weile hingeschaut. Aber wir hatten die Kinder ... und er hat sich nach wenigen Sekunden umgedreht und ist weggegangen.«

»In welche Richtung?«

»Zurück zum Linnéplatsen.«

»Haben Sie ihn von der Seite gesehen, von hinten?«

»Von hinten, glaub ich ... Lange hab ich ihm nicht nachgeschaut. Hab ich wohl vergessen. Wir hatten ja was anderes zu tun. Dann ist es mir später hier wieder eingefallen.«

»Können Sie beschreiben, wie er aussah?«

»Ganz normal, aber die Kamera war ja im Weg und sein Gesicht hab ich nicht gesehen. Blaue Jacke, glaub ich, eine Hose, nehm ich an ...« Sie lachte. »Na, einen Rock hat er nicht getragen, das wäre mir aufgefallen. Und das war's auch schon.« Sie dachte nach. Tausende von Malen hatte Winter Zeugen befragt, die sich zu erinnern versuchten. Alles, was sie sagten, könnte stimmen, könnte aber auch vollständig in die Irre führen. Aus grün könnte gelb werden, Zweimetermänner könnten zu Zwergen werden, Männer zu Frauen, Hosen könnten ... Röcke werden. Autos waren plötzlich Mopeds, und das Tier, das todsicher ein Hund gewesen sein sollte, war ein Kamel. Nein. Kamele waren noch in keinem seiner Fälle vorgekommen.

Kinder konnten Kinder sein. Aufhören, es zu sein, weg. Aufhören zu sein. Oder nie wieder Kinder werden, nie mehr intakte Personen.

»Er trug eine Kappe«, sagte sie jetzt.

»Sie haben gesagt, er hatte die Kamera vorm Kopf.«

»Vor dem Gesicht. Vorm Gesicht, hab ich gesagt. Jetzt erinnere ich mich, dass der Schirm über der Kamera aufragte. Und ich hab sie auch gesehen, als er sich umdrehte und die Häuser auf der anderen Straßenseite filmte, falls er das nun getan hat.«

»Was war das für eine Kappe?«

»Jedenfalls keine von Nike. Keine Baseballkappe.«

Winter dachte an Fredrik Halders, er trug häufig Baseballkappen auf seinem geschorenen Schädel. Nike oder Kangol.

»Es war vermutlich eine Alte-Männer-Kappe.«

»Was ist das denn?«

»Na, so ein graues oder beigefarbenes Ding, das alte Männer eben tragen.«

Winter nickte.

»So eine trug er«, sagte sie, »grau, glaub ich, irgendwie grau gemustert jedenfalls.«

»War es ein älterer Mann?« Winter zeigte auf sich. »So wie ich?«

Sie lächelte wieder, große gleichmäßige Zähne, weiß, nordisch, könnte man wohl sagen.

»Das kann ich nicht beurteilen«, antwortete sie, »aber vielleicht war er ungefähr in Ihrem Alter. Trotz der Kappe. Er ging ... normal, war nicht dick oder so, wirkte nicht ... alt. Nicht wie ein alter Mann.«

»Würden Sie ihn wiedererkennen?«

»Ich weiß es nicht. Vielleicht, wenn er genauso gekleidet ist und wieder eine Videokamera dabeihat ...«

»Haben Sie mit jemand anders darüber gesprochen?«, fragte Winter. »Außer mit Frau Meyer?«

»Nein.«

»Wie viele vom Personal waren heute Nachmittag mit den Kindern draußen?«

»Äh ... drei mit mir.«

»Und die anderen haben nichts bemerkt?«

»Das weiß ich nicht. Ich hab ja gesagt, ich hab's erst mal vergessen. Bis jetzt.«

Winter stand auf, dachte nach. Er sah die Gruppe vor sich, sie ging über den Ballplatz. Eine Erzieherin voran, in der Mitte eine und eine am Schluss. Den Anblick kannte er. Was machten sie? Blieben stehen, Durcheinander entstand, dann gingen sie weiter. Jetzt war es Dezember. Die letzten Tage vor dem Fest. Alle waren in einer besonderen Stimmung. Es gab etwas zu feiern. Freie Tage für alle. Gewissermaßen hatte es schon begonnen. Was tut man, wenn festliche Stimmung herrscht? Man singt, tanzt, lässt es sich gut gehen. Vielleicht wollte man diesen Moment festhalten, oder die Stimmung. Festhalten. Wieder anschauen. Festhalten.

Er sah Lisbeth Augustsson an.

»Sie hatten nicht zufällig eine Filmkamera dabei?«

»Äh ... nein.«

»Einen gewöhnlichen Fotoapparat?«

»Äh ... wie bitte?«

Er sah, dass sie während ihrer Antwort nachdachte.

»Hatten Sie eine Kamera dabei?«

Jetzt sah Lisbeth Augustsson Winter mit einem seltsamen Gesichtsausdruck an.

»Ja ... Anette hatte doch ihren Fotoapparat dabei! Eine ganz normale einfache Instamatic, glaub ich. Vielleicht hat sie Bilder gemacht, als wir auf dem Ballplatz waren! Sie hatte es vor, aber ich hab ja in die andere Richtung geschaut.« Lisbeth Augustsson sah ihre Chefin an und dann wieder Winter. »Vielleicht gibt es ein Bild von ihm!«

»Vielleicht«, sagte Winter.

»Dass Sie auf die Idee gekommen sind!«

»Wir hätten es sowieso erfahren, wenn wir mit den anderen reden«, sagte Winter. »Wo erreiche ich Anette?«

Ringmar wartete auf Gustav Smedsberg. Vom Korridor hörte er Stimmen, jemand versuchte eine Zeile von einem Weihnachtslied zu singen. Er rief zu Hause an, dort meldete sich jedoch niemand. Birgitta müsste jetzt eigentlich da sein. Er musste wissen, was er aus der Markthalle mitbringen sollte.

Er wählte die Nummer von Moas Handy. »Der von Ihnen gewünschte Teilnehmer ist im Augenblick nicht zu erreichen ...«

Er hätte gern mit Martin gesprochen, wenn er gewusst hätte, was er sagen sollte. Aber das Problem war gewissermaßen akademisch.

Aus der Anmeldung wurde angerufen. Student Smedsberg wartete unten im gemütlichen Foyer, »die Kuschelhöhle«, wie Halders die Empfangsräume nannte. Der erste stimulierende Kontakt mit der Polizeiobrigkeit.

Gustav Smedsberg wirkte mager. Er stand vor der Sicherheitstür, dünn gekleidet, eine Mütze, die kaum vor Kälte schützen mochte, wenn man sie so sah. Jeansjacke, darunter ein dünner Pulli. Er trug keinen Schal. Das Gesicht des Jungen drückte nichts aus, wirkte allenfalls gelangweilt. Ringmar winkte ihm.

»Diesen Weg«, sagte er.

Im Aufzug nach oben bibberte Smedsberg vor Kälte.

»Kalt draußen«, sagte Ringmar.

»Hat gestern angefangen«, sagte Smedsberg. »Verdammt kalter Wind.«

»Sie hatten wohl noch keine Zeit, die Winterklamotten rauszuholen?«

»Das sind meine Winterklamotten«, sagte Smedsberg, wobei er die Knöpfe im Aufzug musterte. Er schauderte wieder und noch einmal, als hätte er einen plötzlichen Tick.

»Ich dachte, Sie wären die kalten Winde von zu Hause gewöhnt«, sagte Ringmar. »Und wissen, wie man sich dagegen schützt.«

Smedsberg antwortete nicht.

Sie stiegen aus. Die Ziegelsteine an den Wänden taten alles, um die Weihnachtsstimmung zu dämpfen. Das war Ringmar heute Morgen aufgefallen. Vielleicht kam es auch daher, weil er sich schon bedrückt fühlte. Birgitta war still gewesen, als er aufgestanden war. Er wusste, dass sie wach war, das war sie immer. Still. Er hatte ein paar Worte gesagt, aber sie hatte sich auf die andere Seite gedreht.

»Bitte sehr«, sagte er und führte Smedsberg in sein Zimmer.

Smedsberg blieb an der Tür stehen. Ringmar sah sein Profil, seine Nase war genauso gebogen wie die des Vaters. Vielleicht war da auch etwas in der Körperhaltung, was an den Vater erinnerte. Und der Dialekt, obwohl der Junge den Jargon der Jugendlichen von heute sprach.

»Setzen Sie sich bitte.«

Smedsberg setzte sich, zögernd, als ob er auf dem Sprung wäre.

»Dauert es lange?«, fragte er.

»Nein.«

»Um was geht es?«

»Wir haben schon mal drüber gesprochen«, sagte Ringmar.

»Ich weiß nichts Neues«, sagte Smedsberg. »Er hat Zoff gemacht wegen Josefin und das war's.«

»Wen meinen Sie? Wer ist ›er‹?«

»Aris natürlich. Reden wir nicht die ganze Zeit über ihn?«

»An dem Fall sind noch andere beteiligt.«

»Ich kenne sie nicht, das hab ich doch schon gesagt.«

»Jakob Stillman wohnte im selben Haus wie Sie.«

»Da wohnen noch hundert andere. Tausend.«

»Zu Anfang haben Sie gesagt, Sie kennen Aris Kaite nicht.«

»Ja, ja.« Smedsberg machte eine abwehrende Kopfbewegung.

»Was wollen Sie damit sagen?«

»Womit?«

»Ja, ja. Was bedeutet das?«

»Das weiß ich nicht.«

»REISSEN SIE SICH ZUSAMMEN«, sagte Ringmar scharf.

»Was ist denn?«, fragte Smedsberg, jetzt etwas munterer, aber immer noch mit einer zerstreuten, gelangweilten Miene, die nicht so leicht verschwinden würde.

»Wir ermitteln in schweren Gewaltverbrechen, und wir brauchen Hilfe«, sagte Ringmar. »Wer uns anlügt, hilft uns nicht.«

»Hab ich ein Verbrechen begangen?«, fragte Smedsberg.

»Warum haben Sie nicht gesagt, dass Sie Aris Kaite kennen?«

»Ich wusste nicht, dass es von Bedeutung sein könnte.« Er sah Ringmar an, und der entdeckte eine Art kalte Intelligenz in seinen Augen.

»Und jetzt?«, fragte Ringmar.

Smedsberg zuckte mit den Schultern.

»Warum wollten Sie nicht sagen, dass Sie jemanden kannten, dem genau das passiert ist, dem Sie nur gerade eben entgangen sind?«

»Ich dachte, es ist nicht wichtig. Und ich glaube immer noch, dass es Zufälle waren.«

»Ach?«

»Mein Streit mit Aris hatte damit … nichts zu tun.«

»Womit *hatte* er denn zu tun?«

»Das hab ich doch schon gesagt. Er hat etwas missverstanden.«

»Was hat er missverstanden?«

»Moment mal, warum soll ich darauf antworten?«

»Was hat er missverstanden?«, wiederholte Ringmar.

»Äh … er bildete sich ein, mit Josefin zusammen zu sein.« Gustav Smedsberg schien zu lächeln oder grinste kurz. »Aber er hatte sie nicht gefragt.«

»Und was haben Sie damit zu tun?«

»Sie wollte mit mir zusammen sein.«

»Und was wollten Sie selber?«

»Ich will frei sein.«

»Was gab es denn da mit Kaite zu streiten?«

»Keine Ahnung. Sie müssen ihn schon selber fragen.«

»Das können wir ja nicht, oder? Er ist doch verschwunden.«

»Ach ja, natürlich.«

»Sie scheinen nicht sehr besorgt zu sein.«

Smedsberg schwieg. Sein Gesicht verriet nichts. Ringmar hörte eine Stimme im Flur, die er nicht kannte.

»Sie und Kaite waren doch gute Freunde, er ist sogar mit zu Ihnen nach Hause gefahren, um bei der Kartoffelernte zu helfen.«

Smedsberg schwieg immer noch.

»Oder?«

»Dann sind Sie also zu Hause gewesen«, sagte Smedsberg. Ich brauche nur *Die Heimat* zu erwähnen, dachte Ringmar, und der Junge ist wieder zu Hause in der gottverlassenen Gegend.

»Oder?«, wiederholte er.

»Wenn Sie es sagen«, antwortete Smedsberg.

»Was gab es für einen Grund, uns Ihre Bekanntschaft mit Aris Kaite zu verheimlichen?«

Smedsberg antwortete nicht.

»Was hielt Ihr Vater von ihm?«

»Lassen Sie den Alten aus dem Spiel.«

»Warum?«

»Lassen Sie ihn einfach aus dem Spiel.«

»Er ist schon mittendrin«, sagte Ringmar. »Und ich muss Sie noch etwas fragen, was damit zusammenhängt.«

Ringmar fragte nach Natanael Carlströms Pflegesohn.

»Klar gab es den«, sagte Smedsberg.

»Kennen Sie ihn?«

»Nein, er ist weggezogen, bevor ich erwachsen war.«

»Haben Sie ihn mal gesehen?«

»Nein. Wo denn?«

Ringmar merkte, dass der Junge nicht mehr gelangweilt aussah. Seine Körpersprache hatte sich verändert. Der Körper war angespannt.

»Wissen Sie, wie er heißt?«

»Nein, da müssen Sie den alten Carlström fragen.«

Ringmar erhob sich. Smedsberg stand auch auf.

»Bitte bleiben Sie sitzen. Ich muss nur mein Bein ein bisschen strecken. Es scheint eingeschlafen zu sein.« Ringmar setzte sich wieder. »Sie haben diese Brandeisen erwähnt. Wir haben uns ein bisschen dahinter geklemmt, haben aber nichts herausgefunden, bevor wir zu Carlström gefahren sind.«

»Warum sind Sie dahin gefahren?«, fragte Smedsberg.

»Ihr Vater war der Meinung, dass Carlström so ein Eisen besitzt.«

»Aha.«

»Und er hatte auch wirklich eins.«

»Aha.«

»Haben Sie auf Ihrem Hof auch eins gehabt?«

»Nicht soweit ich weiß.«

»Sie haben mal gesagt, es gab eins.«

»Wirklich?«

»Haben Sie sich das ausgedacht?«

»Nein, was?«

»Dass Sie so ein Eisen hatten.«

»Dann hab ich was Falsches gesagt.«

»Und wie ist es nun wirklich?«

»Ich hab mich wohl falsch ausgedrückt. Ich muss gemeint haben, dass ich schon mal was davon gehört habe.«

Darauf müssen wir noch mal zurückkommen, dachte Ringmar. Ich weiß nicht, was ich glauben soll, und ich weiß nicht, ob der Junge es weiß. Den müssen wir noch mal vorladen.

»Carlström hatte eins«, sagte Ringmar. »Oder zwei.«

»Aha.«

»Das scheint Sie zu interessieren.«

»Was soll ich denn sagen?«

Ringmar lehnte sich vor.

»Es ist gestohlen worden.«

Smedsberg wollte schon wieder »aha« sagen, blieb aber still.

»Jetzt ist es weg«, sagte Ringmar, »genau wie Aris Kaite weg ist. Und er hat eine Verletzung, die vielleicht von so einer ... Waffe stammt. Und die Wunde könnte das eventuell verraten.«

»Wie das?«, fragte Smedsberg.

»Die Antwort auf die Frage haben Sie uns selbst gegeben.«

»Ist es nicht ein bisschen weit hergeholt? Sie treffen einen Alten, dem so ein Eisen geklaut worden ist, und es soll genau das Eisen sein, das benutzt wurde?«, sagte Smedsberg.

»Das fragen wir uns auch«, sagte Ringmar. »Und das ist genau der Punkt, wo Sie ins Spiel kommen.« Ringmar erhob sich wieder und Smedsberg blieb sitzen. »Wenn Sie nicht gewesen wären, wären wir gar nicht auf die Idee gekommen, aufs Land zu fahren.«

»Ich hätte ja gar nichts von einem Brandeisen zu sagen brauchen.«

»Aber Sie haben es getan.«

»Soll ich jetzt dafür bestraft werden?«

Ringmar antwortete nicht.

»Ich beteilige mich ja gern an einer Suchaktion nach Aris, falls Sie dabei Hilfe brauchen«, sagte Smedsberg.

»Warum ausgerechnet eine Suchaktion?«

»Wie meinen Sie das?«

»Warum sollten wir eine Suchaktion nach ihm in Gang setzen?«

»Das weiß ich auch nicht.«

»Aber Sie haben es gesagt.«

»Na und, so was redet man mal daher. Wieso Suchaktion, Scheiße, nennen Sie es doch, wie Sie wollen, wenn man nach jemandem sucht.«

»Die Art Aktion funktioniert nicht in Großstädten«, sagte Ringmar.

»Ach nee?«

»Das funktioniert besser auf dem Lande«, sagte Ringmar.

»Aha.«

»Ist er auf dem Land, Herr Smedsberg?«

»Ich hab nicht den blassesten Schimmer.«

»Wo ist er?«

»Himmel ... das weiß ich doch nicht.«

»Was ist ihm passiert?«

Smedsberg erhob sich.

»Ich will jetzt gehen. Das ist ja verrückt.«

Ringmar sah ihn an. Er schien immer noch zu frieren in seiner dünnen Kleidung. Ringmar könnte ihn über Nacht dabehalten, aber dafür war es noch zu früh. Oder vielleicht auch zu spät. Jedenfalls war es ... zu dünn. Er erhob sich.

»Ich begleite Sie nach unten, Herr Smedsberg.«

29

Winter rief Anette aus dem Zimmer der Leiterin an. Sie war zu Hause und Winter hörte im Hintergrund das Geräusch einer Dunstabzugshaube. Oder eines Föns. Das Rauschen verstummte.

Die Kamera? Ja, die hatte sie da. Der Film war noch nicht vo... ja, er könnte sie abho...

Winter schickte einen Wagen zu Anette. Die Kamera war wirklich eher einfach. Jemand aus dem Labor der technischen Abteilung hatte den Film entwickelt und abgezogen, als Winter in sein Dienstzimmer zurückkehrte.

Jetzt lagen die Bilder vor ihm auf dem Tisch. Sie waren nicht von einem geübten Fotografen aufgenommen worden, aber das spielte bei der Kamera keine Rolle. Alles war überbelichtet und unscharf. Die Motive waren Kinder, die meisten in einer Umgebung, die Winter kannte, dem Hof vor Elsas Kindergarten. Auf einigen Bildern war Personal, das er kannte.

Der Park, der Ballplatz, Kinder in einer langen Reihe.

Im Hintergrund war ein Mann mit einer Videokamera zu sehen, vielleicht dreißig Meter hinter den Kindern. Die Kamera verdeckte sein Gesicht. Ausgerechnet dieses Bild war merkwürdig scharf, als ob da jemand anders fotografiert hätte.

Eine Kappe von undefinierbarer Farbe bedeckte den Kopf des Mannes. Er trug eine Jacke, wie sie ältere Männer häufig trugen, gekauft in einem Laden, in dem es Arbeitskleidung gab. Die Art der Hose war unmöglich zu erkennen. Man musste das Bild vergrößern.

Anette hatte zwei Bilder gemacht, auf denen der Mann im Hintergrund zu sehen war, aber sie kamen nicht hintereinander.

Auf dem anderen Bild kehrte er dem Betrachter den Rücken zu und war offenbar im Begriff, sich zu entfernen. Jetzt war die Jacke deutlicher zu erkennen. Sie könnte in den fünfziger Jahren modern gewesen sein.

Die Hose vielleicht auch. Die Schuhe waren nicht zu sehen, Gras reichte ihm bis zu den Waden. Die Videokamera konnte Winter nicht mehr sehen.

»Hat er sie immer noch vor der Nase?« Halders hielt das Foto in der Hand. »Die Videokamera?«

Sie hatten eine Besprechung in dem kleineren Konferenzzimmer: Winter, Ringmar, Halders, Aneta Djanali.

»Sie ist jedenfalls nicht zu sehen«, sagte Winter.

»Er kleidet sich wie ein alter Mann, aber er ist nicht alt«, sagte Aneta Djanali. »Das ist nicht die Haltung eines alten Mannes.«

»Die Frage ist, was der da getrieben hat«, sagte Ringmar und starrte auf das Bild, das ihren potentiellen Täter vor ihnen eingefangen hatte. Er spürte eine seltsame Erregung.

»Er hat die Kinder gefilmt«, sagte Winter.

»Das allein ist kein Verbrechen.« Ringmar rieb sich über dem Auge. Winter sah eine strenge Falte in seinem Gesicht, die schärfer war als sonst. »Es gibt normale Menschen, die filmen fast alles in Sichtweite.« Ringmar schaute auf. Die Stelle über seinem Auge war gerötet. »Er muss nicht Päderast oder Kinderräuber sein oder einer, der mit Brandeisen fuchtelt.«

»Andererseits könnte er es auch sein«, sagte Aneta Djanali. »Ein Verbrecher.«

»Wir müssen mit dem Bild arbeiten«, sagte Winter, »mit den Bildern. Vielleicht ist das einer, den wir aus dem Archiv kennen.«

»Die Kamera sieht neu aus. Die passt nicht zu seinem Outfit«, sagte Halders.

Niemand wusste, ob er es ernst meinte oder nicht.

Es war schwer, im Gedränge voranzukommen. So entsetzlich viele Leute und er schwitzte, und wäre da nicht die Frau mit dem Buggy zehn Meter vor ihm, dann wäre er überhaupt nicht hier, nein, nein. Er wäre zu Hause, allein.

Das Kind schien eingeschlafen zu sein, bevor sie das Einkaufszentrum Nordstan betraten. Dann waren sie in das schwarze Meer von Menschen getaucht, Menschen, die gingen und gingen und kauften und kauften.

Der Tag vor dem Tag vor dem Tag!, schrie jemand oder so was Ähnliches, aber was scherte ihn Weihnachten? Weihnachten war das Fest der Kinder. Er war kein Kind mehr. Er war einmal ein Kind gewesen und erinnerte sich daran.

Eine gute Idee. Sie war schon länger da gewesen, und jetzt nahm sie Formen an. Weihnachten war das Fest der Kinder. Er war allein, und er war kein Kind mehr. Aber er wusste, was Kindern gerade Weihnachten gefiel. Er war lieb, und er konnte alles tun, um einem Kind ein richtig schönes Weihnachtsfest zu bereiten. Richtig schön!

Er hatte so seine Zweifel, ob die Frau vor ihm dazu in der Lage war. Das Kind, das in unbequemer Haltung in dem Wagen schlief, fand sie bestimmt nicht besonders nett. Sie sah einfach nicht nett aus. Er hatte sie schon mal gesehen, als sie das Kind vom Kindergarten abgeholt hatte und er in der Nähe gewesen war. Er hatte sie tatsächlich schon mehrmals gesehen.

Er hatte den Jungen gesehen. Er hatte einen Mann gesehen, der vielleicht der Vater des Jungen war.

Er hatte den Jungen gefilmt.

Er hatte sie alle gefilmt.

Vor dem Einkaufszentrum hatte die Frau eine Zigarette geraucht. Das gefiel ihm nicht. Sie hatte den Kopf zurückgeworfen und ausgesehen, als würde sie den Rauch trinken.

Jemand stieß ihn an, noch jemand. Er hatte den Buggy aus den Augen verloren, jetzt sah er ihn wieder. Die Frau war ihm eigentlich egal. Er war ihr vom Kindergarten hierher gefolgt. Das Auto könnte er später holen. Die Luft war kühl gewesen, aber er hatte nicht gefroren. Doch der Junge fror bestimmt, die Frau hatte ihn nicht ordentlich eingepackt.

Jetzt machte das nichts mehr, hier drinnen war es warm. Sie

stand vor einem der Läden, die alles verkauften, was man nur verkaufen konnte. Die Türen waren weit geöffnet und breit wie Schleusentore, die Leute strömten hinein und hinaus wie schwarze Wassermassen, hinein und hinaus.

Er sah die Skulptur, die ihm gefiel. Sie wirkte so ... frei. Die Körper schwebten vom Himmel hernieder. Sie waren frei. Sie flogen.

Er schaute sich um und bemerkte, dass sie den Wagen dort abgestellt hatte, wo man Parfüm, Haarwasser und Lippenstift und was es sonst noch so gab, verkaufte, vielleicht auch Kleider. Aber er sah nicht so genau hin. Doch, es waren Kleider. Das Parfüm gab es weiter hinten. Das wusste er ja.

Er sah die Füße des Jungen hervorragen, oder war es nur einer? Sie schien den Jungen anzuschauen oder etwas auf dem Boden neben dem Wagen. Vielleicht war ihr alles egal. Er drückte sich ein wenig zur Seite, um den Leuten auszuweichen. Sie war etwa zehn Meter von ihm entfernt und sah ihn nicht. Jetzt schob sie den Wagen etwas näher an einen der Tresen heran, sah sich um. Er begriff nicht, was sie tat.

Sie ging. Er sah sie zu einem anderen Tresen gehen, und dann hatte er sie aus den Augen verloren. Er wartete. Er sah den Wagen, niemand sonst sah ihn. Er passte auf ihn auf, während die Frau weg war und wer weiß was trieb.

Er hielt Wache. Leute gingen vorbei und dachten wohl, der Wagen gehörte jemandem, der bei den Tresen in der Nähe stand. Vielleicht jemandem, der dort arbeitete. Er sah sich um, die Frau war verschwunden. Er sah auf die Uhr, aber er wusste nicht, wann sie gegangen und wie lange sie schon weg war.

Er machte ein paar Schritte auf den Buggy zu und noch ein paar.

Als Ringmar nach Hause kam, spürte er, dass etwas nicht stimmte, etwas war ganz und gar falsch, schon als er die Schuhe im Flur auszog, traf ihn die Stille wie ein Schlag. So eine Stille hatte er hier drinnen noch nicht erlebt.

»Birgitta?«

Keine Antwort. Er ging in die Küche. Niemand. Die Treppe hinauf, durch die Zimmer. Im Obergeschoss machte er kein

Licht, weil die Weihnachtsbeleuchtung vom Nachbarn genügend Helligkeit verbreitete.

Unten wählte er die Handynummer seiner Tochter an. Sie meldete sich nach dem zweiten Klingeln.

»Hallo Moa, hier ist Papa.«

Sie antwortete nicht. Vielleicht nickt sie, dachte er.

»Weißt du, wo Mama ist?«

»Ja …«

»Ich hab versucht, sie anzurufen, und als ich nach Hause kam, war das Haus leer.«

»Ja …«

»Wo ist sie denn? Seid ihr in der Stadt einkaufen?«

Ringmar hörte sie heftig atmen.

»Sie wollte für eine Weile verreisen.«

»Wie bitte?«

»Sie ist für eine Weile verreist, hab ich gesagt. Ich hab es selbst erst heute Vormittag erfahren.«

»Verreist? Wohin? Warum? Was ist passiert?«

Das waren viele Fragen, und sie antwortete auf eine: »Ich weiß es nicht.«

»Was weißt du nicht?«

»Wohin sie gefahren ist.«

»Hat sie das nicht gesagt?«

»Nein.«

»Was zum Teufel soll das?!« Gleich muss ich mich setzen, dachte Ringmar. »Ich versteh den ganzen verdammten Scheiß nicht. Du, Moa?«

Sie antwortete nicht.

»Moa?« Er hörte ein Geräusch im Hintergrund, als würde sich etwas schnell bewegen. »Moa? Wo bist du?«

»Ich bin in der Straßenbahn«, antwortete sie, »auf dem Weg nach Hause.«

Gott sei Dank, dachte er.

»Wir reden, wenn du kommst«, sagte er.

Er wartete in der Küche, rastlos, öffnete ein Bier, das er nicht trank. Die tausend Lämpchen im Garten des Nachbarn fingen plötzlich an zu blinken wie tausend gelbe Facettenaugen, wie

Sterne, die der Erde eine Botschaft bringen. Zum Teufel noch mal, dachte er, gleich geh ich rüber und überbring dem Kerl mal eine deutliche Botschaft.

Die Haustür wurde geöffnet. Er ging in den Flur.

»So schlimm ist es vielleicht gar nicht«, war das Erste, was seine Tochter sagte. Sie zog ihren Mantel aus.

»Ist das ein Alptraum?«, fragte Ringmar.

»Lass uns ins Wohnzimmer gehen.«

Er trottete hinter ihr her. Sie setzten sich auf die Couch.

»Martin hat angerufen«, sagte Moa.

»Ich verstehe.«

»Wirklich?«

»Warum hat sie nicht erst mit mir gesprochen?«

»Was verstehst du, Papa?«

»Das ist doch wohl ganz offensichtlich. Er will sie treffen, aber mich auf keinen Fall.« Er schüttelte den Kopf. »Und sie durfte mir nichts sagen.«

»Ich weiß es nicht«, sagte Moa.

»Wann kommt sie zurück?«

»Morgen, glaube ich.«

»Weiter ist er also nicht entfernt?«, sagte Ringmar.

Sie antwortete nicht. Er konnte ihr Gesicht nicht sehen, nur ihre Haare, die von den flackernden Lichtpunkten aus dem Garten des Idioten von nebenan gefleckt waren.

»Weiter ist er also nicht entfernt?«, wiederholte Ringmar.

»Sie trifft sich nicht mit ihm«, sagte Moa schließlich.

»Wie bitte?«

»Mama trifft sich nicht mit Martin.«

»Was weißt du, was ich nicht weiß?«, fragte er.

»Nicht viel mehr als du«, antwortete sie. »Mama hat mich angerufen und gesagt, Martin hat sich gemeldet und dass sie eine Weile verreisen muss.«

»Aber was zum Teufel hat er gesagt? Er muss doch irgendwas gesagt haben, das sie veranlasst hat zu fahren.«

»Ich weiß es nicht.«

»So was passiert doch nur im Film«, sagte er.

Sie schwieg.

»Machst du dir keine Sorgen?«, fragte er.

Sie erhob sich.

»Wohin willst du?«

»In mein Zimmer. Wieso?«

»Da ist noch mehr«, sagte er, »ich sehe es dir an.«

»Nein«, antwortete sie, »und ich muss jetzt rauf. Vanna wollte mich anrufen.«

Er stand auch auf und ging in die Küche, holte sich die Flasche Bier und setzte sich wieder auf die Couch. Birgitta hatte kein Handy, sonst hätte er eine Nachricht hinterlassen, etwas sagen, etwas tun können. So etwas hab ich noch nie erlebt. Träume ich? Oder hat es mit etwas zu tun, das ich gesagt habe? Mit etwas, das ich getan habe? *Was* habe ich getan?

Warum hatte Martin angerufen? Was hatte er gesagt? Was hatte er gesagt, das Birgitta veranlasst hat, einfach loszufahren? Ohne eine Nachricht zu hinterlassen.

Er nahm einen Schluck Bier, und draußen flackerten die Lichter. Er sah aus dem Fenster und bemerkte, dass eine Art Portal die Haustür des Nachbarn illuminierte, noch was Neues. Er hielt die Flasche umklammert und stand auf. Er sah den Nachbarn aus dem Haus kommen. Der drehte sich um und bewunderte seinen Lichterhof. Ringmar hörte Telefonklingeln und Moas Stimme, als sie sich meldete. Er wartete darauf, dass sie ihn rufen würde, aber sie redete weiter. Wahrscheinlich Vanna, die Kommilitonin mit dem geblümten Hemd. Würde sich gut im Rechtswesen machen.

Er starrte seinen Nachbarn an. Der Kerl schien ein paar weitere neue Lichter in einem Ahorn anzubringen. Ringmar knallte die Flasche auf den Glastisch und marschierte auf die Veranda hinaus, die dem Lichtermeer zugewandt war. Er spürte den Frost durch seine Strümpfe nicht.

»Was soll das denn werden?«, rief er quer über die blinkende Milchstraße, den Kleinen und den Großen Wagen und den Teufel und seine Großmutter.

Das verfärbte, stumpfsinnige Gesicht des Nachbarn wandte sich in seine Richtung.

»WAS MACHEN SIE DA?!«, schrie Ringmar. Er tat etwas, von dem er wusste, dass es sich nicht gehörte; man ließ seine eigene Frustration oder Sorge nicht an anderen Menschen aus, er wusste es, aber in diesem Moment schiss er auf das Wissen.

»Was ist denn los?«, fragte der Nachbar. Er war Verwalter bei irgendeiner Art Pflegeeinrichtung. Ich geh jede Wette ein, dass der Kerl im Krankenhaus für die Lichttherapie zuständig ist, dachte Ringmar.

»Ich brauch nicht noch mehr von Ihren Lampen vor der Visage«, sagte Ringmar und dachte an Halders. Das Wort Visage hab ich seit vierzig Jahren nicht benutzt.

Der Nachbar starrte mit seiner eigenen dummen Visage zurück. Hatte so eine Person überhaupt die Erlaubnis zu leben? Wo ist Gott?

»Mein ganzes Haus badet die ganze Nacht im Licht aus Ihrem verdammten Garten, und es wird immer noch schlimmer«, sagte Ringmar mit etwas lauterer Stimme als normal, damit der Verwalter ihn auch verstand. »Gott sei Dank, dass Weihnachten bald vorbei ist.« Er drehte sich um und knallte die Verandatür hinter sich zu. Er zitterte etwas. Das ist ja grad noch mal gut gegangen, niemand ist verletzt worden.

Er wurde um Mitternacht geweckt, in einem heftig erleuchteten Traum.

»Bertil, hier ist Erik. Ich brauche deine Hilfe. Ich weiß, es ist spät, aber es lässt sich nicht ändern.«

Er sah Licht in Winters Fenster, als er über den Parkplatz ging. Es war das einzige erleuchtete Fenster an der Nordwand des Polizeipräsidiums.

Winter gegenüber saß ein Mann.

»Das ist Bengt Johansson«, sagte Winter. »Er ist gerade gekommen.«

Ringmar begrüßte ihn. Der Mann schwieg.

»Bist du drüben gewesen?«, fragte Ringmar zu Winter gewandt. »Im Nordstan?«

»Ja«, antwortete Winter. »Und ich bin nicht der Einzige, der sucht. Aber die Stelle, wo der Kinderwagen stand, ist leer.«

»Herr im Himmel«, sagte Bengt Johansson.

»Erzählen Sie bitte noch einmal«, sagte Winter und setzte sich.

»Es ist nicht das erste Mal«, sagte Johansson. »Es ist schon mal passiert. Damals haben sie vom Kiosk angerufen. Da waren nur ein paar Minuten vergangen.«

Ringmar sah Winter an.

»Erzählen Sie von heute«, wiederholte Winter.

»Sie wollte Micke abholen«, sagte Johansson. »Und das hat sie ja auch gemacht. Ha! Wir hatten verabredet, dass sie Weihnachtsgeschenke einkaufen würde, vielleicht eine Stunde, und ihn dann zu mir bringen sollte.« Er sah Ringmar an. »Aber sie sind nicht gekommen.« Er sah Winter an. »Ich habe bei ihr zu Hause angerufen, aber da meldete sich niemand. Ich hab gewartet und wieder angerufen. Ich wusste ja nicht, wo sie einkaufen wollte.«

Winter nickte.

»Dann hab ich rumtelefoniert ... bei unseren Freunden und Bekannten ... und dann bei den Krankenhäusern.« Er hielt die Hand wie einen Telefonhörer. »Und dann ... ja, dann hab ich bei der Polizei angerufen.«

»Sie haben mich benachrichtigt«, sagte Winter in Ringmars Richtung. »Die Mutter ... Carolin ... hat das Kind bei H & M am Eingang stehen gelassen und ist weggegangen.«

»Weggegangen?«, echote Ringmar.

»Irgendwann kurz vor sechs. Viele Menschen. Um acht haben sie geschlossen.«

Winter sah Bengt Johansson an. Dem Mann schien das Entsetzen in einem Traum begegnet zu sein, der schlimmer sein musste als der, den Ringmar gerade erlebt hatte.

»Wo ist der Junge?«, fragte Ringmar.

»Wir wissen es nicht«, sagte Winter und schnaufte. Bengt Johanssons gab etwas von sich wie einen Schluchzer.

»Wo ist die Mutter?«, fragte Ringmar. »Ist der Junge nicht bei ihr?«

»Nein«, sagte Winter. »Herr Johansson hat mir ein paar Stellen genannt, wo er noch nicht angerufen hat, und an einer davon war sie.«

»Was für eine Stelle?«

Winter antwortete nicht.

»Pubs? Restaurants?«

»So was in der Richtung. Wir haben sie gefunden und identifiziert, aber der Junge war nicht bei ihr.«

»Was sagt sie selber?«

»Nichts, was uns im Augenblick helfen könnte«, antwortete Winter.

Bengt Johansson bewegte sich.

»Was soll ich denn jetzt tun?«

»Haben Sie jemanden, der vorläufig bei Ihnen bleiben kann?«, fragte Winter.

»Äh ... ja, meine Schwester ...«

»Einer unserer Kollegen bringt Sie nach Hause«, sagte Winter. »Sie dürfen jetzt nicht allein sein.«

Bengt Johansson antwortete nicht.

»Ich möchte, dass Sie zu Hause warten«, sagte Winter. »Wir lassen von uns hören.« Vielleicht lässt auch jemand anders von sich hören, dachte er. »Kannst du Helander und Börjesson anrufen, Bertil?«

»Was um Himmels willen hat das zu bedeuten?«, fragte Ringmar. Sie saßen in Winters Büro. Winter hatte versucht, Hanne Östergaard, die Polizeipastorin, zu erreichen, aber sie war über Weihnachten im Ausland.

»Ein Familiendrama der schweren Sorte«, sagte Winter. »Die Mutter lässt das Kind allein und hofft, dass sich eine freundliche Seele vom Personal erbarmt. Oder ein anderer Barmherziger.«

»Was ja auch passiert sein könnte«, sagte Ringmar.

»Es scheint so.«

»Und jetzt ist er also verschwunden«, sagte Ringmar. »Vier Jahre alt.«

Winter nickte und zog mit seinem Zeigefinger einen Kreis auf der Tischplatte und darüber noch einen Kreis.

»Wo ist die Mutter jetzt?«

»Zu Hause, zwei vom Sozialamt sind bei ihr. Vielleicht auf dem Weg ins Östra, ich muss jeden Moment Bescheid kriegen. Sie saß in einer Kneipe und hat getrunken, aber nicht viel. Sie war verzweifelt und voller Reue, wie man so sagt.«

»Wie man so sagt«, wiederholte Ringmar.

»Sie ist nach einer Weile zurückgekehrt, wusste aber nicht, wie viel Zeit inzwischen vergangen ist, und da war der Junge weg und sie dachte, die Behörden hätten sich seiner angenommen.«

»Hat sie bei der zuständigen Polizeidienststelle angerufen?«

»Nein.«

»Und ihren Mann hat sie auch nicht angerufen?«

Winter schüttelte den Kopf.

»Sie sind geschieden. Er hat das Sorgerecht.«

»Warum hat sie das getan?«, fragte Ringmar.

Winter hob die Arme ein Stück über die Tischplatte.

»Das weiß sie selber nicht«, sagte er, »jedenfalls nicht im Augenblick.«

»Glaubst du ihr?«, fragte Ringmar.

»Dass sie den Jungen zurückgelassen hat? Ja, was wäre die Alternative?«

»Etwas noch Schlimmeres«, sagte Ringmar.

»Wir müssen uns mit allen möglichen Alternativen beschäftigen«, sagte Winter. »Auch das Alibi des Vaters überprüfen. Im Augenblick steht nur eins fest, das Kind ist verschwunden. Mehr wissen wir nicht.«

»Bist du beim Vater zu Hause gewesen?«

»Ja«, sagte Winter. »Und im Augenblick versuchen wir herauszufinden, wer alles zu dem Zeitpunkt im Erdgeschoss im Nordstan gearbeitet hat.«

»Du meinst, jemand könnte das Kind mitgenommen haben?«, fragte Ringmar.

»Ja.«

»Kommt uns das bekannt vor?«, fragte Ringmar.

»Ja.«

»Genau«, sagte Ringmar, »aber die Umstände sind diesmal anders.«

»Vielleicht nicht«, sagte Winter. »Dieser Junge … Micke … war in einem Kindergarten im Zentrum. Nicht weit entfernt von den anderen, um die es aktuell geht … inklusive unseres Kindergartens oder besser Elsas.«

»Ja?«

»Wenn einer die Kindergärten hin und wieder beobachtet, sie quasi bewacht ... dann ist es doch nicht undenkbar, dass der Betreffende auch jemandem folgen könnte, der ein Kind abholt.«

»Warum?«

»Er oder sie interessiert sich für das Kind.«

»Warum?«

»Aus demselben Grund wie bei den früheren Fällen.«

»Jetzt mal ruhig, Erik.«

»Ich bin ruhig.«

»Was ist der Grund?«, fragte Ringmar.

»Das wissen wir noch nicht.«

Ringmar machte eine Pause.

»Vielleicht ist es leichter ein Kind mitzunehmen, das man eine Weile beobachtet hat«, sagte Ringmar.

»Vielleicht.«

»Statt einfach hinzugehen und mit dem Wagen abzuhauen. Die Mutter könnte ja daneben stehen.«

Winter nickte. Er versuchte sich das Bild vorzustellen, es gelang ihm aber nicht. Es waren zu viele Menschen im Weg.

»Oh, Scheiße, Erik, wir könnten es jetzt mit einer wirklichen Kindesentführung zu tun haben.« Ringmar rieb sein Auge. »Oder könnte der Junge aufgewacht und einfach weggelaufen sein?« Er hörte mit dem Reiben auf. »Das wäre ja auch eine Möglichkeit.«

»Draußen sind viele unterwegs und suchen«, sagte Winter.

»Am Kanal?«

»Auch dort.«

»Hast du ein Foto von dem Jungen?«

Winter nickte zur Tischplatte hin, wo schon die ganze Zeit ein kleines Foto gelegen hatte.

»Wir sind gerade dabei, Abzüge machen zu lassen«, sagte Winter. »Einen Text haben wir schon entworfen.«

»Du weißt, was es mit sich bringt, wenn die Suchanzeige rauskommt?«, fragte Ringmar.

»Die Zeit der Geheimhaltung ist vorbei«, sagte Winter.

»Und der Rest folgt dann wie von selbst«, sagte Ringmar.

»Das ist vielleicht ganz gut so«, sagte Winter.

»Die Presse wird uns die Hölle heiß machen«, sagte Ringmar.

»Hilft nichts.«

»Du scheinst dich ja fast darauf zu freuen, Erik.«

Winter antwortete nicht.

»Was für ein Weihnachten«, sagte Ringmar. »Bist du nicht auf dem Weg nach Spanien?«

»War ich. Angela und Elsa fliegen morgen allein. Ich folge ihnen, wenn es geht.«

»Aha.«

»Was würdest du in meiner Situation tun, Bertil?«

»Das hängt von unserem Verdacht ab. Wenn er sich bestätigt, würde ich keine Sekunde zögern«, sagte Ringmar.

»Wir müssen die Kinder noch mal verhören«, sagte Winter.

30

Die Wohnung wurde vom Geist Tom Joads heimgesucht, als Winter sich den Mantel im Flur auszog. Er hörte Elsas Getrappel, das zu ihm unterwegs war. Angela ließ im Schlafzimmer etwas laut zu Boden fallen, und die Musik war laut und böse: *The highway is alive tonight, where it's headed everybody knows*, noch ein Knall im Schlafzimmer, Elsas leuchtendes Gesicht, er auf Knien.

Draußen hatte es geschneit. Auf seinen Schultern schmolzen immer noch Flocken.

»Willst du mit raus und den Schnee sehen, Elsa?«

»Ja, ja, ja, ja!«

Das Trottoir war weiß und der Park auch.

»Wir bauen einen Schneemann«, sagte Elsa.

Sie versuchten es, doch es wurde nur ein kleiner. Der Schnee klebte nicht richtig.

»Muss eine Möhre haben für die Nase«, sagte Elsa.

»Aber nur eine ganz kleine.«

»Papa holen?«

»Wir nehmen dieses Stöckchen.«

»Schneemann geht kaputt!«, sagte sie, als sie das Stöckchen in das runde Gesicht gedrückt hatte.

»Dann machen wir eben einen neuen Kopf«, sagte er.

Eine halbe Stunde später waren sie wieder oben. Elsas Wangen waren rot wie Äpfel. Angela kam in den Flur. Springsteen sang von menschlicher Dunkelheit, immer noch in voller Lautstärke, *it was a small town bank it was a mess, well I had a gun you know the rest*, Angelas Songs, die seine geworden waren.

»Schnee!«, rief Elsa und lief in ihr Zimmer, um einen richtigen Schneemann zu malen.

»Und den soll ich ihr jetzt wegnehmen«, sagte Angela. Sie sah ihn mit einem unbestimmten Lächeln an. »Morgen fahren wir weg von dem ersten weißen Weihnachten ihres Lebens.«

»Der schmilzt noch heute Nacht«, sagte er.

»Ich weiß nicht, ob das pessimistisch oder optimistisch ist«, sagte sie.

»Es kommt immer auf die Umstände an, oder? Positiv, negativ.«

Er hängte den Mantel auf, wischte sich ein wenig Wasser vom Hals und öffnete die obersten Hemdenknöpfe.

»Wo ist denn dein Schlips?«, fragte sie.

»Einer von den Jungs da draußen hat ihn sich geliehen.« Er zeigte mit dem Daumen in Richtung Park.

»Ein Seidenschlips. Das muss der bestgekleidete Schneemann der Stadt sein.«

»Kleider machen Leute«, sagte Winter, ging in die Küche und goss sich einen Whisky ein.

»Möchtest du auch einen?«

Sie schüttelte den Kopf.

»Du brauchst doch nicht zu fahren«, sagte er. »Ihr könnt zu Hause bleiben, ich zwinge euch nicht.«

»Heute Nachmittag habe ich mir das auch überlegt«, sagte sie. »Aber dann hab ich an deine Mutter gedacht.«

»Sie hätte ja herkommen können.«

»Dieses Weihnachten nicht, Erik.«

»Verstehst du mich?«, fragte er nach kurzem Schweigen.

»Was soll ich sagen?«

»Verstehst du, dass ich jetzt nicht fahren kann?«

»Ja«, sagte sie. »Aber du bist nicht der Einzige in der Stadt, der Verhöre leiten kann oder eine Ermittlung.«

»Das hab ich auch noch nie behauptet.«

»Trotzdem musst du bleiben?«

»Es gilt jetzt ... etwas zu Ende zu bringen. Und wir stehen

kurz vor dem Ende. Ich weiß nicht, was es ist. Aber ich muss es ... bis zum Ende begleiten. Das kann kein anderer machen.«

»Du bist nicht allein.«

»So meine ich das nicht. Ich rede von mir nicht wie von einem einsamen Wolf. Aber wenn ich die Arbeit jetzt loslasse ... bleibe ich zurück. Ich verliere etwas.«

»Und was bedeutet das? Was verlierst du?«

»Ich weiß es nicht ...«

Sie sah zum Fenster, ein kräftiger Wind trieb ein paar Schneeflocken gegen die Scheiben. Springsteen sang auf *repeat*, wieder und wieder. *I threw robe on in the morning.*

»Es könnte etwas Furchtbares passiert sein«, sagte Winter.

»Ist die Suchmeldung schon raus?«

»Ja.«

»Ach ja, genau, dein ... Kontakt oder wie ich ihn nun nennen soll, der von der *Göteborger-Posten*, Bülow, hat angerufen.«

»Er ruft bestimmt noch mal an.«

»Hörst du ein Telefon klingeln? Nein. Und das kommt daher, weil ich den Stecker rausgezogen habe.«

»Ich höre *Ghost of Tom Joad*«, sagte er.

»Sehr gut. Wird dieser Fall die ganzen Weihnachtsfeiertage in Anspruch nehmen?«

»Darum bleibe ich, Angela.« Er nahm einen Schluck Whisky, eine kalte Wärme rann durch seine Kehle. »Mehr kann ich darüber nicht sagen. Du kennst mich doch, oder? Ich mache meinen Job richtig oder ich lasse es ganz bleiben. Entweder-oder. Ich kann ihn nicht nur halb machen.«

»Warum planen wir überhaupt Urlaub? Es ist doch ganz sinnlos. Lieber immer arbeiten, achtzehn Stunden am Tag, das ganze Jahr, Jahr für Jahr. Immer. Alles andere ist ja nur halb, wie du sagst.«

»So hab ich das nicht gemeint.«

»Okay, okay. Ich verstehe, dass du ... jetzt weitermachen musst. Dass jetzt ständig was passiert. Dass dem kleinen Jungen etwas Furchtbares passiert sein könnte. Oder ist.« Sie schaute immer noch zu dem Schnee am Fenster. »Aber es nimmt nie ein Ende, Erik.« Sie drehte den Kopf. »Es geschieht doch dauernd Schreckliches. Und du bist immer mittendrin. Es nimmt kein Ende, nie.«

Er antwortete nicht.

Immerhin hatte ich ein halbes Jahr Erziehungsurlaub, dachte er. Vielleicht war das meine beste Zeit, die wertvollste.

»Ich hab mich so auf die Reise gefreut«, sagte sie jetzt.

Was sollte er darauf antworten? Verlieren wir ein gemeinsames Weihnachten, so haben wir doch noch tausend vor uns? Was fühlte er selber? Was bedeutete es ihm, die Tage mit Angela zu verbringen? Und mit Elsa?

Wie oft haben wir darüber gesprochen?

»Bleib, Angela, wir fahren sofort los, wenn es vorbei ist.«

»Manchmal denke ich an dich und deinen Job, als wärst du eine Art freischaffender Künstler«, sagte sie. »Keine regelmäßigen Arbeitszeiten, du entscheidest selbst, wann und wie du arbeitest, du lenkst die Arbeit gewissermaßen. Verstehst du, Erik? Als würdest du sie selber erschaffen.«

Er antwortete nicht. An dem, was er gesagt hatte, war was dran. Es war ein erschreckender Gedanke.

»Ich kann es nicht erklären«, sagte sie.

»Ich verstehe, was du meinst«, sagte er. »Vielleicht ist es wirklich besser, wenn ihr über Weihnachten zu Hause bleibt«, fügte er hinzu.

»Lass mich ein bisschen nachdenken«, sagte sie. »Vielleicht ist es für alle gut, wenn wir fahren, Elsa und ich.«

Fünf Tage, dachte er plötzlich. Alles ist in fünf Tagen vorbei. Am zweiten Weihnachtstag ist es vorbei.

Er wusste schon, dass es nichts war, auf das er sich freuen konnte. Abgesehen von dem, was geschah, spürte er, dass ihn am Ende der Feiertage Entsetzen erwartete. Oder auch während der Festtage. Er wusste, dass er überrascht werden würde, er würde Fragen und Antworten finden, die er nicht formuliert hatte. Er würde mit unbeantworteten Fragen zurückbleiben. Plötzlich Öffnungen sehen, die vorher verschweißt gewesen waren. Und neue Mauern.

Aber er würde die ganze Zeit unterwegs sein, wirklich auf dem Weg, und dieser Moment an diesem Tisch war der letzte in Frieden. Wann würde er wieder hierher zurückkehren? Zum Frieden?

»Willst du mich heiraten, Angela?«, fragte er.

Das Telefon klingelte im selben Moment, als er es wieder einstöpselte. Es war nach Mitternacht.

»Was ist da im Gang, Erik?«, fragte Bülow.

»Was möchtest du wissen?«

»Ihr habt eine Suchmeldung rausgegeben nach einem vierjährigen Jungen, der Micke Johansson heißt?«

»Das stimmt.«

»Was ist passiert?«

»Wir wissen es nicht. Der Junge ist verschwunden.«

»Im Nordstan? Mitten im Weihnachtstrubel?«

»Ja, und besonders dort pflegt so was zu passieren.«

»Ist es schon öfter passiert?«, fragte Bülow.

»Ich meine das ganz allgemein. Kinder verschwinden dort, wo viele Menschen sind.«

»Aber dieses ist nicht wieder aufgetaucht?«

»Nein.«

»Es sind fast vierundzwanzig Stunden vergangen.«

Winter schwieg. Bülow und seine Kollegen konnten dem Uhrzeiger genauso gut folgen wie er.

Angela bewegte sich neben ihm im Bett. Er legte auf, ging rasch in die Küche und nahm dort ab. Der Reporter war noch dran.

»Jemand hat das Kind also gekidnappt?«, fragte Bülow.

»Den Terminus würde ich nicht benutzen.«

»Welchen würdest du denn benutzen?«

»Wir wissen noch nicht, was passiert ist«, antwortete Winter ausweichend.

»Sucht ihr nach dem Jungen?«

»Was denkst du denn?«

»Er ist also verschwunden.« Winter hörte Stimmen im Hintergrund. Jemand lachte. Die sollten weinen, dachte er. »Das klingt ja verdammt ernst«, fuhr Bülow fort.

»Da geb ich dir Recht«, sagte Winter.

»Und dann haben wir noch die Misshandlung von diesem

englischen Jungen.« Winter hörte Papier in der Nähe von Bülows Telefonhörer rascheln. »Waggoner, Simon Waggoner. Offenbar ist er auch gekidnappt und misshandelt und dann allein zurückgelassen worden.«

»Kein Kommentar«, sagte Winter.

»Nun komm schon, Erik. Ich hab dir früher auch schon geholfen. Du solltest inzwischen wissen, nach all dem Kontakt mit den Medien, dass Tatsachen mehr bringen als Gerüchte.«

Winter konnte ein Lachen nicht zurückhalten.

»War das ein ironisches Lachen?«, fragte Bülow.

»Wie kommst du darauf?«

»Du weißt, dass ich Recht habe.«

»Die Behauptung stimmt, aber der Überbringer ist falsch«, sagte Winter. »Ich arbeite in der Tatsachenbranche, du in der Gerüchtebranche.«

»So weit könnte es kommen, wenn wir keine Fakten kriegen, mit denen wir arbeiten können«, sagte Bülow.

»Dann arbeitet doch nicht.«

»Wie meinst du das?«

»Schreibt nichts, bevor ihr nicht wisst, worüber ihr schreibt.«

»Arbeitest du auch so?«, fragte Bülow.

»Bitte?«

»Sitzt du tatenlos rum, bis du ein kleines Puzzleteil hast?«

»Ich hätte überhaupt kein Puzzleteil, wenn ich tatenlos rumsäße«, sagte Winter.

»Was uns zum Anlass dieses Gesprächs zurückführt«, sagte Bülow, »da ich nämlich etwas dafür tue, Puzzleteile zu finden, über die ich schreiben kann.«

»Ruf mich morgen Abend wieder an«, sagte Winter.

»Ich muss jetzt darüber schreiben«, sagte Bülow, »heute Nacht. Das musst selbst du verstehen.«

»Mhm.«

»Im Fall Waggoner haben wir schon Fakten.«

»Warum habt ihr die noch zurückgehalten?«, fragte Winter. Er hörte Bülows Zögern, bevor er antwortete.

»Das ist gerade erst bei uns angekommen«, antwortete der Reporter. »Im Zusammenhang mit der Suchmeldung nach dem anderen Jungen.«

»Aha.«

»Seht ihr da einen Zusammenhang, Erik?«

»Wenn ich dir das bestätige und du schreibst das, könnte es unabsehbare Folgen haben«, sagte Winter.

»Hier will keiner Panik verursachen«, sagte Bülow.

Winter musste schon wieder fast lachen.

»Nur die Verbreitung von Gerüchten sorgt für Panik, und ich suche Fakten«, sagte Bülow.

»Haben wir uns über dieses Thema nicht schon mal unterhalten?«, fragte Winter.

»Gibt es da einen Zusammenhang?«, wiederholte Bülow.

»Ich weiß es nicht, Hans. Ich bin ganz ehrlich. Vielleicht weiß ich morgen mehr oder übermorgen.«

»Dann ist Heiligabend.«

»Ja?«

»Arbeitest du Heiligabend?«

»Du nicht?«, fragte Winter.

»Es kommt drauf an, unter anderem auf dich.« Wieder hörte Winter Stimmen im Hintergrund. Es klang, als würde jemand Bülow eine Frage stellen. Er sagte etwas, das Winter nicht verstehen konnte, dann war er wieder da. »Du willst also nichts über irgendeinen Zusammenhang sagen?«

»Ich möchte, dass du das im Augenblick auslässt, Hans. Es könnte viel zerstören. Verstehst du, was ich meine?«

»Ich bin nicht sicher. Ich tu dir also wieder mal einen Gefallen. Aber alles in diesem Haus kann ich nicht bestimmen«, sagte Bülow.

»Du bist ein guter Mensch. Du verstehst mich.«

Der Wecker riss ihn aus einem Traum, in dem er einen Schneeball gerollt hatte, der zu einem Haus anwuchs und rollte und rollte. Ein Flugzeug war über ihn hinweggeflogen und er hatte auf der Spitze des Schneeballhauses gesessen und Elsa zugewinkt, die vorsichtig von ihrem Fenster im Flugzeug zurückgewinkt hatte. Angela hatte er nicht gesehen. Er hatte Musik gehört, die ihm ganz unbekannt war. Unten hatten Kinder versucht, den riesigen Schneeball anzuschieben, aber nichts hatte sich bewegt, auch Elsas Hände nicht, da das Flugzeug schon am

Himmel verschwunden war. Dort hatten sich alle Farben, die vorher dagewesen waren, zu Grau vermischt. Wenn sich alles Leuchtende mit sich selbst mischt, hatte er gedacht, wird es grau, und in dem Augenblick war er aufgewacht.

Angela saß schon in der Küche.

»Der Schnee ist weg«, sagte sie, »genau wie du vorausgesagt hast.«

»Es wird neuer kommen.«

»Nicht dort, wo wir sind.«

»Du hast dich also entschieden?«

»Ich will in die Sonne.« Sie sah Winter an, hielt einen nackten Arm hoch. »Ich will verdammt noch mal ein bisschen Sonne auf dieser blassen Haut haben. Ein bisschen Sonne im Kopf.«

»Ich komme am zweiten Weihnachtstag nach.«

»Wieso bist du dir so sicher?«

»Oder einen Tag später.«

»Bleiben wir über Neujahr?«

»Mindestens.«

»Hast du mit deiner Mutter geredet?«

»Ich ruf sie jetzt an, erst wollte ich hören, wie du dich entschieden hast.«

Sie beugte sich über den Tisch. Vor ihr stand eine Teetasse. Das Radio murmelte in seiner Ecke, Worte voller Fakten.

»Erik? Hast du das ernst gemeint gestern? Oder warst du bereit, wer weiß was zu tun, nur damit du zu Hause bleiben und über Weihnachten allein nachdenken kannst?«

»Ich war so ernst wie noch nie.«

»Ich weiß nicht, wie ich das deuten soll.«

»Nenn ein Datum. Ich hab keine Lust mehr, dich meine Partnerin oder Verlobte zu nennen«, sagte er.

»Ich hab noch nicht ja gesagt«, antwortete sie.

Als er sich gerade rasierte, klingelte sein Handy. Angela reichte es ihm.

»Dieser Kappentyp ist wieder aufgetaucht«, sagte Ringmar.

»Wo?«

»Wir haben heute Nacht drei Zeugen gefunden, die einen

Mann gesehen haben, als er mit einem Buggy mit einem Kind drin von H & M weggegangen ist. Er hat eine karierte Kappe getragen. Keine Suggestivfragen.«

»Wieso ist er ihnen aufgefallen?«

»Einer Verkäuferin, die am Kleidertresen gegenüber von der Stelle gearbeitet hat, wo die Mutter den Wagen abgestellt hatte, ist aufgefallen, dass er eine Weile unbeaufsichtigt dastand. Nach einer Weile ist ein Mann gekommen und hat ihn weggeschoben.«

»Und sie hat nicht reagiert?«

»Tja ... das ist wohl meistens so. Es ist ihr jedenfalls wieder eingefallen, als wir uns umgehört haben.«

»Himmel, Bertil, wenn es so ist, wie sie sagt, haben wir jetzt was.«

»Aber das macht mich nicht gerade glücklich.«

»Und die anderen Zeugen?«

»Unabhängig voneinander haben sie den Kappenmann im Nordstan gesehen.«

»Draußen niemand?«

Er hörte Bertil seufzen. Bertil hatte eine schlaflose Nacht gehabt. Winter hatte nicht bleiben können, er musste die Feiertage mit Angela diskutieren. Und einen Schneemann mit Elsa bauen.

»Da gab es die üblichen Idioten, die alles gesehen haben, wonach wir nur fragen. Jetzt sind es mehr denn je, aber das hat vermutlich mit Weihnachten zu tun«, sagte Ringmar.

Winter fragte nicht, was er damit meinte.

»Hast du noch mehr Abzüge von den Fotos machen lassen?«, fragte er.

»Hunderte.«

»Ich bin in einer halben Stunde da.«

»Zu den Eltern hab ich's nicht mehr geschafft«, sagte Ringmar. »Ich meine, zu dem Vater vom Jungen Johansson.«

»Ich hab gehört, dass er gestern Abend ins Krankenhaus eingeliefert worden ist«, sagte Winter.

»Ich hab selten einen Menschen in einem solchen Schockzustand gesehen«, sagte Ringmar. »Hinterher ist es wie eine Lawine über ihn gekommen.«

»Nichts Neues von der Mutter? Carolin?«

»Sie hat ihre Story erzählt«, sagte Ringmar. »Sie hat kein Kidnapping inszeniert, das glaub ich nicht. Aber wir müssen sie noch mal verhören.«

»Ich wollte heute Vormittag einen neuen Versuch bei Simon Waggoner machen«, sagte Winter.

»Zu Hause bei der Familie oder hier im Präsidium?«

»Bei der Familie. Hast du die Videokamera?«

»Sie wartet auf meinem Tisch.«

»Wie läuft es mit den Verhören beim Personal vom Kindergarten?«, fragte Winter.

»Es geht voran, aber es braucht seine Zeit, das weißt du ja.«

»Wir müssen alle überprüfen, die in diesen Kindergärten arbeiten und gearbeitet haben. Das hat Möllerström hoffentlich begriffen? Und wenn wir zehn Jahre oder noch weiter in der Zeit zurückgehen müssen.«

Er hielt Elsa im Arm und flüsterte ihr Sachen ins Ohr, die sie zum Kichern brachten. Die Koffer waren gepackt.

»Wir hätten gestern Abend eine kleine Weihnachtsfeier machen müssen«, sagte Angela.

»Das holen wir in wenigen Tagen nach«, sagte er.

»Mach dir bloß nichts vor«, sagte sie.

Er antwortete nicht.

»Irgendwo in der Wohnung haben wir Weihnachtsgeschenke für dich versteckt«, sagte sie.

»Meins findest du NIE!«, sagte Elsa.

»Vogel, Frosch oder irgendwas dazwischen?«, fragte er.

»Frosch!«, rief Elsa.

»Das ist doch ein Geheimnis, Elsa!«, sagte Angela.

»Ist es leicht, die Päckchen zu finden?«, fragte Winter.

»In der Küche liegt ein Briefumschlag mit kleinen Tipps«, sagte Angela.

Draußen wartete das Taxi. Der Schnee war weg, aber die Sonne schien. Sie stand tief in all dem Blau.

»Papa komm auch«, sagte Elsa, als sie ins Taxi kletterte. Sie sah traurig aus.

Was mache ich nur?, dachte Winter.

Der Chauffeur verstaute das Gepäck im Kofferraum. Er warf Winter einen raschen Blick zu. Er hatte etwas gehört.

Winters Handy klingelte in der Innentasche seines Mantels, zweimal, dreimal.

»Willst du nicht drangehen?«, fragte Angela vom Rücksitz durch die offene Tür.

Er sah »Privatnummer« auf dem Display und nahm das Gespräch an. Es war Paul Waggoner, Simons Vater.

»Ich wollte nur noch mal hören, um welche Zeit Sie kommen«, sagte er.

Winter wechselte ein paar Worte mit ihm und drückte auf Aus.

»Ich fahre euch«, sagte er, ging zum Kofferraum und hob das Gepäck wieder heraus.

»Fröhliche Weihnachten«, sagte der Chauffeur, bevor er mit dem leeren Taxi davonfuhr.

Winter und Elsa sangen bis hinaus nach Landvetter Weihnachtslieder.

Die Schlange vor dem Check-in war kürzer, als er erwartet hatte.

Angela lächelte und winkte, während sie mit der Rolltreppe zum Terminal hinauffuhren. Er brauchte das. Sie war ein guter Mensch. Sie verstand ihn.

Die Frage ist, *was* sie versteht, dachte er auf dem Weg zurück in die Stadt. Unterwegs hörte er etwas über seine eigene Wirklichkeit in den Nachrichten. Jetzt war es ganz seine Welt.

31

Winter fuhr durch den Kreisverkehr am Linnéplatsen, dann weiter auf der Schnellstraße und bog nach Änggården ab.

Familie Waggoner wohnte in einem der englischen Reihenhäuser. Wo sonst? Diese Reihe lag im Schutz der Felsen. Vor Waggoners Tür stand ein Tannenbaum. Auf dem Grundstück lag immer noch Schnee, ein dünnes weißes Etwas, das vielleicht ein Schneemann gewesen war. Winter meinte eine Mohrrübe gelb leuchten zu sehen, als er an der Tür klingelte. Er klingelte ein zweites Mal.

Simon Waggoner hatte nicht gesprochen, kein Wort darüber, was passiert war. Es hatte nicht funktioniert in dem Zimmer, das sie im Polizeipräsidium eingerichtet hatten. Sie wussten, was sie taten, aber es hatte nicht funktioniert. Vielleicht würde es jetzt klappen.

Im Alter von einem Jahr kommuniziert ein Kind in Ein-Wort-Sätzen, mit ungefähr achtzehn Monaten geht es zu Zwei-Wort-Sätzen über, danach zu Drei-Wort-Sätzen. Das wusste er von Verhören mit Kindern und aus der Literatur, Christianson, Engelberg, Holmberg: Avancierte Verhör- und Interviewmethode.

Und er wusste es von seinen Gesprächen mit Elsa.

Er wusste, dass die Sprache zwischen zwei und vier explodierte.

Mit zwei Jahren ist sich ein Kind bewusst, dass es ein eigenständiges Individium ist. Es kann seine Erfahrungen mit sich selbst in Verbindung bringen und mit anderen darüber sprechen, was es erlebt hat. Es gibt eine Erinnerung. Es ist möglich, sie zu finden, die Wege dorthin. Das Vergessen verschwindet, wenn die Sprache kommt.

Vierjährige können erzählen, was sie erlebt haben.

Simon Waggoner war viereinhalb. Winter sah ihn nicht, als er in der Diele stand und die Eltern begrüßte. Dort drinnen duftete es nach Weihnachtsgewürzen, und nach noch etwas anderem. Vielleicht ein Weihnachtspudding, der noch weitere vierundzwanzig Stunden kochen musste.

»Simon ist sehr angespannt«, sagte Paul Waggoner.

»Das verstehe ich«, sagt Winter.

»Soweit wir es begreifen, hat er seinem Teddy einiges erzählt«, sagte Barbara Waggoner. »Dem Teddy vertraut er sich an.« Sie warf ihrem Mann einen Blick zu. »Ich weiß nicht, wie wir das deuten sollen.«

»Der Teddy muss beim Verhör dabei sein«, sagte Winter. »Wie heißt er?«

»Billy.«

Billy muss es erzählen, dachte Winter. Billy erzählt über Simon.

»Wir haben das Gästezimmer vorbereitet«, sagte Barbara Waggoner, »und haben ein paar Möbel hineingestellt.«

»Ist Simon mit dem Zimmer vertraut?«

»Oh ja, dort ist er jeden Tag. Er sitzt gern dort und zeichnet.«

»Gut.«

»Hier entlang, bitte.«

Das Zimmer war im ersten Stock. Sie gingen durch die große Küche, die Fenster nach Osten hatte. Und wirklich kochte etwas in einem großen Topf, und das war kein Weihnachtsschinken. Auf dem Küchentisch lagen Zeitungen, Papier und Malkreide, verschiedene kleine Formen, Geschenkpapier. Zwei Kerzen brannten in niedrigen Kerzenhaltern. Im Fenster stand ein weiterer Kerzenhalter, in dem drei Lichter brannten. Das vierte in zwei Tagen, Heiligabend. Aber diese Familie feierte vermutlich schon morgens, gefüllte Strümpfe.

Auf der Spüle murmelte das Radio, genau wie zu Hause bei

Winter, und er erkannte die Stimmen von BBC, trocken, zuverlässig, klar. Tatsachen, keine Gerüchte.

Er wünschte, es würde der Familie erspart bleiben, in der Gerüchteküche und in den Zeitungen zu landen.

Das Zimmer war gut, ruhig, keine Stimmen von irgendwoher. Keine ablenkenden Spielsachen auf dem Fußboden oder dem Tisch, kein weihnachtlicher Schmuck.

»Perfekt«, sagte Winter.

»Wo sollte ich das Stativ aufstellen?«, fragte Paul Waggoner.

»Die Kamera soll so weit wie möglich von Simon entfernt sein«, sagte Winter. »Aber er muss sie sehen können.«

Sie stellten sie an die Nordwand, in die Mitte, sodass sie zu sehen war. Winter wollte sie selbst von seinem Platz aus mit der Fernbedienung bedienen.

Das Bild musste ständig ihn und Simon zeigen, ihr Zusammenspiel musste dokumentiert werden. Er musste es sich immer wieder anschauen können, um zu kontrollieren, was er tat, eine Bewegung, seinen Einfluss auf den Jungen.

Und er musste Simons Gesicht einfangen, seine Körpersprache. Die Technik half ihnen, er verfügte über die modernste, was bedeutete, dass er Simons Gesicht separat fokussieren konnte.

»In Ordnung«, sagte Winter, »ich bin bereit.«

Er verließ das Zimmer und stand in dem kleinen Vorraum, der zu einer Treppe führte. An der Wand hinter ihm war ein Fenster, und er konnte Simons Gesicht nicht genau sehen, als der Junge im Gegenlicht an der Hand seiner Mutter die Treppe herunterkam.

Winter traf Simon nicht zum ersten Mal, vielleicht war es das dritte oder vierte Mal.

Er ging vor ihm in die Hocke, um ihn in Augenhöhe zu begrüßen.

»Hallo, Simon.«

Der Junge antwortete nicht. Er hielt seine Mama an der Hand und machte einen Schritt zur Seite, schräg nach hinten.

Winter setzte sich auf den Fußboden, abgeschliffene, gelackte Dielen, vielleicht Tanne. Er war weich.

Simon setzte sich auf Barbara Waggoners Schoß. Nach einer Weile ließ er sich auf den Boden gleiten.

Er presste Billy in seine Armbeuge. Die schwarzen Augen des Teddys waren auf Winter gerichtet.

»Ich heiße Erik«, sagte Winter, »und wir haben schon mal hallo gesagt.«

Simon antwortete nicht, hielt seinen Teddy.

»Wie heißt dein Teddy?«, fragte Winter.

Der Junge sah seine Mama an, die lächelnd nickte.

»Ich hab einen Teddy gehabt, der hieß Bulle«, sagte Winter. Das stimmte sogar. Plötzlich fiel ihm ein, dass Bulle in einem Fotoalbum der Familie verewigt war, wo er selbst in einer Art Strampelhöschen dasaß, Bulle in der linken Hand, und zu etwas außerhalb vom Bild guckte. Wann hatte er es zuletzt angeschaut? Warum hatte er es Elsa noch nicht gezeigt?

Simon sah Winter an.

»Meiner hieß Bulle«, wiederholte Winter und schaute Simons Freund an.

»Billy«, sagte Simon.

Das war das erste Wort, das Winter den Jungen sagen hörte.

»Hallo, Billy«, sagte Winter.

Simon reichte ihm Billy mit seinem unverletzten Arm.

»Ich bin Polizist«, sagte Winter zu den beiden, die er verhörte, und dann sah er Simon an. »Meine Arbeit besteht darin, dass ich Sachen herausfinde. Sachen, die passiert sind.« Vorsichtig veränderte er seine Haltung auf dem Fußboden. »Danach wollte ich dich fragen.«

Winter wusste, wie wichtig es war, dem Verhör zunächst einen Rahmen zu geben. Er musste es entdramatisieren und trotzdem klar sein, natürlich, Vertrauen einflößen. Er musste einfache Wörter benutzen, kurze Sätze, sich Simons eigener Sprache nähern. Er musste sich in großen Kreisen von außen nähern. Vielleicht würde er den innersten Kreis niemals erreichen. Vielleicht würde es aber auch überraschend schnell gehen.

»Ich möchte ein bisschen mit dir reden«, sagte er.

Simon guckte seine Mama an.

»Du musst mir nicht antworten, Simon«, sagte Winter.

Er bewegte sich nicht, spürte jetzt das Holz unter seinem Hintern.

»Erik redet mit dir im Gästezimmer«, sagte Barbara Waggoner.

Winter nickte.

»Warum?«, fragte Simon.

»Da hab ich eine Kamera, die filmt uns«, sagte Winter. »Die macht Bilder von uns.«

»Eine Kamera?«

»Sie filmt uns«, sagte Winter, »wenn ich auf einen Knopf drücke.«

»Wir haben auch eine Filmkamera«, sagte Simon und sah seine Mama an.

»Die haben wir an Großmutter verliehen«, sagte Barbara Waggoner. »Du erinnerst dich doch, wie wir mit der Kamera bei ihr waren? Oder?«

Der Junge nickte.

»Möchtest du meine Kamera sehen?«, fragte Winter.

Der Junge schien zu zögern, nickte dann jedoch.

Winter richtete sich auf und ging in die Mitte des Zimmers. Das war wichtig. Simon kam mit seiner Mama hinterher. Normalerweise waren Angehörige nicht beim Verhör dabei, aber die Situation hier war nicht normal. Winter wusste, dass Simon schweigen würde, wenn er seine Mama nicht sehen konnte.

»Die ist aber nicht groß«, sagte Simon.

»Ich zeig sie dir«, sagte Winter und nickte Barbara Waggoner zu, die Simon hochhob, während Winter sich auf den Stuhl setzte, auf dem Simon sitzen sollte. Simon schaute durch das Objektiv.

»Kannst du mich sehen?«, fragte Winter.

Simon antwortete nicht.

»Siehst du, dass ich jetzt die Hand bewege?«

»Ja«, sagte Simon.

Sie saßen auf ihren Plätzen. Der Film lief. Vorsichtig begann Winter das Gespräch, er musste mit neutralen Themen anfangen, dann bekam er auch einen Eindruck, wie gut Simon sprechen konnte, wovon er sprach, seinem Sprachvermögen, seiner Phantasie, seinem Verhalten. Seiner Fähigkeit, Zeit in Bezug zu Ereignissen zu setzen.

»Hast du einen Schneemann gebaut, Simon?«
Simon nickte.
»Hast du den in diesem Winter gemacht?«
Der Junge antwortete nicht.
»Wo ist der Schneemann jetzt?«
»Da draußen.« Simon zeigte zum Fenster.
»Auf dem Rasen?«
»Er ist kaputt.« Simon machte eine Bewegung mit der gesunden Hand.
Winter nickte.
»Er ist zerschmolzen«, sagte Simon.
»Ich hab seine Nase gesehen, als ich gekommen bin.«
»Ich hab sie reingesteckt«, sagte Simon.
Wieder nickte Winter.
»Hast du im Kindergarten auch einen Schneemann gebaut, Simon?«, fragte Winter.
Der Junge nickte.
»Hast du viele gemacht?«
»Es gab keinen Schnee.«
»Spielst du dann drinnen?«
Simon antwortete nicht. Er hielt immer noch seinen Teddy Billy im Arm, aber nicht mehr ganz so fest. Er schaute nicht mehr so oft in die Kamera oder zu seiner Mutter.
In den ersten Minuten hatte Winter befürchtet, es könnte falsch gewesen sein, sie mit im Zimmer zu haben, aber jetzt glaubte er es nicht mehr.
»Spielst du drinnen, wenn es schneit, Simon?«
»Neee, spiel draußen.«
»Erzähl mal, was ihr so spielt.«
Der Junge schien darüber nachzudenken, was er sagen sollte. Winter versuchte ihn dazu zu bringen, dass er mehr erzählte, aber das war vielleicht noch zu früh.
»Spielt ihr Verstecken?«
»Ja.«
»Spielt ihr Kriegen?«
Simon antwortete nicht. Vielleicht wusste er nicht, was »Kriegen« bedeutete.
»Spielt ihr Fangen?«

»Ja.«

»Schaukelt ihr?«

»Oooh ja, und rutschen.«

»Rutschst du gern?«

»Oooh ja. Und Zug.«

»Habt ihr einen Zug im Kindergarten?«

Simon antwortete nicht. Winter dachte nach. Plötzlich waren sie bei dem Spielplatz, wo Simon verschwunden war, am Rand des großen Parks. Ein gewöhnliches Ausflugsziel vom Kindergarten. Dort gab es einen kleinen Zug aus Holz. Lok und Wagen, am Rand des großen Platzes, die immer voller Kinder waren.

Plötzlich waren sie dort, er und Simon. Würde er sie auch wieder zu dieser Geborgenheit zurückführen können, hierher zurück nach Hause und zum Kindergarten, die große Kreisbewegung fortführen? Oder würden sie hier bleiben und sich dem Trauma des Jungen nähern, hinein in die Dunkelheit? Winter wusste, wenn er zu schnell voranging, würde er vielleicht nicht in eine Situation zurückkehren können, in der der Junge erzählte, was wirklich passiert war. Er würde wieder in Schweigen verfallen, und sie würden nichts erfahren.

»Bist du mit dem Zug gefahren?«

»Ja.«

»Wo bist du mit dem Zug gefahren, Simon?«

»Auf dem ... Spielplatz.«

»Habt ihr einen Ausflug mit dem Kindergarten gemacht?«

Simon nickte.

»Viele Male gefahren«, sagte er und bewegte sich auf dem Stuhl.

Bald machen wir eine Pause für Saft, Kuchen, Kaffee und Zig... Nein, den nicht. Aber er spürte das Verlangen, es wurde größer, je mehr sich die Spannung steigerte.

»Fährst du immer mit dem Zug?«

»Ja!«

»Fahren da viele mit?«

»Ja!«

»Wer fährt mit dir, Simon?«

»Arvid und Valle und Oskar und Valter und Manfred

und … und …« Und Winter dachte daran, wie die Zeiten sich geändert hatten, hundert Jahre alte Namen werden wieder populär; vor zwanzig Jahren hätte Simon nichts anderes beschrieben als eine Gesellschaft von Pensionären, die in einen Spielzeugzug gekrochen waren.

»Ist Billy auch mitgefahren?«, fragte er.

»Nee.«

»Wo war Billy denn?«

Simon sah verwirrt aus. Das war eine schwierige Frage.

»War Billy zu Hause?«, fragte Winter.

Simon sah immer verwirrter aus. Was war das? Was mache ich falsch?, dachte Winter.

»War Billy im Kindergarten?«, fragte er.

Simon sah Billy an und näherte sich dem Gesicht des Teddys, das jetzt nach innen gedreht war, als ob er es nicht länger ertrüge, dem Gespräch zuzuhören. Simon flüsterte Billy etwas zu, sehr, sehr leise. Er schaute wieder auf.

»Vielleicht kann Billy erzählen, wo er war?«

»Billy im Zug«, sagte Simon, »Billy gefahren.«

»Billy ist mitgefahren, als du gefahren bist?«

Simon nickte wieder.

»Ist Billy die ganze Zeit mit dem Zug gefahren?«

Simon nickte.

»Nicht Auto«, sagte Simon plötzlich und beugte sich wieder zu Billy herunter, als wollte er sein Gesicht in dem des Teddys verstecken. Winter sah, dass der Körper des Jungen plötzlich angespannt war.

Himmel, dachte Winter, es geht zu schnell. Aber Simon hat es ja selbst gesagt.

»Nicht Auto fahren«, sagte Simon.

Er beginnt zu erzählen, dachte Winter. Aber was meint er? Wir wissen, dass er entführt worden ist. War es nicht in einem Auto?

»Erzähl mal von dem Auto, Simon.«

Jetzt musste Winter Simon in seinem eigenen Takt, auf seine Art erzählen lassen. Er hoffte, dass Simon sich geborgen genug fühlte, um mit seiner Geschichte *anzufangen*. Mehr konnte er nicht erwarten.

Er erinnerte sich, was er selber gelernt und seinen Kollegen vermittelt hatte: Überlass dem Kind die Kontrolle und lass es selbst entscheiden, welche Personen es beschreiben will. Lass das Kind über das Szenario entscheiden. Es ist wichtig, dass der Befrager zeigt, dass er nicht weiß, was passiert ist.

Er musste Simon Zeit lassen.

Plötzlich hätte er gern eine Notiz gemacht, ließ es aber bleiben. Vor dem Verhör hatte er nichts von Notizen gesagt. Jetzt würde es Simon nur verwirren und vielleicht etwas zerstören.

»Erzähl vom Auto, Simon.«

Simon vertraute sich wieder Billy an. Er flüsterte etwas, das Winter nicht verstehen konnte.

Jetzt ist Billy an der Reihe. Winter sagte Billys Namen und dann Simons. Simon schaute auf.

»Hast du Billy von dem Auto erzählt?«, fragte Winter.

Simon nickte.

»Könntest du es mir auch erzählen?«

Simon beugte sich wieder zu Billy herunter, und Winter wartete, während die beiden sich absprachen.

»Billy will die Frage hören«, sagte Simon.

»Ich möchte, dass Billy erzählt, was du über das Auto gesagt hast.«

»Du musst fragen«, forderte Simon ihn auf.

»Hat ein Auto beim Zug gestanden?«, fragte Winter.

»Simon sagt, es stand im Wald«, antwortete Simon mit einem dunkleren Tonfall, kaum merkbar, und doch war er da, als ob er aus seinem eigenen in Billys kleinen braunen Körper gestiegen wäre, den er jetzt wie ein Bauchredner seine Puppe in Gesichtshöhe hielt. Winter spürte ein Schaudern und noch eins. Ich hab früher auch schon die Kuscheltiere von Kindern benutzt, aber dies hier ist anders. Er sah Barbara Waggoner an. Sie sah entsetzt aus.

»Erzähl vom Auto, Billy«, sagte Winter.

Simon hielt sich Billy vors Gesicht und senkte den Teddy dann ein wenig.

»Es war ein großes Auto in einem großen Wald,« sagte Simon eintönig mit seiner veränderten Stimme, als ob er ein Märchen erzählen wollte oder eine Gespenstergeschichte. »Der

Junge ging in den großen großen Wald, und das Auto fuhr in den Wald.«

Jetzt sah Simon Winter nicht an, nicht seine Mama, nicht in die Kamera und auch Billy nicht. Winter rührte sich nicht. Barbara Waggoner versuchte sich nicht zu bewegen.

»Der Onkel hatte Bonbons, und im Auto waren Bonbons«, sagte Billy. »Brrrrmmmm, brrrrrm, das Auto ist mit den Bonbons gefahren!«

Billy verstummte. Simon schaute auf.

»Billy ist im Auto gefahren«, sagte Simon.

Winter nickte.

»Ja, er hat es mir erzählt«, sagte er.

»Nein, nein, Billy ist nicht im Auto gefahren!«, sagte Simon. Er sah Winter an und dann seine Mama.

»Nein, nein, *Billy* ist Zug gefahren. Billy ist Auto gefahren.«

»Ist Billy Zug und Auto gefahren?«, fragte Winter.

»Nein, nein.«

Simon bewegte sich unruhig auf seinem Stuhl. Sie näherten sich dem Erlebnis.

»War Billy auch mit im Auto?«, fragte Winter.

»Ja, ja!«

»Aber das war nicht dein Billy? Der Billy, der hier sitzt?«

»Nein, nein!«

»War ein Teddy mit im Auto?«, fragte Winter.

»Nein!«

»Was war es denn?«

»Billy, Billy. Billy Boy!« Simon rief es jetzt fast mit einer anderen Stimme, einer krächzenden Stimme. »Billy Billy Boy!«

»Hatte der Onkel einen Billy?«, fragte Winter.

Simon richtete seinen Teddy wieder auf und kehrte zu der Stimme seines Teddys zurück: »Geia, geia! Billy Billy Boy!«

»Hatte der Onkel einen Papagei?«

Simon hielt den Teddy wieder vor sich und sagte: »Ja, ja. Billy geia.«

Der Papagei im Spiegel. Der Onkel hatte einen Papagei im Spiegel, einen Vogel, der am Rückspiegel hing.

Jesus, wir sind auf dem Weg.

32

Aneta Djanali hatte gemütliche Sessel in den Verhörraum stellen lassen, Sessel in warmen Farben. Alles, was Ellen Sköld für Spielzeug halten könnte, war entfernt worden. Das Interesse des Mädchens sollte auf Aneta Djanali gerichtet sein.

Sie war ins Zimmer vorgegangen. Jetzt hielt sie die Fernbedienung vom Video in der Hand. Ellen hatte die Kamera zuerst neugierig betrachtet, kümmerte sich aber jetzt nicht mehr um sie.

Lena Sköld wartete draußen. Aneta Djanali wollte es alleine versuchen. Mal sehen, wie lange das Mädchen stillsitzt.

Ellen war fröhlich und neugierig. Aneta Djanali betrachtete sie, wie sie verschiedene Sitz- und Liegestellungen im Sessel ausprobierte.

Das ist kein traumatisiertes Kind. Ich muss daran denken, wenn die Fragen gestellt werden und die Antworten kommen. Wenn welche kommen.

Sie hatten eine Weile geredet. Ellen hatte mit ihren Fingern gespielt, während sie Aneta Djanalis Fragen beantwortete. Oder eher kommentierte, dachte die Kriminalinspektorin.

»Deine Mama hat erzählt, dass du vor einem Monat Geburtstag hattest, Ellen.«

Das Mädchen nickte eifrig, sagte aber nichts.

»Wie alt bist du geworden?«

»Viiieer«, antwortete Ellen und hielt vier Finger hoch.

»Oh!«, sagte Aneta Djanali.

Ellen nickte nachdrücklich.

»Hast du eine lustige Geburtstagsfeier gehabt?«

»Ja!«

»Erzähl mal.«

Ellen sah aus, als wollte sie erzählen, aber als könnte sie sich nicht entscheiden, was von all dem Schönen auf ihrem Fest sie erzählen sollte.

»Papa ist gekommen«, sagte sie, als Aneta Djanali gerade die nächste Frage stellen wollte. »Papa hatte Geschenke.«

Aneta Djanali dachte an die allein stehende Mutter auf dem Stuhl vor dem Zimmer. Lena Sköld hatte das alleinige Sorgerecht, soviel wusste sie. Aber es gab einen abwesenden Vater, der seiner Tochter Geschenke zum vierten Geburtstag brachte. Nicht alle Kinder, die allein mit ihrer Mutter aufwuchsen, hatten das Glück.

»Was hast du für Geschenke bekommen?«

»Von Papa?«, fragte das Mädchen.

»Ja.« Das Mädchen ist nicht auf den Kopf gefallen, dachte sie.

»Eine große Puppe, die heißt Victoria. Und dann hab ich ein Auto gekriegt, damit kann die Puppe fahren.« Sie sah Aneta Djanali mit wichtiger Miene an. »Victoria hat einen Führerschein. Wiiiirklich.« Sie schaute zu der Tür neben der Kamera. »Mama hat keinen Führerschein.« Dann sah sie wieder Aneta Djanali an. »Hast du einen Führerschein?«

»Ja.«

»Ich hab keinen Führerschein.«

»Die meisten Großen haben einen Führerschein«, sagte Aneta Djanali.

Das Mädchen nickte. Aneta Djanali sah sie vor sich auf dem Vordersitz von einem Großen, der einen Führerschein besaß. Hatte sie Victoria mit im Auto gehabt? Gab es darüber einen Vermerk? Victoria war jetzt nicht dabei. Aber wenn sie mit im Auto gewesen war, hatte sie vielleicht etwas gesehen, was Ellen nicht gesehen hatte. Victoria hatte schließlich einen Führerschein.

»Fährst du gern Auto, Ellen?«

Ellen schüttelte den Kopf, ihr Gesicht schien sich zusammenzuziehen, kaum merkbar, aber trotzdem. Ich muss mir die Aufnahmen hinterher ansehen, dachte Aneta Djanali.

»Habt ihr ein Auto, du und deine Mama?«

»Nein, ich hab doch gesagt, meine Mama hat keinen Führerschein.«

»Ja, das hast du gesagt. Das hab ich vergessen. Ha! Bei euch hat also nur Victoria ein Auto und einen Führerschein?«

Das Mädchen nickte, heftig.

»Wo ist Victoria jetzt?«

»Sie ist krank«, antwortete Ellen.

»Oje.«

»Mama und ich wollen Medizin für sie kaufen.«

»Was fehlt ihr denn?«

»Ich glaub, sie ist erkältet«, antwortete Ellen und sah einen Augenblick bekümmert drein.

»Ist der Doktor bei ihr gewesen und hat nach ihr geschaut?«

Sie nickte.

»War es ein lieber Doktor?«, fragte Aneta Djanali.

»Das war ich!«, rief Ellen und kicherte.

Aneta Djanali sah sie an und nickte. Sie schaute in die Linse der Kamera, die vielleicht alles sah, und fragte sich, wie lange Lena Sköld es dort draußen aushalten würde. Victoria brauchte ihre Medizin. Bald war Weihnachten. Heute war der Tag vor dem Tag. Sie hatte noch nicht alle Weihnachtsgeschenke eingekauft, nicht für Hannes und nicht für Magda, aber zwei Platten für Fredrik mit Richard Buckner und Kasey Chambers, die hatte er sich gewünscht, unter anderem. Sie hatte selbst eine Wunschliste geschrieben. Sie würde Heiligabend zu Hause bei der Familie Halders essen, den eigentümlichen sehr nordischen Brauch, Brot in die Brühe vom Weihnachtsschinken zu tunken, ausprobieren und sich vielleicht ausnahmsweise mal nicht den Scherz von Fredrik anhören müssen, dass sie ausgerechnet heute leider keine Maniokgrütze hätten. Sie würde Weihnachtsgeschenke auspacken, die unterm Tannenbaum gelegen hatten.

Sie sah das Mädchen an, das jetzt aufgestanden war. Fast ein Wunder, dass sie so lange sitzen geblieben war.

Würde der Papa die Familie zu Weihnachten besuchen?

»Deine Mama hat erzählt, du bist mit einem Onkel im Auto gefahren«, sagte Aneta Djanali.

»Nicht gefahren«, antwortete Ellen.

»Bist du nicht mit einem Onkel gefahren?«

»Nicht gefahren«, wiederholte Ellen. »Still gestanden.«

»Hat das Auto still gestanden?«

Ellen nickte.

»Wo stand das Auto?«, fragte Aneta Djanali.

»Im Wald.«

»War es ein großer Wald?«

»Nein! Beim Spielplatz.«

»War es der Wald neben dem Spielplatz?«

»Ja.«

»War Victoria auch dabei, als du im Auto gesessen hast?«

Ellen nickte wieder.

»Wollte Victoria das Auto fahren?«

»Nein, nein.« Ellen lachte. »Das Auto war groß!«

»War der Onkel auch groß?«

Das Mädchen nickte.

»Erzähl mal, wie du den Onkel getroffen hast«, sagte Aneta Djanali zu Ellen, die jetzt neben dem bunten Sessel stand. In der Wolkendecke, die wie graues Einschlagpapier in der Erwartung von Weihnachten über der Stadt lag, hatte sich ein größerer Spalt geöffnet, und der Spalt ließ nun Sonnenlicht herein, das auf den Sesselrücken fiel. Ellen rief etwas und zeigte mit mehreren Fingern auf einen Lichtreflex, der da war und plötzlich wieder verschwand, als sich die Wolkendecke wieder schloss.

»Erzähl mal, wie du den Onkel mit dem Auto getroffen hast«, wiederholte Aneta Djanali.

»Er hatte Bonbons«, antwortete Ellen.

»Hast du Bonbons gekriegt?«

Sie nickte.

»Haben die gut geschmeckt?«

Sie nickte.

»Was waren das für Bonbons?«

»Bonbons«, antwortete Ellen in selbstverständlichem Tonfall. Bonbons waren eben Bonbons.

»Hast du alle aufgegessen?«

Sie nickte wieder. Sie hatten den Platz nach Bonbonpapier abgesucht und natürlich sofort begriffen, dass es wie die Suche nach einem Halm im Heuhaufen war. Es war ein Spielplatz, ein Park, Kinder, Eltern, Bonbons …

»Was hat der Onkel gesagt?«

Ellen trippelte im Raum herum, machte ein paar Schritte wie eine Balletttänzerin. Sie antwortete nicht. Das war eine schwere Frage.

»Was hat der Onkel gesagt, als er dir die Bonbons geschenkt hat?«

Sie schaute auf.

»Möchtest du Bonbons?«

Aneta Djanali nickte, wartete. Ellen drehte eine kleine Pirouette.

»Hat er noch mehr gefragt?«

Ellen schaute auf.

»Vo-vo-vo-vo«, sagte sie.

Aneta Djanali wartete.

»Pa-pa-pa-pa«, sagte Ellen.

Zeit für eine Pause, dachte Aneta Djanali. Eigentlich mehr als das. Das Mädchen wurde müde. Sie hatte es auch einen Blick auf ein paar jüngere und ältere Männer im Haus werfen lassen, einen Zwanzigjährigen, einen Dreißigjährigen, einen Vierzigjährigen, einen Fünfzigjährigen und einen Sechzigjährigen. Und dann sollte sie auf den zeigen, der so alt aussah wie der Onkel. Falls es möglich war. In dieser eitlen Clique wollten die Fünfzigjährigen vierzig sein und der Vierzigjährige hatte traurig und ärgerlich ausgesehen, als sie sein richtiges Alter riet. Nur der Zwanzig- und der Sechzigjährige waren unbekümmert. Auch für Männer war das Alter von Bedeutung, vermutlich besonders für sie. Männer waren eben auch Menschen. Das durfte sie nicht vergessen.

Sie hatte Ellen etwas zeichnen lassen wollen, unter anderem ein Auto in einem Wald.

»Pa-pa-pa-pa-pa«, sagte Ellen jetzt und drehte noch eine Pirouette.

»Redest du von deinem Papa?«, fragte Aneta Djanali. »Ellen? Redest du von Papa?«

Das Mädchen schüttelte den Kopf und wiederholte: »PA-PA-PA!«

»Hat der Onkel gesagt, dass er dein Papa ist?«

Wieder schüttelte sie den Kopf.

»Vi-vi-vi-vi«, sagte sie jetzt.

Aneta Djanali schaute wie Hilfe suchend in die Kamera.

»Warum sagst du das?«, fragte sie.

Das Mädchen verstand die Frage nicht, oder sie verstand nicht, dass Aneta Djanali sie nicht verstand.

»Ko-ko-ko-ko«, sagte Ellen.

Aneta Djanali schwieg. Sie versuchte nachzudenken.

»Der Onkel hatte ein Radio«, sagte das Mädchen jetzt. Es war näher an Aneta Djanali herangetreten.

»War das Radio in seinem Auto?«

Ellen nickte wieder.

»Hat das Radio gespielt?«

Ellen nickte wieder.

»Wurde ein Lied gespielt?«

Ellen antwortete nicht.

»Hat jemand im Radio gesungen?«, fragte Aneta Djanali.

»Der Onkel hat hässliche Wörter gesagt«, sagte Ellen. Jetzt stand sie ganz nah bei Aneta Djanali, die sich auf den Fußboden gesetzt hatte.

»Hat der Onkel hässliche Wörter zu dir gesagt?«

Ellen schüttelte den Kopf. Aber ihr Gesicht war ernst.

»Wer hat hässliche Wörter gesagt?«, fragte Aneta Djanali.

»Das Radio«, antwortete Ellen.

»Das Radio hat hässliche Wörter gesagt?«

Ellen nickte, ernst.

»Hat ein Onkel im Radio hässliche Wörter gesagt?«

Ellen nickte wieder. So was *sagt* man nicht.

Ein Onkel im Radio sagt hässliche Wörter, dachte Aneta Djanali. Es ist Nachmittag. Jemand sitzt im Radiostudio und sagt hässliche Wörter. Passiert das jeden Tag? Können wir das Programm finden? Und was sind hässliche Wörter für ein Kind? Häufig dieselben wie für uns. Aber die Kinder nehmen sie viel schneller wahr als wir. Ich werde sie jetzt nicht fragen, was das für hässliche Wörter waren.

»Hab Victoria die Ohren zugehalten«, sagte Ellen.
»Victoria hat also nichts gehört?«
Ellen schüttelte den Kopf.
»Hat sie auch nichts zu dir gesagt?«
Jetzt schüttelte sie den Kopf heftiger.
Aneta Djanali nickte.
»*Hässliche* Wörter«, sagte Ellen.
»Was hat denn der Onkel im Auto zu den hässlichen Wörtern gesagt?«, fragte Aneta Djanali.
Ellen antwortete nicht.
»Fand der Onkel sie auch hässlich?«
Ellen schwieg. In der Frage ist etwas, das ist zu subtil, dachte Aneta Djanali. Oder in ihrer Nicht-Antwort. Sie antwortete nicht, weil der Onkel die hässlichen Wörter nicht kommentiert hat. Er hat sie nicht gehört.
»Bi-bi-bi-bi-bi«, sagte Ellen.

Er machte eine Tasse Kakao für den Jungen, und zwar auf die richtige Weise: Zuerst mischt man Kakao mit Milch und Zucker, und dann gießt man die warme Milch darauf und rührt mit einem Löffel um. Er hatte sich sogar besonders angestrengt und Sahne hinzugegeben!
Aber der Junge wollte keinen Kakao. Wer soll das begreifen? Er musste doch hungrig und durstig sein, aber er trank nicht, er aß nicht, er schrie und weinte. Und er hatte ihm sagen müssen, dass er still sein sollte, weil die Nachbarn schliefen.
»Schla-schla-schla-schla«, sagte er noch einmal, »schla-schla-schlafen. Du musst schlafen.«
Er zeigte auf den Kakao, der immer noch warm war.
»Ka-ka-ka-kakao.«
Er hörte seine eigene Stimme. Sie gehörte zu der ... Erregung. Die er wie eine starke Kraft im ganzen Körper spürte.
Der Junge hatte geschlafen, als er ihn ins Haus und in die Wohnung trug. Er war mit ihm durch die Straßen und Tunnel gefahren, bis er eingeschlafen war und nichts ihn wecken konnte.
Der Buggy lag im Kofferraum. Dort ist er in Sicherheit, genau wie der Junge hier in Sicherheit ist, dachte er und nickte

wieder zum Kakao. Jetzt fühlte er sich plötzlich ruhiger, als ob in diesem Moment Frieden in ihm wäre und als ob er wüsste, was jetzt passieren würde, nicht jetzt gleich vielleicht, aber bald.

Er wusste, dass der Junge Micke hieß.

»Micke Johansson«, hatte er mit guter Aussprache gesagt.

»Trink jetzt, Mick«, sagte er

»Ich heiß Micke«, sagte der Junge.

Er nickte.

»Will nach Hause zu Papa.«

»Ist es hier nicht schön?«

»Will nach Hause zu PAPA.«

»Papa ist nicht zu Hause.«

»Ich will nach Hause zu PAPA«, wiederholte der Junge.

»Es ist nicht gut zu Hause bei Papa«, sagte er. Er überlegte, ob der Junge ihn verstand. »Dort ist es überhaupt nicht gut.«

»Wo ist Mama?«, fragte Micke jetzt.

»Nicht gut.«

»Mama und Papa«, sagte Micke.

»Nicht gut«, wiederholte er, denn er wusste, wovon er redete.

Der Junge schlief. Er hatte ihn aufs Sofa gebettet. Jetzt schmückte er den Tannenbaum. Er war aus Plastik, und das war gut, weil er nicht nadelte. Er sehnte sich danach, dass der Junge erwachte, damit er ihm den schönen Baum zeigen konnte.

Er hatte auf der Arbeit angerufen und sich krank gemeldet. Im Augenblick fiel ihm nicht ein, was für eine Krankheit er genannt hatte, aber die Person, die den Anruf entgegengenommen hatte, sagte nur »gute Besserung«, als sei es ohne Bedeutung, ob er arbeitete oder nicht.

Er hatte dem Jungen gezeigt, wie man Straßenbahn fährt, die Gleise aufgezeichnet und die Route, die er am besten kannte, wo er sich am sichersten fühlte. Von seinem Fahrerfenster aus hatte er die Kindergartengelände gesehen und gedacht, dorthin werde er zurückkehren, mit den Kindern reden und sich um sie kümmern.

Genau wie er immer wieder ins Nordstan ging, wenn dort viele Menschen waren, die festlich erleuchteten Läden, Familien, Mütter und Väter mit Kinderwagen, um die SIE SICH NICHT KÜMMERTEN, die sie einfach stehen ließen, einfach stehen ließen. Was wäre passiert, wenn er nicht zur Stelle gewesen wäre? Wie jetzt? Was wäre mit Micke passiert?

So etwas war ja kaum auszudenken.

Wenn das schlimmste Weihnachtsgedränge vorbei war, würden er und Micke auch dort langspazieren, wie alle anderen, Micke in seinem Wagen, und er würde ihn schieben.

Er hatte Micke seinen Billy Boy gezeigt.

Die Pressekonferenz war wie üblich ein Chaos, aber diesmal war es schlimmer: Winter spürte den Gestank nach Angst, der folgen würde, wenn die Idio… die Journalisten, die sich hier versammelt hatten, ihre Texte veröffentlicht hatten.

Hier waren anständige Leute versammelt. Aber was würden sie tun? Eine Minute, nachdem sie diesen Raum verlassen hatten, würde er keinen Einfluss mehr haben. Er hatte übrigens schon keinen mehr, ehe sie hier hereinkamen.

Er sah Bülow zwei Reihen entfernt sitzen. Bülow hatte sich bisher anständig verhalten. Bei seiner eigenen Zunft würde er vielleicht für einen Verräter gehalten werden, aber seine Kompromissbereitschaft hatte seine Artikel besser gemacht als andere, und wahrhaftiger, falls ein solcher Ausdruck noch existierte.

Winter wurde von drei Fotoblitzen geblendet, die gleichzeitig aufflammten.

Noch einmal auf die Bühne. *The show must go on.*

Birgersson hatte sich in der letzten Minute gedrückt. Große Konferenz beim Polizeidirektor, parallel mit der Pressekonferenz. Ich möchte wissen, was das bedeutet.

»Haben Sie schon eine Spur von dem Jungen?«, fragte eine Frau, die immer die ersten Fragen bei diesen Shows stellte und immer Artikel ohne eine Unze Wahrheit, *ein* Gramm Tatsachen und Glaubwürdigkeit schrieb.

»Wir bearbeiten gerade die Hinweise der Bevölkerung«, antwortete Winter. »Nach der Suchmeldung sind viele Informationen eingegangen.«

Allzu viele, dachte er, Tausende, die Männer mit kleinen Jungen in Buggys gesehen haben, in Autos, im Begriff, Häuser zu betreten oder zu verlassen, Geschäfte zu betreten oder zu verlassen, Warenhäuser, Autos, Straßenbahnen, Busse, in diesem Fall mehr denn je, weil alle vor dem großen Fest unterwegs waren.

»Haben Sie einen Verdächtigen?«, fragte dieselbe Frau, und jemand in der Gruppe von Journalisten grinste zynisch wie Halders manchmal grinste.

»Nein«, antwortete Winter.

»Sie müssen doch umfangreiche Karteien haben über Pädophile und andere, die sich an Kindern vergreifen«, fuhr die Frau fort. »Die Kinder entführen.«

»Wir wissen nicht ... ob Micke entführt worden ist«, antwortete Winter.

»Wo ist er dann?«

»Das wissen wir nicht.«

»Dann ist er also aus seinem Wagen geklettert und einfach weggelaufen?«

»Wir wissen es nicht.«

»Was wissen Sie eigentlich?«

»Wir wissen, dass wir tun, was wir können, um den Jungen wieder nach Hause zu bringen«, antwortete Winter.

»Damit die Mutter ihn wieder allein lassen kann?«, fragte ein Journalist, der neben Hans Bülow saß.

Winter antwortete nicht.

»Wenn sie den Jungen nicht allein gelassen hätte, wäre das doch nicht passiert, oder?«

»Kein Kommentar«, sagte Winter.

»Wo ist sie jetzt?«

»Noch weitere Fragen?« Winter sah den Mann gar nicht an.

»Wie wollen Sie den Jungen jemals finden?«, fragte eine Frau, sie war noch jung und trug die Haare in langen dünnen Zöpfen. Vor langer Zeit hab ich solche Zöpfe schon mal gesehen, dachte Winter. Die machen alle jünger.

»Wir tun, wie gesagt, alles, was wir können«, antwortete er.

Ein Mann in der vierten Reihe hob die Hand. Jetzt kommt es, dachte Winter. Bis jetzt ist es ein Geheimnis für die Öffentlichkeit gewesen, damit ist nun Schluss. Ich sehe es in seinem Gesicht. Er weiß es.

»In welchem Zusammenhang steht dieses ... Verschwinden damit, dass andere Kinder in den letzten Monaten von einem fremden Mann belästigt worden sind?«, fragte der Mann, und mehrere Köpfe drehten sich in seine Richtung.

»Ich verstehe nicht, was Sie meinen«, antwortete Winter.

»Hat nicht jemand auf verschiedenen Spielplätzen in Göteborg fremde Kinder angesprochen?«

»Das hat ni...«

»In einem Fall wurde sogar ein kleines Mädchen gekidnappt und später mit Verletzungen aufgefunden«, sagte der Mann.

Junge, dachte Winter, kein Mädchen.

»Warum antworten Sie nicht auf die Frage?«

»Ich hab sie mehr für eine Behauptung gehalten«, sagte Winter.

»Dann stelle ich die Frage noch einmal: Sind von einem Mann Kinder von Spielplätzen entführt worden? Oder nur angesprochen worden? Sind der Polizei solche Fälle bekannt?«

»Aus ermittlungstechnischen Gründen kann ich darauf im Augenblick nicht antworten«, sagte Winter.

»Das war ja eine ziemlich deutliche Antwort, oder?« Der Reporter sah Winter an. Er trug eine Lederjacke, hatte lange schwarze Haare und einen Schnurrbart. Die ganze Person drückte etwas aus, das Winter häufig gerade bei Journalisten sah, eine Art trauriger Arroganz, die besagte, dass die Wahrheit niemanden glücklicher machte, genau wie die Lüge die Menschen nicht viel unglücklicher machte. Vielleicht war es sogar besser, eine Lüge mit auf die Reise zu nehmen, die nichts Besonderes war, das ganze Leben war nichts Besonderes.

»Es besteht also ein Zusammenhang?«, fuhr der Reporter fort.

»Kein Kommentar«, sagte Winter.

»Sind Kinder aus Kindergärten hier in der Stadt gekidnappt worden?«, fragte eine Frau, die Winter zwar nicht als Individuum wiedererkannte, aber als einen bestimmten Typ.

Winter schüttelte den Kopf.

»Was wollen Sie hier eigentlich vertuschen, verdammt noch

mal«, rief ein junger Mann, der direkt aus einem Film gestiegen zu sein schien, große Gesten, er kam auf die Bühne zu, wo Winter bis jetzt allein gewesen war. »Was versuchen Sie vor der Allgemeinheit zu verbergen?«

»Wir verbergen nichts«, antwortete Winter.

»Hätten Sie die Karten von Anfang an auf den Tisch gelegt, wäre Micke Johansson vielleicht nicht gekidnappt worden«, sagte der junge Reporter, der jetzt einen Meter von Winter entfernt stand. Winter sah, dass seine Augen blutunterlaufen waren, und das kam vielleicht nicht von der Erregung.

»Die Karten auf den Tisch? Das hier ist kein Kartenspiel«, sagte Winter.

Kein verdammter schwarzer Peter, dachte er. Oder vielleicht ist es genau das. Er dachte auch an den Mann mit der karierten Kappe, der die Kinder auf dem Weg über den Ballplatz gefilmt hatte. Jetzt hatten sie gute Vergrößerungen, aber er hatte mit der Veröffentlichung der Bilder gewartet. War das ein Fehler gewesen? Bisher hatte er es nicht geglaubt. Der Strom von Hinweisen würde noch breiter und unübersehbarer werden, nach allen Seiten zerfließen. Wer sollte das alles aufnehmen, sortieren, filtern? Er hatte nicht genügend Leute. Vielleicht sollte er die ganze Clique da vor ihm benutzen, gezielter Einsatz. Nein. Er hatte keine Zeit, es ihnen beizubringen.

»Dann erkläre ich hiermit die Pressekonferenz für beendet«, sagte er und wandte den vielen Fragen den Rücken zu, die immer kommen, wenn die Gelegenheit vorbei ist.

33

Winter versuchte mit Bengt Johansson zu sprechen. Auf dem Schreibtisch stand ein gerahmtes Foto von Micke neben einem Computer.

Micke kletterte an einem Klettergerüst mit einer Miene, die ausdrückte, dass er hinaufwollte, hinauf, hinauf. Durch seine Haare und die Bäume hinter ihm schien ein Wind zu streichen. Er trug einen blauen Overall, oder einen schwarzen. Seine Zungenspitze guckte zwischen seinen Lippen hervor.

Bengt Johansson saß auf dem Drehstuhl und bewegte sich vor und zurück, vor und zurück, als wäre er Teil eines komplizierten Balancesystems. Was er ja auch ist, dachte Winter. Er dreht sich auf diesem Stuhl, um im Gleichgewicht zu bleiben, wozu das auch immer gut sein sollte.

Johansson war gerade aus dem Krankenhaus zurückgekommen. Dort war es kaum möglich gewesen, mit ihm zu sprechen, aber sie mussten es tun und jetzt umso mehr.

Er sah plötzlich auf.

»Stimmt es, dass so was schon mal passiert ist?«

»Wie meinen Sie das?«

»Dass Micke nicht der Erste ist?«

Er hat es vergessen, dachte Winter, verdrängt.

»Ich hab Ihnen im Krankenhaus von einem anderen Jungen erzählt, Simon Waggoner heißt er. Und von unserem Verdacht gegen einen Mann, der Kinder anspricht.«

»Hm.«

»Ich hab Sie gefragt, ob Sie etwas gehört oder gesehen haben, worüber Sie damals nicht nachgedacht haben, aber das ... noch da ist. Irgendwas Verdächtiges.«

»Ja, ja.« Der Mann wirkte sehr müde. »Ja, ja.«

Jetzt hat er die Zeitungen gelesen. Winter sah hinter Bengt Johansson eine auf dem Fußboden liegen, zusammengefaltet oder besser zusammengeknüllt. Die Worte der Presse wiegen schwerer als meine. Es wird deutlicher, wenn man es geschrieben liest.

»Und jetzt wollte ich Sie noch einmal fragen«, sagte Winter. »Ist Ihnen etwas eingefallen?«

Offene Fragen. Er spürte, dass er sich in einer ähnlichen Verhörsituation befand wie mit einem Kind. Bengt Johansson war traumatisiert, eine Hölle war über ihn gekommen.

»Was sollte das sein?«, fragte er.

»Ob Sie vielleicht einen Fremden mit Micke haben sprechen sehen. Oder jemand, der versucht hat, mit ihm zu sprechen.«

»Da müssen Sie im Kindergarten nachfragen.«

»Das haben wir getan.«

»Und?«

»Niemand hat jemanden gesehen.«

»Sonst kümmere ich mich meistens um Micke«, sagte Johansson. »Aber in diesem Fall müssen Sie sich wohl mit Car... Carolin unterhalten. Meiner geschiedenen Frau.« Er warf einen Blick auf das Foto. »Himmel.« Er schlug die Hände vors Gesicht. »Wenn ich das gewusst hätte ... wenn ich das nur begriffen hätte ... Herr im Himmel ...«

»Was gewusst?«, fragte Winter.

»Was sie ... was sie vorhatte.« Er sah Winter an. Seine Augäpfel waren blutunterlaufen. »Dass sie ... sie woll...« Er brach in Tränen aus. Seine Schultern bebten, erst schwach, dann immer stärker.

Winter erhob sich, ging die wenigen Schritte um den Tisch herum, kniete sich hin und nahm den Mann in den Arm, und es war gut. Er spürte die Bewegungen des Mannes in seinem eigenen Körper, sein Beben, seine Laute dicht neben seinem Gesicht. Er spürte die Tränen des Mannes auf seinen Wangen.

Das war ein Teil seines Jobs. Für diese Arbeit habe ich mich entschieden. Dies ist einer der besseren Momente. Es ist kein großer Trost, aber eine menschliche Geste.

Bengt Johanssons Bewegungen wurden ruhiger. Winter hielt ihn weiter im Arm, Untergriff, halber Nelson, zum Teufel, er brauchte keine maskuline Entschuldigung. Der Mann zog die Nase hoch.

Niemand von ihnen sagte etwas. Winter hörte den Verkehr. Über der Straße hing eine Laterne, sie war defekt und blinkte in unregelmäßigen Abständen durch die offenen Jalousienlamellen des Fensters.

Johansson befreite sich aus Winters Umarmung.

»Ent... Entschuldigung«, sagte er.

»Für was?« Winter stand auf. »Möchten Sie etwas zu trinken haben?«

Johansson nickte.

Winter ging in die Küche, die ans Schlafzimmer grenzte, in dem sie gesessen hatten: Johanssons ein Meter zwanzig breites Bett, Schreibtisch, der PC, das Foto von Micke.

Winter nahm ein Glas aus dem Abtropfkorb und ließ das Wasser aus dem Hahn laufen, bis es kalt war, füllte das Glas und trug es zu Johansson. Der trank und behielt das Glas in der Hand.

»Ich glaub, ich ertrage es nicht.«

»Ich verstehe, dass es eine Hölle ist«, sagte Winter.

»Wie können Sie das verstehen? Niemand kann das verstehen.« Johansson schüttelte den Kopf. »Wie können Sie das verstehen?«

Winter strich sich mit der rechten Hand über den Kopf. Das Haar fühlte sich kühl an, ein vertrauter Teil seiner selbst. Er sah Angelas Gesicht, Sekunden, nachdem er sich mit seinen Kollegen in diese schreckliche Wohnung *hineingeschlagen* hatte. Seine Gedanken in der Zeit, als sie verschwunden war, seine Gedanken über ihre Gedanken, während sie dort war. Nicht zu wissen, was sie gefühlt hatte, was sie gedacht hatte. Das war das Schlimmste von allem gewesen.

»Ich habe so etwas auch schon einmal erlebt«, sagte er.

Halders nahm das Gespräch an, das Möllerström ihm durchstellte.

»Sie suchen offenbar nach mir«, ertönte Aris Kaites Stimme im Telefonhörer.

»Sie haben eine verdammt lange Pinkelpause gemacht, Junge«, sagte Halders. »Drei Tage.«

Kaite murmelte etwas.

»Können Sie mir sagen, wo Sie sind?«, fragte Halders. »Oder versuchen Sie sich immer noch ein paar Tropfen abzuquetschen?«

»Ich bin bei ... Josefin.« Halders hörte eine Stimme im Hintergrund. »Josefin Stenv...«

»Bleiben Sie, wo Sie sind«, sagte Halders. »Ich komme.«

»Da ist no... noch was anderes«, sagte Kaite.

»Ja?«

»Ich habe ein Zeich... Zeichen am Kopf. Ich hab gedacht, das ist nur die Narbe, aber Josefin sagt, es sieht nach einem Zeichen aus.«

»Warten Sie auf mich, sonst ...«, sagte Halders.

Aneta versuchte ein Kind zu verhören, Bergenhem versuchte ein Kind zu verhören, Winter versuchte den Vater eines verschwundenen Kindes zu verhören. Halders und Ringmar waren unterwegs. Die Wolkendecke hatte sich wieder geschlossen, oder geöffnet, je nachdem, wie man es sah: Regen wurde vom Nordwind vor sich her gepeitscht.

»Das nenn ich auch eine verdammt lange Pinkelpause«, sagte Halders und nickte zum Regen, der von den Scheibenwischern zur Seite gefegt wurde.

»Pause?«, sagte Ringmar.

»Haha.«

Ringmar nahm einen Zettel aus der inneren Jackentasche. Halders sah eine etwas primitive Zeichnung: Natanael Carlströms Versuch, sein Zeichen zu skizzieren.

»Glaubst du, man wird eine Ähnlichkeit erkennen?«

Ringmar zuckte mit den Schultern. Halders sah ihn an, sah auf die nasse Straße, dann wieder zu Ringmar.

»Wie geht es, Bertil?«

»Wie es dir geht?«

Ringmar antwortete nicht. Er schien Notizen zu lesen, aber Halders sah keine Notizen auf dem Papier.

»Du scheinst große Sorgen zu haben«, sagte er.

»Hinterm Kreisverkehr geradeaus weiter und nicht nach rechts«, sagte Ringmar. »Das geht schneller.«

Halders konzentrierte sich aufs Fahren. Nach dem Kreisel fuhr er südwärts. Sie sahen die Mietshäuser auf dem Hügel. In einem von ihnen wohnte Josefin Stenvång.

»Vielleicht ist er die ganze Zeit dort gewesen«, sagte Ringmar.

»Nein«, sagte Halders. »Das Mädchen war ja auch nicht da. Das weißt du doch.«

»Wir haben sie nur nicht gefunden, weil wir keine Kraft hatten zu suchen«, sagte Ringmar.

»Keine Kraft zu suchen?«, sagte Halders. »Ich hatte Kraft.«

»Ich hatte keine«, sagte Ringmar.

»Zum Teufel, Bertil, was ist los?«

Ringmar steckte die Zettel wieder in die Jackentasche.

»Birgitta ist abgehauen«, sagte er.

»Abgehauen? Wie abgehauen?«

»Ich weiß es nicht«, sagte Ringmar. Weiß Fredrik etwas von Martin?, dachte er. Was spielt das für eine Rolle. »Ich muss den Weihnachtsschinken selber zubereiten.«

Halders lachte kurz und scharf auf.

»Entschuldige, Bertil.«

»Nein, nein, ich finde das auch komisch. Und ich hab noch nicht mal einen gekauft.«

»Dann entspann dich«, sagte Halders. »Die guten Stücke sind längst ausverkauft. Man muss ein halbes Jahr im Voraus bestellen.«

Sie standen auf dem schmalen langen Parkplatz. Ringmar öffnete seinen Sicherheitsgurt.

»Dann kann ich mich ja abregen«, sagte er.

Aris Kaites Gesicht war überschattet von Angst, wenn das bei so einem Gesicht überhaupt möglich ist, dachte Halders. In seinem Nacken gab es noch Spuren von der Verletzung. Warum sollten sie nicht dort sein. Verletzungen hinterlassen immer Spuren. Diese könnten etwas bedeuten, es könnte aber auch nur ein natürlicher Heilungsprozess sein. Pia Fröberg musste einen Blick darauf werfen. Vielleicht stammt die Waffe von Carlströms Hof, vielleicht auch nicht. Aber Kaite war dort draußen auf diesem gottverlassenen Land gewesen. Vielleicht mag der Alte keine Schwarzen und auch die nicht, die sich mit Schwarzen abgeben, und dann ist er auf seinem Besen nach Göteborg geflogen, herab vom Himmel und hat den Kerlen sein eigenes Siegel aufgebrannt. Das klingt logisch, oder? Auch wenn wir den Besen weglassen.

Es besteht ein Zusammenhang zwischen diesen feurigen Studenten, hatte Halders im Auto auf dem Weg hierher gedacht. Erneut hatte er das gedacht.

Josefin Stenvång saß neben Kaite und sah schuldig aus, noch schuldiger.

»Es ist ein VERGEHEN sich einem Verhör zu entziehen«, sagte Halders, ohne sehr an seinen Formulierungen zu feilen.

Kaite schwieg.

»Warum?«, fragte Ringmer, der neben dem sitzenden Halders stand.

»Ich bin doch hier.« Kaite schaute auf. »Ich hab doch angerufen.«

»Warum?«, fragte Halders.

»Was?«

»Warum haben Sie angerufen? Warum haben Sie sich jetzt gemeldet?«

»Es geht um diese Zeichen, Josefin hat gesehen, dass ...«

»ZUM TEUFEL, wegen ein paar Zeichen im Nacken oder am Kopf oder am HINTERN«, sagte Halders. »Sie wissen vielleicht, dass wir in einem Fall ermitteln, da geht es um das Verschwinden eines Kindes. WIR HABEN KEINE ZEIT, uns Ihr dummes Gerede anzuhören.« Er stand auf. Josefin zuckte zusammen. »Ich will also HIER und JETZT wissen, warum Sie verschwunden sind.«

Kaite antwortete nicht.

»Okay«, sagte Halders, »los, wir fahren.«

»Wir?«

»Untersuchungsgefängnis«, sagte Halders. »Mütze auf und

Handschuhe an.« Er ging zur Tür. »Gehen Sie vorher sicherheitshalber noch mal pinkeln.« Er drehte sich um und sah das Mädchen an, das Kaite anschaute. »Das gilt auch für Sie, mein Fräulein. Sie kommen auch mit.«

Sie war es, die auf die große Frage WARUM antwortete: »Er hatte Angst.«

»Josefin!«

Kaite richtete sich halbwegs auf. Ringmar machte einen Schritt nach vorn. Josefin Stenvång sah Halders an. Halders hatte jemanden vor sich, der sich entschieden hatte. Sie warf Kaite einen Blick zu.

»Willst du es sagen oder soll ich?«, fragte sie.

»Ich will niemanden beschuldigen«, sagte er.

»Jetzt bist du blöd«, sagte sie. »Du machst alles nur schlimmer für dich.«

»Es ist ... eine Privatangelegenheit«, sagte Kaite. »Es geht nicht um DIE Sache.«

»Kann einer von Ihnen beiden mir sagen, um was es überhaupt geht?«, fragte Halders. »Wenn nicht, dann fahren wir.«

Kaite schaute auf, irgendwo zwischen Halders und Ringmar hindurch.

»Ich war ... da draußen. Zu Hause bei ... Gustav.«

»Das wissen wir«, sagte Ringmar.

»W...was? Das wissen Sie?«

Er sah echt überrascht aus.

»Wir sind dort gewesen«, sagte Ringmar, »und haben mit Gustavs Vater gesprochen.«

Kaite sah immer noch überrascht aus. Warum?, dachte Ringmar. Was überrascht ihn so sehr daran, dass wir mit dem alten Smedsberg gesprochen haben? Oder überrascht ihn eher, dass wir mit ihm gesprochen haben und immer noch nichts wissen? Was wissen wir nicht?

»Er hat erzählt, dass Sie und Gustav ihn besucht haben. Und bei der Kartoffelernte geholfen haben.«

Kaite nickte, jetzt mit einem anderen Ausdruck.

»Waren Sie jetzt dort, als Sie sich versteckt gehalten haben?«, fragte Ringmar.

Kaite schaute auf, jetzt mit einem anderen Ausdruck.

»Geht es hier um Gustav?«, fragte Ringmar.
Kaite antwortete nicht.
»Hat er Sie bedroht?«
Kaite nickte.
»Haben Sie sich von Gustav Smedsberg bedroht gefühlt?«
Kaite nickte wieder.
»Ich möchte eine Antwort hören«, sagte Ringmar.
»Ja«, antwortete Kaite.
Ringmar sah jetzt die Erleichterung in seinem Gesicht. Diese Reaktion hatte er schon häufig beobachtet. Aber das Gesicht drückte nicht nur Erleichterung aus. Da war noch etwas anderes. Er konnte noch nicht genau sagen, was es war. Er kannte es, musste aber noch ein wenig darüber nachdenken, was es bedeutete.
»Haben Sie sich deshalb versteckt?«
»Wie bitte?«
»Warum haben Sie sich versteckt?«
»Er hatte ANGST«, sagte Josefin Stenvång. »Das hat er doch gerade gesagt.«
»Ich habe Aris gefragt«, sagte Ringmar ruhig. Halders starrte das Mädchen an, sodass es verstummte. »Warum haben Sie sich drei Tage lang versteckt gehalten, obwohl Sie wussten, dass wir Sie suchten?«
»Ich hatte … Angst«, sagte er.
»Hatten Sie Angst vor Gustav?«
»Ja …«
»Und warum?«, fragte Ringmar.
»Da draußen ist … etwas passiert«, sagte Kaite.
»Da draußen? Sie meinen zu Hause bei Gustav? Auf dem Hof?« Bloß keine Suggestivfragen, nein, nein, dachte Ringmar.
Kaite nickte.
»Was ist da draußen passiert?«, fragte Ringmar. Jetzt kommt es, dachte er. Jetzt lösen wir den Fall, oder Teile davon.
»Er … hat ihn geschlagen«, sagte Kaite. »Er hat ihn geschlagen.«
»Was sagen Sie da? Wer hat wen geschlagen?«
»Gustavs Vater … hat Gustav geschlagen«, sagte Kaite. »Ich habe es gesehen.«

»Sie haben gesehen, wie Gustav von seinem Vater geschlagen wurde?«

»Ja.«

»Was ist genau passiert?«

»Er hat ihn einfach geschlagen. An den Kopf. Ich habe es gesehen.« Er schaute auf, erst zu Halders und Ringmar, dann zum Mädchen. »Er hat gesehen, dass ich es gesehen habe.«

»Wer hat es gesehen?«

»Gustav.«

»Gustav?«

Kaite murmelte etwas, das sie nicht verstanden.

»Was haben Sie gesagt?«, fragte Ringmar.

»Ich weiß nicht, ob der Vater es auch gesehen hat.«

»Warum fühlen Sie sich dann von Gustav bedroht?«

»Er wollte nicht, dass es ... herauskommt.«

»Herauskommt? Dass er Prügel von seinem Vater bezogen hat?«

Kaite nickte.

»Warum soll es nicht herauskommen?«

»Ich weiß es nicht«, sagte Kaite.

»Und das sollen wir glauben? Dass Sie sich deswegen so bedroht fühlen, dass Sie untertauchen?«

»So ist es«, sagte Kaite.

»War es vielleicht Gustav, der Sie niedergeschlagen hat?«, fragte Ringmar.

»Wie bitte?«

»Sie haben die Frage gehört.«

»Nein«, sagte Kaite.

»Nein was?«

»Gustav hat mich nicht geschlagen.«

»Er hat Sie nicht auf dem Kapellplatsen niedergeschlagen?«

»Nein.« Kaite sah auf. »Ich weiß nicht ... wer es war.«

»Waren Sie da nicht mit Gustav zusammen?«

»Nein, nein.«

»Oder mit seinem Vater?«, fragte Ringmar.

»Was?« Wieder der verwunderte Ausdruck. Und etwas anderes. Was ist es?, dachte Ringmar.

»Hat Gustavs Vater Sie auch geschlagen?«

»Ich weiß nicht, was Sie meinen«, sagte Kaite.

»Also eins nach dem anderen«, sagte Ringmar, »als Sie sahen, dass Gustav zu Hause auf dem Hof misshandelt wurde, wurden *Sie* nicht auch geschlagen?«

»Nein.«

»Sie wurden nie von Gustavs Vater misshandelt?«

»Nein.«

»Aber Gustav wollte nicht, dass Sie es jemandem erzählen?«

»Nein.«

»Warum?«

»Da müssen Sie wohl ... ihn fragen.«

»Das werden wir tun«, sagte Ringmar. »Das werden wir wirklich tun.« Er sah Halders an. »Wollen wir anrufen?« Dann sah er wieder Kaite an. »Sie brauchen nicht mit ins Untersuchungsgefängnis, aber wir warten, bis ein Wagen kommt, der Sie zu unserer Ärztin bringt, sie soll einen Blick auf Ihre Wunde werfen.«

Ringmar und Halders fuhren zurück ins Zentrum. Es hatte aufgehört zu regnen, aber es war immer noch genauso dunkel.

»Irgendwas verheimlicht er vor uns«, sagte Halders.

»Natürlich«, sagte Ringmar.

»Du hättest ihn mehr unter Druck setzen sollen.«

»Ich finde, ich hab meine Arbeit gut gemacht«, sagte Ringmar.

»Klar.«

»Morgen bestellen wir ihn aufs Präsidium«, sagte Ringmar. »Bis dahin hat er darüber nachgedacht, was er gesagt hat. Was er in Gang gesetzt hat.«

»Du hast den alten Smedsberg ja in seinem eigenen Mistelement erlebt«, sagte Halders, »was glaubst du?«

»Nichts«, sagte Ringmar. »Ich glaube nichts.«

»Es gibt nichts, was man glauben könnte«, sagte Halders.

»War das ein philosophischer Kommentar?«, fragte Ringmar.

»Nein«, sagte Halders. »Es geht um diesen Fall. Man weiß nicht, was man glauben soll.«

Ringmar holte wieder einen Zettel hervor, las etwas, steckte ihn wieder zurück.

»Nach einem Punkt hast du nicht gefragt«, sagte Halders.

»Das hast du also gemerkt?«

»Beleidige mich nicht.«

»War bloß ein Scherz, Fredrik.«

»Warum hast du das zurückgehalten?«

»Ich hab doch gesagt, er soll erst ein bisschen darüber nachdenken, was er schon gesagt hat.«

Halders dachte an die anderen jungen Männer. Wenn ein Zusammenhang bestand, dann wäre jetzt die Gelegenheit gewesen, Kaite danach zu fragen, in einem Moment, in dem er verletzlich wirkte. Aber Bertil hatte gewartet. Er hatte nicht danach gefragt. Er hatte das Mädchen, Josefin, nicht unter Druck gesetzt. Im Augenblick hatte er noch nicht weitergehen wollen. Dafür gab es vor allen Dingen einen Grund: »Unser schwarzer Arier lügt, wie eine Kuh scheißt«, sagte Halders.

Ringmar nickte gedankenverloren.

»Glaubst du, er fühlt sich erleichtert?«, fragte Halders.

»Pah!« Jetzt war Ringmar wieder wach.

Halders fuhr die Per Dubbsgatan hinunter. Das Sahlgrensche Krankenhaus schimmerte, zehntausend Fenster mit Adventslichtern auf einer rotschwarzen Mauer.

»Was?«, fragte Halders. »Was meinst du?«

»Als ich ihn fragte, ob Gustav Smedsberg ihn bedroht hat, da wirkte er überhaupt nicht mehr erleichtert«, sagte Ringmar.

»Vielleicht war es in ihm drin, und es musste raus«, sagte Halders. »Vielleicht stimmt es. Oder wenigstens zum Teil. Oder es ist nur teilweise eine Lüge.«

»Vielleicht ist er gar nicht von Gustav bedroht worden«, sagte Ringmar.

»Sondern von dem alten Smedsberg?«

»Er zeigte eine Art Erleichterung, aber auch noch etwas anderes«, sagte Ringmar. »Da war noch was anderes.«

»Vielleicht musste er pinkeln«, sagte Halders, und Ringmar lachte laut.

»War das so witzig?«

»Ich hab's gebraucht«, sagte Ringmar. Er lachte wieder auf.

»Dann solltest du einen Abstecher aufs platte Land machen«, sagte Halders.

»Wenn einer reicht«, sagte Ringmar.

»Jetzt werden wir das hier knacken«, sagte Halders, »das haben wir schnell, und dann haben wir was anderes, worüber wir uns den Kopf zerbrechen müssen.«

»Wir müssen über beides gleichzeitig nachdenken«, sagte Ringmar.

»Den jungen Herrn Smedsberg schnappen wir sofort«, sagte Halders. »Den Bauerntölpel.«

»Klingt wie schwarzer Peter«, sagte Ringmar.

»Das ist kein Kartenspiel, wie Winter auf der Pressekonferenz gesagt hat.«

»Ja, und selbst das haben sie in ihre Artikel aufgenommen«, sagte Ringmar.

»Da kann man mal sehen, wie wenig denen einfällt«, sagte Halders.

»Oder sie haben zu wenig Information von uns gekriegt«, sagte Ringmar.

»Niemals.«

Halders fuhr auf die Kreuzung zu.

»Kannst du einen kleinen Schlenker zu mir nach Hause machen, Fredrik?«

»Äh … klar.«

»Hier links.«

Sie fuhren von der Schnellstraße ab und den Slottsskogsvallen hinauf. Die Dämmerung fiel innerhalb der sechs Minuten, die Halders brauchte, um Ringmars Haus zu erreichen. Die Lichterpracht auf dem Nachbargrundstück war überwältigend.

»Jetzt hab ich alles gesehen«, sagte Halders.

»Der ist geisteskrank«, sagte Ringmar und stieg aus dem Auto.

»Du brauchst selbst überhaupt kein Licht mehr anzumachen, Bertil.« Halders sah teilnahmsvoll aus. »So musst du das sehen.«

Aber Ringmar musste trotzdem Licht im Vorraum einschalten, der im Schatten des Wohnzimmers lag. Es half nichts.

Keine Nachricht auf dem Anrufbeantworter. Keine Nachricht in der Post, die er aus dem Briefkasten an der Haustür genommen hatte. Er ließ alles auf den Fußboden fallen. Da drinnen war es ganz still. Keine Dunstabzugshaube in Aktion. Keine Stimme aus der Küche. Kein Weihnachtsschinken, der Düfte verbreitete.

34

Pia Fröberg hatte eine Falte zwischen den Augenbrauen, die immer tiefer zu werden schien, je länger sie Kaites Kopf betrachtete.

Kaite schien sich von hier wegzuträumen, hinaus durchs Fenster, den Kopf schräg gelegt.

»Hm«, machte Pia Fröberg.

»Ja?«, sagte Ringmar.

»Tja ... da ist etwas zu sehen, man kann sich aber auch entschließen, nichts zu sehen.«

»Danke.«

»Trotzdem, im Moment kann ich dir nicht sagen, ob es ein besonderes Zeichen ist oder nur ... eine Narbe. Eine Wunde, die heilt.«

»Danke, ich hab's verstanden, Pia.«

»Aber es könnte auch ein ... Abdruck sein.«

»Der dann also etwas bedeutet?«, sagte Ringmar.

»Wenn es so ist, dann ja.«

»Zum Beispiel dies hier?« Ringmar hielt eine Kopie von Carlströms Zeichnung hoch.

»Könnte sein. Das kann ich hier und jetzt nicht sagen.«

»Wollen wir fahren?«, sagte Halders.

Sie gingen zur Tür.

»Und was soll ich jetzt machen?« Kaite hob den Kopf.

»Das weiß ich nicht«, sagte Halders ohne sich umzudrehen.

»Soll ich nicht mitkommen?«

»Möchten Sie das?« Halders drehte sich um.

»Ne...ein, nein.«

»Fahren Sie nach Hause und bleiben Sie ruhig«, sagte Ringmar, der sich auch umgedreht hatte. »Wir lassen von uns hören.«

»Was passiert denn mit dem hier?«, fragte Kaite Pia Fröberg und zeigte zu seinem Kopf. »Wird das ... bleiben?«

»Das ist schon möglich.«

»Mist.«

»Noch lässt sich das nicht sagen«, antwortete Pia Fröberg, die Mitleid mit ihm hatte.

Sie fuhren durch die Stadt, die Lichter und die glitzernden Girlanden, die über den Straßen hingen, nahmen zum Zentrum hin zu.

»Ruf mal bei Smedsberg an und kontrollier, ob er jetzt zu Hause ist«, sagte Ringmar.

Nach dem dritten Klingeln wurde abgehoben.

»Hier ist Kriminalinspektor Fredrik Halders.«

Eine Stunde später betrat Smedsberg Ringmars Zimmer. So lange hatte er gebraucht, um herzukommen. Der haut nicht ab, hatte Halders gesagt.

»Bitte, setzen Sie sich«, sagte Ringmar.

Smedsberg setzte sich auf den einfachen Stuhl.

»Wollten wir nicht in ein anderes Zimmer gehen?«, fragte Halders.

»Ach ja, klar«, sagte Ringmar. »Bitte, folgen Sie uns.«

»Was ist denn los?«, fragte Gustav Smedsberg.

»Wieso?«, sagte Halders.

»Ich verstehe nicht ...«

»Es ist nur zwei Stockwerke tiefer«, sagte Ringmar.

Keiner sprach im Aufzug nach unten. Smedsberg sah aus, als wäre er auf dem Weg zum elektrischen Stuhl. Vielleicht ist er aber auch nur ein Typ, der immer traurig aussieht, dachte Halders.

Es war kein gemütliches Zimmer. Im Gegensatz zu den Verhörzimmern, die vorbereitet wurden, damit Kinder sich geborgen fühlten. Auf dem Schreibtisch stand eine Lampe mit bösartigem Licht, und an der Decke war ein noch bösartigeres. Das Zimmer hatte ein Fenster, aber niemand hatte Freude an dem Ausblick auf den Belüftungsschacht. Der Raum schien für seinen Zweck eingerichtet zu sein, und doch wirkte alles eher zufällig, ein Fenster am falschen Platz, eine Belüftungsanlage am falschen Platz.

»Bitte, setzen Sie sich«, sagte Ringmar.

Smedsberg setzte sich, sehr vorsichtig, als sei er darauf gefasst, dass Halders, den er jetzt anschaute, einen gegenteiligen Befehl geben würde. Halders nickte freundlich.

Ringmar schaltete das Tonbandgerät auf dem Tisch ein. Halders fummelte an dem Stativ der Videokamera. Ihr Surren war noch das Gemütlichste im Zimmer.

»Feiern Sie Weihnachten zu Hause?«, fragte Ringmar.

»Äh ... was?«

»Ob Sie Weihnachten zu Hause auf dem Hof bei Ihrem Vater feiern?«

»Äh ... nein.«

»Ach?«

»Was spielt das für eine Rolle?«, fragte Smedsberg.

»Nur die normale Verhörtechnik«, antwortete Halders, der bei der Kamera stehen geblieben war, sich aber über den Tisch beugte. »Man fängt mit einer ganz allgemeinen und freundlichen Frage an und fährt dann mit *the heavy stuff* fort.«

»Äh ... aha.«

»Warum haben Sie Aris Kaite bedroht?«, fragte Ringmar.

»*The heavy stuff*«, erklärte Halders.

»Äh ...«

»Dafür, dass Sie Student sind, scheinen Sie einen ziemlich begrenzten Wortschatz zu haben«, sagte Halders.

»Wir haben die Information, dass Sie ihn bedroht haben.«

»Ich hab niemanden bedroht«, sagte Gustav Smedsberg.

»Wir haben aber anders lautende Informationen.«

»Von wem?«

»Was glauben Sie?«

»Er würde es nie wa...«

Ringmar sah ihn an.

»Was wollten Sie sagen, Herr Smedsberg?«

»Nichts.«

»Was ist zwischen Ihnen und Aris Kaite vorgefallen?«

»Ich verstehe Sie nicht.«

»Etwas ist zwischen Ihnen vorgefallen. Wir möchten wissen, was. Vielleicht können wir Ihnen helfen.«

Gustav Smedsberg sah aus, als würde er lächeln, vielleicht sogar zynisch. War das möglich? Ringmar sah das Lächeln im Bruchteil von Sekunden kommen und wieder verschwinden. Die Kamera sah es auch. Was hatte das zu bedeuten? Glaubten Smedsberg und Kaite und vielleicht noch jemand anders, dass es keine Hilfe für sie gab?

»Also was ist zwischen Ihnen beiden passiert?«

»Das hab ich doch schon vor hundert Jahren erzählt. Es ging um ein Mädchen.«

»Josefin Stenvång«, sagte Halders.

»Äh ... ja.«

»Aber das war nicht alles, oder?« Ringberg nickte Smedsberg zu. »Das ist noch etwas anderes, oder?«

»Ich weiß nicht, was er Ihnen erzählt hat, aber was immer er sagt, es ... stimmt nicht«, antwortete Smedsberg.

»Sie können doch gar nicht wissen, was er uns erzählt hat?«

»Es stimmt jedenfalls nicht«, sagte Smedsberg.

»Was ist denn die Wahrheit?«

Smedsberg antwortete nicht. Ringmar sah etwas in seinem Gesicht, das er kannte. Das war keine Erleichterung. Es stand am anderen Ende des Gefühlsregisters, im dunklen Teil.

»Es ist besser für Sie, wenn Sie es uns erzählen.«

Wieder dieses Lächeln, ein aufblitzender Zynismus, zusammen mit dem Dunkel in den Augen des jungen Mannes. Was hat er erlebt? Ringmar wusste es nicht, konnte es sich nicht vorstellen.

»Herr Smedsberg«, sagte er, »diese Geschichte, die Sie uns erzählt haben, als Sie auf Mossens Sportplatz überfallen wurden ... die stimmt nicht, oder?«

Smedsberg schwieg. Jetzt lächelte er nicht mehr.

»Sie sind gar nicht überfallen worden, oder?«

»Doch, das bin ich wohl.«

»Es ist okay, wenn Sie Ihre Aussage zurückziehen.«

»Das bin ich wohl«, wiederholte Smedsberg. Und noch einmal: »Das bin ich wohl.«

»Sind Sie von Ihrem Vater überfallen worden?«, fragte Ringmar.

Smedsberg antwortete nicht. Das war auch eine Antwort.

»Hat Ihr Vater Sie auf Mossens Sportplatz überfallen?«, fragte Ringmar.

»Nein.«

»Hat er Sie zu Hause geschlagen?«

»Es spielt keine Rolle, was er gesagt hat.«

»Wer? Wer hat was gesagt?«

Smedsberg schwieg. Ringmar sah ihm an, dass es ihm jetzt nicht gut ging, überhaupt nicht gut. Was zum Teufel verbarg er? Etwas, das weit außerhalb dieser Ereignisse lag? Etwas Schlimmeres?

Ringmar sah Halders an und blinzelte.

»Diese Geschichte von dem Brandeisen, die Sie uns beim ersten Mal erzählt haben, die war nur erfunden, oder?«

»Ach?«, antwortete Smedsberg.

»So ein Ding benutzt doch niemand, oder?«

»Vielleicht jetzt nicht mehr«, sagte Smedsberg.

»Und nie zu Hause auf Ihrem Hof«, sagte Halders.

Wieder so ein besonderer Blick in Smedsbergs Augen, jetzt etwas anderes. Spielt er mit uns?, dachte Ringmar. Nein, das ist etwas anderes, oder vielleicht doch ein Spiel, aber nicht seins.

»Wie sind Sie auf dieses Brandeisen gekommen?«

»Weil der Gegenstand so einem Eisen ÄHNLICH SAH.«

Hoppla, dachte Ringmar.

Halders schien auf mehr zu warten.

»Sie hätten das doch überprüfen können?«, sagte Smedsberg.

»Was überprüfen?«

»Das Eisen, verdammt noch mal!«

»Wo hätten wir das überprüfen können?«

Smedsberg sah Halders mit einem neuen Ausdruck in den Augen an. Vielleicht war es diesmal Zweifel. Und Unsicherheit.

»Muss ich Ihnen denn alles sagen?«

»Er hat ja überhaupt nichts erzählt«, sagte Halders, als sie an Pellerins Margarinefabrik vorbeifuhren.

»Oder alles«, sagte Ringmar.

»Wir hätten die beiden anderen Knaben auch sofort in die Mangel nehmen sollen«, sagte Halders.

»Du sprichst von misshandelten Menschen«, sagte Ringmar, »einer von ihnen ist sogar an der Grenze der Invalidität.«

»Er schafft es«, sagte Halders. »Er wird wieder gesund.«

»Trotzdem«, sagte Ringmar.

»In einem halben Jahr kann er bei den Blauweißen mitspielen«, sagte Halders. Er lächelte. »Ob der hinkt oder nicht, das fällt in dem Verein nicht auf.«

»Ich glaube, das Wichtigste ist, dass wir jetzt noch mal aufs Land fahren«, sagte Winter vom Rücksitz.

Er sah, wie sich die Stadt veränderte und verschwand. Wälder und Seen, immer wieder Seen. Ein Nahverkehrszug.

Er hatte die Protokolle der Verhöre mit den Kindern studiert und versucht, sich ein Bild von dem Mann zu verschaffen, der mit ihnen gesprochen und noch anderes gemacht hatte. Er hatte gesucht, gesucht. Da gab es etwas Nützliches. Der Mann besaß einen Papagei, der vielleicht Billy hieß. Winter war mit zehn Spielzeugpapageien in zehn verschiedenen Farben zu Simon Waggoner gegangen und Simon hatte auf den grünen gezeigt.

Auf den roten hatte er auch gezeigt.

Vielleicht war der Mann um die vierzig oder ein verlebter Dreißigjähriger oder ein gut erhaltener Fünfzigjähriger. Winter hatte mit Aneta Djanali gesprochen, als Halders und Ringmar von dem Smedsberg-Verhör heraufkamen.

»Wir haben ihn nach Hause geschickt«, hatte Ringmar gesagt.

»Hm«, hatte Winter gemacht.

»Ich glaube, das ist das Beste im Augenblick.«

Sie hatten beschlossen zu fahren.

»Ich komme mit«, hatte Winter gesagt. »Ich bin schon mal dort gewesen und ich kann im Auto über das andere nachdenken.«

Er saß mit dem Powerbook auf dem Rücksitz. Seen, Wald und Berge gingen in plattes Land über.

»Da ist es«, sagte Ringmar an einer Kreuzung.

»Fahr direkt zu dem alten Carlström«, sagte Winter.

Ringmar nickte und fuhr hundert Meter entfernt von Smedsbergs Haus vorbei. Sie sahen keinen Traktor, kein Lebenszeichen.

»Diese Ebene ist ja groß wie ein Meer«, sagte Halders.

Ringmar nickte wieder und trommelte aufs Lenkrad.

»Eine andere Welt«, sagte Halders. »Wenn man das hier sieht, beginnt man so manches zu verstehen.«

»Was meinst du?« Winter beugte sich vor.

»Smedsberg ist ein sonderbarer Typ, oder? Wenn man diese Gegend sieht, kann man das leichter verstehen.« Sie begegneten einem Mann auf einem Traktor. Der Mann hob grüßend die Hand. Der Traktor war aus einem Seitenweg hundert Meter vor ihnen gekommen, aus einem Wäldchen. Wie ein Panzer aus einem tarnenden Gebüsch. »Eine andere Welt«, wiederholte Halders. In weiter Ferne sahen sie zwei Reiter.

Vögel begleiteten sie. Über einem kleinen Feld kreiste eine Windhose, tote Blätter wurden aufgewirbelt. Ringmar fuhr an denselben Häusern vorbei wie beim letzten Mal. Dann war plötzlich der Wald da, die Schatten. Dann wurde aus dem Wald wieder Feld. Sie sahen den Familienhof von Smedsbergs Frau. Gerda.

Sie waren da, stiegen aus dem Auto und gingen auf das Haus zu. Niemand kam heraus und begrüßte sie mit offenen Armen.

»Wie wollen wir es diesmal erklären?«, fragte Ringmar.

»Diesmal brauchen wir nichts zu erklären«, sagte Winter.

Die Winde strichen in Kreisen um das Haus. Alles war genau wie beim letzten Mal. In der Ferne sah Winter das glänzende Gebäude, das er schon einmal gesehen hatte, wie ein Leuchtfeuer. Es wurde rasch dunkler. Hier schien es kühler zu sein als anderswo. Beim letzten Mal hatte er gedacht, dass alles weiß sein würde, wenn er wieder hierher zurückkehren würde, ein weißes Wintermeer.

Als er die Hand hob, dachte er an das Gefühl, das er beim letzten Mal gehabt hatte: Er würde wiederkommen. Das Gefühl war unerklärlich gewesen. Es hing mit etwas Dunklem zusammen, einer Vorahnung, die etwas Entsetzliches ankündigte. War es erst einmal da, dann verschwand es nicht wieder. Er spürte es jetzt. Darum hatte er mitfahren wollen, um zu fühlen, ob es noch etwas zu spüren gab. Es gab ein Geheimnis. Und etwas hatte ihn wieder hierher geführt, und das hing nicht mit den Überfällen auf die Studenten zusammen. Was war es? Doch, es musste damit zusammenhängen. Während er das dachte, nahm er sich vor, sich daran zu erinnern, dass das, was er sah oder glaubte zu sehen, nicht alles war. Hier draußen gab es noch etwas anderes.

Warum denke ich so?

Nach dem dritten lauten Klopfen hörten sie drinnen eine Bewegung und eine Stimme: »Wer ist da?«

»Wir sind es wieder«, sagte Winter. »Kriminalpolizei. Dürfen wir reinkommen und noch ein paar Fragen stellen?«

»Wonach?«

Die Stimme war rau wie das letzte Mal und schwankte in der Tonlage, die Stimme eines alten Mannes. Das Leben ist eine Wiederholung, dachte Ringmar, bestenfalls.

»Dürfen wir reinkommen?«, wiederholte Winter.

Sie hörten dasselbe Gemurmel und das Klirren des Riegels. Die Tür wurde geöffnet, und die Silhouette des Mannes erschien wieder, beleuchtet von einem schwachen Licht, das aus dem Vorraum oder aus der Küche kommen mochte. Winter hielt dem Mann seinen Ausweis hin. Der Alte schaute nicht darauf, aber er nickte zu Halders.

»Wer ist der da?«

Halders stellte sich vor und zeigte seinen Ausweis.

»Worum geht's denn diesmal?«, fragte Carlström, der gebeugter wirkte als beim letzten Mal. Er hatte immer noch einen kurz geschorenen Schädel, trug womöglich noch dasselbe weißlich graue Hemd, Hosenträger, Hose von unbestimmbarem Fabrikat und grobe Socken. Er gab seinen ländlichen Stil nicht auf.

Ganz zu schweigen von den Kontrasten, dachte Halders beim Anblick der beiden Männer, die sich gegenüberstanden. Gegen Winters weißes Hemd wirkte das des Alten schwarz.

Halders nahm den Geruch nach Feuer und Asche wahr und

nach Essen, das kürzlich zubereitet worden war. Schweinefleisch. Über der Schwelle, vor der sie standen, lag eine feuchte Kühle, und die Kühle kam nicht nur von draußen.

»Da sind noch ein paar Dinge, die wir klären müssen«, sagte Winter.

Der Alte stieß eine Art Seufzer aus und öffnete die Tür weiter.

»Ja, dann kommen Sie rein.«

Er führte sie in die Küche, die geschrumpft zu sein schien seit dem letzten Mal, genau wie der Mann gebeugter wirkte.

Das ist einer von den Einsamen, dachte Winter plötzlich. Einer der einsamsten Menschen auf der Welt.

Im Herd brannte Feuer. Die Luft in der Küche hatte eine trockene Wärme, die in großem Kontrast zu der rauen Feuchtigkeit im Vorraum stand.

Carlström forderte sie mit einer Handbewegung zum Sitzen auf. Er bot ihnen keinen Kaffee an. Die kleine Bauernküche schien überfüllt mit den vier Männern, wie ein neuer Rekord, der ins Guinness-Buch der Rekorde soll, dachte Halders.

»Erinnern Sie sich, dass wir beim letzten Mal über die Brandeisenzeichen sprachen?«, fragte Winter.

»Ich bin doch nicht senil«, sagte Carlström.

»Wir haben eins gefunden«, sagte Winter. »Es sieht jedenfalls so aus, als ob's eins wäre. An einem der jungen Studenten.«

»Ach?«

»Es sieht aus wie Ihr Zeichen, Carlström.«

»Ach?«

»Was wäre, wenn es tatsächlich Ihr Zeichen wäre?«

»Was soll ich dagegen machen?«

»Wie kann es auf der Haut eines jungen Mannes in Göteborg gelandet sein?«, fragte Ringmar.

»Das weiß ich nicht«, sagte Carlström.

»Wir wissen es auch nicht«, sagte Winter. »Es ist uns ein Rätsel.«

»Ich kann Ihnen da nicht weiterhelfen«, sagte Carlström. »Die Fahrt hätten Sie sich ersparen können.«

»Von den gestohlenen Gegenständen ist nichts wieder aufgetaucht?«, fragte Winter.

»Bevor gestohlene Gegenstände wieder auftauchen, können die Schweine von hier nach Skara fliegen«, sagte Carlström.

Winter dachte an seine Zeichnung, die er für Elsa gemacht hatte, das fliegende Schwein. Es schien unendlich lange her zu sein.

»Sie verstehen doch, warum ich frage?«

»Ich bin ja nicht dumm.«

»Jemand könnte das Eisen hier gestohlen und dann benutzt haben.«

»Das ist möglich«, sagte Carlström in seiner kauernden Haltung.

Halders stieß gegen eine kleine Eisengabel, die auf dem Herd lag, und die Gabel fiel mit hohlem Klirren zu Boden. Natanael Carlström zuckte zusammen und drehte sich schnell um. Mit erstaunlicher Geschmeidigkeit, dachte Winter. Sein Rücken richtete sich für eine Sekunde auf. Winter sah Halders an, der seinem Blick im Bücken begegnete. Halders war auch nicht dumm.

»Ich muss Sie noch einmal fragen, ob Sie nicht jemanden im Verdacht haben«, sagte Winter.

»Absolut niemanden«, sagte Carlström.

»Sie haben nichts Verdächtiges bemerkt?«

»Wann hätte ich das sollen?«

»Um den Zeitpunkt des Diebstahls«, sagte Winter. »Letztes Mal haben Sie gesagt, Sie hätten ihn ziemlich schnell entdeckt.«

»Hab ich das?«

»Ja.«

»Daran kann ich mich nicht erinnern.«

Winter sagte nichts. Carlström sah Ringmar an, der schwieg.

»Sie hatten Geräte da draußen, die gestohlen wurden.«

»Ja, so war das wohl.«

»Sie haben seitdem nicht zufällig noch ein … anderes Werkzeug oder so was mit Ihrem Zeichen gefunden?«, fragte Winter.

»Doch«, sagte Carlström.

»Sie haben eins gefunden?«

»Doch, sag ich ja.«

Winter sah Ringmar an.

»Was ist es?«, fragte Winter.

»Es ist ein kleines Eisen«, sagte Carlström. »Es lag in dem alten Schuppen.«

Der alte Schuppen, dachte Halders. Welcher ist der neue?

35

Natanael Carlström holte das ... Ding.

»Das hat also Ihr Zeichen?« Ringmar hielt die Platte hoch, die an einem kurzen Griff befestigt war. Ein kleines Eisen, aber solide, wie aus einem Stück gegossen.

Was für ein Teufelsding, dachte Halders.

Carlström nickte als Antwort auf Ringmars Frage.

»Haben Sie das hier benutzt?«

»Das ist schon lange her.«

»Wie lange ist es her?«

Carlström machte eine Bewegung, die die letzten zweitausend Jahre umfassen konnte.

»Und dies wurde nicht gestohlen?«

»Das weiß ich ja eben nicht. Jemand könnte es weggenommen und wiedergebracht haben.«

»Hätten Sie das nicht gemerkt?«

»Doch, das hätte ich wohl.«

»Wir möchten uns dieses ... Eisen gern mal ausleihen«, sagte Winter.

»Bitte sehr«, sagte Carlström.

Möchte wissen, was er von alldem hält, dachte Halders. Davon, dass wir hier in seinem schiefen Haus stehen, das in Gefahr ist, über die Ebene wie Schweine nach Skara geblasen zu werden.

»Um Vergleiche vorzunehmen«, sagte Winter. Eigentlich brauchen wir nichts zu erklären, dachte er. Aber manchmal ist das einfacher.

»Wir hätten gern auch ein wenig Information über Ihren Pflegesohn«, sagte er und sah, wie der Alte zusammenzuckte.

»Worüber?«, fragte Carlström.

»Ihren Pflegesohn«, wiederholte Winter.

Carlström drehte sich um, plötzlich wieder ein sehr alter Mann, und öffnete die Ofenluke, bückte sich vorsichtig und blinzelte in das Feuer da drinnen, das noch nicht ausgegangen war.

»Haben Sie gehört, was ich gefragt habe?«, sagte Winter.

»Hab ich«, antwortete Carlström und richtete sich langsam auf. Entweder ist er von dem gealtert, was ich gesagt habe, oder er versucht nachzudenken. Winter sah den Alten die Luke schließen und ihn dann anschauen. »Ich bin nicht taub.« Er schielte zu den anderen beiden Eindringlingen und sah dann wieder Winter an. »Wer hat was von einem Pflegesohn gesagt?«

Müssen denn *alle* ihre Geheimnisse für sich behalten auf dieser Welt?, dachte Halders, der sich auf einen der Korbstühle gesetzt hatte. Die wirkten zwar zerbrechlich, aber dieser fühlte sich stabil an unter seinem Gewicht.

»Hatten Sie nicht einen Pflegesohn, Herr Carlström?«

»Was ist mit dem?«

»Haben Sie einen Pflegesohn?«

»Ja, ja, ja. Was ist denn mit dem?«

»Wie heißt er?«, fragte Winter.

»Was ist denn nun mit dem?«, wiederholte Carlström.

Jetzt, dachte Winter.

»Nichts, soweit wir wissen«, sagte Winter. »Aber da wir ja schon mal hier waren und über diese Sachen geredet haben, die vom Hof gestohlen wurden, da kö…«

»Mats war das nicht«, sagte Carlström.

»Nein?«

»Warum sollte er das tun? Der interessiert sich nicht für so was.«

»Mats?«, fragte Winter.

»Ja, Mats. Den Namen hatte er schon, als er hierher kam, und den Namen hatte er auch, als er wieder wegging.«

»Als wir Sie letztes Mal fragten, haben Sie gesagt, Sie hätten keine Kinder«, sagte Winter.

»Ja?«

»Das war nicht korrekt, oder?«

»Das hat doch nichts mit diesen Diebstählen zu tun«, sagte Carlström, »oder diesen Überfällen.« Er drehte sich wieder um, bückte sich nach einem Holzscheit, das er in den Herd schob. »Außerdem ist er ja nicht mein Sohn.«

»Aber er hat bei Ihnen gelebt?«

»Eine Weile.«

»Wie lange?«

»Was spielt das für eine Rolle?«

Ja, was spielte das für eine Rolle? Ich weiß auch nicht, warum ich frage. Ich weiß nur, dass ich fragen muss. Das ist wie das Klopfen da draußen.

»Wie lange?«

Carlström schien zu seufzen, als ob er sich genötigt sähe, all diese verrückten Fragen hinzunehmen, damit die Stadtmenschen wieder über die Felder davonfahren und ihn in Frieden lassen würden.

»Einige Jahre, vier waren's wohl.«

»Wann war das?«

»Schon lange her, vor vielen Jahren.«

»In welchem Jahrzehnt?«

»Muss in den Sechzigern gewesen sein.«

»Wie alt ist … Mats?«

»Er war acht, als er kam«, sagte Carlström. »Vielleicht waren es zehn, elf.«

»Wann war das?«

»Sechziger Jahre, wie gesagt.«

»Welches Jahr?«

»Himmel … daran erinnere ich mich nicht. Wohl Mitte der Sechziger, fünfundsechzig oder so.«

»Ist er oft hier gewesen, seitdem er ausgezogen ist?«, fragte Winter.

»Nein.«

»Wie oft?«

»Er wollte nicht mehr herkommen.« Carlström schaute herunter und blickte dann wieder auf. In seinen Augen war ein neuer Ausdruck. Vielleicht war es ein Ausdruck des Schmerzes.

Er konnte aber auch bedeuten: Er wollte nicht mehr wiederkommen und ich tadele ihn deswegen nicht.

»Wie heißt er mit Nachnamen?«

»Jerner.«

Winter dachte: Ist dieser Mats Jerner hier gewesen und hat eine Waffe gestohlen, um die Schuld auf diesen Mann zu lenken? Ist der Pflegesohn sich so sicher, dass er entkommt?

Ist so etwas denkbar?

Ist hier auf dem Land etwas geschehen, was Familie Smedsberg und den alten Carlström berührt?

Smedsbergs Frau ist hier in der Nähe aufgewachsen. Wie hieß sie noch? Gerda. Sie kannte Natanael Carlström.

Wie hatte er Pflegevater werden können? War er damals ein anderer? Vielleicht ist er früher einmal nett gewesen. Aber das spielte womöglich keine Rolle. Merkwürdiges ist damals zwischen Kindern und Erwachsenen passiert, genau wie jetzt, dachte Winter.

»Wann war Mats das letzte Mal hier?«, fragte er.

»Das ist komisch«, sagte Carlström. Er schien die Wand hinter Winter zu studieren.

»Wie bitte?«

»Er war vor einem Monat hier«, sagte Carlström.

Winter wartete. Ringmar stand über den Herd gebeugt, schien sich für die Klappe zu interessieren. Halders studierte Carlströms Profil.

»Da hat er mich besucht, oder wie man das nennen soll.«

»Vor einem Monat?«, fragte Winter.

»Oder vielleicht auch vor zwei. Es war jedenfalls in diesem Herbst.«

»Was wollte er?«, fragte Winter.

Carlström drehte sich zu ihm um.

»Er hatte keinen besonderen Grund«, sagte Carlström.

»Könnte er Ihr Brandeisen mitgenommen haben?«, fragte Winter.

»Nein«, sagte Carlström.

»Warum nicht?«

Carlström antwortete nicht.

»Warum nicht?«, wiederholte Winter.

Carlström blieb stumm.

»Sollen wir glauben, dass er es genommen hat?«, fragte Halders. »Wir könnten ja zu dieser Annahme verführt werden.«

»Er würde nicht mal in seine Nähe gehen«, sagte Carlström.

»Nicht in seine Nähe gehen?«, echote Winter.

»Es ist mal ... ein Unglück passiert«, sagte Carlström.

»Was ist passiert?«

»Er hat sich ... verbrannt.«

»Wie?«

»Er ist ... einem Eisen zu nah gekommen.« Carlström schaute wieder auf. Sein Kopf schien immer schwerer zu werden, je weiter das Verhör fortschritt. Schließlich musste er sich aufrichten, aber bald ließ er den Kopf wieder sinken. »Es war ein Unfall. Aber er bekam Angst vor dem Eisen. Die ist geblieben.«

»Ist geblieben?«

»Die Angst«, sagte Carlström.

»Er ist jetzt ein erwachsener Mann«, sagte Halders. »Er weiß, dass ihn diese Geräte nicht verbrennen können.«

Winter sah deutlich etwas in Carlströms Gesicht: Zweifel an dem, was Halders gesagt hatte, oder ein Wissen.

»Was hat Mats gesagt, als er hier war?«, fragte Winter.

»Er hat nichts gesagt.«

»Warum war er dann hier?«

»Weiß ich nicht.«

»Wo wohnt er?«, fragte Winter.

»In der Stadt.«

»Welcher Stadt?«

»Göteborg.«

Das erstaunte Winter: Göteborg wurde als »die Stadt« bezeichnet. Er hatte geglaubt, der Alte meinte eine der kleineren Städte, die weiter nördlich wie kleine dornige Auswüchse in der weiten Ebene lagen. Vielleicht war Göteborg die einzige richtige Stadt, da die jungen Leute diese Einöde wegen Göteborg verließen. Es gab nicht viele Alternativen.

»Wo wohnt er in Göteborg?«, fragte Winter.

»Das weiß ich nicht.«

»Was macht er?«

»Ich hab keine Ahnung.«

Winter konnte nicht erkennen, ob Carlström log oder eine Art Wahrheit sagte. Aber das spielte vielleicht auch keine Rolle. Doch Winter bemerkte wieder den Schmerz bei dem alten Mann. Woraus bestand er? War es Sehnsucht, Angst oder ... Scham? Was war zwischen dem Mann und dem Jungen passiert? Smedsberg hatte gesagt, dem Jungen sei es nicht gut gegangen. Wie war er überhaupt hier gelandet? Woher kam er? Plötzlich wollte Winter es wissen.

»Erzählen Sie von Mats«, bat er.

Offene Fragen.

»Was soll ich erzählen?«

Die sich rasch schlossen.

»Wie kam es, dass Sie ihn zu sich genommen haben?«

»Das können Sie doch mich nicht fragen?«

»Man hat Ihnen angeboten, sich um ihn zu kümmern?«

Jetzt gehen wir zu Suggestivfragen über.

»So ist es wohl gewesen.«

Was gut funktioniert und damit genauso sinnlos ist wie immer.

»Woher kam er?«

Carlström antwortete nicht. Winter sah wieder den Anflug von Schmerz in seinen Augen.

»Hatte er keine Eltern?«, fragte er.

»Nein.«

»Was war passiert?«

»Sie waren nicht wert, seine Eltern zu sein«, antwortete Carlström.

Das war ein bemerkenswert langer Satz für diesen Mann.

»Jedenfalls nicht, wenn man der Frau von der Jugendfürsorge glauben konnte«, fuhr er fort.

Die einen kleinen Jungen einem einsamen Mann zur Pflege anvertraute, dachte Winter. Vielleicht ein verstörter, verschreckter Junge.

»Haben Sie immer allein gelebt, Carlström?«

»Wie bitte?«

»Haben Sie hier ohne Frau gelebt, als Mats bei Ihnen war?«

Carlström sah ihn an.

»Ich war nicht verheiratet«, sagte er.
»Das war nicht die Frage«, sagte Winter.
»Bei mir hat eine Frau gewohnt«, sagte Carlström.
»Wann, als Mats hier war?«
Carlström nickte.
»Die ganze Zeit?«
»Anfangs«, sagte er.
Winter wartete mit der Folgefrage. Carlström wartete. Winter nahm eine andere Frage: »Was war Mats passiert?«
»Die Einzelheiten weiß ich nicht.«
»Was hat die Frau vom Jugendamt gesagt?«
»Jemand hatte sich an ihm ... vergangen.«
»Wer? Sein Vater?«
»Darüber will ich nicht reden«, sagte Carlström.
»Das kö...«
»ICH WILL NICHT DARÜBER REDEN!«
Im Feuer knackte es, das Geräusch verlieh Carlströms Worten Nachdruck.
Winter sah Ringmar an, der fast unmerklich den Kopf schüttelte.
»Ist Mats etwas ... passiert, als er hier war?«, fragte Winter und sah Carlström wieder zusammenzucken. Er zuckte zusammen, wie jemand, der alles tun will, um es zu vermeiden. »Ich meine, ob jemand im Dorf ihm etwas angetan hat, ihn irgendwie gepiesackt hat.«
»Ich weiß es nicht«, sagte Carlström.
»Irgendwas, egal, was.«
»Und jetzt rächt er sich, wie? Schlägt Leute in Göteborg nieder? Meinen Sie das?«
»Nein«, sagte Winter. »Die jungen Männer, die überfallen wurden, waren noch nicht geboren, als Mats klein war.«
»Nein, genau«, sagte Carlström.
Aber du, dachte Winter. Und Georg Smedsberg.

Bei Smedsberg öffnete niemand. Das Haus war leer, schwarz. Es stand wie eine verwitterte Festung auf diesem Feld nördlich von Carlströms Hof.
»Vielleicht spielt er Bridge«, sagte Halders.

»Wo?«, sagte Ringmar.

Sie waren umgeben von Dunkelheit, ein Himmel mit blassen Sternen, die von dunklen Schleiern verhüllt zu sein schienen, durch die nur spärliches Licht drang. Durch das Brausen des Windes hörten sie ein Geräusch, das Verkehr, der aus weiter Entfernung herüberklang, sein konnte oder der Wind selbst, der dort draußen auf Widerstand stieß.

Sie gingen zurück zu Halders' Auto und fuhren nach Süden. Die Scheinwerfer zerteilten die Felder, erhellten den Himmel, als Halders den einzigen Hügel in der Gegend hinauffuhr. Sie schwiegen, versunken in ihren Gedanken. Winter fröstelte, vor allen Dingen von dem Gespräch mit Natanael Carlström, der ihnen ohne zu winken nachgeschaut hatte.

Halders wühlte im Licht des Armaturenbretts zwischen den CDs und legte eine ein. Winter hörte einen Frauenchor, eine Frauenstimme, den Takt der Bässe, do-do-do-do-do, Gitarren, die wie in einer Lufttrommel zu klingen begannen. *Ooh baby, do you know what that's worth, Ooh heaven is a place on earth, they say in heaven love comes first, We'll make heaven a place on earth, Ooh heaven is a place on earth.*

»*Heaven is a place on earth*«, sagte Halders. »Das ist ein Klassiker.«

Die Musik begleitete sie wie ein Soundtrack durch die Dunkelheit.

Winter hörte zu: *We'll make heaven a place on earth, Ooh heaven is a place on earth.*

Der Himmel ist ein Ort auf Erden.

»Wer singt das?«, fragte er.

»Belinda Carlisle«, sagte Halders. »Eine der hübschesten Heroinisten der Welt.« Er justierte den Diskant. »Aber das war damals.« Er justierte den Bass. »Als sie bei The Go-Go's war.«

»Aha«, sagte Ringmar.

»Die solltest du mal hören«, sagte Halders.

»Ja, das macht wirklich Appetit auf mehr«, sagte Ringmar und nickte zum CD-Spieler.

»Ich wusste es«, sagte Halders.

Der Song war zu Ende, verklang: ... *place on earth ... place on earth ...*

»Lass sie noch mal laufen«, sagte Winter vom Dunkel seines Rücksitzes.

Halders drückte auf Repeat.

Ooh baby, do you know what that's worth.

Das fühlt sich fast surrealistisch an, dachte Winter. Ich fühle mich hier geborgen. Ich möchte auf diesem Rücksitz zwischen Himmel und Erde bleiben. Draußen ist es zu grässlich.

When the night falls down, I wait for you, And you come around, And the world's alive, With the sound of kids, On the streets outside, When you walk into the room, You pull me close and we start to move, And we're spinning with the star above, And you lift me up in a wave of love, Ooh baby, do you know what that's worth? Ooh heaven is a place on earth, They say in heaven love comes first, We'll make heaven a place on earth, They say in heaven love comes first, We'll make heaven a place on earth, Ooh heaven is a place on earth.

»Das ist unsere Aufgabe«, sagte Halders, »die Erde zum Himmelreich zu machen.«

»Es ist umgekehrt«, sagte Winter. »Der Himmel ist ein Erdenreich.«

»Du kannst auch nie ernst sein, Erik.«

Winter sah durchs Fenster Flocken vom Himmel fallen.

»Es hat angefangen zu schneien«, sagte er.

»Der Tag vor dem Tag«, sagte Halders.

»In zwei Stunden ist es so weit«, sagte Ringmar.

»Fröhliche Weihnachten, Jungs«, sagte Halders.

Er parkte vor dem Präsidium. In jedem zweiten Fenster leuchteten Adventslichter.

»Das ist wirklich eine sehr illustrative Art, die Löcher im Budget zu zeigen«, wie Halders gesagt hatte, als sie abgefahren waren. »Hübsch und ordentlich und symmetrisch, aber Löcher bleiben Löcher.«

Jetzt fuhr er nach Hause, nach Lunden. Sie sahen die Rücklichter im Schneetreiben verschwinden.

Winter sah Ringmar an.

»Lass das Auto stehen, Bertil, ich bring dich nach Hause.«

Nach Hause, dachte Ringmar.

Sie fuhren schweigend. Winter wartete, als Ringmar ins

Haus ging. Der wahnsinnige Schein aus dem Garten des Nachbarn schien Bertil in Gold zu tauchen. Winter sah, wie er die Tür hinter sich schloss, und im selben Moment stieg er aus dem Auto, ging die *yellow brick road* hinauf und klingelte an der Tür.

Ringmar öffnete sofort.

»Bist du allein zu Hause, Bertil?«

Ringmar lachte auf, als ob Winter etwas Witziges gesagt hätte.

»Komm lieber mit zu mir, dann reden wir ein bisschen und trinken ein Bier. Und feiern Weihnachten. Ich hab auch ein Gästezimmer, wie du weißt.«

Sie gingen über Ringmars gepflasterten Gartenweg zurück zum Auto. Das Lichterspiel des Nachbarn wogte im Wind.

»Er hat die Himmelspforte geöffnet«, sagte Ringmar und zeigte zum Nachbargrundstück.

»Heaven is a place on earth«, sagte Winter.

36

Die Küchenuhr zeigte nach Mitternacht. Der Heilige Abend war angebrochen.

»Fröhliche Weihnachten, Erik.«

»Fröhliche Weihnachten, Bertil.«

Ringmar hob die Bierflasche. Winter hatte Paul Simon in die kleine Anlage in der Küche geschoben. *She's so ligth, she's so free, I'm tight, well that's me, but I feeeel so good with darling Lorraine.* Ringmar bewegte langsam den Kopf hin und her zu der heilenden Musik.

»Soll ich es dir wirklich erzählen?«, fragte Ringmar.

»Du feierst doch Weihnachten ohne Familie? Beleidige mich nicht, Bertil.«

»Du feierst auch ohne Familie.«

»Wir haben eine Abmachung oder wie man das nun nennen soll. Ich hau ab zu meiner Familie, sobald es vorbei ist.«

»Wann ist es vorbei?«

»Bald«, sagte Winter.

»Martin bildet sich ein, ich hätte ... etwas getan«, sagte Ringmar.

Paul sang: *It's cold, sometimes you can't catch your breath, it's cold. Sometimes we don't know who we are, sometimes force overpowers us and we cry.*

Winter nahm einen Schluck aus seiner Bierflasche und wartete.

»Hast du gehört, was ich gesagt habe?«, fragte Ringmar.

»Ja. Wie meinst du das, Bertil? Was getan?«

»Der Grund, warum er das letzte Jahr abgetaucht ist.«

»Was, behauptet er, sollst du getan haben?«

»Ich kann es nicht sagen ... nicht aussprechen.«

»Wann hast du das erfahren, was du nicht aussprechen kannst?«

War er brutal? Nein. Bertil stand ihm zu nah.

»Gestern. Birgitta hat angerufen. Endlich.«

»Und hat was gesagt?«

Bertil schlief, jedenfalls lag er im Bett im Schlafzimmer. Vor einer Stunde hatte er an Winters Küchentisch geweint. Winter rauchte an der offenen Balkontür. Unten lag Schnee. Morgen würde er keinen Schneemann mit Elsa bauen.

Rundum war es still, wie ein frommer Schlaf vor dem Morgen des Heiligabend, an dem alle nett zueinander sein würden.

Winter schloss die Balkontür und ging zurück zu seinem Schreibtisch und dem Powerbook. Paul Simon hatte er mitgenommen ins Wohnzimmer, *We think it's easy, sometimes it's easy, but it's not easy*, er starrte auf seine Notizen, gerade fließende Linien, wie die Herzschlagkurve eines Herzen, das aufgehört hatte zu schlagen, sie waren gerade, leblos. Aber trotzdem.

Sie hatten geredet. Dann hatte Bertil sich wieder auf den Fall gestürzt. Die Fälle. Willst du wirklich?, hatte Winter gedacht. Er hatte Bertil angesehen, dass es nötig war.

»Es könnte der Pflegesohn sein«, hatte Ringmar gesagt. »Ihm ist etwas zugestoßen, was mit einem dieser Studenten zu tun hat. Smedsberg. Oder vielleicht sogar dem Alten. Georg hieß er wohl?«

»Ja.«

»Der Pflegesohn ... Mats ... könnte sich das Eisen von Carlström geholt und es benutzt haben. Wir wissen ja, dass er da war.«

»Carlström könnte es selbst getan haben«, hatte Winter gesagt. »Er ist kein Krüppel.«

»Und warum?«

»Das ist die große Frage.«

»Immer die große Frage«, hatte Ringmar gesagt. »Wir müssen morgen mit ihm reden.«

»Carlström?«

»Jerner. Mit dem Pflegesohn.«

»Wenn er in der Stadt ist«, hatte Winter gesagt.

Er hatte den Namen und die Adresse im Telefonbuch nachgeschlagen und sofort angerufen, als sie nach Hause gekommen waren, aber es hatte sich niemand gemeldet. Im Auto auf dem Heimweg hatte er zuerst erwogen, im Polizeipräsidium anzurufen und zu bitten, ein Auto hinzuschicken, doch das war noch zu früh. Besser ein wenig abwarten.

»Die Frau«, hatte Ringmar gesagt, »Gerda, Smedsbergs Frau. Was ist mit ihr passiert?«

»Wie tief sollen wir denn noch buddeln da draußen, Bertil?«

»Vielleicht bis zur Hölle«, hatte Ringmar geantwortet. Er sieht tausend Jahre alt aus, wie er da am Tisch sitzt, runzlig wie eine Dynastie, hatte Winter gedacht.

»Vielleicht ist es bodenlos«, hatte er gesagt, »Lehm bis nach China. Wollen wir ein bisschen pennen? Das wird ein langer Tag morgen.«

»Wir haben noch nicht über das Wichtigste geredet«, hatte Ringmar gesagt, »sind das Ganze nicht noch mal durchgegangen.«

»Morgen Früh spreche ich mit Maja Bergort«, hatte Winter gesagt, »und noch mal mit dem kleinen Waggoner.«

»Ich hör noch mal die Bänder ab.«

»Die will ich auch noch mal sehen.«

»Sie sind ja da«, hatte Ringmar gesagt.

»Aneta macht einen neuen Versuch mit dem Jungen Skarin. Und der kleinen Ellen Sköld.«

»Der abwesende Vater«, hatte Ringmar gesagt.

»Wir haben reichlich Auswahl«, hatte Winter gesagt.

»Was meinst du damit?«

»Wir können viele verhören, verdächtigen, bei vielen ermitteln.«

»Du hast nicht nur daran gedacht, Erik.«

»Nein. Ich hab auch an mich selbst gedacht.«

»Du hast an mich gedacht.«

»Ich hab an dich und an mich gedacht.«

Er starrte auf den Bildschirm, die einzige Lichtquelle im Zimmer, abgesehen von der Stehlampe neben dem Ledersessel, der neben der Balkontür stand. Er sah auf seine Armbanduhr: zwei. Paul Simon sang etwas, das er nicht verstand, aber es klang schön.

Er streckte sich nach dem Telefon und wählte die Nummer.

Seine Mutter hatte eine Stimme wie eine Jazzsängerin nach zwei Uhr nachts, als sie sich meldete: »Ha... hallo?«

»Hallo, Mutter, hier ist Erik.«

»Er... Erik, ist was passiert?«

»Nein, aber ich wollte mit Angela sprechen.«

»Sie schläft. Und Els...« Er hörte eine Stimme im Hintergrund und dann wieder seine Mutter: »Ja, du hast sie geweckt, jetzt kommt sie.«

»Was ist, Erik?«, fragte Angela.

»Es ist nichts ... ich wollte nur deine Stimme hören ...«

»Wo bist du?«

»Zu Hause natürlich.«

»Was ist das für ein Geräusch?«

»Es könnte der Computer sein oder die Paul-Simon-CD, die du gekauft hast.«

»Ich höre es. Hmmmm.«

Ihre Stimme klang schlaftrunken, ein wenig heiser, lieblich. Eine Stimme in Niedrigfrequenz, wie halb im Traum.

»Wie geht es euch?«, fragte er.

»Gut, die Sonne scheint, die Sterne glitzern.«

»Was macht Elsa?«

»Sie hat versucht zu baden, fand es aber doch zu kalt.«

»Und sonst?«

»Spielt auf dem Rasen. Und zeigt auf den Schnee, der auf dem Berg liegt.«

»Der Weiße Berg«, sagte Winter.

»Das kann sie schon auf Spanisch sagen. Würden wir ein halbes Jahr bleiben, dann würde sie zweisprachig.«

»Gar keine schlechte Idee«, sagte Winter.
»Und was machst du so?«
»Ich komme«, sagte er.
Ein halbes Jahr in Spanien. Oder ein ganzes. Er könnte es sich leisten.
Nach diesem Fall. Wer weiß.
»Und morgen ist Heiligabend. Elsa redet von nichts anderem. *Feliz Navidad.*«
»Heute.«
»Mhm. Hast du angerufen, um mich daran zu erinnern?«
»Nein.«
»Kommst du immer noch am zweiten Weihnachtstag?«
»Ja.«
»Siv wollte es nicht glauben, also, dass du nicht mitgekommen bist.«
»Sie muss dich zum Ausgleich nehmen.«
»Sie? Sie braucht doch niemanden zum Ausgleich.«
»Nein.«
»Deine Stimme klingt sehr müde, Erik.«
»Ja.«
»Ist es morgen so weit?«
»Ja.«
»Trink heute Nacht keinen Whisky.«
»Wir haben die Flasche versteckt, sobald wir zur Tür reingekommen sind.«
»Haha.« Dann hörte er sie Luft holen, schwach. »Wir?«
»Bertil ist hier. Er übernachtet bei mir.«
»Und was sagt Birgitta dazu?«
»Sie weiß nichts davon«, sagte Winter.
»Was ist denn da los, Erik?«
Er versuchte zu erzählen, was los war. Darum hatte er angerufen, einer der Hauptgründe. Das konnte er nicht allein mit sich herumtragen.
»Du liebe Zeit«, sagte sie. »Bertil?«
»Man muss es ja nicht glauben«, sagte Winter.
»Sagt Bertil das?«
»Was soll man überhaupt dazu sagen?«
»Du liebe Zeit«, wiederholte sie.

»Birgitta hat angerufen. Sie wollte nicht sagen, wo sie ist. Und Martin war vermutlich auch da. Und Moa. Das ist die Toch…«

»Ich weiß, wer sie ist«, sagte Angela. »Was machen die denn alle? Halten Kriegsrat gegen Bertil?«

»Ich glaube, sie versuchen herauszufinden, was der Sohn eigentlich meint«, antwortete Winter.

»Ist er jetzt erst damit herausgerückt? Ich meine Martin?«

»Offenbar.«

»Aber was hat er denn gesagt?«

»Ja … In dem Punkt hat Birgitta sich ziemlich … vage ausgedrückt. Aber irgendwas von einem … Vergehen. Ich weiß nicht … was. Als er klein war.«

»Herr im Himmel – Bertil. Das kann doch gar nicht angehen.«

»Nein«, sagte Winter.

»Warum behauptet Martin das bloß?«

»Ich bin kein Psychologe«, sagte Winter. »Aber eine Vermutung ist, dass das mit dem Umfeld zusammenhängt, in das der Junge geraten ist. Offenbar ist er in einer üblen Sekte gelandet, nachdem er von zu Hause abgehauen ist.«

»Aber es muss doch einen Grund gegeben haben, dass er überhaupt abgehauen ist?«, sagte Angela.

»Vermutlich. Aber den kann es nur in seinem Kopf geben.«

»Wie geht es Bertil?«

»Tja … was soll man sagen. Er versucht zu arbeiten. Ich weiß auch nicht, wie er das schafft.«

»Wird es … eine Anzeige geben?«

»Ich weiß es nicht«, sagte Winter. »Wenn es dazu kommt, will ich tausend Meilen entfernt sein.«

»Reichen auch dreihundert?«, fragte sie. »An die Sonnenküste.«

»Aber das soll lieber nicht der Grund sein, dass ich fahre.«

»Willst du überhaupt fahren?«

»Angela, du weißt, warum ich hier bin. Ich komme, so schnell es geht, noch schneller.«

»Ja, entschuldige, Erik. Was wirst du jetzt machen?«

»Ich will versuchen, ein paar Stunden zu schlafen. Die Gedanken haben sich festgefahren. Sind schon eingeschlafen.«

»Hast du die Weihnachtsgeschenke gefunden?«

»Morgen früh suche ich sie.«

Er flog über das flache Land auf dem Rücken eines Vogels, der seinen Namen wiederholte und dann einen Satz mit vier Wörtern: Klara will Kuchen haben, Klara will Kuchen haben, Klara will Ku... Still, ich kann nicht hören, was die Kinder denken, was die Kinder da unten denken. Vier junge Männer wanderten über die Ebene, einer von ihnen lächelte. Sein Gesicht war schwarz. Ein Traktor kam über das Feld, Winter sah, wie der Staub aufwirbelte. Ringmar jagte einen der Jungen. Lüge! Ringmar schrie Lüge! Lüge! Winter stand in der Stadt. Überall Weihnachten, Päckchen, Geschäfte, ein offener Platz. Er war im Innern eines Hauses. Ein Mann ging mit einem Buggy vorbei. Der Mann trug eine karierte Kappe. Er drehte sich zu Winter um. Du hörst nicht zu! Du schaust nicht her! Du bleibst stehen, aber du siehst nichts. Siehst nichts. Jetzt spielte er Gitarre. Winter folgte ihm. Der Buggy war weg, flog in den Himmel. Am Himmel waren Sonne und Sterne. Er stand dort oben auf der Erde und sah hinunter auf den Himmel. Es war Nacht und Tag. Die Kappe kam wieder mit dem Buggy vorbei. Darin waren Füße, die sich nicht bewegten. Kleine Füße, ganz still. Die Kappe klingelte mit einer Glocke, schwang sie auf und ab, riiiiiiiiiing, riiiiing.

Er erwachte im Dunkeln. Der Wecker schrillte. Es war sieben Uhr.

Ringmar saß in der Küche vor einer Tasse Kaffee. Die Dunkelheit draußen wurde aufgehellt vom Schnee, der den Boden mit einer dünnen Schicht bedeckte. Ringmar hatte eine aufgeschlagene Zeitung vor sich.

»Bist du von selbst aufgewacht?«, fragte Winter.

»Ich bin überhaupt nicht eingeschlafen.«

In der Kaffeemaschine war noch Kaffee. Winter machte sich ein Käsebrot. Er fror in seinem Morgenmantel.

»Ein Forschergenie am Psychologischen Institut in Göteborg ist darauf gekommen, dass die Polizei beim Verhör umdenken muss«, sagte Ringmar, die Augen auf die Zeitung gerichtet.

»Klingt interessant«, sagte Winter und biss von seinem Brot ab.

»Er behauptet, wir hätten immer geglaubt, dass jemand, der lügt, nervös wirkt, einen flackernden Blick und eine hektische Körpersprache hat.« Ringmar lachte auf, laut, kurz und böse. »Dieser unser Retter in der Not ist nun zu dem Schluss gekommen, dass Lügner sich gar nicht so verhalten.« Er sah Winter an und zitierte: »Der Lügner schaut einem häufig direkt in die Augen und erzählt ganz ruhig seine Lügen.«

»Wenn wir das bloß eher gewusst hätten«, sagte Winter. »Jetzt wird die Verhörmethode revolutioniert.«

»Wie viele Fehler wir schon gemacht haben«, sagte Ringmar.

»Danke, lieber Gott, dass es die Forschung gibt«, sagte Winter.

Ringmar las weiter in dem Artikel und lachte wieder.

»Ich zitiere: Die Forschung beweist auch, dass es leichter ist, einen Lügner bei einem Videoverhör als bei einem gewöhnlichen Verhör zu entlarven.«

Winter lachte, genauso kurz und böse.

»Wo wir doch die letzten fünf Jahre nur noch Video eingesetzt haben.«

»Ohne dass wir wussten, wozu das gut sein sollte«, ergänzte Ringmar.

»Diese Erkenntnisse müssen aber ganz fix ins Internet«, sagte Winter.

»Sicherheitshalber konstatiert er, dass die rechtspflegerischen Instanzen wenig über moderne Gerichtspsychologie wissen, aber versprochen haben, sich zu informieren«, sagte Ringmar. »Halleluja. Möchte wissen, was Professor Christianson davon hält.«

»Ich glaube nicht, dass er Trost braucht«, sagte Winter.

»Hektische Körpersprache«, sagte Ringmar, »flackernder Blick.«

»Klingt wie ein Film von Fritz Lang. *Dr. Mabuse* oder *M*.«

»Vielleicht hat die *Göteborgs-Posten* diesen Forscherbericht in einem alten Archiv gefunden?«, sagte Ringmar.

»Den Forscher«, sagte Winter, »da haben sie den Forscher gefunden.«

Ringmar suchte nach weiteren Erkenntnissen in dem Artikel.

»Vielleicht ist es trotzdem interessant. Unser Forscher hat bemerkt, dass Leute mit Kindern Lügen besser durchschauen können als andere. Sie merken, wenn ihre Kinder die Unwahrheit sagen. Kinderlose Erwachsene sind deutlich schlechter darin.« Ringmar sah auf. »Dann liegen wir ja ganz gut, Erik.« Dann fiel sein Gesicht zusammen, und Winter begriff, was Ringmar in derselben Sekunde dachte.

Das Handy auf der Anrichte klingelte, wo es zum Aufladen lag. Er konnte es erreichen, ohne aufstehen zu müssen.

»Ja?«

»Hallo, hier ist Lars.«

Bergenhems Stimme klang schwach, wie aus einem Tunnel.

»Ja?«

»Carolin Johansson hat eine Überdosis genommen«, sagte Bergenhem, »Mickes Mutter. Irgendwelche verdammten Tabletten, sie wissen es noch nicht.«

»Lebt sie?«

»Gerade noch so.«

»Es gab doch keinen Stoff bei ihr zu Hause«, sagte Winter, »das haben wir doch kontrolliert.«

»Schlafmittel, glauben sie. Jemand könnte es ihr mitgebracht haben«, sagte Bergenhem.

»Ich will genau wissen, wer bei ihr war«, sagte Winter.

»Das ist nicht si…«

»Ich will es wissen, Lars. Krieg es raus.«

»Ja.«

»Ist sie im Östra?«

»Ja.«

»Ist jemand von uns dort?«

»Sara.«

»Okay. Was ist mit dem Vater? Wo ist er?«

»Er ist auch dort.«

»Wer bewacht sein Telefon?«

»Zwei Neue. Ich weiß nicht, wie sie heißen. Möllerström kann be…«

»Darauf scheißen wir jetzt. Hast du heute Morgen schon mit Bengt Johansson gesprochen?«

»Nein.«

Auch gut, dachte Winter. Ich fahre heute Nachmittag zu ihm, wenn ich es schaffe. Wenn er nach Hause kommt.

Bertil hatte verstanden und erhob sich.

»An die Arbeit«, sagte er. »Heiligabend hin oder her.« Er sah Winter hastig an. »In den USA arbeiten sie Heiligabend.«

»Wie geht es dir, Bertil?«

»Ausgezeichnet nach einer *good nights wake*.«

»Wird Birgitta dich nicht suchen?«

»Wie zum Teufel soll ich das wissen?«

»Du weißt, wo ich stehe, Bertil«, sagte Winter.

»Wie bitte?«

»Ich glaube dir«, sagte Winter.

»Wie kannst du so sicher sein, Erik? Nur weil ich wie ein Tannenbaum im Sturm schwanke und mein Blick flackert wie ein Leuchtfeuer, braucht das ja nicht zu bedeuten, dass ich die Wahrheit sage.«

Winter musste lächeln.

»Du schwankst nicht, und dein Blick flackert nicht.«

»Dann ist doch schon alles klar.«

»Lies niemals Zeitungen«, sagte Winter.

»Die Titelseite hab ich dir gar nicht erst gezeigt.«

»Ich glaub, ich kann's mir vorstellen.«

»Dabei ist es nicht mal ein Revolverblatt«, sagte Ringmar. Er ging in den Flur. »Ich hau jetzt ab. Noch mal fröhliche Weihnachten.«

»Bis dann«, rief Winter, aber die Wohnungstür hatte sich schon geschlossen. Er ging zu seinem Schreibtisch und kontrollierte die Telefonnummer, die er in sein elektronisches Telefonverzeichnis aufgenommen hatte. Er wählte die Nummer.

»Ja, hallo?«

Die Stimme könnte zu jedem gehören, vielleicht zu einem jungen, vielleicht zu einem mittelalten Menschen. Im Hintergrund war ein Geräusch, das er nicht identifizieren konnte.

»Ich möchte gern Mats Jerner sprechen.«

»We-w-wer ist da?«

»Sind Sie Mats Jerner?«

»Ja …«

»Mein Name ist Erik Winter. Ich bin Kommissar beim Landeskriminalamt. Ich möchte Sie gern treffen. Am liebsten heute. Heute Nachmittag.«

»E-e-es ist Heiligabend«, sagte Mats Jerner.

Auch für mich, dachte Winter.

»Nur ganz kurz«, sagte er.

»Um was geht es?«

»Wir ermitteln in einer Serie von Überfällen und … ja, es ist ein wenig kompliziert zu erklären. Aber eins der Opfer kommt aus der Gegend, wo Sie aufgewachsen sind. Wir möchten gern Kontakt zu allen aufnehmen, die …«

»Woher wissen Sie, von wo ich komme?«, fragte Jerner.

Winter merkte, dass seine Stimme jetzt ruhiger klang. Das war oft so. Wenn man erwähnte, dass man Polizist war, besonders Kommissar, bekamen die meisten anfangs eine unsichere Stimme.

»Wir haben mit Ihrem Pflegevater gesprochen.«

Jerner schwieg.

»Herr Jerner?«

»Ja?«

»Ich möchte Sie heute treffen.«

Wieder Schweigen. Wieder dieses Geräusch.

»Hallo? Herr Jerner?«

»Ich kann heute Nachmittag hinkommen«, sagte Jerner.

»Meinen Sie ins Polizeipräsidium?«

»Arbeiten Sie nicht dort?«

»Ja.« Winter ließ seinen Blick durch seine Wohnung schweifen.

»Wann soll ich bei Ihnen sein?«

Winter sah auf seine Armbanduhr.

»Um vier.«

»Das passt gut«, sagte Jerner. »Ich hab um halb Schluss.«

»Schluss?«

»Dienstschluss.«

»Was arbeiten Sie denn?«

»Ich bin Straßenbahnfahrer.«

»Aha. Es klang so, als wollten Sie Weihnachten frei haben.«

»Es war nur wegen ... wegen des Ge-gesprächs«, sagte Jerner. »Dass Sie Heiligabend arbeiten. Leute anrufen und Fragen stellen und sie zu sich kommandieren. Oder befehlen oder wie nennt man das. Darüber war ich erstaunt.«

Das ist kein Befehl, dachte Winter.

»Was soll ich also machen?«, fragte Jerner.

»Wie bitte?«

»Sie müssen mir doch sagen, wo ich hinkommen soll. Oder muss ich mir den Weg zu Ihnen allein durchs Haus suchen?«

37

Die Stadt war immer noch weiß, als er in Richtung Süden fuhr. Metheny und Haden verbreiteten Ruhe von der CD, *The Moon Is A Harsh Mistress*.

Einen Moment konnte er nichts sehen, als er in den Tunnel einfuhr. Es gab kein Licht. Auf dem Weg in das schwarze Loch am Ende des Tunnels, dachte er. Ein schrecklicher Gedanke.

Ihm fiel ein, dass er vergessen hatte, nach Angelas und Elsas Weihnachtsgeschenk zu suchen.

Die Felder waren von Schnee wie mit kaltem Puder bedeckt. Dahinter erhob sich das Meer wie ein konkaver Spiegel. Es bewegte sich nicht.

Auf das Doppelhaus von Familie Bergort fiel ein erster Sonnenstrahl, als er aus dem Auto stieg. In zwei Fenstern brannten Adventslichter.

Es roch nach frischem Kaffee, als er den Flur betrat.

Kristina Bergort reichte ihm einen Bügel.

»Entschuldigung, dass ich Sie Heiligabend störe«, sagte Winter.

»Es ist ja wichtig«, sagte sie. »Oh, es ist ja so schrecklich.«

Er sah die aufgeschlagene Zeitung auf dem Küchentisch: *Was ist mit Micke passiert? Polizei ohne Spur.*

Er nahm den kräftigen Duft von Weihnachtshyazinthen wahr, die auf dem Küchentisch standen. Das war der unverkennbare Weihnachtsduft, voller Erinnerungen.

»Ich habe gerade Kaffee gekocht.«

»Danke.«

Winter setzte sich. Er sah den leuchtenden Tannenbaum durch die geöffnete Wohnzimmertür. Hatte Elsa einen Tannenbaum in Nueva Andalucía? Irgendetwas musste seine Mutter sich ausgedacht haben. Lichter in den Palmen im Garten? Das erinnerte ihn an Bertils Nachbarn. Wohin wollte Bertil heute Morgen noch?

Smedsberg. Zu den anderen Jungs.

»Was macht Maja?«, fragte er.

»Sie guckt das Kinderprogramm im Fernsehen.«

»In welches Zimmer können wir gehen?«

»Ja ... Sie wollten ja nicht in ihrem Zimmer sitzen ... Da hab ich an Magnus' Zimmer gedacht. Es ist ein kleines Arbeitszimmer, manchmal auch mein Nähzimmer.«

»Okay.«

»Soll ich Maja holen?«

»Ja, bitte.«

Die Routine, wenn man es so nennen konnte, war dieselbe wie immer und wie zu Hause bei Simon Waggoner: Winter in Froschhaltung auf dem Fußboden, dem Kind echtes Interesse zeigend. Ein Mensch. Fröhliche Weihnachten, Maja. Ich habe eine kleine Tochter, die ist ein Jahr jünger als du. Sie heißt Elsa.

Maja schaute zu Boden. Sie hatten ihren Namen sehr leise genannt.

Er ging voran ins Zimmer.

»Aha, hier ist es!«, sagte er.

Sie wollte ihm nicht folgen.

»Herr Winter will sich nur ein bisschen mit dir dort drinnen unterhalten«, sagte Kristina Bergort zu ihrer Tochter.

Das Mädchen schüttelte den Kopf. Sie ließ einen kleinen Ball springen. Der Ball machte einen schrägen Hüpfer und verschwand hinter Winter in dem Zimmer.

»Willst du nicht zu deinem Ball gehen, Maja?«

Wieder schüttelte sie den Kopf.

»Das ist doch Papas Arbeitszimmer«, sagte Kristina Bergort.

»Wo ist Papa?«, fragte Maja.

»Er musste für eine Weile zu seiner Arbeit fahren, Liebling. Das hab ich dir doch heute Morgen erzählt.«

Heiligabend, dachte Winter. Wer muss Heiligabend zu seiner Arbeit fahren?

»Will nicht«, sagte Maja.

»Wir können auch in der Küche sitzen«, sagte er. »Kannst du ein bisschen Malpapier und Kreide mitnehmen?« Er wollte ihre ganze Aufmerksamkeit, aber er wollte auch etwas anderes.

Er stellte die Kamera an der Tür auf.

Sie saß wie ein Vogel auf ihrem Stuhl. Der Kaffeeduft war verschwunden, aber der Duft nach Hyazinthen war noch da.

Seine Fragen hatten angefangen, die Begegnung mit dem Fremden einzukreisen. Er hatte Maja nach ihren Lieblingsfarben gefragt. Sie hatten eben damit gemalt und dann mit denen, die sie nicht so gern mochte. Sie kannte alle Farben.

»Hast du deinen Ball verloren, Maja?«

Sie sah zu dem Ball, der auf dem Küchentisch zwischen ihnen lag.

»Den anderen Ball«, sagte Winter, »den grünen Ball.«

»Der ist weg«, sagte sie. »Den grünen Ball hab ich verloren.«

»Wo hast du ihn verloren?«

»Im Auto.«

»Was war das für ein Auto?«

»Das Auto von dem Onkel.«

Winter nickte.

»Hast du in dem Auto von dem Onkel gesessen?«

»Ja.«

»Was für eine Farbe hatte das Auto, Maja?«

»Es war schwarz«, sagte sie, wirkte aber unsicher.

»So?« Winter zeichnete einen schwarzen Strich.

»Neeein, nicht so schwarz.«

Er zeichnete einen blauen.

»Neein ...«

Ein anderes Blau.

»Ja!«

»So eine Farbe hatte das Auto von dem Onkel?«

»Ja! Blau!«

Vielleicht hatten sie das Richtige getroffen. Aber die Vorstellung von Farben war bei Zeugen das Allerunsicherste, ganz zu schweigen von Automarken. Jemand konnte darauf schwören, dass es ein weißer Volvo V 70 gewesen war, der den Ort eines Verbrechens verlassen hatte, und später stellte sich heraus, dass es ein roter Chryslerjeep gewesen war. Es war noch schwerer geworden, zwischen den Automarken zu unterscheiden, seit die Klonmethoden der Unternehmen immer ausgefeilter wurden. Alle hatten das gleiche geleckte Design, die gleichen fliehenden Formen. Er hatte darüber nachgedacht, war dazu gezwungen gewesen.

Sie hatten versucht, den Kindern verschiedene Automodelle zu zeigen, hatten jedoch nicht herausbekommen, um welches es in diesem Fall ging.

Er nahm ein Blatt Papier und zeichnete mit der blauen Kreide ein Auto. Vielleicht einen Volvo, vielleicht einen Chrysler. Auf jeden Fall hatte es eine Karosserie und vier Räder.

Maja lachte.

»War es so ein Auto?«, fragte er.

»Nein, Dummerchen«, sagte sie, ganz weich.

»Kannst du es zeichnen?«

»Ich kann nicht«, sagte sie.

Winter schob ihr seine Zeichnung zu.

»Wir können es ja zusammen versuchen«, sagte er. »Zeichne dich mal selbst, wo du im Auto gesessen hast.«

»Es war nicht das Auto da«, sagte Maja.

»Wir tun einfach so, als ob es das Auto von dem Onkel war«, sagte Winter.

Sie nahm einen gelben Stift und zeichnete einen Kopf ins vordere Fenster. Mit einem schwarzen Stift zeichnete sie ein Auge, eine Nase und den Teil von einem Mund. Es sollte ein Profil darstellen.

»Wo hat der Onkel gesessen?«, fragte Winter.

»Kann man nicht sehen«, sagte Maja.

»Aber wie hätte er ausgesehen, wenn wir ihn sehen könnten?«, fragte Winter.

Sie zeichnete einen Kopf mit einem schwarzen Stift und obendrauf etwas, das eine Kappe sein könnte.

»Was ist das?«, fragte Winter.

»Das ist die Mütze von dem Onkel.«

Bevor Winter die nächste Frage stellen konnte, zeichnete sie einen grünen Punkt vor ihr Selbstporträt.

Ihr Ball, dachte Winter. Vielleicht hat er auf dem Armaturenbrett gelegen, bis er ihn genommen hat. Wenn der Ball tatsächlich dort verschwunden ist.

Er fragte trotzdem, zeigte auf den grünen Punkt.

»Was ist das, Maja?«

»Das ist der Piepvogel vom Onkel«, sagte sie.

Aneta Djanali traf Kalle Skarin zum zweiten Mal. Beim ersten Mal hatte sie vage bestätigt bekommen, dass Kalle etwas weggenommen worden war. Er war das jüngste von allen Kindern, die sie verhörten.

»Das Auuutoooo«, hatte Kalle gesagt.

Sie waren sein Spielzeug von zu Hause durchgegangen, ob etwas fehlte.

»Er hatte es immer bei sich«, hatte Berit Skarin gesagt. »Ich hab's nicht gefunden, also ...«

Jetzt schob Kalle ein neues Auto über den Teppich. Aneta Djanali hatte sich neben ihn gesetzt. Kalle erwies sich als Autoexperte und hatte das Auto des Täters als Japaner identifiziert, möglicherweise ein Mitsubishi. Er hatte auf den Lancer gezeigt, das Kombimodell kannte er, aber bei den Farben war er unsicherer.

Er hatte keine hässlichen Wörter aus dem Radio gehört.

»Hatte der Onkel ein Spielzeug, Kalle?«, fragte Aneta Djanali.

»Kalle hat Bonbons gekriegt«, sagte der Junge mitten im Brummen seines Autos, das ein Chryslerjeep war.

»Hatte der Onkel Bonbons?«, fragte Aneta Djanali.

»Viiieele Bonbons«, sagte Kalle.

Sie fragte nach der Sorte, dem Aussehen, Geschmack. Eigentlich hätte sie dieses Verhör im besten Süßigkeitenladen der Stadt durchführen müssen, wegen des Vergleichs, aber das wäre allzu verwirrend geworden.

»Gab es ein Spielzeug in dem Auto von dem Onkel, Kalle?«

»Brrruuuumm.«

Er schob das Auto in Kreisen herum, in Achten. Sie sah seinen kleinen Kopf und dachte an den verletzten Simon Waggoner und den verschwundenen Micke Johansson. Gab es einen Zusammenhang? Sie wussten es noch nicht, was konnten sie also tun? Im Augenblick taten sie ihr Bestes.

Kalle war vielleicht ... derselben Person begegnet wie Micke Johansson. Jetzt dachte sie wieder daran. Sein gesenkter Kopf über dem Auto und der graue Teppich, der dünn, aber weich war.

Eine sehr kurze Begegnung. Warum? Was wollte er von Kalle? Passte Kalle in das Muster? Die anderen Kinder: Ellen, Maja und dann Simon. Gab es ein Muster in den verschiedenen Begegnungen? Bauten diese Begegnungen auf etwas auf? Veränderte *er* sich? Warum hatte er Simon verletzt? War das ein Schritt ... irgendwohin? Bereitete er sich vor? Worauf? Auf ... Micke Johansson? Sie wollte nicht daran denken, nicht jetzt, eigentlich nie. Sie hatten darüber diskutiert, sie und Erik, Fredrik, Lars und Bertil, Janne, Sara.

Erik hatte mit dem Gerichtspsychologen gesprochen. Es gab verschiedene Szenarien, aber alle waren entsetzlich.

Es gibt ein einziges Ziel, und das ist, Micke Johansson zu finden. Hilf mir, Kalle.

»Brruuuuumm«, machte Kalle und sah auf. »Piepvogel Bille.«

»Was hast du gesagt, Kalle?«

»Piepvogel Bille, hat Kalle sagt.«

»Hatte der Onkel einen Piepvogel?«

»Piepvogel Bille«, wiederholte Kalle, der sein Auto jetzt am Teppichrand geparkt hatte.

»Hieß der Piepvogel Bille?«

»Piep Bille.«

Berit Skarin hatte während des Verhörs in einem Sessel gesessen. Kalle hatte sie vergessen, genau wie Aneta Djanali. Sie hörte jetzt ihre Stimme: »Ich glaube, er meint, dass dieser Piepvogel seinen Namen gesagt hat. Er hat Kalle zu ihm gesagt.«

Winter hatte Maja nach dem Vogel des Onkels gefragt. Sie konnte sich an keinen Namen erinnern. War es ein Papagei?, hatte Winter gefragt. Er bekam keine hundertprozentige Antwort. Wir müssen ihr alle Vogelbilder zeigen, die es gibt, dachte er. Mit Papageien fangen wir an. Wo werden solche Bilder in der Stadt verkauft?

Der Papagei, von dem Maja Bergort gesprochen hatte, hing an einem Rückspiegel, so viel meinte er verstanden zu haben, nachdem er noch weitere Fragen gestellt hatte.

Maja bewegte ihren Arm.

»Tut dir der Arm weh, Maja?«

Sie schüttelte den Kopf.

Winter hörte, wie Kristina Bergort sich im Haus bewegte. Er hatte sie gebeten, sich nicht in der Küche aufzuhalten, während er mit Maja sprach. Er hörte sie wieder, nahe. Vielleicht lauschte sie. Maja konnte sie nicht sehen.

»Hat dir der Arm wehgetan, Maja?«

Das Mädchen nickte ernst.

»War der Onkel böse?«, fragte Winter.

Sie antwortete nicht.

»Hat der Onkel dich gehauen?«, fragte Winter.

Sie zeichnete jetzt Kreise mit dem schwarzen Stift, Kreise, Kreise um Kreise.

»Hat der Onkel dich gehauen, Maja? Der Onkel, mit dem du im Auto gesessen hast? Der Onkel mit dem Piepvogel?«

Sie nickte jetzt, heftig, ohne Winter anzusehen.

»Hast du daher diese Flecken?« Winter hielt seinen eigenen Arm hoch und betastete die Innenseite.

Sie nickte, ohne ihn anzusehen.

Etwas stimmte nicht. Ihre Kreise waren mehr geworden, übereinander geschichtet, wie ein schwarzes Loch. Das schwarze Loch am Ende des Tunnels, dachte Winter wieder. Derselbe verdammte Gedanke.

Hier stimmte etwas nicht.

»Was hat der Onkel gesagt, als er dich gehauen hat?«

»Er hat gesagt, dass ich böse war«, antwortete Maja.

»Das war aber dumm von ihm«, sagte Winter.

Sie nickte ernst.

Er dachte an den Unterschied zwischen Wahrheit und Lüge. Etwas bei Maja entglitt jetzt. Eine Lüge, auch wenn er es war, der sie dorthin geführt hatte. Hatte der Onkel sie geschlagen? Welcher Onkel? Wenn Kinder etwas nicht erzählen, was sie wissen, dann kann das viele Gründe haben. Wenn sie lügen, kann das auch viele Gründe haben. In den meisten Fällen fühlen sie sich bedroht, dachte er, während Maja ihren Tunnel füllte und einen neuen begann. Kinder haben Angst, sie möchten Bestrafung vermeiden. Manchmal wollen sie jemanden schützen, von dem sie abhängig sind. Es geschieht auch, dass die Traumatisierung zu dem Unvermögen führt, zwischen Wirklichkeit, Phantasie und Traum zu unterscheiden.

»Hat der Onkel dich mehrmals geschlagen?«, fragte Winter.

Sie antwortete nicht. Die Kreidebewegungen hatten in einem halbfertigen Tunnel aufgehört. Winter wiederholte seine Frage.

Sie hob ihre Hand, langsam. Winter sah, dass sich drei Finger zur Decke reckten.

»Hat er dich dreimal geschlagen?«, fragte Winter.

Sie nickte, jetzt unendlich ernst, sah ihn an. Er hörte ein tiefes Luftholen hinter sich, drehte sich um und sah Kristina Bergort, die es nicht mehr in ihrem Versteck hinter der angelehnten Küchentür ausgehalten hatte.

Zurück im Auto sprach er mit Bertil, der im Präsidium saß und die Verhöre durchging, die alle in verschiedene Richtungen strebten, oder vielleicht auch in dieselbe.

»Hier ist es sehr ruhig«, sagte Ringmar. »Man hört seine eigenen Schritte im Treppenhaus.«

»Ist Aneta schon wieder da?«

»Nein.«

»Ob ihr klar ist, dass sie warten muss, bis ich komme?«

»Aneta ist es bestimmt genauso wichtig, mit dir zu reden wie dir, Erik.«

Er fuhr durch das Näsetrondellen. Ein Auto vor ihm hatte einen Tannenbaum auf dem Dachständer. Es sah fast verzweifelt aus, Verzweiflungskauf im letzten Moment.

»Ich glaube, Bergort schlägt seine Tochter«, sagte Winter.

»Wollen wir ihn vorladen?«, fragte Ringmar sofort.

»Ich weiß es nicht, Bertil.«

»Wie wahrscheinlich ist es?«

»Ich bin eigentlich ganz sicher. Das Mädchen hat zwischen den Worten sehr deutlich erzählt. Durch Körpersprache.«

»Was sagt die Mutter?«

»Sie weiß es. Oder sie hat zumindest einen Verdacht.«

»Hat aber nichts gesagt?«

»Du weißt, wie das ist, Bertil.«

Es wurde still.

Himmel, dachte Winter.

»So habe ich es nicht gemeint, Bertil.«

»Okay, okay.«

»Ich hab versucht, mit ihr zu sprechen, aber sie scheint auch Angst zu haben. Oder sie will ihn schützen. Oder beides.«

»Für die Tatzeit scheint er ja wasserdichte Alibis zu haben«, sagte Ringmar.

Sie hatten alle Eltern dieses Falles so weit überprüft, wie es ging. Das Problem mit Bergort war seine relativ flexible Arbeitszeit.

Onkel, Onkel, dachte Winter. Sollte sie ihren Papa Onkel nennen? Eine schreckliche Vorstellung. War Magnus *Himmler* Bergort, wie Halders ihn genannt hatte, war er noch etwas anderes als Kindesmisshandler?

»Bestell ihn aufs Präsidium«, sagte Winter.

»Okay.«

»Ich fahr jetzt zu den Waggoners«, sagte Winter.

Er drückte auf Aus und bog auf die Schnellstraße ein, die an das andere Ende von Änggården führte. Hier kommt der Weihnachtsmann, dachte er. Gibt es hier brave Kinder?

Der Verkehr war dichter als er gedacht hatte. Normalerweise würde er jetzt bei einer guten Tasse Kaffee und einem ordentlichen Butterbrot mit frisch gegrilltem Weihnachtsschinken sitzen, jedenfalls war es in den letzten drei Jahren so gewesen. Den essen wir doch nie auf, sagte Angela immer. Wir essen doch kaum was. Auf diese erste Scheibe kommt es an, sagte er, die erste Scheibe nach dem Grillen.

Kein Weihnachtsschinken in diesem Jahr, kein Tannenbaum, jedenfalls nicht jetzt. Er sah noch mehr Verzweifelte mit Tannenbäumen auf dem Dachständer, ein eigentümlicher Anblick für Leute zum Beispiel aus Andalusien, die zum ersten Mal hier waren. Das ist Schweden: Nimm deine Tanne und fahre. Wohin? Warum? *Porqué?* Plötzlich sehnte er sich unerhört nach Stille, nach ein wenig Essen, ein wenig Schnaps, einem Zigarillo, Musik, seiner Frau, seinem Kind, seinem ... Leben, dem anderen. Er sah Majas Gesicht, das Foto von Micke zu Hause bei Bengt Johansson. Simon Waggoner. Und genauso rasch war die Sehnsucht wieder verschwunden, er war wieder bei seiner Arbeit. Er war unterwegs, in Bewegung. Man darf niemals stehen bleiben, wie Birgersson zu sagen pflegte, aber er sagte es immer seltener. Niemals stehen bleiben. Niemals verzweifeln, niemals zweifeln, es niemals an sich herankommen lassen, niemals fliehen, niemals weinen, niemals leiden. *Bullshit*, dachte Winter. Birgersson hatte es auch verstanden, später.

Bei Margreteberg bog er ab. Die hübschen Holzhäuser schienen ihren glücklichsten Moment zu erleben. Sturmlichter brannten in dem vorsichtigen Tageslicht. Es war ein klarer Tag. Die Sonne warf ihre ersten Strahlen auf die Häuser. Gartenwege und Rasen waren immer noch mit einer dünnen Schicht Schnee bedeckt. Gott lächelte.

Winter sah spielende Kinder auf einem Spielplatz im Zentrum. Dort gab es viele Erwachsene. Zwei Männer drehten sich nach seinem schwarzen Mercedes um, der langsam vorbeifuhr. Wer ist das, und was macht der hier?

Er parkte vor Waggoners Haus.

An der Tür hing ein Mistelzweig.

Im Flur roch es nach exotischen Gewürzen.

»Für uns ist ja erst morgen der große Tag«, sagte Paul Waggoner mit seinem englischen Akzent, als er Winter den Mantel abnahm und auf einen Bügel hängte. *»Tomorrow's Christmas Daaay.«*

»Ist das der Pudding, der so gut riecht?«, fragte Winter.

»Welcher von ihnen?«, fragte Waggoner. »Wir bereiten verschiedene vor.« Er machte eine einladende Bewegung ins Haus. »Meine Eltern aus England sind zu Besuch.«

Ich rufe Steve an, wenn ich nach Hause komme, dachte Winter. Oder schon vom Präsidium aus. Fröhliche Weihnachten und das alles, aber vielleicht dachte er ja auch selbst dran, bevor der Pudding die Blutgefäße verstopfte.

»Wie geht es Simon?«

»*Rather well*«, antwortete Paul Waggoner. »Er spricht im Augenblick nur Englisch, seit ein paar Tagen. Das ist von ganz allein so gekommen. Vielleicht wollte er sich auf seine *Grannies* vorbereiten.«

»Dann muss ich wohl Englisch mit ihm reden«, sagte Winter.

»Vielleicht«, sagte Waggoner. »Ist das ein Problem?«

»Ich weiß nicht, vielleicht ist es sogar von Vorteil.«

Sie waren im selben Zimmer wie beim letzten Mal. Simon schien entspannt, erkannte Winter wieder.

»*Will you get any Christmas gifts already this evening?*«, fragte Winter.

»*Today and tomorrow*«, sagte Simon.

»Wow.«

»*Grandpa doesn't really like it.*«

»*And this is from me*«, sagte Winter und reichte Simon das Päckchen, das er in seiner Umhängetasche gehabt hatte.

Der Junge nahm es mit einem neugierigen Gesicht entgegen. In seinen Augen war ein Leuchten.

»*Oh, thank you very much.*«

»*You're welcome.*«

»*Thank you*«, sagte Simon noch einmal.

Er öffnete das Päckchen. Winter hatte dem Jungen erst eine Uhr schenken wollen als Ersatz für die verschwundene, es sich dann jedoch anders überlegt. Das hätte für Bestechung gehalten werden können, damit er Informationen bekam. Von Simon. Vielleicht war es ohnehin so.

Simon hielt den kleinen Streifenwagen hoch, das neueste Modell. Es war eine teure Variante mit vielen Details. An der Seite stand das Wort POLIZEI. Er konnte dem Kind wohl schlecht ein Mercedesmodell schenken. Das Kriminalermodell.

Mit dem Streifenwagen konnte man überall fahren, wo keine Türschwellen waren.

»*Want to try it?*«, fragte Winter und gab ihm die Fernbedienung, die kaum größer als eine Streichholzschachtel war.

Simon stellte das Auto auf den Boden, und Winter zeigte ihm die kleinen Schalter, ohne selbst etwas anzufassen. Das Auto fuhr los und krachte mit dem erstbesten Gegenstand zusammen. Winter ging hin und drehte es wieder um. Simon fuhr rückwärts und vorwärts. Er stellte die Sirene an, die ganz schön laut war für so ein kleines Auto.

Möchte wissen, ob er sie gehört hat, als er dort auf der Erde lag?, dachte Winter. Wann haben sie ihn gefunden?

»*Great*«, sagte Simon und schaute lächelnd auf.

»*Let me try it*«, sagte Winter jetzt.

Es machte Spaß.

38

Winter saß auf dem Boden und fuhr mit dem Polizeiauto durch Tunnel aus Stühlen, einem Tisch und einem Sofa. Auf dem Autodach rotierte Blaulicht, er stellte die Sirene an, als das Auto an der Tür vorbeifuhr. Er schaltete sie wieder ab.

Simon war einverstanden gewesen, mit zu dem Platz zu gehen, wo er gefunden worden war. So wollte Winter es sehen: Er war einverstanden gewesen. Das war wichtig für ihn.

Er wusste, dass es für Kinder unter sieben Jahren häufig zu schwer war, eine äußere Umgebung wieder auferstehen zu lassen.

Er war verschiedene Wege gefahren, vor und zurück. Wohin war der Täter mit Simon unterwegs gewesen? Zu sich nach Hause? War er gestört worden? War etwas passiert? Hatte er etwas gesehen? Jemanden? Hatte *ihn* jemand gesehen? Hatte er Simon in der Nähe seiner Wohnung rausgeworfen?

Polizisten hatten Türbefragungen durchgeführt, überall, so kam es ihnen vor. Waren an die Türen zurückgekehrt, die beim ersten Mal nicht geöffnet worden waren.

Sie hatten entlang möglicher Fahrtrouten gefragt: Automarke, Zeiten, Aussehen des Fahrers. Schmuckgegenstände. Rückspiegel. Gegenstände, die an Rückspiegeln hingen. Grün, vielleicht. Vogel, vielleicht. Vielleicht ein Papagei.

Sie hatten Kontakt zum TÜV aufgenommen. Werkstätten. Verkäufer. Immobilienfirmen. Wachtmeister. Bewachte Parkdecks.

Sie hatten alle Autos der Angestellten von den Kindertagesstätten überprüft. Autos, die dort geparkt gewesen waren, immer noch parkten.

Simon hatte versucht, etwas zu erklären. Sie saßen auf dem Fußboden.

Winter versuchte es zu deuten. Er wusste von mehreren Studien, dass das Erinnerungsvermögen von Kindern sehr konsequent und ... glaubwürdig ist, wenn sie etwas erlebt hatten, das Gefühle geweckt und sie gestresst hatte. Er wusste es, da konnten die Forscher an der Uni über sein und das Unwissen seiner Kollegen sagen, was sie wollten.

Von drei bis zu vier Jahren erinnern sich Kinder besonders an emotionsgeladene und zentrale Momente in einer Situation, während sie Details, die von geringer Bedeutung sind in dem Zusammenhang, vergessen.

Kinder, die gekidnappt worden waren, konnten noch Jahre später Details genau wiedergeben, die eine zentrale Rolle im Ereignisverlauf gespielt hatten, aber sie täuschten sich oft in nebensächlichen Dingen.

Das bedeutete, die Details, von denen Kinder erzählten, bedeuteten immer etwas.

Aber allem musste man natürlich mit Skepsis begegnen, es hinterfragen. In einem Fall hatte er einen fünfjährigen Jungen in einem Verhör beschreiben hören, was er bei dem Täter gesehen und erlebt hatte. Der Junge hatte gestikuliert und erzählt, er habe »so was, wovon viele Telefonleitungen runterhängen« gesehen. Der Verhörleiter hatte ihn auf eine Spazierfahrt mitgenommen, vielleicht konnte der Junge ihm zeigen, was er meinte. Und schließlich hatte er auf einen Hochspannungsmast gezeigt mit breitem Sockel, der nach oben hin schmaler wurde.

Aber der Junge hatte etwas anderes zu beschreiben versucht. Zu Hause bei dem Täter hatte die Polizei Souvenirs in Form des Eiffelturms gefunden. Die hatte der Junge gemeint.

Simon hatte auf nichts gezeigt, von nichts gesprochen. Gab es etwas? Das wollte Winter jetzt wissen. Er hatte versucht, sich wieder zu dieser schrecklichen Fahrt vorzutasten. Bis jetzt hatte Simon nichts darüber gesagt.

»Did you see anything from the window in the car?«, fragte Winter.

Simon hatte nicht geantwortet. Winter hatte vorgeschlagen, das Auto auf dem Parkdeck unter einem der Stühle zu parken.

»You're a good driver«, sagte Winter.

»Can I drive again?«, fragte Simon.

»Yes, soon«, sagte Winter.

Simon saß auf dem Teppich, bewegte die Füße wie beim Trockenschwimmen.

»When you went with that man ...«, sagte Winter. Er sah, dass Simon ihm zuhörte. *»Did you go for a long ride?«*

Jetzt nickte Simon. Nickte!

»Where did you go?«

»Everywhere«, antwortete Simon.

»Did you go out in the countryside?«

Simon schüttelte den Kopf.

»Did you go close to home?«

Simon schüttelte wieder den Kopf.

»Do you think you could show me? If we went together in my car?«

Simon schüttelte nicht den Kopf, nickte nicht.

»Your mom and dad could go with us, Simon.«

»Followed«, sagte Simon plötzlich, als ob er nicht gehört hätte, was Winter gesagt hatte.

»What did you say, Simon?«

»He said follow«, sagte Simon.

»Did he say follow?«

»Yes.«

»I don't quite understand«, sagte Winter.

Simon schaute wieder zu dem Auto, dann zu Winter.

»We followed«, sagte Simon jetzt.

Winter wartete auf eine Fortsetzung, die nicht kam.

»What did you follow, Simon?«

»Follow the tracks«, sagte Simon.

»The tracks?«, fragte Winter. *»What tracks do you mean?«*

Er saß vor einem Jungen, der etwas ins Englische übersetzen musste, was jemand anders auf Schwedisch zu ihm gesagt hatte. Wenn sie Schwedisch gesprochen hatten. Hatten sie Englisch gesprochen? In diesem Moment konnte er es nicht fragen.

»Was für Spuren waren das, Simon?«, fragte er jetzt auf Schwedisch.

»*Follow the TRACKS*«, wiederholte Simon in seinem klaren Englisch, und Winter sah, dass sich die Erregung des Jungen steigerte, das Trauma kehrte zurück.

Plötzlich fing Simon an zu weinen.

Winter wusste sehr wohl, dass man ein weinendes Kind nicht auf den Schoß, nicht in die Arme nehmen durfte, es während des Verhörs nicht berühren durfte. Das war nicht professionell. Darauf pfiff er jetzt und hob Simon auf seinen Schoß. Genau wie er gestern Bengt Johansson zu trösten versucht hatte, versuchte er jetzt Simon Waggoner zu trösten.

Er wusste, dass er es nicht ertragen würde, nicht noch wer weiß wie viele Tage. Er würde selbst Trost brauchen. Er sah sich im Flugzeug nach Málaga, ein Zukunftsbild in einem Bruchteil von Sekunden. In welchem Zustand würde er sich dann befinden?

Simons Eltern hatten nicht vorwurfsvoll gewirkt, aber er spürte eine große Schuld. Was hatte er dem Jungen angetan?

»Uns ist es genauso wichtig wie Ihnen«, sagte Barbara Waggoner. »Es wird gut gehen.«

Simon hob eine Hand, als er sich verabschiedete, in der anderen hielt er das Auto. Ein älterer Mann, der Großvater, musterte Winter unter buschigen Augenbrauen und murmelte seinen Namen in einem Dialekt, als er Winter die Hand reichte. Tweed, Portweinnase, Slippers, kalte Pfeife. *The works*. Winter legte den Zegna-Mantel über seinen Arm, schloss einen Knopf an seinem Sakko, nahm seine Sachen und ging zu seinem Auto. Er hatte die Videoausrüstung mit hineingenommen, sie aber nicht benutzt.

Sein Handy klingelte, bevor er den Linnéplatsen erreichte.

»Gibt's was Neues?«, fragte Hans Bülow. »Wir wollten einander helfen, auf seriöse Weise.«

»Erscheinen morgen Zeitungen?«, fragte Winter.

»Die *Göteborgs-Posten* erscheint jetzt jeden Tag«, sagte Bülow. »Jeden Tag das ganze Jahr über.«

»Kann man das nicht gesetzlich verbieten?«

»Was ist los, Erik? Du klingst ein wenig müde.«

»Ich muss nachdenken«, antwortete Winter. »Was die Veröffentlichung angeht. Ich ruf dich heute Nachmittag an.«

»Wirklich?«

»Mir wird nichts anderes übrig bleiben, oder? Du hast meine kostbare geheime Handynummer bekommen? Du kannst mich jederzeit erreichen, oder?«

»Ja, ja, mal ganz ruhig. Bis dann.«

In Höhe von Handels klingelte es wieder. Winter meinte die Art des Atmens wiederzuerkennen, bevor sich die Person meldete.

»Wissen Sie inzwischen mehr?«, fragte Bengt Johansson.

»Von wo rufen Sie an, Herr Johansson?«

»Vo... von zu Hause. Ich bin gerade gekommen.« Winter hörte ihn wieder atmen. »Hier hat sich niemand gemeldet.« Das Atmen. »Gibt es inzwischen mehr? Etwas Neues?«

»Es gehen ständig Hinweise ein«, antwortete Winter.

»Gibt es keine Zeugen?«, fragte Bengt Johansson. »Es waren doch massenhaft Menschen da. Hat sich niemand von denen gemeldet?«

»Viele haben sich gemeldet«, sagte Winter.

»Und?«

»Wir überprüfen alle Hinweise.«

»Vielleicht finden Sie da etwas«, sagte Johansson. »Sie können die ja nicht einfach beiseite legen.«

»Wir legen sie nicht beiseite«, sagte Winter.

»Vielleicht finden Sie da was«, wiederholte Johansson.

»Wie geht es Carolin?«, fragte Winter.

»Sie lebt«, antwortete Johansson. »Wird ... überleben.«

»Haben Sie mit ihr gesprochen?«

»Sie will nicht sprechen. Ich weiß nicht, ob sie es überhaupt kann.«

Winter hörte wieder die Pause. Bengt Johansson schien zu rauchen. Winter hatte heute noch nicht geraucht. Die Begierde war ganz verschwunden.

»Könnte sie ... etwas getan haben?«, fragte Bengt Johansson. »Ist sie es vielleicht doch gewesen?«

»Das glaube ich nicht.«

Nein. Carolin hat nichts damit zu tun, dachte Winter. Sie hatten diese Möglichkeit erwogen. Alles Entsetzliche war möglich. Aber sie hatten nichts gefunden, was darauf hindeutete, nicht bei ihr und nicht bei den Umständen. Ihre Schuldgefühle waren groß, aber anderer Art.

Er fuhr durch die Allén. Auf den Bäumen lagen noch Schneereste. Der Verkehr war dicht, die Geschäfte waren immer noch geöffnet. Guter Service. Auf der Avenyn bewegten sich mehr Fußgänger als sonst an Werktagen, mit mehr Päckchen. Natürlich. Langsam werden wir ein Volk der Konsumenten statt der Mitbürger, aber heute brauchst du dich darüber ja nicht zu beklagen, Erik.

Er hielt bei Rot. Ein Kind mit Zipfelmütze ging mit einer Frau vorbei, das Kind winkte ihm zu. Winter sah auf die Uhr. Noch zwei Stunden bis zum Kinderprogramm im Fernsehen. Würde das Kind da vor ihm es bis nach Hause schaffen? Er würde es nicht mehr schaffen. Elsa würde sich das Kinderprogramm vom letzten Jahr auf Großmutters Video ansehen. Er hatte die Kassette selber eingepackt.

Immer noch Rot. Die Straßenbahnen ratterten unablässig vorbei. Viele Fahrgäste. Er folgte ihnen mit Blicken. Eine Straßenbahn kam aus der anderen Richtung, die Vier. Ein wenig Schnee zwischen den Gleisen. Sie hatte hier keine eigene Spur mehr. Die Gleise liefen mitten durch den Verkehr, die Autos konnten dort fahren und den Gleisen fol...

Den Gleisen.

The tracks.

Waren das die Gleise, von denen Simon Waggoner gesprochen hatte? Vielleicht hätte Winter die nächste Frage formuliert, falls sie ihr Gespräch fortgesetzt hätten, aber der Junge hatte angefangen zu weinen, und er hatte abgebrochen und war seiner Gedankenbahn nicht gefolgt, der Gedankenspur.

Später könnte er dort anrufen: *Please ask Simon if ...*

Waren sie den Straßenbahngleisen gefolgt, Simon und der Täter? Einer besonderen Linie? War es ein Spiel gewesen? Bedeutete es etwas? Oder bedeuteten *»the tracks«* etwas ganz anderes? Spuren auf Schallplatten? Eisenbahngleise? Irgendwelche andere Spuren? Geisteskranke Spuren in der Phantasie des Täters? Simons eigene Spuren. Er kö…

Aufgebrachtes Hupen vom Auto hinter ihm. Er schaute auf, sah, dass Grün war, und fuhr los.

Er parkte auf seinem Parkplatz. Die Adventslichter leuchteten wie gewöhnlich in jedem zweiten Fenster des Präsidiums, die Sparsymmetrie, von der Halders am Abend zuvor gesprochen hatte.

Der Empfang war gefüllt mit der üblichen Klientel von laut und leise: Besitzer gestohlener Fahrräder, Polizisten, Autobesitzer, Autodiebe, andere Kriminelle mit variierender Professionalität, verschiedene Kategorien von Opfern.

In den Korridoren hallte es wider von Weihnachten, seiner einsamen Variante. Die Lichter im Tannenbaum vor der Kripo-Abteilung waren verloschen. Winter tippte auf den Schalter, und sie brannten wieder.

Er begegnete Ringmar, der gerade sein Zimmer verließ.

»Wie geht es, Bertil?«

»Nichts Neues von der lieben Familie, falls du das fragst.«

»Danach hab ich nicht gefragt.«

»Ich hab versucht, den jungen Herrn Smedsberg zu erreichen, es ist mir aber nicht gelungen«, sagte Ringmar.

»Kommst du heute Abend mit zu mir nach Hause?«, fragte Winter.

»Rechnest du damit, dass du heute Abend nach Hause kannst?«, fragte Ringmar zurück.

»Falls es möglich ist also.«

»Ich hoffe nicht«, sagte Ringmar.

»Möchtest du lieber hier übernachten?«

»Wer braucht denn Schlaf?«

»Du, danach zu urteilen, wie du aussiehst.«

»Nur ihr Jugendlichen braucht dauernd Schlaf«, sagte Ringmar. »Aber wir können uns ja ein Video ausleihen und es uns in der Heiligabenddämmerung in deinem Wohnzimmer gemütlich machen.«

»Du darfst wählen«, sagte Winter.

»*Das Fest*«, sagte Ringmar. »Wahnsinnig guter Film. Der handelt von …«

»Ich weiß, wovon der handelt, Bertil. Jetzt hör bloß auf!«

»Vielleicht werde ich gleich abgeholt«, sagte Ringmar. »Kannst du mich nicht anzeigen?«

»Sollte ich das?«, fragte Winter.

»Nein.«

»Dann tu ich es auch nicht.«

»Danke.«

»Ist Bergort da?«

»Nein, Himmel, ich hab ganz vergessen dir zu sa…«

»Wo ist er?«

»Das weiß keiner.«

»Ist niemand an seinem Arbeitsplatz erreichbar?«

»Doch, schon, aber er ist gar nicht dort angekommen.«

»Und zu Hause?«

»Noch nicht heimgekehrt, sagt die Frau.«

»Scheiße! Ich hätte ihn nicht entkommen lassen sollen. Aber ich hab ihn ja selbst gebeten, nicht zu Hause zu sein. Ich hatte geglaubt, das Mädchen wür…«

»Du hast richtig gehandelt, Erik. Er wäre auf jeden Fall abgehauen.«

»Wir müssen sofort die Fahndung nach ihm einleiten.«

»Aber er war es nicht«, sagte Ringmar.

»Er hat sein Kind geschlagen«, sagte Winter. »Das reicht mir, um nach jemandem zu fahnden. Was das andere angeht, werden wir ja sehen.«

»Wollen wir einen Kaffee trinken?«, fragte Ringmar.

In der Cafeteria war es still, sie waren allein. Winter sah, dass der Tag dort draußen kippte. Auf den Hügeln zu Lunden war ein großer Tannenbaum geschmückt worden. Er dachte an Halders und seine Kinder. Was machten sie jetzt? Würde Halders einen Schinken kochen und grillen können?

»Da ist noch etwas aufgetaucht«, sagte Ringmar, der mit zwei dampfenden Bechern an den Tisch kam.

»Mhm.« Winter pustete über den heißen Kaffee aus der Maschine, der zwar scheußlich roch, aber trotzdem gut tun würde.

»Beiers Jungs haben bei der Analyse der Sachen der Studenten einen möglichen Zusammenhang gefunden.«

Sie hatten die Kleidung der verletzten Studenten mit Tape abgeklebt, ihre Schuhe abgesaugt, wie sie es immer mit Opfern von Verbrechen machten.

Die Kleidung der Kinder war genauso sorgfältig untersucht worden, man hatte Staub und Haare und anderes gefunden, was von überall her stammen konnte, doch dann waren sie auf etwas gestoßen, was sie miteinander vergleichen konnten.

»Sie haben Lehm gefunden«, sagte Ringmar jetzt.

»Lehm?«

»Es gibt eine Spur von Lehm an den Schuhen der Studenten«, sagte Ringmar. »Nein, übrigens, bei einem von ihnen ... Stillman, glaub ich, da war auch Lehm an der Unterhose.«

»Wann hast du das erfahren?«

»Vor einer Stunde. Beier ist nicht da, aber ein Neuer ist runtergekommen, Strömkvist oder so ähnlich. Ich habe ...«

»Und die haben das gerade untersucht?«

»Die machen Überstunden wegen der Kinder, aber diese Sachen lagen ja auch noch herum, wie er es ausdrückte. Die mussten sie beiseite legen, als der Waggoner-Fall dazwischenkam, aber jetzt gab's eine kleine Atempause.«

»Noch was?«

»Na ja ... jetzt sind wir dran, wie er sich ausdrückte. Zufällig.«

»Lehm. Es gibt überall Lehm. Die Stadt ist voller Lehm. Ganz Göteborg ist doch auf Lehm *gebaut*.«

»Ich weiß«, sagte Ringmar.

»Es könnte der Lehm vor Olofshöjds Studentenheim sein.«

»Ich weiß.«

»Haben sie noch nicht mit dem Vergleichen angefangen?«

»Doch, sie haben angefangen, aber in ihrem Tempo. Das ande...«

»Es gibt eine schnellere Methode«, sagte Winter.

»Ach?«

»Der Lehm draußen auf dem Land bei Georg Smedsberg.«

»Du meinst, dass sie ...«

»Bertil, Bertil! Die gehören alle zusammen! Da hast du den

Zusammenhang! Gustav Smedsberg und Aris Kaite waren dort, das wissen wir. Warum sollten die anderen nicht auch dort gewesen sein?«

»Warum haben sie dann nichts gesagt?«

»Aus dem gleichen Grund, aus dem Kaite stumm geblieben ist. Oder gelogen hat. Oder etwas zurückgehalten hat.«

»Was gibt es denn da zu lügen?«, sagte Ringmar.

»Genau!«

»Was ist da draußen passiert?«

»Genau!«

»Warum sind sie zusammen rausgefahren?«

»Genau.«

»Sind sie Zeugen eines Verbrechens geworden?«

»Genau!«

»Werden sie bedroht?«

»Genau.«

»Halten sie deshalb den Mund?«

»Genau.«

»Sind die Misshandlungen eine Warnung?«

»Genau.«

»Jetzt fahren wir raus und buddeln ein bisschen auf dem Land«, sagte Ringmar.

»Genau«, sagte Winter.

»Was ist hier denn los?«, fragte Aneta Djanali, die an der Tür zur Cafeteria stand.

39

»Hör mal zu, Micke … ich muss jetzt eine Weile wegfahren … sei ein braver Junge … und warte, bis ich wiederkomme.«

Die Augen des Jungen öffneten und schlossen sich, aber er wusste nicht, ob er ihn gehört oder verstanden hatte.

»Ich möchte, dass du nickst, wenn du mich verstehst.«

Nicke, Micke, dachte er.

Der Junge schien zu schlafen, nickte nicht. Er hörte ihn atmen. Er hatte sehr genau kontrolliert, dass der Schal nicht die Nase bedeckte. Dann hätte er ja nicht atmen können!

Vor einer Weile, als er den Schal gelöst hatte, hatte der Junge »aua-weh« gesagt, und er hatte versucht herauszufinden, was ihm wehtat, aber das war schwer. Er war kein Arzt. Der Junge musste schon Schmerzen gehabt haben, bevor er beschlossen hatte, sich seiner anzunehmen. Wenn es doch niemand anders tat. Seine Mama, oder was sie eigentlich war, hatte sich nicht richtig um ihn gekümmert.

»Mehr kann ich nicht tun.«

»Aua-weh«, hatte der Junge gesagt.

»Das geht vorbei.«

»Will nach HAUSE.«

Was hätte er darauf antworten sollen?

»Will nach HAUSE«, hatte der Junge wiederholt.

»Und ich will nicht, dass du schreist.«

Der Junge hatte etwas gemurmelt, aber das hatte er nicht verstanden.

Er hatte ihm erzählt, wie es ihm ergangen war. Sachen, die er noch nie jemandem erzählt hatte.

Er hatte es den Armen des Jungen erzählt, die etwas merkwürdig verdreht nach hinten lagen. Es gab keine Druckstellen von den Stricken, mit denen er ihn gebunden hatte, natürlich nicht. Er hatte es ja nur getan, weil er fand, der Junge müsse sich ein wenig ausruhen. Er war ein bisschen zu viel herumgelaufen. Er musste sich nur ausruhen.

Micke ging es hier gut. Er hatte ihm die Decke gezeigt, die Sterne auf der einen Seite und die Sonne auf der anderen.

»Das hab ich selbst gemalt«, hatte er gesagt. »Siehst du? Keine Wolken!«

Es war sein Himmel und jetzt war es der Himmel des Jungen. Sie lagen Seite an Seite und schauten hinauf zum Himmel. Manchmal war es Nacht und manchmal war es Tag.

»Wenn ich wiederkomme, kriegst du dein Weihnachtsgeschenk«, sagte er zu dem Jungen, der gut lag so wie er ihn hingelegt hatte. »Das hab ich nicht vergessen. Hast du etwa geglaubt, ich hätte das vergessen?«

Winter, Ringmar und Aneta Djanali sahen sich die Videoaufnahmen immer wieder von vorn an. Die Kinder wirkten klein, kleiner als sie sie in Erinnerung hatten, und sie selbst wirkten wie Riesen. Manchmal sieht das richtig bedrohlich aus, dachte Winter.

Ellen Skölds Gesicht war auf dem Bildschirm.

»Pa-pa-pa-pa-pa«, sagte sie und drehte eine Pirouette wie eine Ballerina.

»Redest du von Papa?«, fragte Aneta Djanali. »Ellen? Redest du von Papa?«

Das Mädchen schüttelte den Kopf und sagte »PA-PA-PA!«

»Hat der Onkel gesagt, dass er dein Papa ist??«

Wieder schüttelte sie den Kopf.

»Vi-vi-vi-vi«, sagte sie.

Aneta Djanali schaute wie Hilfe suchend in die Kamera.

»An diesen Moment hab ich vermutlich gedacht«, sagte sie und nickte ihrem eigenen Bild zu. Sie wandte sich zu Winter um. »Sie hat das mehrere Male gesagt.«

»Ko-ko-ko-ko«, ertönte Ellens Stimme vom Monitor.

Winter sagte nichts, schaute nur und hörte weiter zu. Ellen erzählte, der Onkel im Radio habe hässliche Worte gesagt. Ihr war deutlich anzusehen, dass es ihr nicht gefiel.

Maja Bergort hatte auch hässliche Wörter gehört.

Simon Waggoner hatte genickt. Vielleicht hatte auch er sie gehört.

»Er hat eine besondere Zeit«, sagte Winter jetzt. »Er unternimmt seine Ausflüge immer zum selben Zeitpunkt.«

Aneta Djanali spürte eine plötzliche Kühle aus Winters Worten.

Ringmar nickte.

»Hat das mit seiner Arbeit zu tun?«, fragte Aneta Djanali. »Seinem Job?«

»Das ist möglich«, sagte Winter. »Er arbeitet tagsüber ... er muss sich anpassen. Er arbeitet im Schichtdienst. Oder er arbeitet überhaupt nicht und hat alle Zeit der Welt.«

»Trotzdem ... es geschieht immer zum selben Zeitpunkt?«, sagte Aneta Djanali.

»Das wissen wir ja nicht«, sagte Winter. »Ich denke nur laut.«

»Was ist das für ein Onkel, der im Radio flucht?«, sagte Aneta Djanali.

»Fred Gustavsson«, sagte Ringmar. »Er flucht dauernd.« Er sah Aneta Djanali an. »Radio Göteborg. Er war von Anfang an dabei.«

»Gibt's den immer noch?«, fragte Winter.

»Ich weiß es nicht«, sagte Ringmar. »Aber wenn jemand hässliche Wörter im Radio sagt, dann er.«

»Krieg raus, ob er immer noch arbeitet, und wenn, wann sein Programm gesendet wird«, sagte Winter.

Ringmar nickte.

Aneta Djanali spulte den Film zurück und ließ ihn noch mal von vorn laufen.

»Pa-pa-pa-pa-pa«, sagte Ellen Sköld.

Diesmal hörte Winter nicht zu, er versuchte nur ihr Gesicht zu studieren, den Ausdruck. Vor allem deswegen machten sie Videoaufnahmen. Ihr Gesicht war jetzt in einem separaten Bild zu sehen.

Da war etwas. In ihrem Gesicht. Mit ihrem Mund. Ihren Augen.

»Sie ahmt jemanden nach!«, sagte Winter. »Sie ahmt jemanden nach!«

»Ja«, sagte Aneta Djanali. »Das ist nicht mehr ihr Gesicht.«

»Wenn sie pa-pa-pa-pa-pa sagt, ist es nicht ihr Gesicht«, sagte Winter.

»Sie ahmt *ihn* nach«, sagte Ringmar.

»Bi-bi-bi-bi-bi«, sagte Winter.

»Ko-ko-ko-ko«, sagte Ringmar.

»Pa-pa-pa-pa-pa«, sagte Winter.

»Was versucht sie auszudrücken?«, fragte Ringmar.

»Es geht nicht darum, was *sie* auszudrücken versucht«, sagte Winter. »Es geht um das, was er ihr zu sagen versucht.«

»Pa-pa-pa-pa-gei«, sagte Aneta Djanali.

Winter nickte.

»Er stottert.« Aneta Djanali sah Winter an, der wieder nickte. »Er stottert, wenn er mit den Kindern redet!«

Sie saßen in Winters Zimmer. Ringmar hatte Essen vom Thailänder bestellt, es kam in hübschen Kartons. Die Krabben in roter Chilisoße schmeckten nach Koriander und Kokos, ein kräftiger Geschmack, der Winter den Schweiß auf die Stirn trieb.

»Na, dann fröhliche Weihnachten«, sagte Aneta Djanali und wedelte mit den Essstäbchen.

»Aber Rotkohl und Braten ist das ja nicht gerade«, sagte Ringmar.

»Ein Glück«, sagte Aneta Djanali.

»Magst du das traditionelle schwedische Weihnachtsessen?«, fragte Ringmar.

»Ich bin in Göteborg geboren«, sagte Aneta Djanali.

»Das weiß ich, aber es beantwortet die Frage nicht.«

»Glaubst du, das hat was mit den Genen zu tun oder was?«, fragte sie und pickte eine Krabbe mit den Stäbchen auf.

»Weiß ich doch nicht«, sagte Ringmar. »Ich bin bloß neugierig.«

»Stockfisch«, sagte sie, »ich liebe Stockfisch.«

»Haben deine afrikanischen Eltern den zu Weihnachten zubereitet?«, fragte Ringmar, während ihm ein Stückchen Hühnerfleisch von den Stäbchen glitt.

»Thailändisches Essen isst man nicht mit Stäbchen«, sagte Winter. »Das ist reine Anpassung, die Chinarestaurants sind schuld. Die Thailänder benutzen Messer und Gabel.«

»Danke für die Belehrung, *Herr Besserwisser*«, sagte Ringmar. »Aber hättest du das nicht ein bisschen eher sagen können?«

»Es fiel mir nur gerade ein«, sagte Winter. Ein Versuch, dich abzulenken, dachte er.

»Hast du hier irgendwo eine Gabel?«, fragte Ringmar.

»In Thailand stecken sie die Gabel niemals in den Mund«, sagte Winter in übertrieben eifrigem Ton. »Das ist genauso ungehörig wie wenn wir das Messer in den Mund stecken.«

»Dann ist es ja kein Wunder, dass die Thailänder so klein und dünn sind«, sagte Ringmar.

»Du denkst ganz falsch, Bertil«, sagte Aneta Djanali. »Man kriegt mehr Essen in den Mund, wenn man mit einem Löffel isst, oder?«

»Hast du hier irgendwo einen Löffel?«, fragte Ringmar.

Es dämmerte. Winter hatte Licht in seinem Zimmer gemacht. Er rauchte am Fenster, der erste späte Corps des Tages. Nach dem Essen konnte er nicht widerstehen, auch wenn Chili und Koriander nicht richtig zum Aroma des Zigarillos passten.

Er konnte Sterne sehen, sehr schwach. Vielleicht würde es ein klarer Heiligabend werden. Die stille und einsame Schönheit der Sterne, dachte er. *The silent beauty in the sky*. Er dachte an Simon Waggoner. Er hatte beschlossen, darauf zu verzichten, ihn noch mal am Telefon zu befragen. Es könnte den Jungen verwirren, spätere Chancen verspielen.

Er rauchte. Mit dem Rauch verschwand der Geschmack nach gerösteten Zwiebeln in seinem Mund, vielen Dank. Eine Zwiebel schälen, dachte er. Damit ist unsere Arbeit zu vergleichen, wir entfernen eine Schicht nach der anderen wie von einer Zwiebel. Was verbirgt sich ganz innen drin? Genau das ist das Problem, oder, Erik? Die Zwiebel besteht aus ihren Schichten. Wenn die letzte entfernt ist, bleibt nichts übrig. Aber wir schälen.

Er hörte die Straßenbahn, bevor er sie sah. Ein entferntes und gedämpftes Geratter *on the tracks*.

Sie hatten darüber diskutiert.

»Eine Straßenbahn jagen?«, hatte Ringmar gesagt.

»*Follow the tracks*«, hatte Aneta Djanali wiederholt. »Warum denkst du eigentlich an Straßenbahngleise, Erik?«

»Vielleicht weil es die erste Assoziation war«, hatte er geantwortet. »Ich stand in der Allén und sah die Straßenbahnen und die Gleise, und da habe ich Simons Worte assoziiert.«

Er drehte sich um.

»Sei vorsichtig«, sagte Ringmar.

»Ich weiß«, antwortete Winter. »Aber die Zeit drängt. Man fängt eine Idee ein.«

»Wenn wir aber an andere Bahnen denken ...«, sagte Aneta Djanali.

»Dann denk«, sagte Ringmar.

»Seine eigenen Bahnen«, sagte sie. »Er fuhr zusammen mit Simon in seinen eigenen Bahnen.«

»Ein Täter kreuzt seine Bahn«, sagte Ringmar.

»Was sind denn seine eigenen Bahnen?«, fragte Winter.

»Wo er schon früher mit den Kindern gewesen ist«, sagte Aneta Djanali.

»Dann ist die Frage, *warum* er gerade *dort* war«, sagte Winter. »Wenn wir davon ausgehen, dass es zufällig ausgewählte Orte waren ... dass es etwas zu bedeuten hatte, dass er ausgerechnet dahin gegangen ist.«

»Vielleicht wohnt er in der Nähe?«, sagte Aneta Djanali.

»In der Nähe von was?«, sagte Ringmar. »Diese Spielplätze und Kindergärten liegen in einem Abstand von einigen Kilometern voneinander entfernt.«

»In der Nähe von einem von ihnen«, sagte Aneta Djanali.

»Das haben wir doch alles schon gründlich durchgecheckt«, sagte Ringmar. »Wir überprüfen doch auch die Wohngebiete.«

»Oder er wohnt überhaupt nicht dort«, sagte Winter. »Die Pointe besteht darin, dass er weit entfernt von all den Orten wohnt.«

»Die trotzdem nicht gar so weit voneinander entfernt liegen«, sagte Aneta Djanali mit einem Blick auf Ringmar. »Zentral, mal abgesehen von der Marconigatan.«

»Die man mit dem Auto vom Linnéplatsen innerhalb von zehn Minuten erreicht«, sagte Ringmar.

Winter nahm noch einen Zug. Er spürte kühle Luft vom offenen Fenster.

»Sag das noch mal, Bertil.«

»Was?«

»Was du eben gesagt hast.«

»Äh, ja ... die Marconigatan, die man mit dem Auto vom Linnéplatsen innerhalb von zehn Minuten erreicht. Und von vielen anderen Ausgangspunkten auch, nehme ich an.«

»Autos, Spuren, Gleise, Bahnen, Straßenbahnen«, sagte Winter.

»Wollten wir die ersten Tracks-Assoziationen nicht für eine Weile aufgeben?«, fragte Aneta Djanali.

»Wo waren wir noch?«, sagte Winter.

»Ein Täter kreuzt seine Bahn«, sagte Ringmar.

»Ich will noch mal mit Simon rausfahren«, sagte Winter. »Das ist nötig. Vielleicht funktioniert es diesmal besser.«

»Erinnert er sich, welchen Weg sie gefahren sind?«

»Ich weiß es nicht«, sagte Winter. »Vermutlich nicht. Aber wir wissen, wohin er ihn mitgenommen hat, und wir wissen ... wo er ihn zurückgelassen hat. Wir wissen, was es dazwischen gibt, je nachdem, welchen Weg man fährt. Aber von A nach B führen nicht unendlich viele Wege.«

»Vorausgesetzt, dass er direkt von A nach B gefahren ist«, sagte Aneta Djanali.

»Das hab ich nicht behauptet.«

»Er kann im Kreis gefahren sein«, fuhr Aneta Djanali fort.

»Er hatte nicht alle Zeit der Welt«, sagte Ringmar.

»Wir haben die ungefähre Zeit, wann Simon verschwand«, sagte Winter. »Und die Zeit, wann er entdeckt wurde.«

»Die stimmt aber nicht mit der überein, wann er dort zurückgelassen wurde«, sagte Aneta Djanali.

»Das Radioprogramm«, sagte Ringmar.

»Morgen versuche ich, ihn mit rauszunehmen«, sagte Winter.

»Waren sie auf dem Weg nach Hause zum Täter?«, sagte Aneta Djanali mehr zu sich selbst. »Aber die Fahrt wurde unterbrochen.«

»Die Frage ist, wer sie unterbrochen hat«, sagte Ringmar.

»Gut«, sagte Winter.

»War es etwas, das Simon gesagt oder getan hat?«

Winter nickte.

»Was den Täter enttäuscht hat?«

Wieder nickte Winter.

»Oder war es von Anfang an Absicht?«, sagte Aneta Djanali. »Teil eines Planes? Oder ein Plan, der nicht trug?«

»Was für ein Plan?«, sagte Winter und sah Aneta Djanali an.

»Der Plan, der diesmal funktioniert hat«, antwortete sie. »Bei Micke Johansson.«

»Bei Simon kriegte er Schiss«, sagte Ringmar. »Er traute sich nicht ... ihn auszuführen.«

Was auszuführen?, dachte Aneta Djanali, und sie wusste, dass die anderen in diesem Augenblick dasselbe dachten.

»Aber das Vorgehen ist so anders«, sagte sie stattdessen. »Vielleicht ist es überhaupt nicht derselbe Täter.«

»Es ist nicht anders«, sagte Winter, »braucht es nicht zu sein. Er könnte Carolin und Micke vom Kindergarten aus gefolgt sein. Er könnte tagelang draußen gestanden und auf die Gelegenheit gewartet haben. Dort und an den anderen Stellen.«

»Und er hat gefilmt«, sagte Ringmar.

»Oder er hat sich im Nordstan herumgetrieben«, sagte Aneta Djanali. »Es ist kein Zufall, dass es dort passiert ist, okay. Es war kein Zufall. Genauso gut, wie er tagelang vor einem Spielplatz oder einem Kindergarten gestanden haben könnte, kann er sich tagelang im Nordstan herumgetrieben haben. Zum Beispiel. Vielleicht im Wechsel, vormittags hier, nachmittags dort.«

»Gut, Aneta«, sagte Winter.

»Er könnte auf dem Land wohnen«, sagte Ringmar und sah Winter an. »So weit wie möglich vom Nordstan entfernt, das das geistesschwache Sinnbild einer Großstadt symbolisiert.«

»Das Land ist groß«, sagte Winter.

»Wie viele Leute haben wir jetzt, die suchen?«, fragte Aneta Djanali.

»Viel zu wenig«, sagte Ringmar. »Gerade jetzt während der Weinachtstage.«

»Aber dies hier ist ja wohl wichtiger als das Weihnachtsessen?«, sagte Aneta Djanali. »Der Junge ist verschwunden, entführt, ein Kidnapper hat sich noch nicht gemeldet. Es kommt auf jede Stunde an.«

40

Ringmar hatte einen Anruf bekommen, den er in seinem eigenen Zimmer entgegennehmen wollte. Winter sah seine Nervosität und die Schatten unter seinen Augen, als er ging. Was würde er jetzt erfahren? Was würde er sagen?

»Ich fahr wieder zu Ellen Sköld«, verkündete Aneta Djanali. »Ich weiß, was und wie ich es sagen werde.«

Winter sah auf die Uhr. Das Fernsehprogramm für die Kinder war vorbei. Draußen vorm Fenster senkte sich die lange Nacht. Es war zu spät, um mit Simon Waggoner hinauszufahren und den Spuren, den Bahnen zu folgen.

»Ellen hat doch ausgesagt, was wir brauchen«, sagte Winter.

»Ich will sichergehen.«

»Fahr nach Hause«, sagte Winter. »Feiere ein bisschen Weihnachten.«

»Ich feiere bei Fredrik«, antwortete sie.

Winter nickte und ordnete einige Papiere.

»Bist du erstaunt?«, fragte Aneta Djanali.

»Warum sollte ich erstaunt sein?«

»Tja … Fredrik und ich.«

»Ein ungleiches Paar?« Er lächelte. »Hör doch damit auf, Aneta!«

Sie blieb an der Tür stehen.

»Du bist auch willkommen«, sagte sie.

»Wie bitte?«

»Komm doch eine Weile mit. Es gibt auch ein Weihnachtsessen.« Sie lächelte und verdrehte die Augen. »Fredrik hat irgendwas mit Polenta gemacht. Damit kommt er der Yamswurzelgrütze am nächsten, meint er.«

»Fredrik Halders, immer darauf bedacht, kulturelle Abgründe zu überbrücken«, sagte Winter.

Aneta Djanali lachte.

»Sorry«, sagte er, »ich muss leider arbeiten.«

»Wo?«

»Hier. Und zu Hause.«

»Erik, es ist Heiligabend, und du bist allein. Ein bisschen Gesellschaft schadet nichts.«

»Mal sehen«, sagte er.

»Du kannst ja auch später abends noch anrufen.«

»Ich ruf an«, sagte er. »Grüß Fredrik.«

Sie schloss die Tür hinter sich, und er ging zum CD-Spieler und stellte ihn an. Dann rauchte er noch einen Corps am angelehnten Fenster. Der Rauch wurde von einem Wind abgezogen, den er vorher nicht bemerkt hatte.

Das Zimmer hinter ihm füllte sich mit dem Trane's Slo Blues, Earl Mays Bass und Arthur Taylors Schlagzeug, doom, doom, doom, doom, doom, doom, dann Coltranes Tenorsaxophon, das Ruhe und Unruhe zugleich vermittelte, die schwere Einfachheit, die er immer noch nirgendwo anders als im Jazz gefunden hatte, obwohl er andere Musik entdeckt hatte, die er auch mochte und die in sein Leben passte.

Lush Life jetzt, das schöne Intro, wie ein Soundtrack zum Rauch, der sich in einem Silberschimmer von seinem Zigarillo hinaus in den Abend ringelte. Es war Musik zum Träumen, aber er träumte nicht.

Sein Handy auf dem Schreibtisch klingelte. Er drehte die Musik leiser und nahm den Hörer, in der anderen Hand den Zigarillo.

»Fröhliche Weihnachten, Papa!«

»Fröhliche Weihnachten, mein Liebling.«

»Was machst du, Papa?«

»Ich hab hier gestanden und gedacht, jetzt muss ich Elsa anrufen«, antwortete er und ließ eine kleine Säule Asche in den Aschenbecher fallen.

»Ich war die Erste!«

»Du bist immer die Erste, Liebling«, sagte er und war froh, dass Angela seine Worte nicht hörte. Was machte er dann hier und sie dort? »Hast du schon deine Geschenke ausgepackt?«

»Der Weihnachtsmann ist noch nicht da gewesen«, sagte sie.

»Er wird bestimmt jeden Augenblick kommen.«

»Hast du die Weihnachtsgeschenke gefunden?!«

Himmel, dachte er, die Weihnachtsgeschenke.

»Ich werde sie heute Abend öffnen«, sagte er.

»Wann kommst du, Papa?«

»Bald, Liebling.«

»Du sollst JETZT kommen«, sagte sie, und er hörte andere Stimmen in der Leitung. Vielleicht hatten heute Abend alle dieselbe Botschaft.

»Ich komme, bevor Weihnachten vorbei ist«, sagte er. »Was machst du denn so?«

Offene Fragen, dachte er.

»Hab mit einer Miezekatze gespielt«, sagte sie. »Sie heißt Miau.«

»Das ist aber ein schöner Name für eine Katze.«

»Sie ist schwarz«, sagte Elsa.

Winter hörte ein Echo und ihre Stimme verschwand, dann kam eine andere Stimme: »Hallo?«

»Hallo«, antwortete er.

»Hier ist Angela. Wo bist du?«

»In meinem Zimmer im Präsidium«, antwortete er.

»Gott sei Dank«, sagte sie.

»Fröhliche Weihnachten«, sagte er.

»Wie geht es voran?«

»Vielleicht wirklich voran.«

»Gibt es etwas Neues von dem Jungen?«

»Ich weiß es nicht. Vielleicht nähern wir uns der Lösung. Aber wir haben ihn noch nicht gefunden.«

»Sei vorsichtig, Erik.«

»Die Lösung ist ... nahe. Ich hab so ein Gefühl.«

»Sei vorsichtig«, wiederholte sie. »Ich weiß, dass du vorsichtig sein musst in diesem ... Fall.«

»Mhm.«

»Du musst ständig daran denken, Erik. Vorsichtig zu sein.«
»Ich verspreche es. Ich hab von Elsa gehört, dass …«
Sein Diensttelefon auf dem Schreibtisch klingelte.
»Warte mal eine Sekunde, Angela.«
Er meldete sich nach dem zweiten Klingeln.
»Jaa, hallo Winter, hier ist Björk von der Wache. Du hast Besuch. Ein Jerner, Mats Jerner.«
Winter sah auf seine Uhr. Jerner hatte sich eine Stunde verspätet. Er hatte ihn vergessen, total vergessen. War so was schon mal passiert? Nicht, soweit er sich erinnern konnte.
»Ich komme runter.«
Er sprach wieder ins Handy.
»Ich ruf später noch mal an, Angela. Grüß meine Mutter.«
»Ich höre, dass du arbeitest.«
»Es geht voran«, sagte er und schickte ihr einen Kuss durch die Leitung.

Der Besucher stand noch am Schalter. Er könnte in Winters Alter sein, ein wenig älter. Ich weiß ja ungefähr, wie alt er ist. Carlström hat es erzählt.
Winter öffnete die Glastüren zum Wartezimmer.
»Mats Jerner? Erik Winter.«
Jerner nickte und gab ihm in der Türöffnung die Hand. Seine Haare waren hell und die Augen blau. Er trug eine braune Tensonjacke, blaue Jeans und derbe Schuhe, die zu dem Wetter dort draußen passten. Unter dem linken Arm trug er eine Aktentasche. Seine Hand war kalt. Winter sah die Handschuhe, die er in der Linken hielt. Jerners Augen hatten eine durchsichtige Schärfe, dass Winter fast Lust bekam sich umzudrehen, um zu sehen, was der Mann geradewegs durch seinen Kopf hindurchsah.
»Wir nehmen den Aufzug nach oben«, sagte Winter.
Jerner stand schweigend neben ihm. Sein Blick war vom Spiegel abgewandt.
»Gibt es um diese Zeit am Heiligabend überhaupt noch Fahrgäste?«, fragte Winter, als sie aus dem Aufzug stiegen.
Jerner nickte und sah gerade vor sich hin.
»Keine Probleme mit Schnee auf den Gleisen?«
»Nein.«

Sie betraten sein Zimmer.

»Möchten Sie Kaffee oder etwas anderes zu trinken haben?«, fragte Winter.

Jerner schüttelte den Kopf.

Winter ging um seinen Schreibtisch herum und gab Jerner ein Zeichen, sich auf den Stuhl gegenüber zu setzen. Er hatte kürzlich eine kleine Sitzgarnitur in der einen Ecke aufgestellt, aber der Stuhl war besser, jetzt.

»Jaaa«, sagte Winter, »wir ermitteln also in einer Serie von Überfällen auf junge Männer in der Stadt.«

Jerner nickte.

»Wir haben ja schon darüber gesprochen«, sagte Winter.

Jerner nickte wieder.

Wie weiter?, dachte Winter. Soll ich sagen, Sie haben nicht möglicherweise ein Brandeisen zu Hause bei Ihrem Pflegevater gestohlen, Jerner? Oder zwei?

»Es ist so ... die Waffen, die bei den Überfällen benutzt wurden, sind auf dem Hof Ihres Pflegevaters gestohlen worden. Natanael Carlström.« Winter sah Jerner an. »Das ist doch Ihr Pflegevater?«

Jerner nickte und sagte: »Einer von ihnen.«

»Haben Sie mehrere gehabt?«, fragte Winter.

Jerner nickte.

»In der Gegend?«

Jerner schüttelte den Kopf.

Ein wortkarger Mann, dachte Winter. An solchen hat man schwer zu knacken. Er ist mit keinem Wort darauf eingegangen, dass er über eine Stunde zu spät zum Verhör im Präsidium erschienen ist. Scheint sich dessen gar nicht bewusst zu sein. Manche sind so. Glückliche Menschen.

»Ihr Pflegevater hat Ihnen nicht von irgendwelchen Diebstählen erzählt?«

»Nein.«

Jerner wechselte die Beinhaltung, schlug das rechte über das linke Bein, dann wieder das linke über das rechte. Die Handschuhe hatte er auf den Tisch vor sich gelegt. Seine linke Jackentasche wurde von etwas ausgebeult. Vielleicht von einer Kopfbedeckung.

Vielleicht kriegt er Rabatt auf Tensonjacken, dachte Winter. Die Tensonliga hat sich mit Drohungen einen Deal erkämpft. Tensonliga, so nannten die Leute die Kontrolleure der Straßenbahn, mürrische, erprobte Männer und Frauen, die das Straßenbahnsystem in grünen Tensonjacken auf der Jagd nach Schwarzfahrern durchkämmten. Halders war einmal geschnappt worden und hatte den ganzen Nachmittag am Telefon mit dem Oberkontrolleur verbracht, um ihn von seiner Unschuld zu überzeugen, Zerstreutheit, Dienstauftrag, nein, das nicht, ein Kind zum Kindergarten gebracht, kaputtes Auto nach Mölndal gefahren. Es hatte nichts genützt. Danach war Halders nie wieder mit der Straßenbahn gefahren.

»Haben Sie mal eins dieser Brandeisen gesehen?«, fragte Winter.

Jerner schüttelte den Kopf.

»Aber Sie kennen sie?«

Jerner nickte.

Er *will* nicht reden. Das werden wir jetzt mal ändern, dachte Winter.

»Wann waren Sie zuletzt zu Hause?«

Jerner sah ihn fragend an.

»Ich meine bei Carlström.«

»I-ich weiß nicht«, sagte Jerner.

»In welchem Monat?«

»No-november, glaub ich.«

»Was hat er über die Diebstähle gesagt?«

Jerner zuckte mit den Schultern.

»Er hat mir erzählt, dass er sie Ihnen gegenüber erwähnt hat.«

»Vielleicht«, sagte Jerner. Nicht mehr.

Winter stand auf und ging zu den hässlichen Aktenschränken, die er hinter der Tür zu verstecken versuchte. Er nahm einen Ordner hervor, kehrte an den Tisch zurück und nahm die Fotos heraus.

»Kennen Sie diese Person?«, fragte er und hielt Jerner ein Bild von Aris Kaite hin.

Jerner schüttelte den Kopf.

»Er ist einer von denen, die überfallen wurden.«

Jerner sah desinteressiert aus, als ob er wirklich einen Fremden betrachtete.

»Er ist auch in Ihrer Heimatgegend gewesen«, sagte Winter. »Er kennt Gustav Smedsberg.« Winter sah Jerner an. »Kennen Sie Gustav Smedsberg?«

Der Mann schien nachzudenken. Er strich das dünne blonde Haar beiseite. Es war lang.

Er sieht aus, als ob ich eine ganz normale Folgefrage gestellt hätte, dachte Winter. Nicht »Wer ist Gustav Smedsberg?«. Er kennt den Namen, aber vielleicht ist es ihm auch egal. Es war ein langer Tag. Für ihn, für mich. Dieses Gespräch führt nirgendwohin. Er kann nach Hause gehen, ich kann nach Hause gehen. Er hat mit dem Ganzen nichts zu tun. Oder er hat die Eisen gestohlen, und dann kriegen wir es heraus, vielleicht hat er sie benutzt. Nein. Nicht er. Merkwürdig ist nur, dass er hier anscheinend endlos sitzen kann, ohne sich darüber zu ärgern. Vorher war er irritiert gewesen, gereizt, am Telefon. Jetzt nicht. Jetzt schüttelte er den Kopf.

»Georg Smedsberg«, wiederholte Winter.

»Nein.«

»Ein Nachbar.«

Jerners ruhiges Gesicht wandte sich unbestimmt ab. Winter sah etwas in seinen Augen, vielleicht einen Protest: Smedsberg ist kein Nachbar. Zu weit entfernt.

»Gerda«, sagte Winter.

Der Mann zuckte zusammen. Er sah Winter an, hob ein wenig den Kopf. Die Augen hatten immer noch die gleiche Durchsichtigkeit.

»Wann haben Sie Gerda getroffen?«, fragte Winter.

»We-welche Gerda?«

»Gerda war Ihre Nachbarin.«

Er fragt nicht, was das damit zu tun hat, dachte Winter. Und er sagt es nicht: Wer ist Gerda? Sein Gesicht ist wieder wie vorher. Diese Menschen vom Land. Wir hören jetzt auf. Ich muss mich um Micke Johansson kümmern.

»Ich möchte Sie Heiligabend nicht länger als nötig belästigen«, sagte er. »Aber ich lasse wieder von mir hören, falls es mehr Erkenntnisse gibt.«

Jerner erhob sich und nickte.

»Wann haben Sie wieder Dienst?«

Jerner öffnete den Mund. Er schien Luft zu schlucken, dann schloss er ihn wieder.

»Wann müssen Sie wieder arbeiten?«, fragte Winter.

»Mo-mo-morgen«, sagte Jerner.

Er *ist* nervös. Wegen irgendwas nervös.

»Den ganzen Tag?«

Jerner nickte.

»Hart«, sagte Winter.

Sie gingen in den Korridor und nahmen den Aufzug nach unten. Jerner hatte die linke Hand in der Jackentasche. Die Handschuhe trug er in der Rechten, die Aktentasche unterm linken Arm. Er schaute geradewegs in sein Spiegelbild. Winter sah sich neben Jerner stehen, aber der schien ihn nicht wahrzunehmen. Als ob ich ein Vampir wäre, der kein Spiegelbild hat. Aber ich bin kein Vampir, ich bin da. Ich sehe müde aus. Jerner wirkt viel munterer.

»Welche Linie fahren Sie?«, fragte Winter, als sie auf den Ausgang zugingen.

Jerner hielt drei Finger hoch.

Es ist fast komisch, dachte Winter.

»Die Drei«, übersetzte er die Zeichensprache, und Jerner nickte.

Ringmar kam aus seinem Zimmer, als Winter aus dem Fahrstuhl stieg. Er sah anders aus als vorher.

»Ich fahr jetzt«, sagte Ringmar.

»Wohin?«

»Nach Hause.«

»Ist jemand da?«

»Nein. Aber ich muss die Lage prüfen.«

»Du kannst gerne später zu mir kommen«, sagte Winter.

»Heute Nacht hat gereicht. Aber vielen Dank.«

»Komm ruhig, falls du es dir anders überlegst.«

Ringmar nickte. Er setzte sich in Bewegung.

»Hast du etwas ... Neues erfahren?«, fragte Winter.

»Es war Birgitta«, antwortete Ringmar.

»Und?«

»Sie will jetzt jedenfalls mit mir reden.«

»Worüber?«

»Über Martin. Was zum Teufel denkst du denn?«

Winter sagte nichts. Draußen im Treppenhaus hörten sie Schritte. Der Fahrstuhl brummte in irgendeine Richtung.

»Es gibt einen Hoffnungsschimmer«, sagte Ringmar.

»Komm später zu mir«, sagte Winter.

»Bis dann«, antwortete Ringmar und zog im Gehen seinen Mantel an.

»Das Auto ist da«, sagte Björck unten in der Wache zu ihm.

Ringmar fuhr mit seinem Dienstwagen auf die Schnellstraße, Richtung Norden. Es war still im Auto, kein Radio, kein *Heaven Is a Place On Earth*. Er wusste nicht, ob Smedsberg zu Hause sein würde.

Winter knipste das Licht aus und ging. Seine Schritte hallten mehr denn je auf dem Korridor wider. Das Handy klingelte.

»Ich bin nicht damit einverstanden, dass du heute Abend allein herumsitzt, Erik.«

Seine Schwester. Sie hatte gestern schon angerufen und vorgestern. Sie wollte nicht akzeptieren, dass es ihm nichts ausmachte, an diesem Abend allein zu sein.

»Ich muss arbeiten, Lotta.«

»Du meinst, du musst allein sein, damit du nachdenken kannst, oder?«

»So ist es.«

»Du musst was essen.«

»Das stimmt.«

»Du brauchst Gesellschaft.«

»Vielleicht komm ich später kurz vorbei«, sagte er.

»Das glaub ich nicht.«

»Liebe Lotta, ich hab mir das hier nicht freiwillig ausgesucht.«

»Du bist jederzeit willkommen«, sagte sie und legte auf.

Auf den Autoscheiben war eine Eisschicht. Er kratzte und rauchte dabei einen Corps. Der Rauch war wie Atem in der Luft.

Er war allein auf den Straßen, der Einzige, der um diese Zeit unterwegs war. Keine Busse, keine Straßenbahnen, keine Taxis, keine Privatautos, keine Streifenwagen, keine Motorräder, keine Fußgänger, nichts.

Der Vasaplatsen lag weiß und still da. Er stand in der Tür und atmete die kalte, raue Luft ein.

In der Küche goss er sich einen Springbank ein und nahm ihn mit ins Wohnzimmer. Dort legte er sich aufs Sofa und stellte sich das Glas auf die Brust. Er schloss die Augen. Das einzige Geräusch war das sanfte Brummen des Kühlschranks. Er hob den Kopf und trank von dem Whisky.

Dann richtete er sich auf und fuhr sich mit der Hand durchs Haar. Er dachte an Spielplätze und Kindergärten, Parks, Autos, an Plätze wie den Doktor Fries Torg, den Linnéplatsen, Kapellplatsen, Mossens, an Plikta, an ... Spuren, Gleise, die in alle möglichen Ri-Ri-Ri-Richtungen führten.

All das dachte er gleichzeitig. Er konnte es nicht trennen, alles kam gleichzeitig, als ob es zusammengehörte. Aber es gehörte nicht zusammen.

Er strich sich übers Gesicht. Eine Dusche und etwas zu essen, dann kann ich wieder denken. Ich muss auch noch nach den Weihnachtsgeschenken suchen.

Auf dem Weg ins Bad zog er sich aus. Ich nehme ein Bad. Der Whisky hält mich wach.

Trotzdem griff er im Flur nach dem Telefon und rief in England an. Er hatte in den letzten Wochen öfter mit seinem Freund aus Kent telefoniert.

Steve meldete sich.

»*Merry Christmas, Steve*«, sagte Winter.

»*Same to you, Erik. How are things?*«

Winter schilderte den Stand der Dinge.

»Ihr habt doch hoffentlich die Eltern richtig überprüft?«, fragte Macdonald. »Alle Eltern?«

An die Frage würde Winter sich erinnern, wenn alles vorbei war.

41

Er zog seinen Bademantel an und verließ das dampfende Badezimmer. Die Schläfrigkeit gab sich, während er in der Wohnung herumging. Er sah die Whiskyflasche in der Küche an, ließ sie aber unberührt. Der Zentimeter, den er getrunken hatte, musste reichen. Vielleicht musste er heute Abend, heute Nacht noch fahren.

Er las Angelas und Elsas Anweisungen in der Küche und begann seine Fahndung. Elsas Weihnachtsgeschenk war wirklich in Froschposition platziert, in einer flachen, mit Tesa zusammengeklebten Box unter dem Doppelbett. Zeichnungen: Meer, Himmel, Strände. Schneemänner. Angelas Geschenk war auf halber Höhe versteckt, klug: ein Buch im Buchregal. Neu entdeckte Texte von Raymond Carver, *Call If You Need Me*.

Er setzte sich ins Schlafzimmer und wählte die Telefonnummer in Spanien.

»Siv Winter.«

»Hallo, Mutter, hier ist Erik.«

»Erik, wir haben gerade überlegt, wann du anrufst.«

»Jetzt«, sagte er.

»Es ist nach neun. Elsa ist schon fast eingeschlafen.«

»Kann ich mit ihr sprechen? Fröhliche Weihnachten übrigens.«

»Bist du bei Lotta?«

»Heute Abend nicht«, sagte Winter.

»Du bist Heiligabend allein, Erik?«

»Darum bin ich doch geblieben.«

»Ich verstehe dich nicht«, sagte Siv Winter.

»Kann ich jetzt mit Elsa sprechen?«

Er hörte ihre Stimme, sie war schon halb im Traum. Er erkannte Angela in ihr. Es war dieselbe Stimme.

»Danke für die Puppe«, sagte sie. »Die ist sehr schön.«

»Danke für die schönen Zeichnungen.«

»Du hast sie gefunden!«

»Dem Schneemann scheint es sehr gut zu gehen am Strand.«

»Er hat Urlaub«, sagte sie.

»Schön.«

»Wann kommst du, Papa?«

»Bald. Wenn ich komme, feiern wir noch mal Heiligabend.«

Sie kicherte, aber nur ganz kurz.

»Bist du müde, Elsa?«

»Neeein«, sagte sie, »Großmutter sagt, ich darf so lange aufbleiben, wie ich will.«

»Na, wenn sie es gesagt hat, dann ...«

»So laaaange, wie ich will«, sagte Elsa. Ihre Stimme klang, als würde sie jeden Moment den Telefonhörer fallen lassen und schlafend auf den Marmorfußboden sinken.

»Noch viel Spaß heute Abend, Liebling«, sagte Winter. »Papa hat dich lieb.«

»Küsschen, Küsschen, Papa.«

»Holst du jetzt bitte Mama ans Telefon?«

Er hörte ein fernes »Maaaama« und dann Angelas Stimme: »Bist du noch im Dienst?«

»Nein, ich bin zwar im Dienst, aber zu Hause.«

»Deine Stimme klingt müde.«

»Bin ziemlich erschossen, aber das gibt sich. Ich hab ein Bad genommen.«

»Gibt's was Neues?«

»Ich habe das Buch gefunden und sofort angerufen.«

Er hörte sie genauso kichern wie Elsa eben vorher.

»Ich wollte dich tatsächlich etwas fragen«, sagte er. »Kennst du jemanden im Kindergarten, der stottert? Einen Erwachsenen, Personal oder Eltern?«

»Stottert? Jemand, der st-st-stottert?«

»Ja.«

»Nein. Nicht, dass ich wüsste. Warum fragst du?«

»Oder Lena Sköld. Als du mit ihr gesprochen hast. Hat sie von jemandem erzählt, der stottert?«

»Nein, daran erinnere ich mich nicht. Wieso, Erik?«

»Wir glauben, dass die Person, die Ellen getroffen hat, stottert. Ich glaube, sie versucht uns das zu sagen.«

»Was hat das mit dem Kindergarten zu tun?«

»Du weißt ja, dass wir alle überprüfen, die irgendwie mit dem Kindergarten zu tun haben.«

»Ich hab heute daran gedacht«, sagte Angela. »Stell dir vor, wenn es doch nur die Phantasie der Kinder ist.«

»Für Simon Waggoner ist das keine Phantasie.«

»Nein, aber die anderen?«

»Drei Eltern haben die gleiche Sache angezeigt«, sagte Winter.

»Hast du mit ihnen gesprochen?«, fragte sie. »Über das Stottern?«

»Nein, das ist uns erst am späten Nachmittag eingefallen. Ich werde sie fragen.«

»Heute Abend?«

»Ja.«

»Das wird spät«, sagte sie.

»Alle wissen, wie ernst die Sache ist«, sagte er, »Feiertag hin oder her.«

»Keine neuen Hinweise auf den Jungen? Micke Johansson?«

»Ständig. Die Telefonzentrale ist auch über die Feiertage besetzt.«

»Leitet ihr eine Suchaktion ein?«

Winter dachte an Natanael Carlström, der das Wort »Suchaktion« sofort benutzt hatte.

»Es sind schon viele Leute draußen«, sagte er, »so viele wie möglich. Aber Göteborg ist eine große Stadt.«

»Was sagen die Polizisten von den Revieren?«

»Wie meinst du das?«

»Ich meine die Beamten, die beim ersten Mal die Anzeigen aufgenommen haben. Haben sie etwas von Stottern oder anderen Details erzählt?«

»Spreche ich mit Kommissarin Angela Winter?«

»Was sagen sie?«, wiederholte sie. »Und hier spricht Kommissarin Angela Hoffman.«

»Ich weiß es noch nicht. Ich hab bei den beiden in Härlanda und Linnéstad angerufen, aber sie haben frei und sind auch nicht zu Hause zu erreichen.«

Er rief Familie Bergort an, die immer noch unvollständig war. Larissa Serimowa meldete sich. Als Magnus Bergort verschwunden war, hatte Winter sie angerufen und gefragt, ob sie sich um Familie Bergort kümmern könnte. Er hatte kein Recht dazu, und sie nicht die Pflicht. Sie war nicht im Dienst.

»Ich habe heute Abend sowieso nichts Besonderes vor«, hatte sie gesagt, und er meinte zu hören, dass sie lächelte.

»Es ist eine einsame Familie«, hatte Winter gesagt. »Kristina Bergort hat niemanden, der heute Abend bei ihr und dem Kind sein kann.«

»Und wenn er dann nach Hause kommt?«, hatte sie gesagt. »Vielleicht wird er gewalttätig.«

Was sollte er sagen? Benutz deine SigSauer?

»Ich kann ihn ja immer noch erschießen«, sagte sie da.

»Er kommt nicht nach Hause«, hatte Winter gesagt. »Seien Sie vorsichtig, aber ich glaube nicht, dass er nach Hause kommt.«

»Glauben Sie, er hat sich umgebracht?«

»Ja.«

Er hatte auf die Nachricht gewartet, jemand sei gegen eine Felswand gefahren oder gegen einen Baum. Bis jetzt noch nichts. Aber er glaubte trotzdem, dass Magnus Bergort weg war oder sich bald nicht mehr auf dieser Welt befinden würde.

Jetzt meldete sie sich: »Bei Bergorts.«

»Hier ist Erik Winter.«

»Hallo und fröhliche Weihnachten«, sagte Larissa Serimowa.

»Schläft Maja?«

»Sie ist gerade eingeschlafen.«

»Kann ich mit ihrer Mutter sprechen?«

Kristina Bergorts Stimme klang müde … und ruhig. Vielleicht ist es eine Erleichterung für sie, dachte er. Egal, wie es ausgehen würde.

»Ist Magnus etwas passiert?«, fragte sie.

»Wir wissen immer noch nicht, wo er ist.«

»Maja fragt nach ihm«, sagte Kristina Bergort.

Winter sah sie vor sich, als sie nicht in Papas Arbeitszimmer gehen wollte.

»Hat sie Ihnen etwas erzählt, dass der Mann, in dessen Auto sie gesessen hat, stotterte?«, fragte Winter.

»Nein, davon hat sie nichts gesagt.«

»Okay.«

»Sie könnten sie danach fragen?«

»Ich glaube ja. Jetzt sofort?«

»Nein, aber vielleicht morgen? Wenn es geht?«

»Jaaa, das muss es. Alles ist so ...« Er hörte, wie die Ruhe aus ihrer Stimme verschwand, nicht sehr, aber er begriff, dass er das Gespräch jetzt beenden musste.

Das Handy surrte. Sekundenlang wusste er nicht, wo es war. Er fand es in der Innentasche seines Mantels draußen im Flur.

»Du hast mich nicht angerufen.«

»Ich hatte keine Zeit, Bülow.«

»Du hast nie Zeit.«

»Ich bin gerade mittendrin«, sagte Winter.

»Ich auch. Ich starre auf einen leeren Bildschirm.«

Winter war in sein Arbeitszimmer gegangen. Der leere Bildschirm seines Powerbooks glühte auf dem Schreibtisch.

»Die Situation ist sehr heikel im Augenblick«, sagte er.

»Der Nachtchef hat Leute nach Önnered rausgeschickt«, sagte Bülow.

»Was zum Teufel soll das heißen?«

»Zu Bergorts. Seit ihr die Suchmeldung rausgegeb...«

Winter drückte so fest auf Aus wie er konnte. Das Problem mit Handys bestand darin, dass es keinen Telefonhörer gab, den man aufknallen konnte. Man konnte höchstens das ganze Ding hinschmeißen.

Es klingelte wieder. Winter erkannte die Nummer.

»Wir ha...«

»Es ist nicht meine Schuld«, sagte Bülow. »Mir gefällt das auch nicht.« Winter hörte Stimmen im Hintergrund, einen Fetzen Musik, ein Weihnachtslied vielleicht, irgendeinen Scheiß, der für den Abschaum in der Redaktion gespielt wurde. »Magst *du* deinen Job immer, Winter?«

»Wenn ich ihn erledigen kann, wie ich es will.«

»In der Morgenzeitung erscheint ein Interview mit Carolin Johansson«, fuhr Bülow fort.

»Ich bin sprachlos«, sagte Winter.

»Siehst du! Es wird nur immer schlimmer.«

»Wer kommt dann? Simon?«

»Wer ist das?«, fragte Bülow. »Was ist ihm passiert?«

»Es war nur irgendein Name«, sagte Winter.

»Das glaub ich nicht.«

»Willst du jetzt Leute hinschicken?«, fragte Winter.

»Ich bin nicht der Chef vom Dienst«, antwortete Bülow.

»Wie lange arbeitest du heute Abend?«

»Ich arbeite bis morgen Früh um vier. Das ist mein Weihnachten.«

»Ich ruf dich an«, sagte Winter.

»Das hab ich schon mal gehört.«

»Ich rufe an«, wiederholte Winter und drückte zum zweiten Mal auf Aus, legte das Handy auf den Schreibtisch und griff zum Hörer des anderen Telefons.

Unten heulte ein Streifenwagen vorbei. Bis jetzt hatte er keinen Laut von draußen gehört. Er konnte die Spitze vom Tannenbaum auf dem Vasaplatsen sehen, einen einsamen Stern.

Bei Bergorts war besetzt. Er überlegte, ob er beim Frölundarevier anrufen sollte, aber was konnten sie tun? Er wählte Larissa Serimowas Handynummer, bekam aber keine Verbindung.

Er rief bei Ringmar zu Hause an, aber da meldete sich auch niemand. Er wählte Ringmars Handynummer. Keine Verbindung.

Er bekam Panik, als er mitten in dem stillen, dunklen Zimmer stand, mit dem Finger nervös Zahlentasten eindrückend. Er wählte eine Nummer, die er in seinem Adressbuch nachgeschlagen hatte. Er wartete, ließ es dreimal, viermal klingeln. Heute Abend machte sich die Welt unerreichbar. Das fünfte Klingeln, ein Klappern, Atemholen.

»Car-Carlström.«

Winter nannte seinen Namen. Carlström murmelte etwas, seine Stimme klang unendlich müde.

»Habe ich Sie geweckt?«, fragte Winter.

»Ja.«

»Entschuldigung, aber ich habe ein paar Fragen zu Mats.«

Winter hörte ein Geräusch in der Nähe von Carlström. Es könnte ein Holzscheit sein, das im Feuer knackte. Hatte Carlström das Telefon mit in die Küche genommen? Brannte dort noch Feuer?

»Was ist mit Mats?«, fragte Carlström.

»Ich habe ihn heute getroffen«, sagte Winter, während er auf die Uhr schaute. Noch nicht Mitternacht.

»Aha?«

»Kennt er Georg Smedsberg?«, fragte Winter.

»Smedsberg?«

»Sie wissen, wer das ist.«

»Glaub nicht, dass er den kennt.«

»Sie können keinen Kontakt gehabt haben?«

»Was soll das überhaupt für eine Bedeutung haben?«

»Smedsbergs Sohn ist einer von denen, die überfallen worden sind«, sagte Winter.

»Wer behauptet das?«, fragte Carlström.

»Wie bitte?«

»Das behauptet er selbst, oder?«

»Darüber hab ich auch schon nachgedacht«, sagte Winter.

»Vielleicht nicht genug«, sagte Carlström.

»Was soll das heißen?«

»Ich sag nichts mehr«, sagte Carlström.

»Hatte Mats Kontakt zu Georg Smedsberg?«, fragte Winter wieder.

»Davon weiß ich nichts.«

»Gar keinen?«, fuhr Winter fort.

»Und wenn er welchen gehabt hätte?«

Das hängt ganz davon ab, was passiert ist, dachte Winter.

»Wie ist es Mats bei Ihnen auf dem Land gegangen?«, fragte er. Das hab ich schon mal gefragt. »Wie ist er mit den anderen zurechtgekommen?«

Carlström antwortete nicht.

»Hatte er viele Freunde?«

Carlström schien zu lachen.

»Wie bitte?«, fragte Winter.

»Er hatte keine Freunde«, sagte Carlström.

»Gar keine?«

»Die Leute hier waren nicht gut zu ihm.«

»Wurde er mal misshandelt?«

Wieder dieses Lachen, kalt und leer.

»Sie haben sich über ihn lustig gemacht«, sagte Carlström. »Vielleicht hätte er bleiben können, aber ...«

»Er ist weggegangen?«

»Sie haben ihn gehasst, und er hat sie gehasst.«

»Warum wurde er gehasst?«

»Das weiß ich nicht. Wer weiß so was schon?«

»Gehörte ... Smedsberg zu denen, die ihm übel wollten?«

»Könnte sein«, sagte Carlström, »was weiß ich.«

»Wie stand seine Frau zu ihm?«

»Wer?«

»Gerda, seine Frau.«

»Ich weiß es nicht.«

»Wie meinen Sie das?«, fragte Winter.

»Genau so, wie ich es sage.«

»Haben Sie Gerda gekannt?«, fragte Winter.

Carlström antwortete nicht. Winter wiederholte seine Frage. Carlström hustete. Winter begriff, dass er in diesem Augenblick nichts mehr über Gerda sagen würde.

»Könnte Mats diese Studenten verletzt haben?«, fragte er. »Als eine Art ... Rache. Eine indirekte Rache. Für das, was andere ihm angetan haben?«

»Das klingt verrückt«, sagte Carlström.

»Hat er nie etwas darüber gesagt? Dass er sich rächen wollte?«

»Er hat nie viel gesagt.« Winter hörte eine Zärtlichkeit in Carlströms Stimme. Oder war es Müdigkeit? »Er wollte nicht viel reden. Vermied alles, was schwer war. So war er schon, als er herkam.«

»Haben Sie mit ihm über Weihnachten geredet?«, fragte Winter.

»Nein.«

Winter verabschiedete sich. Er sah wieder auf die Uhr. Fast Mitternacht jetzt. In seinem Kopf hörte er immer noch Carlströms Stimme.

Er könnte es selbst getan haben, dachte Winter. Er könnte sich zum Beispiel an Smedsberg gerächt haben und an allem, was mit ihm zu tun hatte. Wegen etwas, das Smedsberg Mats angetan hatte. Oder ihm selbst.

Da war noch etwas, das Carlström eben gesagt hatte. Winter hatte in dem Augenblick nicht darauf geachtet, aber jetzt, eine Minute später, rekapitulierte er das Gespräch noch einmal. Nein. Es war nichts Merkwürdiges.

Er hat nie viel geredet, hatte Carlström über seinen Pflegesohn gesagt. So war er schon, als er herkam. Da war noch etwas. *Vermied alles, was schwer war*. Was war schwer gewesen?

Winter wählte noch einmal Carlströms Nummer und lauschte auf die Signale. Diesmal meldete sich niemand in dem Haus auf dem Land.

Er legte auf und dachte nach. Hob wieder ab und wählte Mats Jerners Nummer und lauschte auf die Signale, wie er eben auf die Signale gelauscht hatte, die im Haus seines Pflegevaters widergehallt hatten.

Er legte auf und ging in die Küche, um sich einen doppelten Espresso zu machen. Er trank ihn stehend am Küchenfenster. Der Hof da unten leuchtete vom dünnen Schnee und von Frost. Das Thermometer draußen am Fenster zeigte minus vier Grad. Die Tanne auf dem Hof war angezündet und warf Licht bis zu ihm herauf. Er dachte an Bertils Nachbarn, den verrückten Illuminator, und an Bertil. Er nahm die Tasse mit in sein Arbeitszimmer und wählte wieder Bertils Nummer, aber nirgends meldete sich jemand. Er hinterließ eine Nachricht auf Bertils Handy. Er rief bei der Leitungszentrale an, aber dort hatte niemand eine Nachricht von Ringmar. Auch sonst hatten sie keine Nachrichten. Keine Felswand, kein Junge, kein Täter.

Er hörte seinen Magen knurren. Winter ging zurück in die Küche und machte sich ein Omelett mit gehackten Tomaten, Zwiebeln und schnell gerösteter Paprika. Das Telefon klingelte, als er aß. Er meldete sich mit vollem Mund.

»Ist da Winter? Erik Winter?«

»Ohlm... mm ... ja.«

Winter hörte ein Motorgeräusch, als käme das Gespräch aus einem Auto.

»Ja, guten Abend, hier ist Janne Alinder, Bezirkspolizei Li...«

»Guten Abend.«

»Ja ... wir kommen gerade aus dem Wald. Kein Handy der Welt erreicht unsere Hütte dort. Aber ich hab gesehen, dass Sie mich angerufen haben.«

»Gut, dass Sie sich melden.«

»Keine Ursache. Die Stromleitung in der Hütte ist nicht in Ordnung, deswegen mussten wir wieder weg. Ich bin nicht ganz nüchtern, aber meine Frau fährt zum Glück.«

»Können Sie sich erinnern, ob Lena Sköld erwähnt hat, dass ihre Tochter erzählt hat, dass der Onkel stottert?«, fragte Winter.

»Gestottert? Nee, daran kann ich mich im Augenblick nicht erinnern.«

»Oder ob sie etwas von einem Papagei erzählt hat?«

»Einem was?«

»Einem Papagei. Wir haben das gerade an alle Stationen gemeldet. Wir glauben, der Täter hat ein ... Maskottchen oder so was am Rückspiegel hängen gehabt. Einen ... Papagei. Jedenfalls einen Vogel. Grün oder grünrot.«

»Einen Papagei? Nein. Haben die Zeugen so was gesehen?«

»Die Kinder haben es gesehen«, sagte Winter.

»Hm.«

»Es wirkt glaubhaft«, sagte Winter.

»Sie investieren wirklich viel Arbeit«, sagte Alinder.

»Sie ja auch«, sagte Winter, »in diesem Augenblick und vielleicht noch ein Weilchen länger. Wenn Sie wollen.«

»Arbeitszeit? Zum Teufel ja, ich weiß doch, um was es geht.« Winter hörte, dass die harten Vokale lang gezogen waren, aber seinen Verstand hatte Alinder nicht weggetrunken. »Was soll ich tun?«

»Die Notizen noch einmal überprüfen.«

»Haben Sie die anderen schon gefragt?«

»Ich hab's bei Josefsson in Härlanda versucht, ihn aber nicht erreicht.«

»Wann brauchen Sie die Information?«

»So schnell wie möglich.«

»Ich kann meine Chauffeurin in die Tredje Långgatan dirigieren. Und wenn ich nicht hinfinde, findet sie den Weg auch allein.«

Die Stille nach dem Gespräch war wie eine kurze Pause, von der man überrascht wird. Er stand auf und schob den Rest von seinem baskischen Omelett, das sein Weihnachtsessen hätte werden sollen, in den Abfall. Jetzt war es nach Mitternacht. Er ließ noch einmal eine von Angelas Platten laufen, die auch seine geworden waren. Er öffnete die Balkontür, atmete die Nachtluft ein und sah den Tannenbaum und den Stern, der die Lichter der Stadt zu reflektieren schien. Er dachte an Carlström, seinen Stall, und zündete sich einen Zigarillo an, die Musik von U2 hinter ihm, zarte Synthesizer, die Worte, *Heaven on Earth, we need it now, I'm sick of all this hanging around, sick of sorrow, sick of pain, sick of hearing again and again, that there's gonna be Peace on Earth.*

Das Telefon klingelte.

42

Winter erkannte Natanael Carlströms Atemzüge, hörte das Knistern im Holzfeuer, den Wind um das von Gott vergessene Haus, ein einziges einsames Schweigen.

»Entschuldigen Sie, dass ich so spät störe«, sagte Carlström.

»Ich bin noch auf«, sagte Winter. »Ich hab selbst vor einer Weile noch einmal versucht, Sie zu erreichen. Da hat sich niemand gemeldet.«

Carlström schwieg. Winter wartete.

»Es geht ... um Mats«, sagte Carlström schließlich.

»Ja?«

»Er hat vor einer Weile ... angerufen.«

»Mats hat Sie angerufen?«, fragte Winter. Er hörte förmlich, dass Carlström nickte. »Um was ging es?«

»Eigentlich ... um nichts. Aber er war aufgeregt.«

»Aufgeregt? Hat er gesagt, warum?«

»Was er gesagt hat ... machte keinen Sinn«, antwortete Carlström. »Er redete vom ... Himmel und noch was, das ich nicht verstanden habe. Ich mach mir große Sorgen.«

Es klang, als ob er verwundert wäre.

Nicht verstanden habe, hatte Carlström gesagt.

»Als ich noch einmal versucht habe, Sie zu erreichen, ging es um etwas, was Sie vorhin über Mats sagten. Sie haben gesagt, er hat Schweres vermieden. Was haben Sie damit gemeint? Was hat er vermieden?«

»Jaaa ... na ja, alles, was schwer auszudrücken war. Und es

wurde noch schwerer, wenn er aufgeregt war. Wie jetzt, als er angerufen hat.«

Winter sah Mats Jerner vor sich in seinem Zimmer im Präsidium, die Ruhe, ein paar Sekunden Unsicherheit, was ja nicht ungewöhnlich war. Der Eindruck, als habe er Heiligabend alle Zeit der Welt an einem sehr fremden Ort.

»Meinen Sie, es fiel ihm schwer, die Wörter auszusprechen?«

»Ja.«

»Hat er gestottert?«

»Er hat damals gestottert, und er hat vor kurzem wieder gestottert, als er angerufen hat.«

»Von wo hat er angerufen?«, fragte Winter.

»Von wo schon ... muss wohl von zu Hause gewesen sein.«

»Können Sie versuchen sich daran zu erinnern, was er gesagt hat? So genau wie möglich.«

»Es war einfach nicht zu verstehen.«

»Die Wörter«, sagte Winter, »nur die Wörter. Die Reihenfolge ist egal.«

Ringmar parkte das Auto im Schutz eines Wäldchens an einem der kleinen Wege, die die Felder voneinander abgrenzten. Schwarze Schemen flogen über den Himmel. Er ging wie auf gefrorenem Meer. Die Ebene war weiß und schwarz im Mondschein. Er spürte den Wind durch seinen Körper dringen. Der Wind war der einzige Laut.

Es gab ein Licht, und das kam von Smedsbergs Hof. Es flackerte, bewegte sich hin und her im Wind. Es wuchs, als er näher kam, bekam Konturen und wurde ein Fenster. Er ging näher, aber erst, nachdem er eine Hand voll Lehm von der Erde gekratzt und in eine doppelte Plastiktüte gefüllt hatte, die er in die Manteltasche steckte.

Er stand neben einem Busch, fünf Meter vom Fenster entfernt, das in seiner Augenhöhe war. Er fühlte das Handy in seiner Innentasche vibrieren, holte es aber nicht heraus.

Er erkannte die Küche, die spätmittelalterliche Variante von Carlströms Variante aus der Eisenzeit. Georg Smedsberg stand über seinen Sohn gebeugt, der mit gesenktem Kopf dasaß, als erwarte er einen Schlag. Der Mund des Vaters bewegte sich, als würde er schreien. Sein ganzer Körper eine Bedrohung. Gustav Smedsberg hob einen Arm wie zum Schutz. Für Ringmar war es eine Szene, die alles sagte, die bestätigte, was ihn hierher geführt hatte, Georg Smedsbergs Worte vom ersten Mal, »die waren vielleicht nicht mehr wert«.

Er erinnerte sich, was Gustav beim ersten Verhör gesagt hatte: »Vielleicht will er uns überhaupt nicht umbringen ... uns. Die Opfer. Er will vielleicht beweisen, dass er ... *besitzt.*«

Ringmar überlief plötzlich ein eisiger Schauer, der eisigste in seinem vierundfünfzigjährigen Leben, den er jemals empfunden hatte. Er stand wie festgefroren im Meer.

Dann konnte er sich wieder bewegen, aufs Haus zu.

Winter wählte erneut Mats Jerners Nummer.

Nein, nein, das konnte nicht sein.

Aber alles floss ineinander, er hatte immerhin Jerners Namen gefunden. Jerner hatte die Studenten niedergeschlagen. Sein Pflegevater hatte sie niedergeschlagen. Beide hatten es getan. Niemand von ihnen hatte es getan. Doch. Da waren ein Hass oder eine Verzweiflung und Rachegefühle. Es gab mehrere Personen in diesem Tanz: Georg Smedsberg, sein Sohn Gustav, die Mutter Gerda (war sie die Mutter?), Natanael Carlström, sein Pflegesohn Mats Jerner (es stimmte, Winter hatte Teile von Jerners düsterem Lebenslauf gelesen), die anderen Studenten: Book, Stillman, Kaite.

Jerner meldete sich nicht. Winter sah auf die Uhr. War er zur Arbeit gegangen? Eine neue Runde Überstunden für den Einsamen? Jetzt fuhren doch keine Straßenbahnen?

Er lauschte hinunter zum Vasaplatsen. Er legte auf und ging durch den Flur ins Wohnzimmer und sah auf die Straße. Es gab keinen Verkehr, und niemand wartete auf eine Straßenbahn. Ein Taxi kam langsam von der Aschebergsgatan, wie auf Pirschjagd. Der Stern auf dem Wipfel der Tanne lächelte ihm zu.

Er rief in der Leitzentrale der Straßenbahn an und bat, jemanden aufzutreiben, der ihm eine Auskunft geben konnte.

»Ich möchte auch mit jemandem aus deren Personalabteilung sprechen«, sagte er.

»Jetzt?«

»Was ist daran so schwierig?«

»Es ist niemand da.«

»Ich verstehe, aber zu Hause werden die doch zu erreichen sein, oder?«

»Okay, okay, Winter, wir melden uns wieder.«

Er lockerte die Fesseln des Jungen ein wenig, obwohl der Kleine ihn nicht darum gebeten hatte.

Es war so lange still dort drinnen gewesen.

Jetzt fühlte er sich ruhiger.

Er hatte den Alten angerufen, nachdem er von dem Besuch bei diesem großkotzigen Polizisten nach Hause gekommen war, der alles auf dieser Erde besaß. Er war wütend gewesen! Allein die Kleidung von dem Kerl! Sah aus wie auf dem Weg zu einem Ball auf dem Schloss! Aber rasiert war er nicht gewesen! Er wäre gar nicht eingelassen worden auf dem Schloss!

Der Polizist besaß alles, und trotzdem hatte er *dort* gesessen, Heiligabend, in seinem hässlichen Büro mit einem Stuhl, der schlimmer war als im Café Svingeln.

Wohnte der Polizist in seinem Büro? Warum war er nicht zu Hause bei ... seiner Familie? Der Polizist hatte eine Familie, das hatte er ihm angesehen. Überlegen. Ich habe, und du hast nicht. Das hatte der Großkotzige gemeint und auch gezeigt.

Etwas war ihm bekannt vorgekommen an dem Polizisten. Er hatte darüber nachgedacht, während er nach Hause eilte. Plötzlich hatte er es eilig gehabt, das Polizeipräsidium verlassen zu können.

Der Junge rührte sich nicht, aber er band ihn nicht los. Das Essen, das er ihm hingestellt hatte, war unberührt. Ihm wurde allerdings klar, dass es nicht leicht war, an den Teller heranzukommen. Vielleicht war es unmöglich gewesen.

Micke. Micke. Micke. Als er den Schal löste, der so fein und weich um seinen Mund lag, hatte Micke wieder versucht zu schreien, und das war wie mit dem Kleinen gewesen, der ihn auf Englisch angeschrien hatte. Als würde er glauben, er könnte ihn nicht verstehen! Als ob er blöd wäre.

Es war der Kleine, der blöd war. Alle waren blöd. Dieser Kleine mit dem Englisch war böse zu ihm gewesen, genau wie alle anderen.

Und jetzt fing Micke auch an, gemein zu ihm zu sein.

Als er versuchte, mit ihm zu reden, wollte er nicht antworten. Entweder schreien oder schweigen. So was gehört sich doch nicht! Er hatte doch das Auto auf dem Teppich herumgeschoben, dort, wo Micke lag. Brrrmmm! Er hatte nur eine einzige Sache getan. Er hatte die ganzen Spielsachen genommen, die die Kinder mochten, die sie am liebsten hatten. Er hatte sie für Micke ausgeliehen. Na ja, was heißt geliehen ... er könnte sie Micke geben, und dann würden es seine Lieblingsspielsachen werden. All das hatte er für ihn getan. Er hatte den Ball springen lassen, der aber nicht gut hüpfte auf dem Teppich. Deswegen war er aufgestanden und hatte ihn auf dem blanken Fußboden hüpfen lassen, und das war viel besser gegangen. Hooooch! Micke hatte den kleinen Vogel bekommen, der wie Silber glänzte. Vielleicht war er aus Silber. Er hing an Mickes Hemd. Er merkte, dass das Hemd nicht gut roch, als er den Vogel befestigte, also hatte er sich beeilt. Die Uhr lag auf dem Tisch neben dem Bett. Die englische Uhr, wie er gesagt hatte, als er sie Micke gab. Vielleicht ging sie eine Stunde vor.

Jetzt trug er ihn hinaus ins Wohnzimmer.

Sie guckten sich einen Film an. Guck mal, das bist du, Micke!

Er erzählte, woher er wusste, dass er Micke hieß. Ganz einfach. Es stand in deiner Jacke. Da war ein kleines Schild eingenäht. Aber er hätte es auch ohne Schild gewusst. Er hatte den Vater und die Mutter »Micke« sagen hören. Man konnte im Videofilm erkennen, dass sie es sagten. Sie waren zu weit entfernt, als dass man es hätte hören können, aber man konnte es von ihren Lippen ablesen. Er hatte sie herangezoomt, und es war zu sehen.

»Guck mal, jetzt sitzt du im Wagen, Micke!«

Der stand draußen im Flur, derselbe Wagen. Er würde ihn Micke später zeigen, falls er es wollte.

Er zeigte ein paar andere Aufnahmen von einem anderen Kindergarten. Ein Mädchen und noch ein Mädchen. Sie waren in mehreren Szenen dabei. Das erste Mädchen und das zweite. Und der Junge, den er später gefilmt hatte.

Möchtest du Geschwister haben, Micke? Wir haben Platz genug.

Er sah das erste Mädchen an. Er sah jemanden kommen und sie abholen, einen Mann, ein Rücken, ein Mantel. Sie gingen ins Haus hinein und kamen wieder heraus. Es war weit entfernt gewesen, und er hatte den Zoom benutzt.

Er erkannte den Mann im Mantel. Erkannte ihn.

Jetzt war er nicht mehr ruhig, obwohl er so gern ruhig sein wollte. Er wünschte, dass Micke nicht so gemein zu ihm gewesen wäre, genauso gemein wie die anderen.

Winter stand mit der zweiten Tasse Espresso mitten im Wohnzimmer. Er fühlte sich steif, aber seine Augen hielt er immer noch offen.

Es war Heilige Nacht. Eine verzauberte Nacht.

Er stellte die Lautstärke der CD höher, die schon den ganzen Abend auf Repeat gestellt war, U2s *All That You Can't Leave Behind*, lauter, ein Stift auf einem Blatt Papier auf dem Sofatisch begann zu zittern, lauter, *walk on, walk on*, lauter, *what you got they can't steal it, no they can't even feel it*, lauter, *walk on, walk on ... stay safe tonight*, er stand mitten in dieser unglaublichen Lautstärke und sah das rote Lämpchen am Handy auf dem Schreibtisch in der Ecke, stellte die Musik ab und hörte das Klingeln.

Er ging mit einem Sausen in den Ohren hin, es war wie eine gewaltsame Stille.

»Ja?«

»Str... klrk... prr...«

Ein Brausen, lauter als in seinen Ohren.

»Hallo?«, sagte er.

»...ra sak...«

Es klang wie Bertils Stimme.

»Wo zum Teufel bist du, Bertil? Wo bist du gewesen?«

Ringmars Stimme kam und ging.

»Ich kann dich nicht hören«, rief Winter.

»Smed... hrrlg... Jung... bllrra... het...«

»Ich höre nichts, Bertil. Die Verbindung ist zu schlecht.«

»I... klar... hö... di...«

»Kannst du mich hören? Äh. Komm zu mir nach Hause, so schnell du kannst. Ich wiederhole: so schnell du kannst.«

Er drückte auf Aus und wählte sofort Ringmars Handynummer von seinem eigenen Handy und vom Apparat auf dem Tisch, erreichte aber nur die Mailbox. Er wiederholte, was er eben in das Rauschen hineingesagt hatte.

Das Telefon klingelte wieder, zum tausendsten Mal. Solange es klingelt, gibt es Hoffnung.

»Ich verbinde mit einem Personalsachbearbeiter«, sagte der Kollege von der Zentrale. »Sie wollten doch jemanden sprechen, oder?«

»Hallo? Hallo? Hallo zum Teuf...«, hörte Winter jetzt.

»Hier ist Kommissar Erik Winter.«

»Hallo? Wer?«

»Ich wollte mit Ihnen sprechen«, sagte Winter. »Wir arbeiten an einem Fall, und ich brauche eine Auskunft.«

»Jetzt?!«

»Bei Ihnen ist ein Straßenbahnfahrer mit Namen Mats Jerner angestellt. Ich möchte wissen, welche Linie er fährt und wie seine Arbeitszeiten sind.«

»Was!?«

Winter wiederholte ruhig seine Frage.

»Was zum Teu... was soll das?«

»Es ist ein ernster Fall und ich BRAUCHE IHRE HILFE«, sagte Winter, ziemlich ruhig, aber lauter. »Können Sie mir helfen?«

»Wie war der Name?«

»Jerner. Mats Jerner.«

»Ich bin ein ... ich kann mir doch nicht alle Namen merken. Jerner? War das nicht der mit dem Unfall?«

»Unfall?«

»Irgendein Zusammenstoß. Er wurde eine Weile beurlaubt. Ich erinnere mich nicht genau. Oder er war krankgeschrieben. Später hat er sich krankschreiben lassen, glaube ich. Ich bin nicht sicher.« Winter hörte ein Kratzen und das Geräusch von etwas, das hinfiel und zersprang. »Scheiße!«

»Wie kann ich Genaueres erfahren?«, fragte Winter.

»Warum fragen Sie ihn nicht selber?«

»Er ist nicht zu Hause.«

»Ach so.«

»Er hat heute Nachmittag gearbeitet und arbeitet morgen«, sagte Winter.

»Davon weiß ich nichts«, sagte der Mann, dessen Namen Winter immer noch nicht wusste.

»Wer weiß es denn?«, fragte Winter. Nachdem der Hörer eine Weile beiseite gelegt worden war, und er im Hintergrund gedämpftes Fluchen gehört hatte, bekam er zwei Telefonnummern.

Bevor er neu wählen konnte, klingelte das Telefon auf dem Tisch.

»Hier ist Janne Alinder. Ich bin noch auf dem Revier ... Entschuldigen Sie, dass es etwas später wurde. Ich hatte ...«

»Ist ja wurscht. Haben Sie was gefunden?«

»Ich hab Ihre Nachricht im Internet gesehen. Ich war einige Tage nicht da.«

»Haben Sie etwas in der Anzeige von Lena Sköld gefunden?«

»Nein, aber ich habe etwas anderes gefunden.«

»Ja?«

»Ich weiß nicht, was das bedeutet. Aber ich hab was.«

»Ja? Ja?«

»Am siebenundzwanzigsten November hat es einen Zusammenstoß am Järntorget gegeben. Straßenbahn und Personenwagen. Kein Toter, aber ein Betrunkener, der bei der Fahrerkabine gestanden hatte, ist in die Windschutzscheibe geflogen und hat einen Schädelbruch erlitten. Ein ziemlicher Schlamassel. Und der Fahrer ... war etwas merkwürdig.«

»Wie meinen Sie das?«

»Er fuhr bei Rot an, das war zwar nicht nur seine Schuld ... aber, na, er war irgendwie seltsam. Nüchtern war er ja, aber was das angeht, was Sie vorhin gefragt haben. Er hat tatsächlich gestottert.«

Alinder hatte die Aufnahme des Gesprächs auf Band, eben abgehört: »Wir können Ihnen helfen.«

»W-w-w-w-w.«

»Wie bitte?«

»W-w-w-w-wie?«

»Ziemlich gestresst«, sagte Alinder zu Winter. »Vielleicht kein Wunder, aber er wurde merkwürdig nervös. Ich weiß nicht. Er war seltsam, wie gesagt.«

Winter hörte, wie Papier am anderen Ende der Leitung umgeblättert wurde.

»Das ist wohl alles, was ich zum Thema Stottern beitragen kann«, fuhr Alinder fort.

»Wie war der Name des Fahrers?«

Erneutes Papierrascheln.

»Er heißt ... Mats Jerner«, antwortete Alinder.

Winter spürte eine Bewegung im Haar, als streiche ein plötzlicher Windhauch durch das Zimmer, in dem er stand.

»Können Sie das noch mal wiederholen?«

»Seinen Namen? Mats Jerner. Mit e.«

»Er taucht in einer anderen Ermittlung auf«, sagte Winter. »Ich habe ihn heute verhört. Gestern.«

»Aha.«

»Was war es für eine Linie?«, fragte Winter.

»Warten Sie mal.« Alinder war wieder da. »Die Drei.«

»Woher kam sie, als der Unfall passierte?«

»Hm ... von Westen. Masthugget.«

»Okay.«

»Da ist noch was«, sagte Alinder.

»Was?«

»Das macht das Ganze noch merkwürdiger.«

»Ja?«

»Ich hab darüber keine Notizen. Unterwegs im Auto ist es mir nicht eingefallen, als ich Sie anrief. Erst als ich die Berichte über den Unfall und die Verhöre gelesen habe.«

Er erinnerte sich an Folgendes: Er war der Erste im Wagen gewesen, als der Fahrer so weit wieder zu sich gekommen war, dass er die Türen öffnen konnte. Er hatte sich umgesehen: der blutende Mann vorn, eine Frau, die laut heulte, einige Kinder, die sich auf einem Sitz an einen Mann drängten, der sie immer noch im Arm hielt wie zum Schutz gegen den Aufprall, der schon vorbei war. Zwei jüngere Männer, einer weiß und einer schwarz.

Der Fahrer hatte regungslos dagesessen und geradeaus vor sich hin gestarrt. Langsam hatte er ihm das Gesicht zugewandt. Er hatte ruhig und unverletzt gewirkt. Dann hatte er seine Aktentasche auf seinen Schoß gehoben und sie dort liegen lassen. Alinder hatte nichts Besonderes in der Fahrerkabine gesehen, aber er wusste ja auch nicht, wie sie normalerweise aussah.

An einem Knauf hinter ihm hatte etwas an einer Schnur gehangen. Alinder hatte gesehen, dass es ein Spielzeugtier war, *vielleicht ein grüner Vogel*, der sich nicht besonders von der Wand dort drinnen abhob. Jedenfalls hatte er einen Schnabel. Vielleicht war auch etwas Rot daran. Hatte wie ein Maskottchen ausgesehen.

Der Fahrer hatte sich auf seinem Drehstuhl umgedreht, das Ding mit der Linken heruntergenommen und in seine Aktentasche gesteckt. Aha, hatte Alinder gedacht, Maskottchen. Alle brauchen irgendeine Gesellschaft. Oder vielleicht auch Schutz. Hilfe gegen den Aberglauben. Aber dieses Federvieh hat dem Typ nicht geholfen, hatte er gedacht.

Ein kleiner Vogel, grün.

43

Jerner hatte eine braune Aktentasche bei sich gehabt, die genauso alt zu sein schien wie er selber. Winter hatte sie ja gesehen. Er hatte sie unter dem Arm getragen. Winter hatte gesehen, dass sie neben Jerners Stuhl gelehnt stand, als sie sich erhoben.

Herr im Himmel.

Er spürte, dass er keine richtige Kontrolle über seine Hand hatte. Sie hielt immer noch den verdammten Telefonhörer, der in dieser Nacht fast an ihr festgewachsen war.

Hörte er von draußen Geräusche? Hatte der Morgenverkehr schon eingesetzt? War es schon so früh oder so spät?

Jetzt ganz RUHIG, dachte Winter.

Es gab etwas, das er tun musste, auf der Stelle. Er wählte die Nummer der Leitungszentrale.

»Ja, hallo, Peder, hier ist noch mal Winter. Schick sofort ein Auto an die folgende Adresse.«

Er lauschte dem Kollegen.

»Es ist eine Person mit Namen Mats Jerner«, sagte er. »Nein, ich weiß nicht, welches Stockwerk, ich bin noch nicht dort gewesen. Aber die nächste greifbare Streife muss dahin, und zwar schnell. Was? Nein, wartet draußen. Vor der Tür zur Wohnung, im Treppenhaus, ja. Sie sollen auf mich warten. Ich bin schon unterwegs.« Er musste sich räuspern. »Schick auch einen Schlosser hin. Und zwar schnell.«

Wie fuhr die Linie Drei? Vom Zentrum nach Westen? Nach

Osten? Nach Süden? Jerner hatte sie vielleicht nicht immer gefahren. Hatte sie nicht erst kürzlich die Strecke geändert? Sie fuhr nicht mehr hier unten vorbei, hielt nicht mehr am Vasaplatsen, oder doch?

Er zog sich einen Pullover über den Kopf, stieg in seine Stiefel und zog die Lederjacke an. Als er die Hand auf die Türklinke legte, klingelte es auf der anderen Seite.

Er öffnete, und vor ihm stand Ringmar.

»Bist du auf dem Weg nach draußen, Erik?«

»Wo ist dein Auto?«

»Direkt vor deiner Tür unten.«

»Gut. Ich kann fahren«, sagte Winter. »Komm mit, ich erkläre es dir unterwegs.«

Sie nahmen den Fahrstuhl, Ringmar hatte die Gittertüren halb offen gelassen.

»Es ist Smedsberg«, sagte er, während sie abwärts rasselten.

»Was?«

»Der alte Smedsberg. Georg Smedsberg. Er hat die Studenten überfallen.«

»Wo bist du gewesen, Bertil?«

Ringmars Gesicht wirkte blau in der roten Beleuchtung des Fahrstuhls, mit tiefschwarzen Linien. In seinen Augen brannte etwas. Winter nahm einen Geruch von ihm wahr, den er noch nicht kannte.

»Der Sohn hat es natürlich die ganze Zeit gewusst«, sagte Ringmar. »Oder fast die ganze Zeit.«

»Bist du DA DRAUSSEN gewesen, Bertil?« Winter sah Ringmar von der Seite an, der gerade vor sich hinschaute. »Bist du da ALLEIN hingefahren? Zum Teufel, Bertil, ich hab versucht, dich zu erreichen.«

Ringmar nickte und erzählte seine Geschichte weiter, als ob er Winters Frage nicht gehört hätte.

»Sie waren alle da draußen, alle Jungen. Ich hab ein halbes Kilo Lehm in der Tasche, der das bestätigt, aber diesen Fall lösen wir ohne technische Indizien.«

»Hat er gestanden?«, fragte Winter.

Ringmar antwortete nicht darauf, fuhr in seinem Bericht fort: »Ich bin reingekommen, als er gerade wer weiß was mit dem Jungen machen wollte. Dem Sohn. Dann musste ich nur noch zuhören. Er wollte erzählen. Hatte auf uns gewartet, sagte er.«

Sie waren unten. Winter öffnete die Tür, und Ringmar folgte ihm, fast zögernd, immer noch gefangen in seinem Bericht. Ihre Schritte hallten wider im Hauseingang, und auch Ringmars Stimme hallte wider: »Der Sohn hat uns darauf gebracht. Er wusste, dass der Vater die anderen ... warnen wollte, sie warnen, damit sie nichts sagten ... dass er es schon getan hatte ... und es wieder tun würde ... deswegen ist Gustav mit seinem Märchen zu uns gekommen.«

Sie standen auf dem Trottoir. Ringmars Dienstwagen war warm, als Winter die Motorhaube berührte.

»Ich fahre«, sagte er. »Her mit den Schlüsseln.«

»Aber ein richtiges Märchen war das ja nicht, oder?«, sagte Ringmar im Auto. »Es gab ja solche Brandeisen, wir haben das überprüft und sind bei Carlström gelandet. Und von ihm zum alten Smedsberg. Oder war es umgekehrt?« Ringmar strich sich über die Nase und holte tief Luft. »Der Junge hatte gehofft, wir würden auf seinen Vater stoßen.« Er sah Winter an. »Er traute sich nicht, selbst was zu sagen. Er hatte zu viel Angst und wusste, dass er dem Alten nie entkommen würde.«

»Hat er das zu dir gesagt?«, fragte Winter. Er bog bei Rot in die einsame Allén ein. Die Ampeln funktionierten nicht.

»Er ist mit mir zurückgefahren«, sagte Ringmar.

»Himmel, wo ist er denn jetzt?«

»Bei sich zu Hause.«

»Bist du sicher?«

Ringmar nickte.

»Und du glaubst das alles?«

»Ja.« Ringmar wandte sich zu Winter. »Du warst nicht dabei, Erik. Du hättest es verstanden.«

»Und wo ist der alte Smedsberg?«

»Im Augenblick bei den Kollegen in Skövde«, sagte Ringmar und sah auf die Uhr. »Scheiße, ist es schon so spät?« Er sah Winter wieder an. »Sie waren da draußen, die Jungs, und haben gesehen, wie der Alte auf den Sohn losgegangen ist. Die Details weiß ich nicht genau, aber sie haben den Kerl überrascht. Der Junge, Gustav, war wie gelähmt. Der Vater hat sich an ihm vergriffen.« Ringmar kratzte sich im Gesicht. »Das scheint lange so gegangen zu sein.« Er kratzte sich wieder, Winter hörte das Geräusch von den Bartstoppeln an seinem Kinn. »Kaputt, der Junge natürlich. Kaputt.« Er kratzte und kratzte. »Es ist nicht zu sehen, aber es ist da, drinnen. Zerstört von seinem Vater. Es kam …«

»Bertil.«

Ringmar zuckte zusammen, als ob er aus einer anderen Dimension erwachte. Winter kam das Wort in den Sinn, Dimension. Wir bewegen uns hier in verschiedenen Dimensionen, der ersten, der zweiten, der dritten. Himmel, Meer, Erde, hinein und hinaus, nach unten und nach oben. Träume, Lügen.

Er fuhr dauernd bei Rot in einem System, das in den fröhlichen Weihnachtsfarben geschlossen zu sein schien, fuhr einen Halbkreis am alten Ullevi vorbei, *Göteborgs-Posten*, Hauptbahnhof. Es war früh am Morgen, aber immer noch schwarze Nacht. Neben den Bahngleisen standen dunkle Taxis. *Follow the tracks*, dachte Winter.

»Er hat sie in der Stadt besucht«, fuhr Ringmar fort. »Tja … den Rest kennen wir ja.«

»Dann hat er also Carlström das Eisen gestohlen?«, fragte Winter.

»Ja.«

»Das ist nicht die einzige Verbindung«, sagte Winter.

»Wie meinst du das?«

»Smedsberg war mit Gerda verheiratet, der früheren Nachbarin von Carlström. Erinnerst du dich?«

»Klar, wir haben das doch überprüft.«

»Ich glaube, dass Carlström und Gerda Smedsberg ein Verhältnis miteinander hatten.«

»Was bringt dich dazu, das zu glauben?«

»Lies noch mal in den Akten, Bertil. Denk darüber nach, wie die Leute agiert haben. Du wirst es sehen.«

»Spielt das eine Rolle?«, fragte Ringmar.

»Carlströms Pflegesohn, Mats Jerner, war Smedsberg nicht unbekannt«, sagte Winter. »Das hab ich von Anfang an geahnt. Das war ganz offensichtlich.«

»Und?«

»Smedsberg hat genauso viel Schuld daran. Er ... hat Mats Jerner wahrscheinlich missbraucht. Ich bin fast davon überzeugt, dass er auch Mats Jerner übel mitgespielt hat. Oder ein anderer von denen hat es getan. Hat ihn sexuell benutzt. Smedsberg hat genauso viel Schuld an dem, was passiert ist.«

»Genauso viel Schuld woran, Erik?«, fragte Ringmar, dem jetzt zum ersten Mal bewusst zu werden schien, dass sie irgendwohin unterwegs waren. Er sah sich um, als sie über eine Brücke fuhren. »Wohin fahren wir eigentlich?«

»Zu Mats Jerner«, sagte Winter.

Sie waren auf der Brücke. Überall brannten Lichter wie in einer Kuppel, die sich rundum über Erde und Meer erhob. Als ob die Stadt lebte, dachte Winter. Aber sie lebt nicht.

Sie waren allein auf dem höchsten Punkt der Stadt und fuhren wieder nach unten. Winter sah das Wasser im Spiegel der Öltanks glitzern, die das Schönste waren, was es dort gab. Sie begegneten einer Straßenbahn und einem Bus. Beide ohne Fahrgäste.

»Ich habe auch Neuigkeiten«, sagte Winter und fasste innerhalb von einer Minute seinen Heiligabend zusammen. Sie waren jetzt in der Nähe vom Backaplan. Er bog nach rechts und dann nach links ab, spürte das Adrenalin durch seinen Körper strömen, eine Wärme, die ihn kühlte.

»Es könnte ein Zufall sein«, sagte Ringmar. »Es gibt viele, die stottern, und viele, die ein Maskottchen haben.«

»Nein, nein, nein, nein.«

»Doch, doch, doch.«

»Wir müssen ihm sowieso einen Hausbesuch abstatten«, sagte Winter und parkte das Auto. Er sah das diskrete Blaulicht der Kollegen den Himmel über dem Wohngebiet erhellen, wo Jerner in einem der dreistöckigen Häuser wohnte. Fast schon dämmerte der neue Tag.

Vor dem Haus wartete die Polizei von Hisinge. Das Licht war jetzt abgeschaltet. Der Streifenwagen war sehr verschmutzt, als ob er eben erst über einen Lehmacker gefahren wäre.

»Wir waren nicht sicher, ob es A oder B ist«, sagte einer der Inspektoren und zeigte auf die Hauseingänge.

»Haben Sie irgendjemanden kommen oder gehen sehen?«, fragte Winter.

»Nicht seitdem wir hier sind, etwa zehn Minuten.«

Ein Auto kam und parkte auf dem Parkplatz gegenüber des Hauses. Ein Mann stieg mit einer kleinen Tasche aus.

»Der Schlosser«, sagte Winter in seine Richtung. »Das ging schnell.«

Der Schlosser öffnete ihnen die Haustür. Jerner wohnte im zweiten Stock, die rechte Tür. Winter läutete und hörte es drinnen klingeln. Er trommelte mit den Fingern gegen die gelbe Ziegelwand, die an die Wand in seinem Dienstkorridor erinnerte. Das Echo erstarb und er klingelte noch einmal. Ein Geräusch hinter der gegenüberliegenden Wohnungstür. Er wusste, dass der Nachbar durch den Spion schaute.

»Öffnen Sie die Tür«, sagte er zu dem Schlosser.

»Ist jemand da drinnen?«, fragte der.

»Ich weiß es nicht«, antwortete Winter.

Der Schlosser sah ängstlich aus, hatte die Tür aber in Sekundenschnelle mit seinem Werkzeug geöffnet. Nach dem Knacken sprang er fast beiseite. Winter stieß die Tür mit seiner behandschuhten Hand auf. Er trat über die Schwelle, Ringmar war dicht hinter ihm. Die beiden uniformierten Polizisten warteten im Treppenhaus. Winter hatte den Schlosser gebeten ebenfalls zu warten.

Der Flur wurde vom Straßenlicht erhellt, das durch ein Fenster in einem Zimmer am anderen Ende der Wohnung fiel. Das Straßenlicht begann sich schwach mit dem Tageslicht zu mischen. Winter sah eine offene Tür und die Ecke von einem Sofa. Er hörte Bertil atmen.

»Ich mach Licht an«, sagte er.

Er sah Bertil blinzeln. Auch er merkte, wie stark das Licht war, 60 Watt oder mehr.

Auf dem Fußboden lagen Schuhe und Kleidung verstreut. Vor seinen Füßen lag etwas, er bückte sich und sah, dass es eine Schnur mit einem ausgefransten Ende war.

Er stieg über Stiefel in Männergröße hinweg. Ringmar war

auf dem Weg zum Ende des Flurs und knipste auch dort Licht an. Winter ging zu ihm und gemeinsam starrten sie zur Decke, die unwillkürlich ihren Blick anzog.

»Was zum Teu…«, sagte Ringmar.

Die Decke war zweigeteilt. Links war sie schwarz mit leuchtenden gelben Sternen, alle etwa fünfzehn Zentimeter groß. Rechts ein blauer Himmel mit Wolkentupfern in der Größe der Sterne.

Das Sofa war rot, auf dem niedrigen, breiten Tisch lagen Videokassetten. Links stand ein Fernseher mit einem Videogerät obendrauf.

Auf dem Teppich, der Wellen schlug, lagen Sachen verstreut. Winter hockte sich hin. Er sah ein Spielzeugauto, einen grünen Ball, eine Armbanduhr.

Er war vorbereitet. Ringmar traf es überraschend.

»Jesus«, sagte Ringmar. »Das ist *er*. Das *ist* er.«

Winter richtete sich wieder auf. Sein ganzer Körper schmerzte, als hätte er sich in den letzten vierundzwanzig Stunden sämtliche Knochen gebrochen.

Sie bewegten sich rasch durch die Wohnung. Das Bett war zerwühlt, auf dem Fußboden lagen Zeitungen, auf dem Tisch Essensreste, Butter, Brot. Auf dem Fußboden neben dem Sofa lagen ein Plastikbecher und ein Löffel. Auch in der Tasse waren Reste, etwas Gelbes.

Einen halben Meter von der Tasse entfernt lag ein kleiner Strumpf.

Winter beugte sich über ein Kissen auf dem Sofa und meinte feine Härchen zwischen den Stofffasern zu erkennen.

Es roch in der Wohnung, roch, roch.

»Er ist nicht da«, sagte Ringmar, der aus dem Bad kam. »Der Junge ist nicht da.«

Es ehrt dich, dass du zuerst an den Jungen denkst, dachte Winter.

Sie untersuchten alle Schränke, alle Winkel, drehten alles um.

Im Schlafzimmer entdeckte Winter eine dünne Schnur, die um einen Bettpfosten gewickelt war. An der Schnur waren rote Flecken. Er beugte sich über das Bett und entdeckte einen grünen Papagei, der mit dem Schnabel zur Wand hing. Er war nicht größer als die Sterne am Himmel oder als die Wolkentupfer.

»Warum geht er ohne den weg?«, sagte Ringmar und beugte sich auch darüber.

»Er braucht ihn nicht mehr«, sagte Winter.

»Wie meinst du das?«

»Du willst es nicht hören, Bertil.« Winter nahm das Handy aus der Innentasche seiner Lederjacke. »Und ich will es nicht sagen.« Plötzlich wäre ihm das Handy fast heruntergefallen. Er konnte seine Bewegungen nicht mehr richtig kontrollieren. »Jerner hat ein Auto. Wir müssen nachsehen, ob es draußen steht.«

Er wählte die Nummer und bat um alle Verstärkung der Welt.

Minuten später waren sie immer noch allein in der Wohnung. Winter hatte Bengt Johansson angerufen und dann Hans Bülow. Jetzt hatten sie eine Jagd vor sich.

Auf dem Fußboden im Bad und auf der Spüle war Wasser. Jerner war nicht aus der Welt. Micke konnte nicht weit entfernt sein.

Winter war unten gewesen und hatte den Parkplatz abgesucht. Aber das war sinnlos gewesen. Innerhalb einer halben Stunde würden alle in diesem Haus erzählen müssen, was sie gesehen hatten und was sie wussten.

»Hat niemand darauf reagiert, dass er einen kleinen Jungen hier hatte?«, sagte Ringmar jetzt.

»Wenn sie es mitgekriegt haben«, sagte Winter. »Vielleicht hat er gewartet, bis es dunkel wurde und den Jungen dann hinaufgetragen.«

»Aber dann?«

»Sie sind nicht rausgegangen.«

Ringmar wandte sich ab. Winter stand mitten im Zimmer. Er sah die Videokassetten in ihren schwarzen Schubern, ging zum Tisch und nahm eine nach der anderen in die Hand. Es gab keine Kennzeichnung, keinen Text.

Er sah sich um. Rechts stand ein Regal mit Kassetten, die meisten waren beschriftet. Gekaufte Videos. Er wusste, dass

Pädophile ihre Filme in harmlose Krimis oder Komödien kopierten. Er hatte schon alles zwischen Himmel und Erde gesehen, plötzlich konnte eine fremde Sequenz kommen, ein Kind, das ... das ...

Aber jetzt brauchte er nicht zu schauen.

Pädophil. Wenn Jerner nicht pädophil war, was war er dann? Winter war nicht sicher.

»Hast du hier drinnen eine Kamera gesehen, Bertil?«, fragte er und wedelte mit einer Kassette in Ringmars Richtung.

»Nein.«

Im Videoapparat steckte kein Film. Winter legte eine der Kassetten ein, schaltete auf den Videokanal und ließ das Band laufen. Ringmar stellte sich neben ihn. Sie warteten die Bildstörungen am Anfang ab.

Das Bild hüpfte förmlich hervor, plötzlich, unerwartet scharf. Bäume, Büsche, Gras, ein Ballplatz. Kinder in einer Reihe. Erwachsene an beiden Enden und in der Mitte. Ein Frauengesicht, das Winter erkannte. Eine andere der Frauen hielt eine Kamera in verschiedene Richtungen. Der Ton war schwach. Die Frau auf dem Bild wurde größer, als sie herangezoomt wurde. Ihre Kamera richtete sich auf Winter, der neben Ringmar in dem widerlichen Zimmer stand.

Wir hatten ihn, dachte Winter. *Ich hatte ihn*, ich habe ihn getroffen. Micke war hier, als er bei mir war. Es ist einen halben Tag her, eine Nacht. Ich habe nichts bemerkt.

Jerner hatte genau hier gestanden, wo er jetzt stand, und gesehen, wie sich die Kamera auf ihn richtete. Was hat er gedacht? Hat er es gemerkt? Glaubte er, die Videokamera und die Kappe würden ihn schützen?

Draußen im Flur hing eine karierte Kappe. Sie brauchten sie nicht mehr. Jerner brauchte sie auch nicht.

Auf dem Fernseher tauchte jetzt das Haus auf der anderen Straßenseite auf. Es war, wie etwas illustriert zu sehen, das einem erzählt worden war, dachte Winter, oder was man gelesen hat: ein Buch, das zum Film wird.

Ein schwarzer Schnitt – und dann kam Micke Johansson ins Bild, im Wagen, der von Bengt Johansson geschoben wurde. Winter erkannte die Umgebung, Bertil kannte sie.

»Ruf sie an und sag ihnen, sie sollen ein Auto hinschicken«, sagte er, ohne den Blick vom Bildschirm zu nehmen.

Ringmar telefonierte, und sie schauten weiter: Micke Johansson mit Papa, mit Mama, allein auf einer Schaukel, unterwegs im Buggy, halb schlafend, ein Bein draußen. Auf dem Weg durch den Brunnsparken auf das grell erleuchtete Portal vom Nordstan zu, dem Eingang zu den Kaufhäusern.

»Himmel«, sagte Ringmar. »Das war kurz vorher.«

»Er muss die Kamera mitgenommen haben«, sagte Winter.

Wieder ein schwarzer Schnitt, eine kurze Störung, ein Bild, das stillhielt an einem Tag, der grauer war, feuchter, vielleicht nackter.

»November«, sagte Ringmar.

»Die Chronologie läuft rückwärts auf der Kassette«, sagte Winter.

Das Bild zeigte einen neuen Spielplatz und spielende Kinder. Winter wurde es sofort schlecht: Er erkannte das Haus. Es war Elsas Kindergarten.

Es war Elsa, die dort auf der Schaukel schaukelte.

Es war ihr Gesicht, das so verdammt nah herangezoomt wurde, wie es nur ging, ihr Mund, der geradewegs in diese wunderbare Welt lächelte, in die sie vor noch nicht langer Zeit hineingeboren worden war.

Die Kamera folgte ihr, als sie von der Schaukel stieg und zum Spielhaus lief.

Winter spürte Bertils stützende Hand um seinen Arm.

»Sie ist in Spanien, Erik. Spanien.«

Winter versuchte zu atmen, sich herauszureißen. Er war hier, Elsa war dort, mit Angela, seiner Mutter. Er verspürte den starken Wunsch, sein Handy zu nehmen und in Nueva Andalucía anzurufen.

Er sah sich selbst ins Bild kommen. Die Kamera folgte ihm von der Pforte zur Haustür. Er verschwand. Die Kamera wartete, hielt ganz still. Winter drehte sich um. Er war in diesem Film, er war jetzt dort!

Auf der anderen Straßenseite gibt es eine kleine Anhöhe vor dem Friedhof. Dort hat Jerner gestanden.

Die Kamera wartete. Er und Elsa kamen heraus. Er sagte

etwas, und sie lachte. Sie gingen Hand in Hand zur Pforte. Er hob sie hoch, und sie versuchte das Tor zu öffnen. Sie gingen hinaus und schlossen es wieder. Er hob Elsa auf den Vordersitz seines Mercedes und schnallte sie in ihrem Kindersitz fest. Ich bin Kriminalkommissar, aber ich bin auch Vater.

Die Kamera folgte dem Auto, als es davonfuhr. Blinker nach rechts, dann verschwand es um die Ecke.

Schwarzer Bildschirm. Winter sah die andere Kassette auf dem Tisch liegen. Wir haben sie nicht in der richtigen Reihenfolge angesehen, dachte er. Auf der da sind Kalle Skarin, Ellen Sköld, Maja Bergort und Simon Waggoner. Vorher und währenddessen. Vielleicht danach. Es waren zukünftige Opfer. Ein neues Auto, ein neuer Spielplatz.

»Es kommt noch mehr«, sagte Ringmar.

Ein anderer Spielplatz, Schaukeln im Hintergrund, Rutschbahn, ein abgenutzter hölzerner Zug, in dem Kinder herumkriechen können. Die Farben des Zuges entfernten sich von dort, während der Zug selber nirgendwohin gelangen würde.

»Plikta«, sagte Ringmar.

Winter nickte, immer noch in Gedanken bei Elsa.

»Der Schaffner«, sagte Ringmar.

Ein kleiner Junge von vielleicht vier Jahren sammelte die Fahrkarten ein. Die Kinder setzten sich. Die Kamera verharrte beim Schaffner, auch als er keine Lust mehr hatte und wegging. Die Kamera folgte ihm auf dem Weg zurück zu den Schaukeln und begleitete ihn beim Schaukeln, vor und zurück, vor und zurück, der Fotograf machte dieselben Bewegungen mit der Kamera. Es kamen mehr Bilder von demselben Jungen, in anderer Umgebung. Die Sonne schien, es regnete, Wind zerrte an den Bäumen.

»Wer zum Teufel ist das?«, sagte Ringmar, und Winter hörte die Verzweiflung in seiner Stimme. »Wer ist der Junge?«

Sie sahen den Kleinen stolpern und fallen. Er fing an zu weinen nach der üblichen Verblüffung, bevor der Schmerz kam. Sie sahen eine Frau herbeilaufen. Sie beugte sich über ihn und tröstete ihn. Winter erkannte sie. Er konnte sich aber nicht an ihren Namen erinnern. Doch. Ingemarsson. Margareta Ingemarsson.

»Das ist der Kindergarten in der Marconigatan«, sagte er. »Sie arbeitet dort.«

»Puuuh«, sagte Ringmar. »Gut. Wir brauchen sie sofort und müssen ihr das hier zeigen. Sie wird uns sagen können, wer der Junge ist.«

»Ruf Peder in der Leitungszentrale an. Er ist noch da, und er hat was auf dem Kasten.«

Winter hob den Kopf und sah vor dem Fenster den Morgen heraufziehen, ein schwerer Dunst. Plötzlich hörte er Millionen Geräusche draußen im Flur. Sie waren alle hier.

44

Die Erzieherin von der Marconigatan war zu Hause, sie wurde von der Zentrale weiterverbunden zu Winter, der immer noch in Jerners Zimmer stand. Er konnte den Jungen nicht am Telefon beschreiben. Nein, Winter, störe nicht, aber ehrlich gesagt sei sie noch nicht richtig wach.

Winter fuhr nach ihren Angaben in Richtung Rathaus in Grimmered.

»Krieg ich mein Auto irgendwann auch mal wieder?«, hatte Ringmar gefragt, als Winter die Wohnung verließ.

»Ich hoffe es«, hatte Winter geantwortet. »Rufst du in Skövde an?«

»Schon erledigt«, hatte Ringmar geantwortet. »Sie sind auf dem Weg zu dem Haus des Alten.«

Das ist eine Möglichkeit, dachte Winter, als er durch den Morgen fuhr. Jerner auf dem Weg zurück zum alten Zuhause auf dem Land. Er könnte schon dort sein. Natanael Carlström könnte ihn schon empfangen haben.

Aber Carlström konnte nichts wissen.

Winter erinnerte sich an seine Telefonnummer. Er rief vom Auto aus an. Nach dem sechsten Klingeln drückte er auf Aus und wählte wieder, aber auch diesmal meldete sich niemand.

Er begegnete drei Taxis auf der Schnellstraße, und das war alles. In Kungsten stand ein einsamer Bus in seinen qualmenden Abgasen und wartete auf niemanden. Niemand war auf der Straße. Der Schnee bedeckte sie wie dünner Puder, der vom geringsten Wind weggeblasen werden könnte, aber im Augenblick regte sich kein Wind über der Stadt.

Er sah drei Funkstreifen aus dem Tunnel kommen. Er hörte ein schnelles Signal und sah ein weiteres blauweißes Auto von Högsbohöjd herunterkommen.

Über Funk wurden Anweisungen für die Jagd nach Jerner und dem Kind gegeben.

Er bog vom Grimmeredsvägen ab und fand die Adresse. Der Tannenbaum auf dem Grundstück leuchtete zaghaft. Winter dachte an Ringmars Nachbarn. Hatte Ringmar ihn gestern noch umgebracht?

Über dem Berg hinter dem Holzhaus leuchtete es zwischen Feuergelb und Winterblau. Es würde ein schöner Weihnachtstag werden. Es war kalt. Es war nach neun.

Sie war angezogen, als sie öffnete. Neben ihr stand ein Mann, zerzauste Haare, rote Augen, Kater.

»Kommen Sie herein«, sagte sie. »Das Videogerät ist hier drinnen.«

Er ließ den Film bis zu der Szene mit dem Jungen und ihr laufen. Der Mann roch nach Schnaps. Ihm schien schlecht zu werden, als er die Szene gesehen hatte.

»Das ist Mårten Wallner«, sagte sie sofort.

»Wo wohnt er?«

»Sie wohnen in der ... die Adressenliste hängt am Kühlschrank ... es ist hier in der Gegend ...«

Winter rief von der Küche aus an.

»Mårten ist schon auf dem Spielplatz«, sagte seine Mutter. »Er ist morgens immer sehr munter.«

»Allein?«

»Ja.« Er hörte sie atmen. »Um was geht es?«, fragte sie mit einer neuen Schärfe in der Stimme.

»Holen Sie ihn«, sagte Winter, ließ den Hörer fallen und stürmte in den Flur.

»Ich hab's gehört«, sagte die Erzieherin. »Der Spielplatz ... wenn es der ist ... der liegt auf der anderen Seite des Berges. Von hier aus ist es näher.«

Sie zeigte ihm den Weg, und er lief durch das Reisig. Man

konnte nie wissen, NIE. Er sah Elsas Gesicht von Jerners Aufnahmen vor sich.

Auf dem Gipfel des Berges wuchsen Tannen und unten sah er einen kleinen Spielplatz. Und er sah ein Kind mit Mütze an der Hand eines Mannes, der eine dicke Jacke und ebenfalls eine Mütze oder Kappe trug. Beide entfernten sich vom Spielplatz. Winter sah nur den Rücken, und er rutschte den Abhang auf dem Hosenboden hinunter, schürfte sich den Schenkel auf dem hart gefrorenen Schotter unter der dünnen Schneeschicht auf. Er rief, der Junge drehte sich um, und der Mann drehte sich um. Die beiden blieben stehen.

»Wir sind's nur«, sagte der Mann. Der Junge sah Winter an und dann auf zu seinem Papa.

Ringmar bereitete ein baskisches Omelett in der Küche zu, Winter hatte ihm erklärt, wie man es macht, bevor er sich ins Wohnzimmer gesetzt und Angela angerufen hatte.

Er würde nichts von den Aufnahmen sagen, nicht jetzt.

»Himmel«, sagte sie, »aber ihr müsst ihn doch wohl finden?«

Sie meinte den Jungen.

Das war eine schwere Frage. Sie wussten, wer der Täter war, aber nicht, *wo* er war. Üblicherweise ist es immer andersherum: Man hatte den Körper eines Opfers, aber die Identität des Täters war unbekannt. Manchmal kannte man die Identität von beiden nicht.

Kinder verschwanden und kehrten nie wieder nach zu Hause zurück. Niemand wusste etwas, erfuhr jemals etwas.

»Wir versuchen alles zu bedenken«, sagte er.

»Wann hast du zuletzt geschlafen?«

»Ich weiß es nicht.«

»Ist das schon achtundvierzig Stunden her?«

»Irgendso was.«

»Dann kannst du jetzt nicht funktionieren, Erik.«

»Danke, lieber Doktor.«

»Ich meine es ernst. Du kannst dich nicht noch mal vierundzwanzig Stunden nur mit Zigarren und Kaffee wachhalten.«

»Zigarillos.«

»Du musst etwas essen. Himmel, jetzt red ich wie eine Mutter.«

»Bertil macht gerade ein baskisches Omelett. Ich rieche schon die angebrannten Paprika.«

»Sie müssen angebrannt sein«, sagte sie. »Aber, Erik, du musst dich ein wenig ausruhen. Eine Stunde. Du hast doch Kollegen.«

»Ja, ja. Mein Kopf ist im Augenblick so voll. Bertil geht es genauso.«

»Und wie geht es ihm sonst?«

»Er hat mit seiner Frau gesprochen, will mir aber nicht erzählen, worüber. Aber er ist ... ruhiger.«

»Wo ist Martin?«

»Ich weiß es nicht. Ich weiß nicht, ob Bertil es weiß. Ich habe noch nicht gefragt. Er erzählt es mir schon, wenn er will.«

»Grüß ihn von mir.«

»Mach ich.«

Winter hörte Ringmar aus der Küche rufen.

»Leg dich ein paar Stunden hin«, sagte sie.

»Ja.«

»Was tust du dann?«

»Bei Gott, ich weiß es nicht, Angela. Ich denk beim Essen drüber nach. Wir suchen ja überall.«

»Hast du die Buchung storniert?«

»Was? Für morgen?«

Sein Ticket für den späten Nachmittagsflug nach Málaga, zwei Wochen später zurück. Es lag auf dem Flurtischchen wie eine Art Erinnerung.

»Klar mein ich die«, sagte sie.

»Nein«, sagte er, »ich werde den Flug nicht stornieren.«

»Wo zum Teufel sind sie«, sagte Ringmar über den Tisch, aber mehr zu sich selbst.

Sie versuchten eventuelle Freunde von Jerner zu finden, Kollegen von ihm, Verwandte, die es nicht gab. Er schien keine Bekannte zu haben.

In den letzten Tagen war er krankgeschrieben gewesen. Als er bei Winter war, kam er nicht von der Arbeit. Er ist direkt *dorthin* zurückgefahren, hatte Winter gedacht, als er die Information bekam.

Vielleicht nur, um abzuhauen. Wohin?

Winter schaute von seinem Teller auf. Ihm war etwas schwindlig gewesen, als er sich gesetzt hatte, aber das war jetzt vorbei.

»Wir fahren raus zu dem Alten«, sagte er.

»Carlström? Warum? Die von Skövde sind doch dort gewesen.«

»Darum geht es nicht ... da ist etwas ... anderes, das irgendwie mit Carlström zu tun hat.«

Er schob den Teller beiseite. »Verstehst du? Etwas, das uns vielleicht hilft.«

»Ich weiß nicht, ob ich das verstehe«, sagte Ringmar.

»Er hat was gesagt. Oder auch nicht gesagt. Und bei ihm zu Hause ist ... auch etwas. Ich hab da was gesehen. Glaub ich.«

»Okay«, sagte Ringmar. »Hier in der Stadt können wir im Augenblick sowieso nichts mehr tun. Warum nicht.«

»Ich fahre«, sagte Winter.

»Schaffst du das?«

»Nach dieser stärkenden Mahlzeit? Machst du Witze?«

»Wir können auch einen Fahrer auftreiben«, sagte Ringmar.

»Nein. Die Leute werden alle für die Türklopfaktion gebraucht.«

Das Telefon klingelte.

»In einer Stunde Pressekonferenz«, sagte Birgersson.

»Die musst du allein machen, Sture«, erwiderte Winter.

Winter rauchte einen Zigarillo, bevor sie losfuhren. Das Nikotin machte ihn wieder munter. Er schaute nicht zu den Schlagzeilenplakaten beim Zeitungskiosk.

Die Stadt war leer. Vielleicht normal für einen Weihnachtstag. Jetzt ging auch er seinem Ende zu. Über Pellerins Margarinefabrik lauerte die Dämmerung.

»Ich hab noch mal in Skövde angerufen«, sagte Ringmar. »Nichts bei Carlström, keine Reifenspuren, die hätten sie im Schnee gesehen.« Er stellte den Funk ein. »Und der alte Smedsberg schweigt in seiner Zelle.«

»Hm.«

»Und jetzt fängt es an zu schneien«, sagte Ringmar. Er spähte schräg nach oben durch die Windschutzscheibe. »Die Spuren verschwinden jetzt wieder.«

Sie hatten einen neuen und schnelleren Weg zu Carlströms Hof gefunden. Unterwegs kamen sie an Smedsbergs Hof vorbei. Es schien lange geschneit zu haben dort auf dem Land.

Winter hatte ihren Besuch nicht angekündigt, aber Carlström schien mit ihnen gerechnet zu haben.

»Entschuldigung, wenn wir schon wieder stören«, sagte Winter.

»Sparen Sie sich die Floskeln«, sagte Carlström. »Möchten Sie eine Tasse Kaffee?«

»Ja, bitte.«

Carlström ging zum Herd, der zu glühen schien. Winter konnte sich keinen Ort vorstellen, der wärmer war als diese kleine Küche. Vielleicht die Hölle, aber er war der Überzeugung, dass es dort kalt sein musste.

Diese Wärme hier drinnen würde ihn mitten in einem Satz einschlafen lassen.

»Was für eine schreckliche Geschichte«, sagte Carlström.

»Wo kann Mats jetzt sein?«, fragte Winter.

»Ich weiß es nicht. Hier ist er nicht.«

»Nein, das weiß ich. Aber wohin könnte er gefahren sein?«

Carlström gab Kaffee in den Kessel, indem er gegen die rostige Dose tippte.

»Er hatte das Meer gern«, sagte er schließlich.

»Das Meer?«

»Das flache Land mochte er nicht«, sagte Carlström. »Es sieht zwar aus wie ein Meer, aber es ist ja keins.« Er drehte sich um. Winter sah eine Wärme in seinen Augen, die vielleicht immer dort gewesen war, die er aber vorher nicht bemerkt hatte. »Er lief herum und dachte sich Phantasien über den Himmel da oben aus, die Sterne und so, und das Flachland, das ein Meer war.«

»Das Meer«, wiederholte Winter und sah Ringmar an. »Kennen Sie eine Stelle, wo er manchmal hingefahren ist? Eine Person?«

»Nein.«

Carlström kam mit dem Kaffee. Auf dem Tisch standen merkwürdig kleine Tassen, merkwürdig elegant. Winter starrte auf sie herunter. Sie sagten ihm etwas. Es hing mit dem zusammen, das ihn dazu gebracht hatte, hierher zu fahren.

Ringmar erzählte von Georg Smedsberg.

Carlström brummte etwas, das sie nicht verstanden.

»Wie bitte?«, sagte Winter.

»Er war es«, sagte Carlström.

»Ja«, antwortete Ringmar.

»Warten Sie mal«, sagte Winter, »was meinen Sie damit, er war es?«

»Es war seine Schuld«, sagte Carlström und starrte in die kleine Tasse, die in seiner Hand verborgen war. Die Hand zitterte leicht. »Es war seine Schuld. Sonst ... wäre das nicht passiert.«

Winter sah es. Jetzt kam es, er wusste jetzt, warum sie wieder hierher gekommen waren. Es hatte ihm keine Ruhe gelassen. Er erhob sich. Jesus im Himmel.

Hatte er es beim zweiten Mal gesehen oder schon beim ersten? Aber er hatte nicht daran gedacht, es nicht verstanden.

»Entschuldigung«, sagte er und verließ die Küche. Im Vorraum stand der Schrank in der hinteren Ecke, die nackte Deckenlampe warf ein schwaches Licht auf den oberen Teil, und dort stand eine kleine Ansammlung von Fotografien in altmodischen Rahmen, die matt silbern oder golden schimmerten. Sie hatte Winter gesehen, nur ein flüchtiger Blick im Vorbeigehen auf etwas, das es in allen Häusern gab, und er hatte das Gesicht gesehen, das zweite von links. Es war eine junge Frau, blond und mit blauen Augen. Der Grund, warum er sich *erinnerte*, diese Fotografie in seiner Erinnerung neu erschaffte, waren ihre Gesichtszüge, die er später wiedererkannt hatte, gestern oder wann zum Teufel es gewesen war, Heiligabend, in seinem Dienstzimmer. Ihr Gesicht war in seiner Erinnerung hängen geblieben, die Augen, die ihn jetzt mit einer eigentümlichen Schärfe anstarrten.

Er ging näher. Die Frau zeigte ein vorsichtiges Lächeln, das erloschen war, nachdem die Aufnahme gemacht war. Die Ähnlichkeit mit Mats Jerner war verblüffend, erschreckend.

Schon einmal hatte er das Gesicht als gerahmtes Porträt auf dem Sekretär in Georg Smedsbergs Küche gesehen. Jetzt erinnerte er sich daran. Auf dem Foto war die Frau in mittleren Jahren gewesen und hatte ein vorsichtiges schwarzweißes Lächeln gelächelt. Das ist meine Frau, hatte Smedsberg gesagt. Gustavs Mutter. Sie hat uns verlassen.

Er hörte ein Schlurfen auf der Schwelle, das Geräusch von Carlströms Pantoffeln.

»Ja«, sagte Carlström nur.

Winter drehte sich um. Bertil stand hinter Carlström.

»Es ist viele Jahre her«, sagte Carlström.

»Was ist passiert?«, war alles, was Winter hervorbrachte. Offene Fragen.

»Sie war noch sehr jung«, sagte Carlström. Er ließ sich auf den nächsten Stuhl sinken, der einzige im Vorraum. Er sah in Winters fragendes Gesicht.

»Nein, nein, ich bin nicht Mats' Vater. Sie war sehr jung, wie gesagt. Niemand weiß, wer es war. Sie hat es nicht verraten. Ihre Eltern waren alt und hatten keine Kraft mehr. Ich weiß nicht, ob die Schande sie umgebracht hat, aber es ist schnell gegangen. Einer nach dem anderen.«

»Haben Sie ... sich um sie gekümmert?«, fragte Winter.

»Ja. Aber erst hinterher.«

»Wonach?«

»Nach ... dem Jungen. Nachdem sie ihn bekommen hatte.«

Winter nickte und wartete.

»Sie kam ... ohne ihn zurück. Es ist besser so, hat sie gesagt.« Carlström machte einen gequälten Eindruck. Winter war jetzt hellwach, wie wiedererweckt. »Sie hatten wohl Kontakt, aber ...«

»Was ist dann passiert?«

»Dann ... ja, das wissen Sie ja. Dann hat sie ... *ihn* getroffen.«

»Georg Smedsberg?«

Carlström antwortete nicht, als ob er den Namen des Mannes nicht aussprechen wollte.

»Er hat es getan«, sagte Carlström jetzt und schaute auf. Winter sah Tränen in seinem Gesicht. »Er war es. Er war es.

Er hat den Jungen kaputtgemacht.« Er sah sich um, sah Winter an und dann Ringmar. »Der Junge ... war schon vorher gestört, aber Smedsberg hat ihn ganz kaputtgemacht.«

»Was ... wusste Gerda?«, fragte Winter.

Carlström antwortete nicht.

»Was wusste sie?«, wiederholte Winter.

»Da hatten sie schon den zweiten Jungen bekommen«, sagte Carlström, als ob er die Frage nicht gehört hätte.

»Den zweiten Jungen? Meinen Sie Gustav?«

»Sie war schon ein wenig in den Jahren«, sagte Carlström. »Einer kam früh und der andere spät.« Er bewegte sich wieder auf dem knarrenden Stuhl. »Und dann ... und dann ... ist sie verschwunden.«

»Was ist passiert?«

»Es gibt einen See in der anderen Gemeinde ...«, sagte Carlström. »Sie *wusste* es. Sie wusste es. Sie war nicht ... gesund. Vorher auch nicht.«

Carlström senkte den Kopf wie zum Gebet. Vater unser, der du bist im Himmel ... dein Reich komme, wie im Himmel so auch auf Erden. Carlström hob den Kopf. »Ich musste mich um ihn kümmern, Mats ... als sie es nicht schaffte. Er ist hierher gekommen.« Langsam erhob er sich. »Den Rest wissen Sie.«

Wie viel wussten die Sozialbehörden?, dachte Winter. Es war ungewöhnlich, dass ein allein stehender Mann sich um ein Kind kümmern durfte, er hatte schon einmal darüber nachgedacht. Aber Carlström war für ... vertrauenswürdig gehalten worden. War er vertrauenswürdig gewesen?

»Ich würde es Ihnen sagen, wo Mats ist, wenn ich es nur wüsste«, sagte Carlström.

»Es gibt noch einen Ort«, sagte Ringmar.

Sie schwiegen, während sie über die Felder fuhren. Der Abstand zwischen den beiden Höfen erschien ihnen diesmal kürzer. Smedsbergs Wohnhaus wurde vom Stall verdeckt, als sie aus dieser Richtung kamen. Die Dämmerung und der Schneefall verschlechterten die Sicht. Der Weg war kaum noch vom Feld zu unterscheiden, das am Horizont mit dem Himmel verschmolz. Vor ihnen waren keine Spuren im Schnee. Auf dem Hof gab es auch keine Spuren. Winter hielt zwanzig Meter vom Haus entfernt. Wenn es Spuren gegeben hatte, dann hatte der Schnee sie inzwischen bedeckt.

Im ersten Stock leuchtete ein Fenster.

Ringmar öffnete eine der Stalltüren und machte Licht. Der Boden war mit Rinde und Spänen bedeckt.

»Hier hat vor nicht allzu langer Zeit ein Auto gestanden«, sagte er und meinte damit nicht Smedsbergs Toyota, der immer noch rechts stand.

Winter öffnete die Haustür mit einem Dietrich. Das Licht vom Obergeschoss fiel auf die Treppe ganz hinten im Vorraum.

»Haben die Bullen aus Skövde vergessen, das Licht auszumachen?«, sagte Ringmar.

»Glaub ich nicht«, sagte Winter.

Auf der Spüle lag ein Päckchen Butter, daneben stand ein Glas, in dem vermutlich Milch gewesen war.

»Nur ein Glas«, sagte Ringmar.

»Vermutlich hat der Junge daraus getrunken«, sagte Winter.

»Sie sind heute hier gewesen«, sagte Ringmar.

Winter schwieg.

»Er hat es geschafft, die Stadt zu verlassen«, fuhr Ringmar fort. »Es ist uns nicht gelungen, ihn einzukreisen. Wie hätten wir das auch schaffen sollen?«

»Er war nicht lange hier«, sagte Winter. »Es war nur für eine kurze Weile ein Zufluchtsort.«

»Warum nicht bei Carlström?«

»Er wusste, dass wir dorthin kommen würden.« Winter sah sich in der Küche um, die nach Feuchtigkeit und Kälte roch. »Er rechnete damit, dass dieser Ort abgesperrt und vergessen war.«

»Wie konnte er so sicher sein?« Während er das sagte, erstarrte Ringmar ebenso wie Winter erstarrte.

»Verdammte Scheiße!«, rief Winter. Er riss sein Handy hervor und brüllte seinem Kollegen in der Leitungszentrale Gustav Smedsbergs Adresse zu, Chalmers' Studentenwohnheim, Zimmernummer. »Aber bleibt draußen, Privatwagen, vielleicht ist er dort, oder er kommt dorthin. Er könnte jetzt unterwegs sein. Verschreckt ihn nicht. Okay? VERSCHRECKT IHN NICHT. Wir sind unterwegs.«

»Ich war blind, BLIND«, sagte Ringmar, während Winter nach Süden fuhr. Es wurde rasch dunkel. »Ich war so ... mit mir beschäftigt, als ich heute Nacht hier draußen war.«

»Der alte Smedsberg hat die Jungen misshandelt«, sagte Winter.

»Himmel, Erik. Ich hab Gustav zurückgebracht! Ich hab dafür gesorgt, dass Jerner ein Versteck findet! Zwei übrigens! Gustav muss ihm erzählt haben, dass der Alte in Untersuchungshaft sitzt und das Haus leer ist.« Ringmar schüttelte den Kopf. »Ich hab ihm Zeit gegeben. Die Zeit, die er uns genommen hat.«

»Wir wissen nicht, ob er bei Gustav war«, sagte Winter.

»Er ist dort gewesen«, sagte Ringmar. »Es ist sein Bruder.«

Die Erkenntnis hatte sie wie ein Faustschlag getroffen, als Natanael Carlström erzählte. Die Wahrheit. Winter war überzeugt, dass er die Wahrheit gehört hatte. Gustav Smedsberg und Mats Jerner waren Brüder, Halbbrüder. Sie waren nicht zusammen aufgewachsen mit derselben Mutter und demselben Mann, der ihre Leben zerstört hatte, zumindest das des einen.

Warum hatte Carlström Georg Smedsberg nicht schon lange angezeigt? Wie lange hatte er es gewusst? Hatte Mats es erst spät erzählt? Vielleicht erst Heiligabend? Hatte Carlström deswegen angerufen? Konnte er es nicht am Telefon erzählen?

»Ich möchte wissen, wann sie erfahren haben, dass sie Brüder sind«, sagte Ringmar.

»Wir werden Gustav fragen«, sagte Winter.

Sie fuhren an Pellerins Margarinefabrik vorbei. Der Verkehr hatte inzwischen zugenommen.

Im Zentrum bewegten sich Leute auf den Straßen wie an einem gewöhnlichen Samstagabend, mehr als an einem gewöhnlichen Feiertag.

»Heutzutage ist der erste Weihnachtstag ein Tag, an dem man unterwegs ist«, sagte Ringmar mit eintöniger Stimme.

Vor dem *Panorama* warteten Taxis. Die Glaswände des Hotels waren mit einem Sternenmuster verziert.

Winter parkte vor dem Studentenheim. Die meisten Fenster waren genauso dunkel wie die Fassade.

Bergenhem und Börjesson rutschten auf den Rücksitz.

»Niemand ist herausgekommen oder hineingegangen«, sagte Bergenhem.

»Wirklich niemand?«

»Nein.«

»Dann gehen wir jetzt rein«, sagte Winter.

45

Winter klopfte an Gustav Smedsbergs Tür. Nach dem zweiten Klopfen öffnete er. Er ließ die Klinke los und ging zurück durch den Vorraum, ohne zu grüßen oder etwas zu sagen.

Warum ist er allein gelassen worden?, dachte Ringmar. Das hätte nicht passieren dürfen.

Sie folgten Gustav in das Zimmer, das in Richtung Mossens schaute. Die Hochhäuser auf dem gegenüberliegenden Hügel ragten in den Himmel. Das Feld darunter lag verlassen da und war gefleckt von schwarzem Schnee.

Gustav Smedsberg blieb wortlos stehen.

»Wo ist Mats?«, fragte Winter.

Gustav Smedsberg zuckte zusammen.

»Es eilt«, sagte Winter. »Es geht um das Leben eines kleinen Jungen.«

»Woher wissen Sie ... von Mats?«, fragte Smedsberg.

»Das erzählen wir Ihnen später«, sagte Winter, »aber jetzt EILT es.«

»Was soll das bedeuten ... ein Junge?«

»Ist Mats hier gewesen?«, fragte Ringmar.

Gustav Smedsberg nickte.

»Wann?«

»Ich weiß ni... irgendwann heute Morgen. Heute Nacht.«

»War er allein?«

»Ja ... von was für einem Jungen reden Sie?«

»Haben Sie keine Zeitungen gelesen oder ferngesehen oder Radio gehört?«

»Nein …«

Winter sah, dass er wirklich nichts wusste.

»Hat Mats nichts gesagt?«

»Wovon?«

Winter erzählte rasch.

»Sind Sie ganz sicher?«

»Ja. Wir sind ja in seiner Wohnung gewesen.«

»Oh, Scheiße.«

»Was hat er gesagt?«

»Dass er … verreisen will. Weit weg.«

»Allein?«

»Er hat von niemand anders gesprochen. Keinem Jungen … oder so.«

»Weit weg? Haben Sie von mir erzählt?«, fragte Ringmar. »Was bei … Ihnen zu Hause passiert ist? Und mit … Georg. Gestern Nacht.«

»Ja …«

»Was hat er da gesagt?«

»Er hat … geweint. Er hat gesagt, dass er froh ist.«

»Wo kann er sein? Wohin kann er gefahren sein?«

»Wahrscheinlich dorthin …«

»Er ist da gewesen, aber schon wieder weg«, sagte Ringmar. »Wir kommen von dort.«

Gustav Smedsberg sah erschöpft aus, oder schlimmer.

»Ich weiß es nicht«, sagte er. »Ich weiß nicht, wo er ist. Sie müssen mir glauben. Ich will auch nicht, dass … etwas passiert.«

»Kann etwas passieren?«, fragte Winter. »Was kann passieren? Sie haben ihn gesehen, Sie kennen ihn.«

»Ich kenne ihn nicht«, sagte Gustav Smedsberg. »Ich weiß ni…« Er sah Winter an und sagte: »Er … er hat was vom Fliegen geredet.«

»Fliegen? Wohin?«

»Ich weiß es nicht.«

»Von wo?«

»Das hat er nicht gesagt.«

»Von wo könnte es sein? Sie kennen ihn.«

»Nein, nein.«

»Sie haben ihn öfter getroffen als ich«, sagte Winter.

»Er hat mir nie etwas ... von alldem erzählt«, sagte Gustav Smedsberg und schaute auf. »Nichts. Aber ...«

»Aber?«

»Er wirkte ... unheimlich. Ich weiß nicht, wie ich das beschreiben soll. Als ob ... alles wieder da wäre. Ich kann es nicht erklären.«

Du brauchst es nicht zu erklären, dachte Winter.

»Wir fahren jetzt, aber einer der Polizisten bleibt bei Ihnen, und später schicken wir jemanden vorbei, der Ihnen hilft«, sagte er. »Wir unterhalten uns später weiter.«

Gustav schien ihn nicht zu hören. Er stand immer noch mitten im Zimmer, als sie ihn verließen. Auf dem Weg nach unten ging das Licht aus. Von draußen sah Winter Gustavs Silhouette am Fenster.

»Gustav hat mir was im Auto erzählt«, sagte Ringmar.

»Ja?«

»Aris Kaite war der falsche Zeitungsbote. Aris ist ihm gefolgt.«

»Warum?«

»Er hatte Gustav im Verdacht, dass er ihn niedergeschlagen hatte.«

»Er hat sich getäuscht.«

»Und er hat es in der Nacht bestätigt bekommen«, sagte Ringmar. »Er hat gesehen, wie der Alte versucht hat, seinen Sohn niederzuschlagen.«

»Hast du das mit Kaite schon überprüft?«

»Ja.«

»Herrgott. Wusste Gustav es?«

»Er hat nicht gesehen, wer es war. Aber Kaite hat es gesehen.«

»Und Gustav hat seinen Vater gesehen?«

»Ja, aber er hat ihn nicht erkannt.«

»Kaite hat es ihm also erzählt?«

»Ja.«

»Und er wollte ihm nicht glauben«, sagte Winter.

»Sehr kompliziert«, sagte Ringmar.

Sie gingen zum Auto.

»Wir fahren zu mir nach Hause und essen was«, sagte Winter. Er dachte an Angela.

»Hab ich Hunger?«, fragte Ringmar. »Gibt es noch solche Gefühle an so einem Tag?«

»Du darfst kochen«, sagte Winter.

»Baskisches Omelett?«, fragte Ringmar.

»Warum nicht.«

Winter telefonierte wieder mit Bengt Johansson, versuchte ihn zu beruhigen. Er hörte den dichten Verkehr unten vor der Wohnung, ein großer Kontrast zu gestern.

»Ich komme später kurz zu Ihnen, wenn Sie wollen«, sagte Winter.

»Ich hab vorhin mit Carolin gesprochen«, sagte Johansson. »Das hat gut getan.«

Aneta Djanali hatte Carolin Johansson noch einmal verhört, die aber keine weiteren Details wusste. Vielleicht hatten sie inzwischen die Videoaufnahmen gesehen. Aneta hatte noch nicht angerufen.

Sie aßen. Ringmar hatte die Tomaten zu dem Omelett diesmal anders geschnitten.

»Wir brauchen Fleisch«, sagte Winter.

»Wir brauchen eine Haushälterin«, sagte Ringmar. »Wir brauchen Frauen.«

Kochen ist im Augenblick nicht die Priorität, dachte Winter.

»Bist du müde, Bertil?«

»Nein. Du?«

»Nein.«

»Er könnte ans Meer gefahren sein«, sagte Ringmar. »Steht irgendwo am Strand.«

Winter hatte so viele Polizisten wie möglich losgeschickt, um die Küste abzusuchen.

Sie versuchten Landvetter und die kleineren Flugplätze zu überwachen. Winter glaubte nicht, dass Jerner eine Flugreise unternehmen würde. Mehr glaubte er an seine eigene.

»Wie viele Leute sind jetzt im Nordstan?«, fragte er.

»Nicht so viele bestimmt. Die Läden sind geschlossen.

Heute kein Kommerz. Aber unsere Jungs müssen das Ganze ja ordentlich durchsucht haben.«

»Dort hat er ... Micke mitgenommen«, sagte Winter. »Will er ihn dort auch wieder abliefern?«

»Da ist er nicht, Erik. Das Nordstan ist leer.«

»Er war häufig dort. Du hast ja einige seiner Filme gesehen. Ihm scheint es da zu gefallen.«

»Er ist nicht dort«, wiederholte Ringmar.

»Vielleicht gibt es etwas Besonderes, was ihn dorthin zieht?«, sagte Winter.

Ringmar antwortete nicht.

»Etwas, das wir nicht sehen«, sagte Winter. »Etwas, das er sieht, wir aber nicht?«

»Vielleicht verstehe ich, was du meinst«, sagte Ringmar.

»Wann machen die wieder auf?«, fragte Winter.

»Morgen um zehn. Dann fängt der Weihnachtsschlussverkauf an.«

»Ist morgen schon der zweite Feiertag?«

»Bald ist Weihnachten vorbei«, sagte Ringmar.

»Und ich hab noch nicht mal ein Weihnachtsgeschenk für dich gekauft, Bertil.«

»Für mich gilt leider dasselbe.«

Winter erhob sich vom Tisch.

»Moa hab ich auch nicht angerufen, dabei hab ich es versprochen.«

»Denk nicht dran«, sagte Ringmar. »Es hätte vermutlich nur noch mehr geschadet.«

»Könnte sein«, sagte Winter. »Kommst du mit?«

»Wohin?«

»Zum Nordstan.«

»Dort ist NIEMAND, Erik.«

»Ich weiß, ich weiß. Aber besser als hier rumzusitzen. Bengt Johansson wohnt ja in der Nähe auf der anderen Seite vom Bahnhof.«

In der Luft war wieder Schnee. Einige Leute auf den Straßen trugen aufgespannte Regenschirme. Winter fuhr langsam.

»Wenn Schnee fällt, sollte man keinen Regenschirm aufspannen«, sagte Ringmar. »Das passt irgendwie nicht.«

»Der alte Smedsberg hat uns erzählt, dass Carlström einen Pflegesohn hatte«, sagte Winter.

»Glaubst du, ich hab nicht dran gedacht?«

»Hätte er nichts gesagt, wir hätten Carlström vermutlich nie gefragt«, sagte Winter.

»Nein.«

»Und hätten immer noch nicht Jerners Identität.«

»Nein.«

»Die Frage ist also: warum?« Winter blickte Ringmar an. »Warum?«

»Ja.«

»Nun antworte schon. Du hast ja mit dem alten Smedsberg gesprochen.«

»Darüber nicht.«

»Aber du hast doch wohl eine Meinung dazu?«

»Durch die Gerichtspsychologie wird alles ans Licht kommen«, sagte Ringmar.

»Ich finde, wir haben schon ziemlich viel selbst ans Licht geholt«, sagte Winter.

»Das stimmt.«

»Der Vater hat genau dasselbe getan wie der Sohn«, sagte Winter. »Er hat uns Hinweise gegeben.«

»Mhm.«

»Alles dreht sich um Schuld«, sagte Winter.

»Gustavs Schuld? Welche Schuld?«

»Glaubst du nicht, dass der Sohn Schuldgefühle hat?« Winter sah Ringmar wieder an. »Wie lange, glaubst du, hat er keine empfunden?«

»Hm.«

»Genau wie alle anderen Jungs. Ihr Schweigen beruht auf ihrer Angst, dass ihr Freund wieder von seinem Vater geschlagen werden könnte oder noch was Schlimmeres passiert. Angst lässt Menschen schweigen.« Winter wechselte den Gang. »Und ... Scham führt auch zum Schweigen. Die jungen Männer haben sich geschämt, dass sie Gewalt ausgesetzt waren. Scham ... und Schock. Es ist wie bei Vergewaltigungsopfern.«

»Ja«, wiederholte Ringmar.

»Gustav hat uns zu seinem Vater geführt«, sagte Winter.

»Und der Vater hat uns vielleicht bewusst zu Carlström geführt und gehofft, wir würden die Richtung ändern und kapieren, um wen es wirklich ging. Wer wirklich schuld ist.«

Winter nickte.

»Schuld an allem«, sagte Ringmar und dachte an Mats Jerner und Micke Johansson.

»Glaubst du, dass Gustav es gewusst hat?«, fragte Winter. »Wusste er das von Mats? Von Mats und ... den Kindern.«

»Nein«, sagte Ringmar, »wir werden es ja erfahren, aber ich glaube es nicht. Für Gustav ging es um den Vater, den Alten.«

»Und für den alten Smedsberg ging es um ihn selbst«, sagte Winter. »Er hat sich in dem Augenblick indirekt selbst angezeigt, als er von Natanael Carlströms Pflegesohn erzählt hat.«

Sein Handy klingelte.

»Wir haben Magnus *Heydrich* gefunden«, sagte Halders.

»Äh ... wie bitte?«

»Bergort. Wir haben ihn.«

»Wo ist er?«

»*Safe and sound* im Untersuchungsgefängnis.«

»Hat er was gesagt?«

»Nein. Aber das soll uns ja gleich sein. Er ist schuldig. Daran gibt's doch keinen Zweifel?«

»Nein«, sagte Winter.

»Verdammter *chickenshit*«, sagte Halders.

»Was hast du gesagt, Fredrik?«

»Er hat sich nicht getraut, gegen eine Felswand zu fahren.«

Der Platz im Nordstan war von allem künstlichen Licht beleuchtet, das es gab. Drinnen glitzerte es still. Die Schilder der Warenhäuser und Läden warfen Schatten auf den Steinfußboden.

Das Nordstan war Ausbildungsplatz für alle *rookies*, die zur Göteborger Polizei kamen. Auch Winter hatte dort patrouilliert. Einige waren noch da, die er von seinen Patrouillen kannte, manchmal dort drinnen, manchmal draußen im Brunnsparken, auf ihre Weise *rookies*, Alkoholiker und Drogensüchtige, die einmal so jung wie er gewesen waren.

Er stand mitten auf dem Platz, den Kiosk mit der Touristeninformation im Rücken. Von hier aus wirkte das Licht von KappAhl und Åhléns und H & M und dem Akademiebuchladen warm, einladend. Im Augenblick sah er keine Wachen oder Polizisten. Er könnte der Einzige auf der Welt sein. Ulf Siléns Skulpturen von 1992 hingen über ihm, das Kunstwerk *Zwei Dimensionen*: Körper tauchten ins Wasser und sprangen, flogen durch die Luft und veränderten sich unter der Oberfläche, von Weiß zu Meergrün. Und zu anderen Formen, die ein Teil des Wassers wurden. Er hatte die hängenden Skulpturen eigentlich noch nie auf diese Weise gesehen, nie über sie nachgedacht, das tat bestimmt niemand von all den Tausenden, die hier täglich vorbeikamen, auf dem Weg in die Geschäfte und wieder heraus, vom und zum Hauptbahnhof durch den Fußgängertunnel. Das Kunstwerk wurde ein Teil des Platzes, und das war vermutlich auch beabsichtigt.

Er hörte Ringmars Stimme hinter sich: »Zwanzig Leute haben alle Kellerräume durchkämmt.«

»Okay.«

»Bist du hier fertig?«, fragte Ringmar.

»Wie spät ist es?«

»Nach elf.«

»Ich fahr zu Bengt Johansson«, sagte Winter.

»Ich fahr nach Hause«, sagte Ringmar.

Winter nickte. Es war Zeit für Ringmar nach Hause zu fahren.

»Aber vielleicht tauch ich heute Nacht wieder auf«, sagte Ringmar. »Falls ich nicht schlafen kann.«

»Wolltest du etwa schlafen?«

Bengt Johansson war ruhiger als früher.

»Es hat mir geholfen, mit Carolin zu reden«, sagte er. »Ich glaube, es hat ihr auch geholfen.« Er ging hin und her im Zimmer. »Sie kriegen mich nicht dazu, diese Filme anzuschauen.« Er hielt die Hände in Winters Richtung hoch. »Carolin hat gesagt, sie muss es tun, weil sie an allem schuld ist, wie sie sagte. Aber ich seh mir das Teufelszeug nicht an. Niemals.«

»Sie brauchen ... Micke nicht zu sehen«, sagte Winter. »Es geht um diesen Mann, der filmt. Vielleicht erkennen Sie etwas wieder.«

»Ich will nicht«, sagte Bengt Johansson.

Winter sah die Fotos von Micke an der Wand und auf dem Schreibtisch. Es waren noch mehr geworden, seit er zuletzt hier gewesen war.

»Ich möchte ein wenig von Micke erzählen«, sagte Bengt Johansson. »Alle Wörter, die er in der letzten Zeit gelernt hat. Wollen Sie sie hören?«

Winter saß mit dem Stadtplan von Göteborg und Karten von den Straßenbahnlinien da. Nach zwei war er von Bengt Johansson heimgekehrt. Das Auto stand auf dem Behindertenparkplatz vor seinem Haus, und er hatte sich auch behindert gefühlt, als er dort parkte.

Morgen würden sie versuchen, das feinmaschige Netz ihrer Suche zu erweitern, in erster Linie wollten sie der Drei folgen. Es war eine unendliche Arbeit. Er schlief über den Karten ein. Er träumte von einer Kinderstimme, die »Papa« rief und noch einmal »Papa«, aber entfernt, schwach und kein bisschen aufgeregt. Er erwachte im Sessel und schwankte ins Schlafzimmer, wo er aufs Bett fiel.

Er wurde von einem Geräusch wach und richtete sich mit einem solchen Ruck auf, der ihn selbst überraschte. Er sah auf die Uhr: halb zehn. Er hatte fünf Stunden geschlafen.

Niemand hatte ihn geweckt, niemand hatte angerufen. Er wusste, dass sie im Präsidium wussten, dass er vierundzwanzig Stunden lang gearbeitet hatte. Vielleicht wollten sie ihn vorm Zusammenbrechen schützen. Er musste fast lächeln. Aber das Handy? Wo war das? Er suchte im Schlafzimmer. Immer noch fühlte er sich schlafend. Er suchte in den anderen Räumen, in der Küche. Vom Anschluss in der Küche wählte er die Nummer. Kein Klingeln. Er fand das Handy im Bad auf dem Waschbecken, ausgeschaltet. Er konnte sich nicht daran erinnern, dass er es ausgeschaltet oder dorthin gelegt hatte. Warum hatte er das getan? Aber wenn etwas passiert wäre, hätte Halders, der jetzt Dienst hatte, bei ihm zu Hause angerufen. Es war also nichts passiert. Er hörte die Mailbox des Handys ab und stellte sich unter die kalte Dusche.

Beim Kaffeetrinken dachte er wieder ans Nordstan. Jerner war oft dort gewesen. Im Nordstan gab es normalerweise so viele Menschen, dass sie in der Masse verschwanden. Er sah auf die Uhr. Jetzt hatte es geöffnet.

Als er gehen wollte, rief Aneta Djanali an.

»Ellen Sköld hat einen Namen genannt.«

»Hast du wieder mit ihr gesprochen?«

»Ja, heute Morgen. Sie hat Gerda gesagt. Es muss Gerda gewesen sein.«

»Jerners Mutter«, sagte Winter.

»Er hat Ellen von ihr erzählt«, sagte Aneta Djanali.

Innerhalb des Komplexes waren zivilgekleidete Polizisten unterwegs, in der Postgatan, Götegatan, drinnen in den Warenhäusern. Alle Ein- und Ausgänge wurden überwacht.

Jetzt bewegten sich dort Menschen. Der Weihnachtsschlussverkauf des zweiten Feiertages explodierte in allen Gesichtern. Winter kam kaum voran, als er über den Nordstanstorget ging. Gestern war er hier allein gewesen auf der Welt, jetzt waren Tausende unterwegs.

Vor dem Zeitungsladen hingen schrille Schlagzeilen.

Ringmar stand wie verabredet vor H & M.

»Hast du ein bisschen geschlafen, Erik?«

»Ja, aber gegen meinen Willen.«

»Ich hab mit Martin gesprochen«, sagte Ringmar.

»Das wurde aber auch Zeit.«

»Er will, dass wir uns treffen.«

»Und was sagt er sonst?«

»Dass er nie darüber hinweggekommen ist, dass ich ihn einmal verhauen habe. Ein einziges Mal, bestimmt nur das eine. Aber er hat gesagt, es ist immer stärker geworden.«

»Hast du es denn getan?«

»Ihn verhauen? Nicht in dem Sinn.«

»Was für einen anderen Sinn gibt es denn noch?«

»Ich habe ihn nicht geschlagen«, sagte Ringmar und Winter sah die Erleichterung in seinem Gesicht, dem Gesicht eines unschuldigen Mannes. Ich habe nicht einmal *das* getan, wollte Ringmar sagen.

»Wo ist er?«, fragte Winter, während er die Leute beobachtete.

»In New York.«

»In New YORK?«

»Ja. Er hat diese verdammte Sekte verlassen, der er angehört hat.«

»Deprogrammiert?«

»Er hat es offenbar allein geschafft.« Ringmar sah Winter an. »Vielleicht ist das erst der Anfang. So was braucht ja seine Zeit.«

»Was macht er?«

»Arbeitet in einem Restaurant.«

»Kommt er nach Hause?«

»Nächste Woche.«

»Wann kommt Birgitta zurück?«, fragte Winter und sah den Mann, der dort hinten auf dem Boden zwischen vorübereilenden Menschen saß.

»Sie ist schon zu Hause, Moa auch.«

»Wer hat den Gitarristen verhört?« Winter nickte zum Mittelpunkt des Platzes.

»Was? Welcher Gitarrist?«

»Wer ist der GITARRIST?«, wiederholte Winter und machte einen schnellen Schritt vorwärts, stieß mit einer Frau zusammen, entschuldigte sich und pflügte sich weiter voran wie ein Rugbyspieler zwischen rempelnden Verteidigern, und er erreichte den Gitarristen, der schräg unter den hängenden und wirbelnden Körpern der *Zwei Dimensionen* saß und etwas klimperte. Winter kam von hinten, sah die karierte Kappe und wusste, dass es möglich war und dass sich jeder auf diese Weise wer weiß wie lange verstecken konnte. Es war eine verdammt geschickte Verkleidung, eine öffentliche Verkleidung, und seine Hand zitterte, als er sie nach der Gestalt ausstreckte, die einen Akkord griff. Winter zog ihm die Mütze vom Kopf und sah auf schwarzes Haar und ein erschrockenes fremdes Gesicht, das sich ihm zuwandte.

»Entschuldigung«, sagte Winter.

Niemand schien es gesehen zu haben. Der Gitarrist hatte kein Publikum. Er erhob sich, nahm sein leeres Gitarrenfutteral und seine Gitarre und ging.

Über Winter schwebten die Skulpturen. Er machte einen Schritt rückwärts und betrachtete die Decke, die sich von den Arkaden im Norden bis zum Platz hinzog. Vier riesige Ventilationstrommeln waren unter der Decke angebracht, wie begehbare Tunnel. Er folgte ihnen mit Blicken. Sie mündeten vor dem Kunstwerk. Durch das runde Dachfenster war der Himmel zu sehen. Die obersten Figuren waren von Spiegeln umgeben. Sie bildeten ein kreisrundes Prisma, das die Schilder der umliegenden Geschäfte spiegelte. Er sah die Bewegungen der Menschen wie schnelle Reflexe. Die weißen Körper der Skulpturen waren nackt, auf dem Weg vom Himmel zur wasserbedeckten Erde. Er hatte sie gestern zum ersten Mal betrachtet. Er war der Einzige, der nach oben schaute. Lange genug, und die Leute würden aufmerksam werden und auch nach oben schauen.

Die Körper waren an durchsichtigen Seilen aufgehängt und in ihren Bewegungen gleichsam erstarrt.

Einer sprang.

Einer tauchte.

Jetzt sah er ihn.

Dort oben hing ein weiterer Körper.

Den hatte er gestern nicht gesehen.

Weiß wie die anderen, weiß wie Schnee.

Jerners Züge waren erstarrt wie die der anderen. Er war in einer erfrorenen Bewegung auf dem Weg in den Himmel.

Er hatte Arme und Beine an Seilen befestigt, die er mitgenommen hatte auf dem Weg durch das Ventilationssystem.

Das letzte Seil hatte er sich um den Hals geschlungen.

Dann hatte er sich fallen lassen.

All das konnte er sich in Sekundenschnelle zusammenreimen.

Winter schloss die Augen und schaute wieder hin. Jerner hing immer noch da in seinem toten Fall. Er flog, wie er zu seinem Bruder gesagt hatte, flog auf seine eigene Weise. Winter sah sich um, und er sah, dass er der Einzige war, der *sah*. Bertil war im Menschenmeer verschwunden.

Winter schaute wieder nach oben, er konnte sich nicht dagegen wehren. Neben Jerners linker Schulter sah er im Spiegelbild H & M. Der Spiegel krümmte sich auf eigentümliche Weise, sodass er das Kleiderkarussell drinnen im Laden sehen konnte. Ein kleines Rad blitzte im Spiegel auf und etwas, das ein Seil, ein Stativ sein konnte, etwas, mitten im Karussell. Winter drehte sich um und stürzte sich durch die Menschenmasse und stürmte zu den Kleidern, die im Halbkreis davonflatterten, und zum Wagen, der dort stand. Mickes Kopf war in einem grauenerregenden Winkel geneigt, ein kleiner Arm hing schlaff an der Seite herunter und der Puls schlug nicht mehr, und Winter wusste, dass es ihm gelungen war, den Täter zu finden und dass er trotzdem zu spät gekommen war.

Im Flugzeug behielt er die Lederjacke an und die Sonnenbrille auf. Jemand sang, als sie in den schwarzen freundlichen Himmel abhoben. Jemand lachte. Er hatte sich die Ohrstöpsel des tragbaren CD-Spielers in die Ohren gesteckt und schloss die Augen. Allmählich kam der Getränkewagen bei ihm an, und er bat um vier der lächerlich kleinen Whiskyflaschen. Dann steckte er die Ohrstöpsel wieder zurück und trank und versuchte an nichts zu denken, aber es gelang ihm nicht. Er weinte hinter seinen Brillengläsern. Die Frau neben ihm wandte sich ab. Er hörte die Musik, und Miles Davis' Trompete verjagte für eine Stunde alles. Er bestellte mehr Whisky.

Er hörte eine Stimme und öffnete die Augen. Angela stand über ihn gebeugt zusammen mit jemandem in Flughafenuniform. Es waren keine Motorengeräusche mehr zu hören. Er hob einen Arm, um sich zu schützen.

»Du bist jetzt da, Erik.« Vorsichtig nahm sie seinen Arm. »Du bist hier bei uns.«